Sous la direction de
Claude-Jean BERTRAND

Médias

Introduction à la presse,
la radio et la télévision

Deuxième édition

Emmanuel DERIEUX, Gilles FEYEL,
Christine LETEINTURIER, Jean-Pierre MARHUENDA,
Henri PIGEAT, Rémy RIEFFEL,
Nadine TOUSSAINT-DESMOULINS, Thierry VEDEL

ISBN 2-7298-4989-0

© Ellipses Édition Marketing S.A., 1999
   32, rue Bargue 75740 Paris cedex 15

Préface

Ce livre est un manuel. Aux États-Unis, où l'enseignement de la communication sociale est le plus ancien et le plus développé, de tels manuels sont nombreux. En France, jusqu'en 1995, quand parut celui-ci, il n'y en avait pas. Toutefois, cet ouvrage n'est pas réservé aux étudiants : il s'agit bien d'une introduction aux médias, pour tout lecteur.

Sa première originalité, c'est qu'elle a été réalisée par une équipe. Celle-ci se compose d'un historien, de deux juristes, de deux sociologues, d'une économiste et de spécialistes reconnus de la déontologie, des nouvelles technologies et des échanges internationaux. En elle se reflète la diversité des enseignements données à l'Institut français de presse (université de Paris II).

Le but a été de présenter un tableau d'ensemble, simple et clair, des médias. Tout le monde les utilise mais peu de gens les connaissent bien. Ce qui a été recherché, c'est non pas de faire une somme, un livre de référence, mais un livre court, facile à lire — quoique bien fourni en informations.

Ce parti pris a conduit à se limiter aux médias dans l'acceptation banale : journaux et magazines, radio et télévision — alors que la plupart des manuels étatsuniens, qui sont bien plus épais, traitent du cinéma, des phonogrammes et du livre.

Par principe, je tenais que ce livre ne soit pas étroitement hexagonal, qu'il présente une vue globale, et au moins européenne. Mais cela n'a pas toujours été possible, en partie faute de place, pour l'histoire en particulier. Il a parfois fallu sacrifier le souci de faire international à l'obligation de faire utile et bref. La première édition du manuel comportait des fiches, d'une page chacune, présentant les systèmes médiatiques de trente-deux pays. Elles sont été retirées parce que des données de ce genre, sèches et compactes, ne sont utiles qu'aux experts, et aussi parce qu'elles vieillissent trop vite dans un monde médiatique en rapide transformation.

Depuis le milieu des années 1970, une révolution est en cours dans le monde des médias. Les années 1990 ont connu un grand bond en avant, grâce à la numérisation progressive de tous les appareils et à l'expansion énorme d'un hybride de l'imprimé et de l'électronique, Internet. Le nombre des Allemands utilisant l'Internet est passé de 200 000 à 7 millions entre 1996 et 1999. L'information est devenue la principale matière première et le principal produit transformé. Pour le commun des mortels, il s'agit des nouvelles et des divertissements que lui donnent les médias traditionnels : à la fin du millénaire, on estimait qu'à peine plus de 2 % de la population mondiale avait accès au cyberespace. Mais on savait qu'Internet allait bientôt devenir le quatrième vecteur de la télévision.

Les médias assurent une fonction cruciale et bénéfique dans la société humaine. Il faut donc qu'ils soient au service des citoyens. Or, ils sont maintenant devenus presque tous commerciaux. Le danger est qu'ils servent uniquement leurs actionnaires. Or, ceux-ci s'intéressent avant tout aux dividendes. Dans la lutte pour éviter cet asservissement, les journalistes ont un rôle à jouer, mais aussi les usagers.

Les gens de médias doivent adapter leurs impératifs professionnels à la nouvelle technologie, puis opposer ces valeurs aux dérives des médias. Et il leur est nécessaire d'obtenir la confiance et l'appui du public par leur compétence dans le traitement de l'information. Pour ce faire, ils ont besoin d'une excellente formation — y compris une formation en déontologie.

Quant aux usagers, ils doivent intervenir fermement afin que la révolution se fasse à leur profit. Directement, ils doivent se mobiliser contre les abus des médias et pour soutenir les professionnels. Indirectement, ils doivent faire voter des lois et règlements, par exemple, contre une concentration excessive de la propriété des médias ou pour protéger la vie privée des gens. En république, les citoyens possèdent la puissance nécessaire mais, pour la mettre en œuvre, ils ont besoin de bien connaître les médias.

Claude-Jean Bertrand

Sommaire

3e partie – Société et médias

4e partie – Métiers et formation

Les auteurs

Claude-Jean BERTRAND, agrégé d'anglais, docteur d'État, professeur émérite à l'IFP. A enseigné aux universités de Strasbourg et Nanterre, ainsi que dans plusieurs facultés de journalisme américaines. Parmi les livres qu'il a écrits ou dirigés : *The British Press* (1969), *Les Médias aux États-Unis* (1974, 5e éd. 1997), *Les États-Unis et leur télévision* (1989), *La Déontologie des médias* (1997, traduit aux États-Unis et au Brésil), *Les Médias en Grande-Bretagne* (1998), *L'Arsenal de la démocratie* (1999).

Emmanuel DERIEUX, docteur en droit, professeur de droit de la communication à l'IFP, auteur de *Cuestiones ético-juridicas de la informacion* (1983), de *Droit de l'information* (1986) et de *Droit de la communication* (1991) ainsi que de plusieurs recueils de textes juridiques ; coauteur de *La Presse quotidienne française* (1974). Il collabore à la rédaction de la revue *Légipresse*.

Gilles FEYEL, agrégé d'histoire, docteur d'État, professeur à l'Institut français de presse. Toutes ses recherches, et sa thèse, ont été consacrées aux conditions de production et de réception de la presse française depuis le XVIIe jusqu'au XIXe siècle.

Christine LETEINTURIER, diplômée de l'Institut national des techniques de documentation, docteur en information-communication, actuellement maître de conférences à l'IFP dont elle a dirigé le centre de documentation (1975-1990). Auteur d'un *Dictionnaire multimédia* (1990) et de *Communication et Médias : guide des sources documentaires* (1991).

Jean-Pierre MARHUENDA, docteur en sociologie, chercheur à l'ORTF, actuellement maître de conférences en sociologie à l'IUT de l'Université de Paris V où il dirige le Département d'information-communication. Il est chargé de cours à l'IFP et coauteur de *Communication et Entreprises* (1991).

Henri PIGEAT, ancien élève de l'ENA, président de l'agence France-Presse de 1976 à 1986, a été membre des conseils d'administration d'Europe 1, de RMC, de la Sofirad et de TDF. Professeur associé à l'IFP, président de l'International Institute of Communication depuis 1994, il est l'auteur de *Du téléphone à la télématique* (1981), *La Télévision par câble commence demain* (1983), *Le Nouveau désordre mondial de l'information* (1987), *Les Agences de presse* (1997) et *Médias et déontologie* (1997).

Rémy RIEFFEL, ancien élève de l'ENS de Saint-Cloud, agrégé de lettres, docteur d'État en sociologie, professeur de sociologie à l'IFP, dont il a été directeur de 1994 à 1999. Spécialisé dans l'étude des professionnels de la communication et dans celle du milieu intellectuel, il a publié *L'Élite des journalistes* (1984), il est le coauteur de *Les Journalistes français en 1990* (1992) et l'auteur de *La Tribu des clercs* (1993).

Nadine TOUSSAINT-DESMOULINS, diplômée de l'IEP de Paris, docteur d'État en économie, professeur à l'IFP, elle a été élue directrice de l'IFP en 1999. Auteur de *L'Économie des médias* (3e éd., 1991), elle a participé à de nombreux ouvrages collectifs, et dirigé plusieurs rapports pour des institutions européennes, sur l'économie et la gestion des médias.

Thierry VEDEL est politologue, chargé de recherche au CNRS. Ancien élève de l'ENS de Cachan, diplômé de l'IEP, il possède une maîtrise de sciences économiques, un DEA en sciences politiques et un autre en sciences de la communication. Après de nombreux travaux sur les publics des nouveaux médias, il effectue des recherches sur la démocratie électronique. Il enseigne à l'IEP et à l'IFP. Il est coauteur de *La Télévision de demain* (1993).

COMMUNICATION ET MÉDIAS

Rémy Rieffel

Chapitre 1

Notions et modèles

Les « sciences de l'information et de la communication » (SIC) dont la dénomination date en France de 1975, sont loin de former une discipline cohérente et unifiée. Le pluriel (« Les sciences ») et le double vocable (« information et communication ») témoignent de l'imprécision du secteur dans lequel œuvrent des spécialistes d'horizons très divers, venus du droit, de l'économie, de l'histoire, de la linguistique, de la psychologie, de la sociologie, etc. Les différences de méthode, de sensibilité et de langage ajoutent encore à cette ambiguïté et découragent *a priori* toute tentative de synthèse. Les SIC se situent par conséquent au carrefour de multiples influences et ne sauraient constituer une science au même titre que les mathématiques ou les sciences physiques : elles apparaissent plutôt comme une interdiscipline en voie de constitution, oscillant entre recherche théorique et application pratique sans pouvoir, pour l'instant, jouir d'une reconnaissance assurée.

La jeunesse et la fragilité de cette interdiscipline ne facilitent guère, on s'en doute, l'élaboration de notions et de modèles théoriques unanimement acceptés qui permettraient aux chercheurs de construire patiemment un ensemble de concepts universels, afin de faire progresser les connaissances et de mieux saisir les mécanismes qui gouvernent l'information et la communication dans nos sociétés. La difficulté est redoublée par le fait que nous baignons dans une société où la presse, la radio, la télévision, le cinéma, les télécommunications jouent un rôle de plus en plus important dans notre vie quotidienne et qu'il nous est, par conséquent, très malaisé de prendre le recul nécessaire pour étudier leur fonctionnement et leur influence avec objectivité.

Nous sommes, que nous le voulions ou non, acteurs et témoins de cette montée en puissance de la communication depuis quelques décennies. Or quoi de commun entre l'écoute d'une émission de jeux à la radio et l'écriture d'un poème ? Entre une conversation entre amis et le discours d'un homme politique à la télévision ? Rien, si ce n'est qu'il s'agit à chaque fois d'un acte de communication qui recèle une certaine part d'information. On le constate, si l'on souhaite un tant soit peu y voir clair dans le secteur des « sciences de l'information et de la communication », il convient impérativement de se mettre d'accord sur le sens des mots que l'on emploie, ou du moins, de proposer un essai de définition pour limiter au maximum les risques de confusion, et donc d'incompréhension.

Les notions et les modèles utilisés par les spécialistes des différentes disciplines qui concourent à l'émergence des sciences de la communication ont évidemment derrière eux une longue histoire. Mais le risque est grand, à s'en tenir à une généalogie de ces notions, de les ramener à un processus linéaire et cohérent alors qu'elles sont le fruit de dynamiques sociales complexes et variables selon les époques. Elles résultent en fait d'un travail multiforme d'emplois et de réemplois, de détournements et de rectifications qui évoque davantage l'enchevêtrement que la sédimentation ordonnée. Dit d'une autre manière, il n'existe pas de définition unique de l'information ou de la communication qui aurait la force intrinsèque de la vérité, mais simplement des tentatives, plus ou moins réussies, d'approcher au plus près la réalité observée par une série d'explications et de schématisations successives.

Ces différents rappels étaient nécessaires pour souligner que les définitions qui vont être proposées ici ne prétendent pas rendre compte de tous les aspects des phénomènes, mais seulement servir de cadre à une bonne compréhension des chapitres suivants, où elles seront parfois réutilisées. L'objectif étant également, à travers ce chapitre à vocation analytique, de montrer la richesse et la diversité des réflexions qui ont été menées dans le domaine de la communication et de l'information.

DÉFINITIONS

❏ Communication

Le mot « communication » fait partie de ces notions fourre-tout qui possèdent une extension très grande : la communication peut en effet être aussi bien humaine, animale que végétale ou mécanique. La danse des abeilles devant la ruche, la réaction d'un baromètre aux variations atmosphériques, les cris d'un nouveau-né devant sa mère, etc., sont autant de cas de figure qui s'apparentent à un processus de communication. Celui-ci implique, on le voit, nécessairement une relation entre deux entités. La vie de manière générale, n'existe que grâce aux échanges qui s'établissent entre les éléments constitutifs du corps et des organismes vivants.

L'extrême étendue des significations du terme explique que l'on puisse l'utiliser en biologie (la communication entre les cellules), en neurologie (la communication du cerveau avec d'autres organes), en informatique (la communication entre l'homme et l'ordinateur), mais aussi en linguistique (la communication par la parole), en sociologie (la communication au sein d'une collectivité ou d'une société) ou dans bien d'autres disciplines encore.

La communication, c'est étymologiquement l'action de « rendre commun, d'être en relation avec » (du latin *communicare*) : le terme apparaît, semble-t-il, pour la première fois dans la langue française au XIVe siècle et il est alors proche de « communion », « partage », « participation ». À partir du XVIe et surtout du XVIIe siècle, il devient synonyme d'« accès », de « passage » : cette nouvelle acception est liée au développement des moyens de transport, des chemins, des routes et des canaux (les voies de communication). Au XIXe siècle enfin, en raison de l'essor des outils modernes de communication engendrés par les progrès technologiques (le train, le télégraphe, etc.), ce second sens de « transmission » paraît peu à peu l'emporter. Il faut attendre la deuxième moitié du XXe siècle cependant pour que le mot « communication » s'applique véritablement aux médias tels que les industries de la presse, du cinéma et de la radiotélévision.

À ce premier stade de l'analyse, il est donc possible de proposer une définition minimale de la notion. La communication *est ce qui permet d'établir une relation entre des personnes, entre des objets ou entre des personnes et des objets.* Elle désigne soit *l'action de communiquer,* soit *le résultat de cette action.* Ce qui est communiqué est, soit matériel (des documents, des données, etc.), soit immatériel (des idées, des sentiments, etc.). Cette transmission et cet échange se réalisent essentiellement par des signes (la vue) et par des sons (l'ouïe) : ils nécessitent la présence d'un émetteur, d'un message et d'un récepteur.

La communication, en tant que telle, peut s'exercer à plusieurs niveaux ou, du moins, répondre à plusieurs types de situation. On procède généralement à trois séries de distinction : la communication verbale / non verbale ; la communication intrapersonnelle / interpersonnelle ; la communication de groupe / la communication de masse ou médiatisée.

— La communication verbale est celle qui fait appel à l'usage de la parole et de l'écrit. Lorsque nous nous adressons à quelqu'un, nous utilisons des mots et des phrases susceptibles d'être compris par notre interlocuteur. De même, lorsque nous écrivons une lettre ou rédigeons une dissertation ou un article.

— La communication non verbale, comme son nom l'indique, repose sur des gestes, des mimiques, qui traduisent nos émotions et nos réactions. Nous passons notre temps à sourire ou à grimacer, à applaudir ou à siffler ; nous serrons la main d'un ami, nous levons le doigt pour répondre à une question, etc. Précisons d'emblée que la communication non verbale, qui a été notamment analysée avec soin par les chercheurs de l'école de Palo Alto et de ses représentants ne sera pas traitée dans cet ouvrage. Non pas parce qu'elle serait inintéressante ou anecdotique, mais parce qu'elle ne fait pas intervenir un instrument ou un support de communication quelconque, comme on le précisera un peu plus loin.

— La communication intrapersonnelle ne concerne qu'une seule personne : celle-ci réfléchit pour elle-même, voire se parle à elle-même, avant de parler ou d'écrire à autrui. Cet aspect du phénomène de communication est évidemment difficile à étudier puisqu'il n'est pas exprimé et demeure latent. Seul un psychanalyste est à même de s'y attacher.

— La communication interpersonnelle implique nécessairement, au minimum, deux personnes qui échangent des propos : elle s'applique donc à une communication entre un petit nombre d'individus dans des situations variées (en face à face ou en cercle restreint). Plus le lien entre ces personnes est étroit, plus la communication sera intense.

Communication intrapersonnelle et communication interpersonnelle, comme on le voit, restent limitées aux personnes et ne font pas intervenir, à ce stade du moins, un support de communication véritable. Leur étude est davantage du ressort de la psychologie que de celle des médias : c'est la raison pour laquelle elles ne seront pas abordées dans le cadre de ce manuel.

— La communication de groupe est une communication interpersonnelle qui s'étend à un nombre plus important de personnes : il peut s'agir aussi bien d'une réunion de travail entre collègues de bureau que d'un dialogue entre un professeur et ses étudiants. Ces deux exemples montrent que le degré d'implication des individus est variable : certains sont très actifs, d'autres plus passifs ; certains suivent attentivement, d'autres décrochent de temps en temps ou rêvassent. La communication de groupe est surtout étudiée par des psychosociologues qui s'intéressent aux relations d'autorité et d'obéissance, aux sentiments d'amitié ou d'antipathie. Elle concerne de près le domaine des médias puisque de nombreux travaux ont cherché à rendre compte de la manière dont, par exemple, la radio ou la télévision pouvaient influencer les individus réunis dans un groupe ou dans une organisation. Il est, dans ce cas, très précieux de savoir comment se forgent les liens entre les individus rassemblés dans une petite collectivité.

— La communication médiatisée se situe encore à un autre niveau. Elle est constituée par le processus qui permet à un ou plusieurs émetteurs, ou encore à un émetteur collectif de diffuser des messages au moyen d'un dispositif technique (texte imprimé, écran, micro) vers un ou plusieurs récepteurs. Dans cette acception, « médiatisée » (en opposition à « immédiat ») signifie qu'on se sert d'un instrument de médiation c'est-à-dire d'un outil technologique donné.

— La communication dite de masse sera, quant à elle, un processus par lequel des communicateurs professionnels utilisent un support technique pour diffuser des messages, de manière ample, rapide et continue afin de toucher une large audience. Elle présente donc un certain nombre de caractéristiques supplémentaires par rapport à la communication de groupe. Du côté de l'émetteur, il faut non seulement qu'il y ait des professionnels de la communication, mais aussi que ceux-ci aient un accès privilégié à l'information, disposent de moyens organisationnels et économiques (un organe de presse, une chaîne de télévision, etc.) et de « machines » à communiquer (caméras, studios ou imprimeries). Du côté des récepteurs, il faut que l'audience soit composée d'un grand nombre de récepteurs anonymes (ils peuvent être quelques centaines, quelques milliers, quelques millions et ne se connaissent pas), géographiquement dispersés (au niveau local, régional, national ou international) et que la circulation des messages diffusés soit aléatoire. La *communication de masse* est donc une forme de la *communication médiatisée*.

❑ Médias

Les médias (terme issu de l'anglais *medium*, pluriel *media*, c'est-à-dire moyens) sont, de manière générale, définis *comme des supports techniques servant au travail de transmission des messages à un ensemble d'individus épars.* Ce sont, en quelque sorte, des machines que l'on introduit dans le processus de communication pour reproduire l'écriture de l'être humain (l'imprimerie) ou pour donner une extension aux sens de la vue et de l'ouïe (télévision, radio, film, etc.). Les médias peuvent se répartir, *grosso modo,* en trois catégories :
— les *médias imprimés* (livres, journaux, magazines, affiches ;
— les *médias de films* (photographie et cinéma proprement dit ;
— les *médias électroniques* (radio, télévision, téléphone, magnétoscope, vidéotex, fax, ordinateur, CD-Rom, Internet, etc.).

Il apparaît clairement que, depuis quelques années, les médias s'adressent à un public de plus en plus ciblé. Certains journaux américains, par exemple, outre l'édition traditionnelle sur papier, proposent également à leurs lecteurs une édition téléphonique ou une édition par fax. Ils touchent donc tantôt une vaste audience, tantôt un public assez restreint.

La notion de *mass media* ou de *médias de masse* semble du coup de moins en moins pertinente pour rendre compte de la diversification des supports. On entend habituellement par cette expression *les outils techniques qui servent à la transmission des messages entre des communicateurs professionnels et une large audience.* Dans cette optique, le téléphone, l'ordinateur personnel ou le fax par exemple, ne peuvent pas *a priori* se ranger dans la catégorie des médias de masse puisque, d'une part, l'échange ne repose que sur deux ou sur un petit nombre de personnes et que d'autre part, l'émetteur n'est pas nécessairement un professionnel de la communication. Mais il est possible, il est vrai, de se relier par le biais de l'ordinateur à un réseau de communication qui touche une audience plus large.

Quoi qu'il en soit, on considère généralement que les *médias de masse* sont constitués essentiellement par les livres, les magazines, les journaux, les affiches, le cinéma, la radio et la télévision sous les formes hertzienne, câblée, satellitaire. Mais, répétons-le, cette notion, judicieuse dans les années 1960 ou 1970, a aujourd'hui perdu de son intérêt face à l'extension des instruments de communication liés à l'utilisation de l'électronique et de l'informatique.

Pour des raisons de commodité (afin que ce manuel reste d'une taille raisonnable) et par choix méthodologique, les médias seront entendus ici *comme des supports de transmission, soit servant au travail de sélection et de médiation des messages qui ont une proximité immédiate avec l'actualité et qui sont liés à une certaine périodicité* comme le journal, la radio et le téléviseur (les messages diffusés sur ces supports sont alors fournis par des organismes d'information tels que les agences, les radios, les télévisions et les annonceurs) ; *soit fournissant des stocks ou des flux d'information pouvant faciliter l'interactivité entre l'émetteur et le récepteur* comme le vidéotex, le micro-ordinateur, le magnétoscope, le CD-Rom, etc. En seront donc exclus le livre, l'affichage, la photographie, le disque et le cinéma.

❑ Information

Si la *communication* est un échange, une relation et donc un *processus* (le comment ?) ; si les *médias* sont un *moyen* et un *relais* (le par où ?) ; *l'information*, pour sa part, exprimera le *contenu* de l'échange (le quoi ?) entre l'émetteur et le récepteur.

Le mot « information » est un dérivé d'« informer », lui-même issu du latin *informare* qui signifie « donner une forme ». Selon les spécialistes, il est apparu au XIIIe siècle et son emploi se restreint, à cette époque-là, à la terminologie du droit : il est synonyme « d'enquête avec déposition écrite des témoins ». À la veille de la Révolution et parallèlement à l'apparition des premiers quotidiens imprimés, sa définition s'élargit au sens de « s'informer, se renseigner ». Au XIXe siècle, sous l'effet de la révolution industrielle qui affecte la presse écrite, information évoque de plus en plus le terme informer défini comme le fait de « rendre public », de diffuser de l'information. Enfin, avec l'invention de la radio et de la télévision, il désignera de plus en plus le contenu lui-même (« ensemble des renseignements obtenus par quelqu'un »).

L'information, jusqu'au début de notre siècle, ne pouvait donc être appréhendée en dehors de sa manifestation écrite. Les bouleversements technologiques récents modifient cette conception. On prend conscience que l'information est une entité spécifique, autonome de l'écrit, qui peut également être véhiculée par les ondes hertziennes ou par le câble et que, devenue une unité quantifiable, elle appartient aussi au vocabulaire de l'informatique, de la biologie, de la linguistique, des télécommunications (en tant qu'ensemble de signaux codés).

L'information sera par conséquent comprise ici *comme un stock de données (messages, signaux, symboles) qui est transformé par le processus de communication.* Cette communication permet à l'être humain de créer des significations nouvelles, d'interpréter les messages et de transformer les idées et les connaissances en dialoguant avec autrui.

MODÈLES

Le phénomène de communication médiatisée a donné lieu à l'élaboration d'un nombre impressionnant de modélisations, autrement dit de schémas simplificateurs qui essaient de décrire, de comprendre et d'expliquer la circulation des messages et des symboles. Un modèle est, en effet, une description et une représentation schématiques, systématiques, et simplifiées d'une partie du réel, proposées au moyen de signes, de formes géométriques ou graphiques et de mots, en vue de rendre compte de la complexité des phénomènes observables. Mathématiciens, linguistes, sociologues, etc., ont ainsi, depuis plus d'un demi-siècle, mis sur pied des théories de la communication dont certaines ont exercé une grande influence.

On a choisi ici de retenir quatre d'entre elles, pour des raisons bien précises : d'un côté, elles traduisent parfaitement, d'un point de vue historique, les progrès successifs accomplis dans la compréhension de la communication médiatisée ; de l'autre, elles présentent un degré de généralisation suffisant pour illustrer à elles seules le foisonnement et la diversité des explications proposées tout au long de ces cinquante dernières années.

Ces quatre théories de la communication qui peuvent souvent être résumées par un modèle, sont toutes — mais cela n'est pas vraiment une surprise — d'origine anglo-saxonne : nul n'ignore que c'est aux États-Unis que la recherche en matière de sciences de la communication et de l'information est la plus dense et la plus vivante, bien que la Grande-Bretagne, l'Allemagne, voire les pays nordiques ou la France puissent parfois soutenir la comparaison. Il s'agit donc du modèle de Lasswell (1948), de Shannon (1948 également), de Hiebert, Ungurait et Bohn (HUB en 1974) et enfin du modèle interactif (les années 1990). Les deux premiers sont représentatifs de la conception *linéaire* ; les deux suivants de la conception *circulaire,* de la communication.

❑ Le modèle linéaire de la communication

➢ LE MODÈLE LINÉAIRE DE HAROLD D. LASSWELL (1948)

Lasswell, qui fut avant tout un spécialiste de sciences politiques, s'est d'abord intéressé aux effets de la propagande politique dans les années 1920-1930 aux États-Unis. Il est l'un des premiers chercheurs à s'être ensuite penché sur le problème de la communication de masse et à avoir essayé de décrire l'acte de communication sous forme d'un modèle universel. Son schéma explicatif s'inscrit dans ce qu'on appellera le « modèle linéaire de la communication » qui a longtemps été dominant dans les études sur l'influence des médias.

Dans cette conception, la communication s'établit toujours dans le même sens, partant de l'émetteur pour aller vers le récepteur (ce dernier étant perçu comme un individu essentiellement passif) : la transmission des messages est unidirectionnelle.

Le processus de communication peut, selon Lasswell, se réduire à cinq questions, inspirées par celles, plus nombreuses, qu'Aristote, puis Quintilien, utilisaient pour former les orateurs (qui, quoi, où, avec quelle aide, pourquoi, comment, quand ?) :

Qui ?	→	Dit quoi ?	→	Comment ?	→	À qui ?	→	Avec quel effet ?
(Émetteur)		(Message)		(Média)		(Récepteur)		(Effet)
Analyse du contrôle des organisations		Analyse du contenu		Analyse des médias		Analyse des auditoires		Analyse des effets

La question *qui ?* renvoie à l'émetteur et à l'étude des facteurs qui motivent l'acte de communication. Il peut s'agir aussi bien d'un seul individu que d'une entreprise médiatique dans son ensemble. Elle conduit donc à analyser le statut, le profil et le rôle de ceux qu'on appelle aujourd'hui les « communicateurs ».

La question *dit quoi ?* se rapporte au message proprement dit c'est-à-dire à l'analyse du contenu que les linguistes et les sémiologues ont notamment développée durant les années 1960 et 1970.

La question *comment ?* se rapporte au média lui-même (presse, radio, télévision, etc.) en tant que canal de transmission des messages. Elle suppose l'analyse de son fonctionnement et de son influence éventuelle sur la réception du message lui-même.

La question *à qui ?* correspond au récepteur des messages et conduit à examiner les caractéristiques de l'audience des médias selon les variables traditionnelles telles que le sexe, l'âge, la catégorie socioprofessionnelle, le lieu d'habitation, etc.

La question avec *quel effet ?* est celle qui a donné lieu au plus grand nombre de travaux puisqu'elle invite à comprendre quelle est l'influence exacte des médias sur les récepteurs. Le débat entre les partisans des « effets puissants » et ceux des « effets limités » a, pendant longtemps, alimenté de nombreuses controverses et il n'est pas encore achevé à l'heure actuelle (voir, à ce sujet, le chapitre 12 sur « Les effets des médias », p. 191).

Le schéma de Lasswell présente cependant quelques défauts : il limite la communication à un processus de persuasion qui ne tient pas compte du contexte, c'est-à-dire des situations concrètes dans lesquelles il s'effectue, et il oublie d'analyser le phénomène de *feed-back*, ou « rétroaction », autrement dit le rôle véritable du récepteur, le décodage personnel qu'il opère et la capacité de réponse de ce dernier vers l'émetteur.

➤ LE MODÈLE LINÉAIRE DE CLAUDE-ELWOOD SHANNON (1948)

Le modèle de transmission de l'information élaboré par Shannon, qui était ingénieur aux laboratoires Bell de New York, est avant tout un modèle technique fondé sur la statistique mathématique. Il ne constitue donc pas, en tant que tel, un modèle de communication puisqu'il ne devait servir, à l'origine, qu'à résoudre des problèmes techniques de télécommunications (le téléphone), liés à la transmission des messages dans un canal. Ce n'est que par analogie qu'il a ensuite été appliqué à la communication humaine et à la communication médiatisée.

Son extrême simplicité et sa grande clarté ont servi à définir la communication comme un processus linéaire en plusieurs étapes : une source d'information, un message, un émetteur, un canal, un récepteur et un destinataire avec éventuellement un brouillage possible (le bruit). Si on prend l'exemple du téléphone, tel que Shannon l'a étudié, on aura donc une personne qui parle (*source d'information*) et qui émet un *message*, le combiné du téléphone (*émetteur*) qui transforme le son vocal en courant électrique (*signaux*) transmis par un fil électrique (*canal*) jusqu'au combiné téléphonique (*récepteur*) de l'interlocuteur lui-même conçu comme le *destinataire*. Les distorsions éventuelles du son représentent dans ce cas le *bruit*.

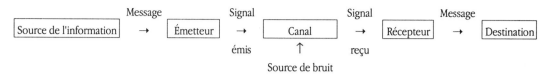

Le processus ainsi décrit ne s'applique qu'à la transmission de signaux d'une source d'informations vers un destinataire et ne *s'intéresse pas au contenu et à la signification du message* qui peut être composé de mots écrits ou parlés, d'images, de musique, etc. Ce schéma, comme celui de Lasswell, présente le destinataire comme une cible passive et illustre la conception autoritaire de l'acte de communication puisqu'il n'y a pas de rétroaction (*feed-back*). L'influence du contexte est, là aussi, totalement ignorée.

Ce modèle, appliqué à la communication médiatisée, a été progressivement complété durant les années 1950, par d'autres chercheurs, pour aboutir à l'idée que le processus de rétroaction était souvent décisif et que la communication nécessitait en fait un émetteur, un canal, un message, un récepteur, une relation entre cet émetteur et ce récepteur qui produit un certain type d'effet dans un contexte donné. La communication peut donc être une action sur autrui, une interaction avec autrui ou une réaction à autrui, pour reprendre la définition de Denis McQuail et Sven Windahl dans leur ouvrage sur les modèles en communication.

On y ajoutera également l'idée d'encodage et de décodage, dans certaines modélisations. L'encodage désigne le fait de traduire le message dans un langage approprié au canal de transmission et au récepteur, c'est-à-dire la transformation d'une idée ou d'une opinion en un message constitué de signaux organisés selon les conventions d'un ou de plusieurs codes. Le décodage se réfère à la retra-duction du message par le récepteur qui en extrait les significations nécessaires, c'est-à-dire à la compréhension et à l'interprétation des signes codés composant le message.

❑ Le modèle circulaire de la communication

➣ LE MODÈLE CONCENTRIQUE DE RAY HIEBERT, DONALD UNGURAIT ET THOMAS BOHN (HUB-1974)

L'idée s'est peu à peu répandue, dans les années 1970, que la communication ne se réduisait pas à un schéma linéaire simple, mais que les liens entre l'émetteur et le récepteur étaient beaucoup plus complexes et variés qu'on ne l'avait cru jusqu'alors.

On a donc proposé des modèles concentriques, en spirale, en hélice, de la communication qui insistent tous sur la capacité du récepteur à sélectionner, interpréter et réinterpréter les messages et sur le va-et-vient incessant qui s'établit entre l'émetteur et le récepteur. La communication médiatisée implique en réalité une *négociation* ou une *transaction* continuelle entre cet émetteur et ce récep-teur de sorte qu'elle doit être représentée par la forme dynamique d'un modèle circulaire, et non pas linéaire.

Le modèle de HUB illustre l'essor de la communication de masse et dépeint celle-ci comme un *ensemble d'éléments concentriques* impliqués dans un mouvement d'actions et de réactions. De la même manière qu'une pierre jetée dans une mare provoque une série d'ondes concentriques, de même un message émis par un communicateur s'étend peu à peu jusqu'aux rives de l'audience pour, dans certains cas, revenir progressivement vers le centre. Les médias de masse, dans cette représenta-tion, se situent alors au milieu du processus parce qu'ils constituent le canal le plus important de la transmission d'un message à une audience. On insiste donc sur les relations entretenues entre chacun des éléments du système et sur la rétroaction ininterrompue.

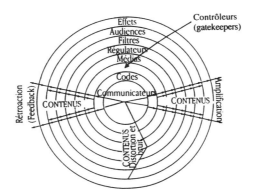

Dans une première phase, les *communicateurs* (rédaction d'un journal, une équipe de journalistes de l'audiovisuel ou membres d'une agence de publicité) sont au départ de la communication. Leurs messages, qui passent d'abord par différents stades d'encodage (ici appelés *codes)* sont constitués par des informations écrites ou audiovisuelles. Avant que ces dernières n'atteignent le média lui-même pour être ensuite diffusées, elles sont préalablement filtrées par des contrôleurs (*gatekeepers*) c'est-à-dire par des professionnels qui décident de sélectionner tel message plutôt que tel autre (il peut s'agir d'un rédacteur en chef, d'un producteur de cinéma, d'un chef d'agence, etc.) : les messages sont ensuite émis par les *médias* (journal, radio, télévision, etc.).

Dans une deuxième phase, interviennent d'abord les *régulateurs* c'est-à-dire les groupes de pression, les institutions (comme les services d'un Ministère, les associations de consommateurs, etc.), qui exercent une influence (difficile à évaluer) sur les médias et qui affectent ainsi le contenu et le rendement des messages. Puis se mettent en branle d'autres *filtres informationnels* d'ordre *physique* (la fatigue du récepteur, par exemple) ou *psychologique* (les centres d'intérêt propres du récepteur).

Les messages touchent enfin l'esprit des récepteurs (*audience*) et provoquent un certain nombre d'*effets* (inciter à voter de telle manière ou à acheter tel produit plutôt qu'un autre, etc.).

Le modèle HUB n'oublie pas d'intégrer dans ce schéma le *bruit* (perturbations *naturelles* comme celles du son, de l'image, mais aussi *sémantiques* comme l'utilisation de mots trop compliqués), la *rétroaction* (réponse immédiate ou différée du récepteur vers les communicateurs ou les *contrôleurs*, comme l'appel téléphonique à la rédaction, le courrier des lecteurs ou l'opinion donnée lors d'un sondage) et l'*amplification* (donner plus d'importance à telle information ou à telle personnalité qu'à d'autres). Par rapport au modèle linéaire ancien de la communication, le modèle circulaire ici représenté sous forme d'éléments concentriques, apparaît beaucoup plus riche et plus complexe. Il n'est cependant pas sans défauts puisque le contexte dans lequel s'insère le processus de communication n'est guère pris en compte : l'histoire, la culture, le régime politique, le stade de développement économique, voire la tradition journalistique du pays considéré, semblent ignorés.

➤ LE MODÈLE INTERACTIF DE LA COMMUNICATION (LES ANNÉES 1990)

Le modèle interactif n'appartient à personne en particulier : il s'impose comme une donnée de fait dans les années 1990 parce que presque tous les chercheurs, en dépit de certaines divergences, s'accordent aujourd'hui à reconnaître que la communication médiatisée correspond à une *dynamique*, à un flux et non pas à un état.

Les études récentes sur la réception des feuilletons télévisés ou des *reality shows* (on se reportera à ce sujet au chapitre sur « Les effets des médias », p. 191) démontrent toutes qu'il y a bien une interaction constante entre le *texte* (un article de journal, une émission de télévision ou de radio) qui est encodé d'une certaine manière et le *lecteur* (lecteur d'un journal, auditeur, téléspectateur) qui le décode selon des modalités qui varient en fonction de la culture, des valeurs et de la situation de chacun. Le modèle qui prévaut est donc celui qui passe de la *ligne* au *cercle*, qui insiste sur la circularité du processus. L'interaction prouve que la communication est toujours un processus de construction, d'invention ou d'auto-organisation, comme disent certains spécialistes, qui s'insère dans un contexte culturel donné.

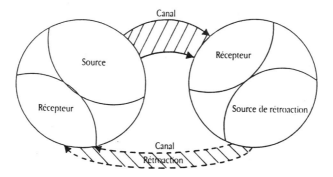

Le schéma ci-dessus se passe de long commentaire : il résume parfaitement tout ce qui vient d'être dit au sujet du modèle circulaire de la communication. Les rôles de l'émetteur et du récepteur sont *interchangeables* : l'émetteur (*la source*) diffuse le message à un récepteur qui, par le biais de la rétroaction, devient à son tour un émetteur (une *source nouvelle*) renvoyant un message retravaillé au premier émetteur, qui est ainsi assimilé à un nouveau récepteur. Et le cycle reprend selon le même processus.

TERRITOIRES ET CHAMPS D'APPLICATION

Après avoir posé quelques jalons en essayant de définir certaines notions ou de comprendre certains modèles de base, tentons, à présent, de délimiter les *territoires* de la communication c'est-à-dire les grands secteurs (médias, télécommunications et informatique) où s'élabore la communication médiatisée aujourd'hui et de discerner ses *champs d'application,* c'est-à-dire les domaines, propres au monde du travail et des loisirs, où l'on fait appel à la communication.

❑ Les trois territoires de la communication

L'histoire montre amplement que la percée des moyens de communication de masse est étroitement liée à celle des techniques : l'imprimerie au XVᵉ siècle ; l'invention du télégraphe et la révolution des transports au XIXᵉ siècle ; puis au XXᵉ siècle, celle de la radio, de la télévision, de l'ordinateur, ont à chaque fois élargi le nombre d'utilisateurs et de consommateurs des médias. On considère souvent que la notion moderne de communication émerge dans les années 1940 avec le développement de la *cybernétique*, mot forgé par Norbert Wiener pour désigner « la science de la communication et du contrôle dans les organismes vivants et dans les machines ». La mise au point d'ordinateurs et de « machines pensantes » allait ouvrir la voie à une réflexion ambitieuse sur ce qu'on appellera ensuite la « société de communication ». Trois grands territoires vont représenter, à partir des années 1950, les techniques de communication dans la société : celui des médias, des télécommunications, et de l'informatique.

— Les médias recouvrent, on l'a vu, un champ important qui peut aller de l'édition à la télévision en passant par la télématique, mais seront ici réduits, pour notre propos, aux journaux et magazines, à la radio et à la télévision. Dans ce milieu, œuvrent *des journalistes, des producteurs, des réalisateurs, des publicitaires* qui conçoivent l'information comme un événement ou un renseignement, voire une création, que l'on porte à la connaissance du public sous forme de description, de récit, de témoignage : le « fait humain » est leur source privilégiée. Ils sont de véritables médiateurs qui travaillent sur la signification des messages selon des méthodes qui font appel aussi bien à une certaine rationalité qu'à une certaine intuition. Leur culture est plus proche de celle des artistes, des créateurs, que de celle des ingénieurs. Historiquement, ce secteur des médias est indéniablement le plus ancien et le plus établi.

– Les télécommunications, de développement beaucoup plus récent, forment un territoire qui a également pour objet la transmission des messages, mais sous forme de données le plus souvent codées électriquement. Ceux qui y travaillent sont avant tout des *ingénieurs* et des *techniciens,* issus de disciplines mathématiques ou physiques, spécialistes en électricité et en électronique. L'information, pour eux, a donc une signification tout autre que pour les journalistes : il s'agit, dans ce cas, davantage d'une approche quantitative que qualitative du phénomène qui met l'accent sur les signaux électriques et leur mode de transport. On estime qu'à l'heure actuelle, ce secteur de la communication est en passe de devenir le domaine de pointe de toutes les innovations technologiques et qu'il est au cœur de toutes les politiques gouvernementales en matière de communication en raison de l'association du téléphone, du câble, du satellite et de l'informatique.

– L'informatique enfin, avec les progrès foudroyants de l'électronique, a donné lieu non seulement à l'augmentation importante du nombre d'ordinateurs, mais aussi au développement de la télématique (banques de données, vidéotex comme par exemple, en France, le Minitel). On y conçoit aussi la notion d'information au sens mathématique du terme : les informaticiens sont des *ingénieurs* dont la culture s'apparente à celle de l'évidence rationnelle et de la déduction logique, et qui se servent d'une unité de mesure probabiliste de l'information (le « bit » c'est-à-dire la quantité d'information correspondant au résultat d'un choix entre deux possibilités également probables) qui est numérisée[1] et stockée en mémoire.

Grâce à la conjonction de l'*électronique* et de l'*informatique*, on assiste aujourd'hui à la constitution d'un vaste champ de la communication dont les enjeux politiques, économiques et stratégiques sont désormais considérables et qui est le plus souvent représenté sous la forme d'un *triangle*[2], composé au sommet, des télécommunications et, à la base, des médias et de l'informatique. Cette synergie, comme disent les experts, entre les trois secteurs, démontre que la logique de réseaux et d'interconnexions joue à présent un rôle décisif. Et la notion d'information qui est utilisée par les divers professionnels appartenant à ce triangle de la communication recouvre, on l'a vu, des acceptions différentes selon les secteurs dont on parle.

Nous subissons bien évidemment les effets de cette évolution technologique dans notre vie quotidienne, aussi bien dans le cadre de notre travail que de nos loisirs. Par exemple, lorsque nous cherchons une adresse dans l'annuaire électronique avec l'aide du minitel ; lorsque nous prenons un billet de train au moyen d'un distributeur automatique ou que nous conversons avec autrui par le biais d'un téléphone mobile, etc. Notre rapport au temps et à l'espace est dorénavant, que nous le voulions ou non, modifié par l'essor de la communication dans nos sociétés. Ces progrès technologiques induisent en effet des changements de nos comportements. Nous devons intégrer, dans nos pratiques, les principes de rationalité, d'ordre séquentiel, pour pouvoir nous servir efficacement d'un minitel ou d'un ordinateur. Or, l'assimilation de ces procédures opératoires n'est pas toujours facile : d'où des inégalités dans l'accès et l'usage des nouveaux outils de communication, souvent réservés à un public qui possède la maîtrise de cette logique particulière, ou qui dispose de ressources financières suffisantes pour acheter ces instruments de communication.

---

1. Une donnée numérique est la représentation d'un phénomène physique à l'aide de signaux électriques à variation discontinue, codés 0 ou 1.
2. Ce triangle est notamment proposé par Philippe Breton et Serge Proulx.

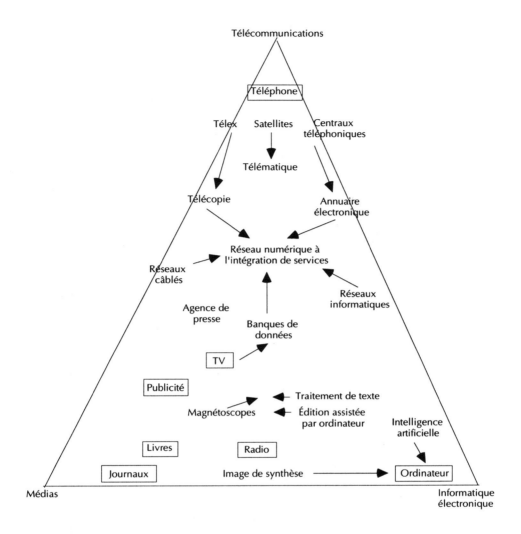

L'influence de ces nouvelles techniques se fait également sentir à un autre niveau : celui des valeurs véhiculées par une société donnée. La culture française a, pendant très longtemps, mis l'accent sur les « humanités », c'est-à-dire l'apprentissage des langues mortes (le latin, le grec), la connaissance de la littérature classique, et sur l'humanisme, c'est-à-dire une réflexion approfondie touchant à la complexité de la personne humaine. Or, avec le développement des nouveaux outils de communication, se met en place une véritable « idéologie technicienne » qui ignore de plus en plus l'homme et qui fait l'apologie de la science, de la technologie comme source unique de progrès social et comme moyen de résoudre les crises économiques. Les objets de communication donnent ainsi naissance à un imaginaire social qui imprègne peu à peu les représentations collectives. Nous oscillons donc de plus en plus entre la culture humaniste traditionnelle et l'idéologie technicienne récente ; nous éprouvons ainsi quelque difficulté à trouver le juste équilibre entre, d'une part, une réelle autonomie de pensée et, d'autre part, le poids des contraintes techniques. Les implications sociales de la communication sont par conséquent loin d'être négligeables.

❏ Les champs d'application de la communication

Le développement de la communication n'a pas que des incidences sur le mode de vie personnel, le travail ou les loisirs. Il touche également d'autres domaines comme, par exemple, les grandes institutions, les entreprises, les administrations, autrement dit la vie politique, économique, culturelle, voire sportive ou religieuse. Bref, la communication conduit à englober toutes les activités stratégiques d'un pays, tous les réseaux et tous les instruments qui font circuler les savoirs, les informations, et fonctionne comme une sorte de grille de lecture des pratiques sociales.

Elle est devenue un sujet de préoccupation à la mode et un impératif pour tous les décideurs soucieux de favoriser l'échange, la transparence, la participation, et de résoudre les problèmes qui se posent à une société qui se veut performante. Ce *mythe de la communication,* comme remède à tous les maux, a la vie dure puisque de nombreux responsables font appel aux professionnels de la communication pour tenter d'améliorer leur image ou celle de leur entreprise. Il faut désormais faire savoir avant d'agir, rechercher le contact avant de prendre des décisions, c'est-à-dire adopter une stratégie de séduction et de valorisation.

La communication, utilisée comme outil d'amélioration des relations entre les hommes, a dès lors des incidences sur la vie économique d'un pays. La mise en place d'un réseau multimédia développé (matériel, logiciel, banque de données, etc.) conduit à l'instauration de ce qu'on appelle désormais des « autoroutes de l'information », c'est-à-dire, grâce à la numérisation des données et l'utilisation de la fibre optique, de réseaux qui acheminent, à partir de n'importe quel point du territoire, toutes sortes d'informations imaginables (voix, textes, films, graphiques, jeux vidéo). Le raccordement d'appareils aussi différents que le téléphone, le micro-ordinateur, la télévision, le fax, la console de jeux, devrait, à terme, offrir à l'utilisateur un ensemble de services interactifs immédiatement accessibles et ouvrir la voie à un marché très porteur.

Les champs d'application de la communication sont donc *a priori* innombrables, mais dépendent en dernier ressort des investissements financiers qui y sont ou seront réalisés. L'extension foudroyante, durant les années 1980 et 1990, de la communication fait en tout cas apparaître de multiples domaines d'utilisation que l'on peut regrouper schématiquement en quelques grandes catégories :

➤ LA COMMUNICATION POLITIQUE

Les hommes politiques ont vite compris que grâce aux conseils de spécialistes en marketing politique, en publicité, en sondages, ils pouvaient améliorer leur image auprès de l'opinion. Ils développent donc une stratégie de communication fondée sur la forme davantage que sur le fond et tentent d'attirer l'attention des médias par tous les moyens. La vie politique elle-même s'en trouve transformée dans nos sociétés démocratiques.

➤ LA COMMUNICATION D'ENTREPRISE

Dans un monde où la concurrence est impitoyable, les entreprises éprouvent le besoin d'accroître leur part de marché, de créer de nouveaux produits et d'améliorer leur image de marque aussi bien auprès de leurs employés que de leurs clients. Elles ont donc créé des services de communication interne et externe dont l'objectif est de donner davantage de cohérence et de visibilité à leur stratégie de développement.

➤ LA COMMUNICATION PUBLIQUE

Les administrations, les grands organismes de l'État, les entreprises publiques, consacrent de plus en plus d'argent à améliorer leurs structures d'accueil et à moderniser leur politique de communication. Elles se lancent donc dans des actions de publicité et de relations publiques à l'image du Ministère de l'Économie, du Ministère de la Défense, de la RATP, de la SNCF, de France Télécom, etc. Dans certains cas de figure, elles cherchent, non seulement à agir sur nos représentations, mais aussi sur nos comportements : c'est le cas des campagnes d'intérêt public autour de thèmes tels que la santé, la sécurité, l'environnement (lutte contre le SIDA, contre l'alcoolisme, pour la sécurité au volant, etc.). On parle alors de communication sociale ou comportementale.

On peut également considérer, comme une sous-catégorie de la communication publique, la communication locale. Celle-ci concerne avant tout les collectivités territoriales (villes, départements, régions), autrement dit les municipalités, les conseils généraux et les conseils régionaux, qui ont besoin de promouvoir auprès des électeurs, leurs initiatives, leurs réalisations et leurs projets, tout en cherchant parfois à créer un sentiment d'identité ou d'appartenance plus fort (notamment pour les régions). Elles ont besoin, pour s'imposer, de se faire connaître et reconnaître par le grand public.

D'autres formes de communication ont vu le jour ces dernières décennies. Outre **la communication publicitaire** aujourd'hui solidement implantée dans nos sociétés de consommation, on distingue aussi, selon les cas, **la communication éducative** (à l'exemple de l'Open University en Grande-Bretagne) qui tente de favoriser l'accès au savoir et à la connaissance par le biais des médias, ou encore **la communication des organisations de la « société civile »** qui recouvre un ensemble assez disparate de secteurs allant des organisations culturelles, confessionnelles, aux syndicats, aux Églises en passant par les associations caritatives et les associations humanitaires. Ces dernières, par exemple, ont mis au point ces dernières années des stratégies de communication très sophistiquées pour attirer l'attention de l'opinion publique sur des situations dramatiques de famine, d'extermination et de guerre aux quatre coins de la planète.

La communication médiatisée, dans sa richesse et sa diversité, touche à présent tous les domaines ou presque de la vie en société et étend son emprise au niveau local, national et international. Son essor est favorisé par les progrès technologiques réalisés depuis quelques années en matière de télécommunications et d'informatique : on raisonne désormais de plus en plus en termes de globalisation et d'internationalisation, de synergies et de réseaux. L'énormité des capitaux en jeu risque, selon certains, d'élargir le fossé entre pays riches et pays pauvres, et donc de renforcer les phénomènes d'exclusion alors que pour d'autres, les possibilités fantastiques offertes par les nouvelles technologies de communication (NTC) engendreront au contraire une véritable révolution des comportements et des usages, propice à la transparence et à l'interactivité. L'enjeu est donc de taille pour les années à venir : assisterons-nous à l'émergence d'un nouveau paradis artificiel ou à l'éclosion du meilleur des mondes ?

Bibliographie

➤ LIVRES

BOUGNOUX Daniel, *Sciences de l'information et de la communication (Textes essentiels)*, Paris, Larousse, 1993.
— *Introduction aux sciences de la communication*, Paris, La Découverte, 1998.

BOURE Pierre et Isabelle PAILLIART (dir.), *Les Théories de la communication*, Paris, Cinémaction n° 63, mars 1992.

BRETON Philippe et Serge PROULX, *L'Explosion de la communication*, Paris, La Découverte, 1996.

FLICHY Patrice, *Une histoire de la communication moderne*, Paris, La Découverte, 1991.

MATTELART Armand, *La Communication-monde*, Paris, La Découverte, 1992.

MIÈGE Bernard, *La Société saisie par la communication*, Presses universitaires de Grenoble, tome 1 : 1989 ; tome 2 : 1997.

NEVEU Érik, *Une société de communication ?*, Paris, Montchrestien, 1994.

WILLETT Gilles (dir.), *La Communication modélisée : une introduction aux concepts, aux modèles et aux théories*, Ottawa, ERPI, 1992.

➤ EN ANGLAIS

DEFLEUR Melvin et Sandra BALL-ROKEACH, *Theories of Mass Communication*, New York, Longman, 5e éd., 1989.

MCQUAIL Denis, *Mass Communication Theory : An Introduction*, Londres, Sage, 3e éd., 1994.

MCQUAIL Denis et Sven WINDAHL, *Communication Models for the Study of Mass Communication*, White Plains (N. Y.), Longman, 1993.

SCHILLER Dan, *Theorizing Communication : A History*, New York, Oxford UP, 1996

SEVERIN Werner-J. et James-W. TANKARD, *Communication Theories : Origins, Methods and Uses in Mass Media*, White Plains (N. Y.), Longman, 1992.

➤ REVUES

Les Cahiers français, n° 258, « La Communication », octobre-décembre 1992, et n° 266, « Les médias », mai-juin 1994, Paris, Documentation française.

Les fonctions des médias
régimes, acteurs et rôles

On dit souvent que les médias ont trois fonctions : « informer, éduquer et distraire ».C'est un peu court, surtout à la fin du XXe siècle. Les médias, de plus en plus nombreux, occupent dans notre monde une place de plus en plus importante : s'il ne peut y avoir de médias (alias *mass media*) hors d'une société de masse, il ne peut non plus y avoir de société de masse sans médias. Ils assument des rôles nombreux et extrêmement divers, qui varient d'abord selon l'environnement politique.

RÉGIMES DE PRESSE

Il y a quatre régimes de presse possibles, deux régimes despotiques et deux démocratiques. Les uns et les autres sont fondés sur une conception de l'univers et de l'homme. Schématisons : si l'on est pessimiste, si l'on considère que l'être humain est pervers (un ange déchu, un animal brutal), on ne lui accorde aucun libre arbitre : il faut qu'il soit surveillé, bridé, endoctriné. Si l'on est optimiste, si l'on considère l'homme comme un être de raison (certains diraient : comme une créature « faite à l'image de Dieu »), alors il est naturel que chaque citoyen ait accès à toute l'information disponible et qu'il soit libre d'exprimer ses idées et de gérer la société où il vit.

❏ Régime autoritaire

Ce type de régime, sous une forme plus ou moins stricte, a été normal presque partout jusqu'au milieu du XIXe siècle. Et au XXe siècle, l'État fasciste a repris les usages des monarchies absolues d'autrefois. Dès l'apparition de la presse à imprimer, les autorités royales et religieuses se sont efforcées d'en limiter les utilisations par des moyens vite devenus classiques : autorisation, monopole, dépôt de garantie, censure préalable, corruption, procès, amende, saisie, interdiction, prison, violence, exil, mort.

Dans ce régime, les médias sont d'ordinaire propriété privée et autorisés à rechercher des profits — mais leurs contenus sont étroitement contrôlés par les autorités. Le nombre d'organes est limité ; la presse d'opposition est interdite, comme en Espagne sous le règne de Franco (1938-1975).

Les fonctions des médias y sont fort différentes de ce qu'elles sont en régime démocratique. Comme information et divertissement peuvent être subversifs, donc dangereux, ils sont censurés. Tout débat politique est exclu. La vision du monde, l'idéologie nationale que les médias véhiculent, doivent être conformes aux vues et aux intérêts du pouvoir. Dans la presse, les faits divers sont interdits (car ce sont des signes de dysfonctionnements), d'où l'absence de quotidiens populaires en Italie sous Mussolini (1925-1943).

Le Tiers-Monde présente un cas particulier, notamment dans les anciennes colonies européennes du Sud. Naguère, on prétendait, à juste titre, que les fonctions des médias devaient y être différentes, qu'ils devaient être attelés au développement du pays : il leur fallait éduquer le peuple, pauvre et rural ; souder en une nation des groupes hétérogènes ; et préserver la culture locale. Il arrive qu'ils jouent ces rôles. Toutefois, bien souvent, ces pays étaient, ou sont encore, des dictatures militaires où les médias restent peu développés, et sont utilisés à deux fins : d'une part, contribuer à maintenir en place un potentat par manipulation des masses, grâce surtout à la radio ; et, d'autre part, servir les besoins d'une petite élite urbaine, qui seule peut profiter de la presse écrite et de la télévision.

❑ Régime communiste

Dans un tel régime, les médias sont étatisés, comme ailleurs l'armée ou (le plus souvent) le système éducatif. Ils n'existent pas en dehors d'un État totalitaire où sont absorbées toutes les institutions et les industries : ils ne sont que des rouages dans un gigantesque mécanisme. Là donc le concept de liberté de presse n'a aucune pertinence.

Ce régime a été mis en place pour la première fois en Russie au début des années 1920. Après la Seconde Guerre mondiale, il a été étendu de force à l'Europe de l'Est. Puis, après 1949, il s'est imposé en Chine ; et dans les années 1960 à de nombreux pays du Tiers-Monde. Mais au tournant du XXIe siècle, il semblait en voie de disparition : il s'est révélé contraire au développement économique, au bien-être social, à l'expansion des connaissances, à la paix dans le monde — et, bien sûr, à la démocratie politique.

En régime totalitaire, l'État fait trois usages de ses médias. D'abord, ils servent à diffuser les instructions du pouvoir, d'où la centralisation du système médiatique. Deuxièmement, ils doivent mobiliser les masses, les inciter à exécuter les ordres. Troisièmement, et surtout, ils doivent endoctriner, inculquer l'idéologie officielle, façonner « l'homme nouveau ». Par ailleurs, ils célèbrent le culte du chef suprême, par une incessante litanie de ses vertus. Les contenus de médias sont mis au service d'une propagande constante — à l'intérieur et à l'extérieur du pays.

Les adversaires d'un tel régime dénoncent brutalement ces médias. Leur fonction première est de cacher et de mentir — en vue d'occulter tout ce qui ne sert pas les intérêts de la *nomenklatura*, l'élite au pouvoir, parfaitement indifférente au sort des masses.

Cela dit, le pouvoir soviétique, par exemple, exigeait des médias qu'ils éduquent, qu'ils donnent une formation civique (cours d'hygiène, par exemple), professionnelle (émissions agronomiques) et culturelle (ballet, opéra). Cette fonction-là, dans la mesure où elle est correctement assurée, est à l'honneur des médias étatiques. En régime libéral, les médias commerciaux s'en occupent assez peu.

Entre régime communiste et régime libéral, il n'y a pas solution de continuité. À mi-chemin des deux régimes, a existé jusqu'aux années 1980, une variante douce du régime étatique, qu'on pourrait appeler « paternaliste ». Elle s'est développée dans la plupart des démocraties parlementaires à partir des années 1920 : les médias électroniques, jugés trop puissants, étaient maintenus sous monopole d'État. Le public recevait seulement de la radiotélévision ce que les dirigeants du pays jugeaient bon pour lui. Cela n'excluait pas la qualité, ni même l'indépendance, comme l'a bien illustré la BBC[1] en Grande-Bretagne jusqu'à 1954.

---

1. Elle a alors perdu son monopole sur la télévision (et en 1973 sur la radio), sans abandonner sa qualité ou son indépendance.

❏ Régime libéral

Après avoir été adopté dans toutes les démocraties, le régime libéral est devenu la norme internationale grâce l'article 19 de la Déclaration internationale des droits de l'homme de l'ONU, adoptée en 1948 (en l'absence de l'URSS) :

> Tout individu a le droit à la liberté d'opinion et d'expression, ce qui implique le droit de ne pas être inquiété pour ses opinions et celui de chercher, de recevoir et de répandre, sans considération de frontière, les informations et les idées par quelque moyen d'expression que ce soit.

Selon la doctrine libérale, née au XVIIIe siècle, siècle des Lumières, il suffit que tous les faits soient objectivement rapportés et que toutes les opinions soient mises sur le « marché des idées » : alors l'être humain est capable de discerner la vérité et il est enclin à s'en inspirer dans son comportement. L'État n'a qu'à laisser faire et tout ira pour le mieux. Il faut que le libre échange des informations accompagne le libre échange des produits : ainsi sera garanti un service optimal des usagers.

Cette illusion utopiste n'a pas résisté à la commercialisation croissante de la presse dès le tournant du XXe siècle. La plupart des *mass media* qui apparaissaient alors avaient un but commercial : était bon pour eux ce qui était profitable. En outre, la tendance normale de ces entreprises-là, comme des autres, est à la concentration. En conséquence, le pouvoir d'informer (ou de ne pas informer), le pouvoir de définir les grands thèmes du débat national, de « fixer l'ordre du jour » du pays, tombait entre les mains d'un nombre toujours plus restreint de propriétaires de médias, personnes qui n'étaient ni élues, ni particulièrement expertes ou soucieuses de servir le public.

❏ Régime de « responsabilité sociale »

Cette nouvelle doctrine est née d'une perception plus réaliste de la nature humaine et des mécanismes économiques. Telle qu'elle a été conçue par des universitaires et des professionnels de la presse, elle ne répudie pas la précédente : elle la prolonge, en s'efforçant d'associer liberté et qualité des médias.

> L'expression fut lancée par la « Commission sur la liberté de la presse », créée aux États-Unis en décembre 1942, à l'initiative du fondateur des magazines *Time* et *Life*. Sous la présidence de R.-M. Hutchins, recteur de l'université de Chicago, elle rassemblait des personnalités étrangères au milieu de la presse (dont le Français Jacques Maritain). Les médias accueillirent les analyses et les conclusions de son rapport, publié en 1947, avec une glaciale indifférence ou avec fureur. Mais depuis lors, ces idées n'ont pas cessé d'être citées et commentées.

Selon cette doctrine, il est préférable que les médias ne soient pas la propriété de l'État, ni même sous son contrôle, car l'« État » bien souvent se distingue mal du gouvernement en place. En revanche, les médias ne sont pas de banales entreprises privées dont le succès puisse se mesurer aux bénéfices. Il est normal qu'ils recherchent le profit, certes, mais il faut, en retour, qu'ils soient responsables vis-à-vis des divers groupes qui composent la société : autrement dit, il faut que les médias répondent à leurs divers besoins et désirs.

Au cas où les citoyens sont mécontents du service qui leur est fourni et qu'ils le manifestent, les médias doivent réagir. Il est préférable qu'ils s'amendent eux-mêmes, en fonction d'une déontologie établie par eux. Mais si jamais ils ne le faisaient pas, alors il serait nécessaire et légitime que le Parlement intervienne par des lois.

Les quatre régimes de presse, dont il vient d'être question, ne se rencontrent pas à l'état pur. Dans les pays sous régime autoritaire, les citoyens ont toujours eu accès à des médias clandestins, venus de l'extérieur[1] ou réalisés localement — et parfois à des médias d'opposition modérée protégés par leurs

---

1. De Hollande, par exemple dans la France du XVIIe siècle.

liens avec une élite traditionnelle, comme cela était courant en Amérique du Sud dans les années 1940 à 1970.

On ne s'y attendrait pas en régime totalitaire : pourtant en URSS, on lisait des *samizdats*, c'est-à-dire des romans, poèmes, pamphlets, BD qui circulaient sous le manteau. On écoutait Radio Liberty (station étatsunienne installée à Munich) ou la BBC et la Voix de l'Amérique — ainsi que des centaines de petites stations musicales pirates.

Par ailleurs, dans les démocraties libérales, on a toujours trouvé nécessaire, dans l'intérêt général, de borner l'activité des médias. Ainsi, même aux États-Unis, où pourtant le Premier amendement (1791) de la constitution interdit au Congrès de passer « toute loi restreignant la liberté de parole et de presse », les médias sont soumis à la législation antitrust, aux lois sur la sécurité nationale, sur la diffamation, sur l'obscénité, sur le racisme et le sexisme ; et quiconque veut diffuser des émissions de radio ou de télévision doit auparavant obtenir une autorisation fédérale.

LES FONCTIONS DES MÉDIAS EN RÉGIME LIBÉRAL

En régime libéral — mais pas en régime fasciste ou communiste — les médias sont tout à la fois une industrie, un service public et une institution politique : trois natures partiellement incompatibles. Les fonctions qui en découlent sont très diverses et parfois contradictoires. Elles varient selon que l'on adopte le point de vue du média, de la société dans son ensemble, de ses décideurs ou de l'usager individuel ; selon que l'on considère les médias eux-mêmes ou les contenus de média ; selon qu'on examine seulement les fonctions déclarées ou aussi les fonctions masquées, seulement les fonctions positives ou aussi les négatives. À chaque fonction, en effet, correspond une dysfonction, due à la nature du média, à la volonté de ses dirigeants ou au comportement des usagers.

LES SIX PARTICIPANTS À LA COMMUNICATION SOCIALE

Dans l'accomplissement de leurs fonctions, les médias mettent en action, au sein de systèmes complexes, des êtres humains qui agissent les uns avec les autres, les uns contre les autres. Qui sont ces acteurs ?

❑ Les propriétaires ou régents des médias

Régents ? Les médias sont, de plus en plus, des sociétés cotées en Bourse, dont les actionnaires peuvent se compter par milliers. Les dirigeants des médias sont donc souvent des salariés qui possèdent une part minime, ou nulle, de la compagnie mais n'en exercent pas moins un grand pouvoir.

Autrefois, les propriétaires de médias recherchaient surtout le prestige et le pouvoir, le pouvoir d'influer sur l'opinion publique et donc sur les grandes décisions politiques. Aujourd'hui, ils recherchent d'abord le profit. Toutefois, la majorité d'entre eux est conservatrice politiquement, car ils tiennent à conserver un régime qui leur est profitable ; et, en outre, ils se mettent à l'unisson de leurs fournisseurs de publicité, les milieux d'affaires.

❑ Les annonceurs

Du fait qu'ils procurent à tout grand média 40 à 100 % de ses revenus, ils possèdent un grand pouvoir. Ils font rarement une pression directe car l'autocensure des médias suffit. Ils exercent une influence diffuse, mais forte, sur le choix des contenus : les médias doivent ne pas déplaire, et doivent si possible plaire, aux gens le plus intéressants, c'est-à-dire les plus nombreux ou les plus dépensiers.

Les intérêts des annonceurs sont semblables, mais pas identiques, à ceux des patrons de médias. Ces derniers doivent tenir compte de leurs deux clientèles : les annonceurs et les usagers. Les patrons de médias ne sont guère enclins à refuser une publicité mais ils ne peuvent désormais plus éviter de se faire l'écho aussi des écologistes ou des défenseurs du consommateur.

❏ **Les professionnels : journalistes et réalisateurs**

Leur importance est grande. Et elle devrait le devenir davantage — car eux ont intérêt à ce que leur travail soit mieux fait et ils savent comment y parvenir.

Jadis, la plupart n'étaient que des employés aux écritures, des lecteurs de bulletins au micro. Aujourd'hui qu'ils ont plus de formation générale et plus de formation spécialisée et plus de formation déontologique, ils peuvent assumer mieux toutes leurs fonctions et obtenir davantage d'autonomie. Dans certains pays au moins, ces salariés d'entreprise se rapprochent peu à peu des professions libérales, dont les membres se sentent responsables devant leurs pairs et leurs clients.

❏ **Les techniciens**

On les oublie souvent. Ils se font surtout remarquer quand ils arrêtent de travailler : c'est d'eux le plus souvent que proviennent les grèves dans les médias. Les imprimeurs ont constitué certains des premiers syndicats ouvriers, car ils possédaient une éducation et les moyens de diffuser leurs idées. Leur puissance peut encore être grande : les syndicats de la presse nationale anglaise ont bloqué toute modernisation pendant plus de 20 ans, jusqu'à 1986.

Parfois les techniciens sont remarquables par leur absence : dans le Tiers-Monde, ils manquent plus encore que le matériel ou les journalistes. C'est particulièrement net dans les pays d'Afrique noire.

❏ **Les usagers : citoyens et consommateurs**

Naguère ils ne pouvaient se manifester qu'en achetant ou n'achetant pas un journal. Ils pouvaient aussi tourner le bouton de leur récepteur — mais, dans un pays comme la France, le geste produisait peu d'effet car les résultats des mesures d'audience réalisées n'étaient pas rendus publics. De toute façon, partout les rédacteurs en chef et responsables des programmes estimaient qu'ils savaient mieux que le public ce dont celui-ci avait envie ou besoin.

De nos jours, du fait de la commercialisation et de la concurrence accrues, on mesure et on sonde beaucoup plus ; on publie les chiffres et on en tient compte. Les usagers, un peu plus militants, font connaître leur déplaisir, commencent à s'organiser pour agir. La plupart, hélas, se croient impuissants.

❏ **Les politiciens**

Information est synonyme de pouvoir : impossible d'agir sans savoir. Or, il existe des professionnels du pouvoir : les hommes politiques. Naturellement, ils ont toujours voulu obtenir et garder pour eux-mêmes le plus d'information possible. Ils se sont donc efforcés de limiter sa diffusion dans le public ou de manipuler ses contenus : ils y sont longtemps parvenus et, dans une certaine mesure, ils y parviennent encore.

Pour simplifier, on peut regrouper toutes les fonctions des médias de régime libéral en six catégories — mais les frontières entre elles ne sont pas toujours nettes.

❏ Surveiller l'environnement

Tout animal sauvage ne cesse de guetter ce qui se passe autour de lui pour trouver de la nourriture et pour repérer ses ennemis. L'homme primitif confie ces tâches à des éclaireurs et des sentinelles. Mais, dans la société de masse actuelle, seuls les médias sont capables de nous signaler tous les événements agréables ou désagréables — qu'il s'agisse de soldes sur les chaussures ou d'un orage de grêle, d'une offre d'emploi ou de l'apparition d'une firme concurrente, du nuage de Tchernobyl ou de la fin de la Guerre froide.

Le rôle des médias est d'obtenir et de faire circuler l'information. Et comme elle est trop abondante et complexe, il leur revient de la trier, de la hiérarchiser, de l'interpréter. Ce sont les médias qui indiquent ce qui est important, et ce qui ne l'est pas, dans la masse des événements, des processus, des opinions et des personnalités. Ce sont eux qui décident de populariser ou non des idées nouvelles.

En particulier, les médias doivent, dans l'intervalle entre les élections, surveiller les gestionnaires du pays et dénoncer leurs fautes aux citoyens. En théorie du moins, les grands médias ont une indépendance et une expertise qui leur permettent d'évaluer et de critiquer le pouvoir en place, au nom des citoyens. De là vient que la presse fut appelée le « Quatrième pouvoir », dès le début du XIXe siècle, en Grande-Bretagne. De nos jours, on place les médias après les pouvoirs exécutif, législatif et judiciaire.

Cette fonction journalistique des médias, comme les suivantes, est affectée par d'assez nombreux dysfonctionnements. Mais ici n'est pas le lieu de les évoquer car ils sont copieusement traités sous le titre « Critique des médias et déontologie » au chapitre 15, p. 231.

❑ Fournir une image du monde

Aucun être humain n'a une connaissance directe de l'ensemble du monde, et la plupart d'entre nous n'a l'expérience que d'une infime partie. Ce que nous savons du reste nous est apporté par l'école, les conversations et, principalement, les médias.

Quelques médias jouent ce rôle abondamment : ils donnent au citoyen des informations, des idées venues d'ailleurs. Et ils l'aident à obtenir une compréhension globale — en lui décernant de surcroît un prestige social. Mais les contenus de presque tous les médias, même les feuilletons télévisés, procurent du savoir. Et ils procurent aussi à chacun une meilleure conscience de soi en présentant d'autres êtres, d'autres types de comportement.

Les sujets, les régions, les gens dont les médias ne parlent pas, ou parlent peu, n'existent pas ou existent peu. Ainsi s'explique la campagne menée par les pays du Tiers-Monde dans les années 1970 contre l'attention insuffisante que leur portaient les grands médias occidentaux.

Un dysfonctionnement plus banal provient de ce que la plupart des médias sont dans l'obligation de faire vite, donc de simplifier. En conséquence, ils utilisent beaucoup de mythes (telle l'ardeur au travail germanique) et de stéréotypes (le séducteur italien, par exemple). Autrement dit, ils donnent du monde des images incomplètes et parfois déformées qui peuvent induire des sentiments injustifiés (comme le mépris pour certains peuples) et des comportements dramatiques.

❑ Transmettre la culture

Les médias transmettent d'une génération à l'autre l'héritage culturel du groupe ou de la nation, son « idéologie » : une certaine vision du passé, du présent et de l'avenir du monde. C'est un amalgame de mythes, de traditions, de valeurs, de principes qui donne à l'individu une identité ethnique ou nationale, qui fait que le bébé élevé en Islande devient islandais, et devient basque s'il est élevé en Navarre.

Bien sûr, la famille, l'église et l'école s'occupent aussi de cette socialisation. Mais dans les pays occidentaux (sauf les États-Unis), les Églises ont perdu beaucoup de leur influence. Et dans la famille d'aujourd'hui, réduite au père, à la mère et aux enfants, souvent les deux parents ont un emploi, s'il y a deux parents au foyer. Le temps que les enfants passent à converser avec eux s'élève rarement aux 10 à 15 000 heures qu'ils auront passées devant le petit écran avant la fin de leur adolescence.

Restent l'école et les médias auxquels les enfants consacrent le plus gros de leur temps. Les médias ont l'avantage de toucher l'individu tout au long de sa vie (une vie souvent assez solitaire dans la masse), et de toucher aussi les immigrants, nombreux maintenant dans la plupart des nations.

Certains médias font de l'enseignement, notamment par la vulgarisation scientifique. Mais ce sont tous les médias qui inculquent ce qui se pense et ne se pense pas, ce qui se fait et ce qui ne se fait pas : les normes traditionnelles de la société environnante — et aussi des normes nouvelles en cours de formation.

Ici encore, les dysfonctionnements peuvent être graves. Comme en ce qui concerne les deux précédentes fonctions et la suivante, il se peut que les dirigeants des médias interviennent, usant de l'omission ou de la distorsion, privilégiant abusivement un élément ou un autre de l'héritage. Ou, plus banalement, la stabilité et le confort que procure l'appartenance à une culture ancienne peuvent engendrer la stagnation. Le groupe peut alors s'enfermer dans un conservatisme paralysant. Les médias ont donc aussi pour rôle de stimuler le changement en introduisant des notions, des usages ou des produits nouveaux.

❑ Servir de forum

On imagine parfois que dans les villages du temps passé, chacun parlait avec tout le monde, sur la place de l'église, au marché, au café — ou sous l'arbre à palabres. Aujourd'hui, dans la société de masse, les gens qui partagent une origine ethnique ou une profession ou une passion quelconque, sont souvent éparpillés au sein d'une mégalopole ou sur un vaste territoire. Les contacts et les échanges se font surtout par le biais des médias. Câble, satellites et Internet, en multipliant les canaux de communication, permettent de plus en plus aux médias d'assurer une communication latérale à deux voies et non plus seulement une communication allant de haut en bas.

Dans les démocraties primitives, les grandes décisions se prenaient après que les citoyens en avaient discuté, sur l'agora des cités grecques ou lors de *town meetings* en Nouvelle Angleterre. Dans la démocratie de masse, il est tout aussi important d'arriver à un consensus, à une « opinion publique ». Faute d'accord, il y a risque d'affrontements violents, voire de guerre civile. Or, les débats ne peuvent se faire que dans les médias : par le biais de journalistes, par l'entremise de représentants, porte-parole de groupements divers, ou directement, par le courrier des lecteurs ou des émissions à participation téléphonique.

Les médias relient ainsi les individus au groupe, soudent les groupes en une nation. Ils contribuent aussi à la solidarité en faisant partager les mêmes émotions, comme l'indignation devant un scandale ou la tristesse devant quelque calamité.

Le forum médiatique joue un rôle politique crucial. Leur situation d'intermédiaire entre citoyens et gouvernants fait des médias des institutions centrales, pivots de la démocratie[1]. Les gouvernants font connaître leurs réalisations et leurs projets. Les politiciens tâchent de se servir des médias pour séduire les électeurs, non sans distorsion ou omission. Les décideurs économiques s'en servent aussi, de manière plus discrète, certes, mais efficace[2]. C'est pourquoi un éminent observateur comme le Français Jacques Ellul estime que la fonction essentielle des médias est la propagande.

Les dysfonctionnements possibles sont évidents. Si les médias ne véhiculent que les vues d'un petit groupe sans scrupules, il y a dictature et donc péril extrême : les nazis ont mené l'Allemagne à la Seconde Guerre mondiale et à l'holocauste. De même, les soviétiques ont détruit des dizaines de millions d'êtres humains et l'économie des pays de l'Est.

Même en démocratie, quand les médias privilégient trop une idéologie, on aboutit à une crise. Ainsi, aux États-Unis dans les années 1950, ils ne prêchaient que le conformisme d'une majorité blanche conservatrice. Les groupes exclus se sont rebellés dans la décennie suivante, parfois brutalement : les Noirs, les étudiants, les Hispaniques, les Amérindiens, les consommateurs, les femmes, les écologistes, les homosexuels, les handicapés, etc.

❑ Faire acheter

Il fut un temps où le journalisme était un artisanat, et il le redevient grâce à la nouvelle technologie (photocopie, télécopie, PAO[3], Internet). Pour le moment, sauf exceptions, les médias participent de la grosse entreprise : ils sont donc soumis à la nécessité de fournir des salaires à leurs employés et des dividendes à leurs actionnaires. Ils représentent d'ailleurs un secteur important de l'économie : l'industrie médiatique est le deuxième exportateur des États-Unis.

---

1. Voir le chapitre 13, p. 203.
2. Aux États-Unis, les médias sont parvenus peu à peu à générer dans le public une image négative des syndicats et des grèves.
3. Voir glossaire, p. 305.

Par ailleurs, ce sont les médias qui véhiculent la publicité[1]. Certains médias ne font que cela (journaux gratuits, canaux de télé-achat sur la télévision par câble). D'autres s'en passent totalement (télévision à péage), mais, pour la plupart des médias, le but premier est de séduire un public afin de le vendre aux annonceurs. Et ils s'efforcent en plus de créer un contexte favorable aux réclames qu'ils contiennent, une stimulation générale de l'envie d'acheter. Sans eux, le commerce périclite, comme cela est apparu nettement lors de grèves prolongées dans des journaux de grandes villes.

Certains attribuent à la publicité un rôle bénéfique. Selon eux, elle informe (par les petites annonces, en particulier) et, en stimulant la concurrence et la consommation, elle permet des prix bas. C'est elle d'ailleurs qui a rendu les médias eux-mêmes accessibles à l'homme de la rue, en leur permettant d'être peu chers, voire même « gratuits ». À gauche, on dénonce souvent son rôle délétère de manipulation, d'incitation à la consommation forcenée, au gaspillage, à la pollution. Quoi qu'on en pense, on doit reconnaître qu'elle assure une fonction essentielle dans une économie moderne.

❏ Aider au bonheur : divertir

Le folklore donne à rêver que, dans les sociétés primitives, chaque groupe humain pourvoyait à ses propres distractions, que lors des soirées d'hiver, on racontait de vieilles histoires et on entonnait des rengaines ; que lors des fêtes rituelles, sur la place du village, on jouait, on dansait et on chantait.

Dans la société de masse, le divertissement est plus indispensable que jamais pour réduire les tensions qui s'accumulent en chaque individu et peuvent le mener à la rébellion, à la maladie ou à la folie. Cette distraction, ce sont surtout les médias qui la fournissent, grâce à la « culture de masse » qu'ils ont créée. Aux médias la plupart des usagers demandent d'abord un divertissement. Et quasiment tous les médias en offrent, même les quotidiens.

Tout à la fois, ils apportent du neuf pour lutter contre l'ennui ; et ils apportent du familier, pour ritualiser l'existence. À la fois ils stimulent (les émotions ou l'intellect) et ils calment (par distraction ou catharsis). Tout à la fois, ils permettent de s'isoler en se substituant aux contacts humains — et ils permettent des convivialités diverses. Ainsi, dans un train le voyageur peut user d'un journal pour se couper des autres ; mais un routier se sent moins seul dans sa cabine grâce à la radio ; et un vieillard sans famille reçoit, grâce à son petit écran, la « visite » de vedettes du spectacle. Au bureau, ou au café, la conversation porte sur le film ou le match vu la veille « à la télé ».

Cette fonction est la plus importante à notre époque, d'autant qu'elle se combine très efficacement avec les autres. L'enseignement passe d'autant mieux qu'il se déguise en amusement : la télévision est bien plus efficace que l'école. De même, la publicité cherche à distraire — et l'information, pour séduire, se pare des plumes du spectacle. En revanche, il est rare que les médias fassent du divertissement pur : à cette fonction, le plus souvent, ils mêlent une ou plusieurs autres.

Il est donc normal que les principaux reproches adressés aux médias visent le divertissement. On les accuse d'agir comme une drogue, excitante ou anesthésiante — un nouvel « opium du peuple ». Et ainsi d'exercer toutes sortes de manipulations au bénéfice des riches et des puissants.

Des six fonctions majeures des médias, qui viennent d'être examinées, certains médias peuvent n'assumer qu'une ou deux : l'hebdomadaire gratuit ne s'occupe que de vendre ; la radio publique d'information continue a pour seul objectif d'informer ; la chaîne à péage spécialisée dans le cinéma ne fait que divertir. Cependant, beaucoup de médias jouent tous les rôles à la fois. L'importance relative de chaque rôle dépend de la nature de chaque média. La presse écrite est mieux à même d'informer, de manière exhaustive et approfondie. Sa dimension, en effet, est l'espace : si nécessaire, un journal ou un magazine peuvent multiplier leurs pages. La télévision étant dans la dimension du temps, elle dispose au mieux de 24 heures par jour ; et, comme elle consiste d'images et de sons, elle convient mieux au divertissement.

---

1. De même que l'affichage, très important en France, et le courrier, très important aux États-Unis. Sur la publicité, voir chapitre 10, p. 163.

Les fonctions des médias dans la société moderne sont indiscutablement importantes. Cela étant, on attribue souvent à tort aux médias des pouvoirs immenses en de très nombreux domaines (voir chapitre 12, p. 191). Et ils sont accusés de droite et de gauche, du Nord et du Sud, par les puissants et par les humbles, par les vieux et par les jeunes — de tous les maux de la société moderne. Dans cette perspective, il est utile de garder plusieurs notions à l'esprit.

La première, c'est que la triple nature des médias (industrie, service public, institution politique) rend leur statut ambigu. Ainsi, un service public peut être réglementé et subventionné en permanence, comme la police ou la poste dans tous les pays. Une industrie privée peut être secourue par l'État pendant un temps de crise. Mais une institution politique comme la presse ne peut pas recevoir de subsides sans risquer de tomber sous le contrôle du gouvernement et d'être alors incapable d'assumer convenablement l'une de ses principales missions.

La deuxième notion, c'est que les médias sont partie d'un très complexe système social : même en régime libéral, leur autonomie est limitée. Dans une large mesure, ils sont et font ce que veulent les décideurs économiques et politiques de la société environnante. Dans une large mesure aussi, ils sont et font ce que veulent les consommateurs et les citoyens, c'est-à-dire tous les habitants du pays.

Toutefois, et c'est le dernier point, les médias peuvent être considérés aujourd'hui comme une force de progrès. Ce qu'Ithiel de Sola Pool a appelé « les technologies de la liberté[1] » ne sont pas neutres : elles sont clairement au service des droits de l'homme. Chacun reconnaît leur rôle dans l'écroulement des régimes fascistes et communistes. Les régimes fanatiques les redoutent.

---

1. Pour les « nouveaux médias », voir chapitre 7, p. 105.

Bibliographie

BALLE Francis, *Médias et société*, Paris, Montchrestien, 8e éd. 1997.

MATHIEN Michel, *Le Système médiatique : le journal dans son environnement,* Paris, Hachette, 1989.

McLUHAN Marshall, *Pour comprendre les médias*, Paris, Le Seuil, 1988.

➤ EN ANGLAIS

ALTHEIDE David L. et Robert P. SNOW, *Media Logic*, Londres, Sage, 1979.

NERONE John C. (dir.), *Last Rights : Revisiting Four Theories of the Press*, Urbana, University of Illinois Press, 1995.

SCHRAMM Wilbur, *Men, Women, Messages and Media : Understanding Human Communication*, New York, Harper & Row, 2e éd., 1990.

SCHRAMM Wilbur et Donald F. ROBERTS, *The Process and Effects of Mass Communication,* Urbana, University of Illinois Press, 1971.

SIEBERT F., T. PETERSON et W. SCHRAMM, *Four Theories of the Press,* Urbana, University of Illinois Press, 1963.

WRIGHT Charles C., *Mass Communication : A Sociological Perspective*, New York, Random House, 1975.

➤ MANUELS AMÉRICAINS D'INTRODUCTION AUX MÉDIAS

AGEE Warren K. et al., *Introduction to Mass Communications*, New York, Harper & Row, 9e éd., 1988.

DEFLEUR Melvin et Everette DENNIS, *Understanding Mass Communication*, Boston, Houghton Mifflin, 6e éd., 1998.

DOMINICK Joseph R., *The Dynamics of Mass Communication*, New York, McGraw-Hill, 1999.

HIEBERT Ray H. et al., *Mass Media VI : An Introduction to Modern Communication*, White Plains (NY), Longman, 6e éd. 1991.

MERRILL John C. et Ralph L. LOWENSTEIN, *Media, Messages and Men,* New York, David McKay, 2e éd., 1979.

VIVIAN John, *The Media of Mass Communication*, Boston (MA), Allyn & Bacon, 4e éd., 1997.

WHETMORE Edward J., *MediAmerica, Mediaworld : Form, Content and Consequences of Mass Communication*, Belmont (CA), Wadsworth, 5e éd., 1993.

Claude-Jean Bertrand

Chapitre 3

Typologie des médias

Un média, c'est aussi bien un secteur de la communication sociale (la presse écrite, la radio-télévision), un sous-secteur (les quotidiens, les magazines, la radio FM ou la télévision par câble) ou un organe particulier (un journal, une revue, une station de radio ou une chaîne de télévision). Dans l'acception utilisée ici, un média est une entreprise qui, par des moyens techniques spécifiques, diffuse, simultanément ou presque, un même produit, informatif ou divertissant, à un ensemble d'individus épars. Ceci exclut le livre, l'affiche et, de nos jours, le cinéma — mais inclut Internet.

LES RESSEMBLANCES

Quels que soient la région du globe, le régime politique et le degré de développement économique du pays où un média opère, il présente des constantes dans son évolution, ses structures, ses tendances. Ces ressemblances sont dues, pour beaucoup, à la technologie et, pour une part, à la tradition (née en Europe et aux États-Unis). Avant de les examiner, il est utile de jeter un coup d'œil en amont et en aval des opérations du média.

Nulle part, les médias n'ont les moyens de fabriquer tous leurs contenus — sauf des hebdomadaires locaux ou des stations de radio associatives. Pour l'information, ils s'adressent donc à des agences, qui sont mondiales (comme l'AFP, née Havas en 1832, la première au monde) ou nationales (comme Press Association en Grande-Bretagne) ou spécialisées (comme Dow Jones, financière, aux États-Unis). Et ils font appel à des pigistes et des correspondants, permanents ou occasionnels.

Pour le divertissement, partout les médias doivent avoir recours à des fournisseurs extérieurs, producteurs de BD, de phonogrammes ou de films. Partout aussi, sauf aux États-Unis, ils doivent avoir recours à des producteurs étrangers, à Hollywood surtout mais aussi à des entreprises comme Televisa (au Mexique) ou Globo (au Brésil).

De même, les médias ne peuvent, le plus souvent, assurer seuls leur distribution. La presse a recours à des coopératives nationales (Suède) ou à des entreprises spécialisées : des grossistes (Smith en Grande-Bretagne), des sociétés de portage locales (Japon) et des kiosques. Quant à la télévision, elle utilise des réseaux, hertziens ou câblés, appartenant souvent aux PTT, et des satellites gérés par des sociétés extérieures.

Quant aux récepteurs, aux publics, on peut en distinguer au moins trois qui ont des goûts fort différents : les personnes de haut niveau culturel, riches d'ordinaire mais peu nombreuses ; à l'autre extrême, les pauvres, sous-éduqués. Entre les deux, se situent les classes moyennes, importantes tant par leur nombre que par leurs revenus. C'est pour ces dernières avant tout que fonctionnent les médias. Dans les pays où elles sont rares, les médias le sont aussi.

❏ Les journaux

Ce sont des périodiques, imprimés d'ordinaire sur papier de médiocre qualité et publiés entre une et 7 fois par semaine. Les quotidiens paraissent cinq à sept jours par semaine. Ils couvrent des zones diverses selon qu'ils sont locaux, régionaux, nationaux — ou même multinationaux comme l'*International Herald Tribune*. Les ventes varient en fonction de la zone, de quelques milliers (*La Dordogne libre*, 5 000 ex.) à plusieurs millions (*Yomiuri Shinbun*, quotidien national japonais : 14 millions).

Mis à part les quotidiens sportifs et économiques, ils offrent un compte rendu général de l'actualité. Par tradition, il s'agit d'informations politiques avant tout, mais les contenus varient selon la zone couverte : le journal de bourgade s'occupe surtout d'événements locaux et le quotidien de la capitale se soucie beaucoup d'affaires nationales et internationales.

Quel que soit le pays, les ventes et les contenus dépendent du style du journal. On peut, dans la plupart des pays, en distinguer trois types. Il y a d'abord les journaux de qualité : *Le Figaro* en France, le *Daily Telegraph* au Royaume-Uni, le *Frankfurter Allgemeine Zeitung* en Allemagne, *El Pais* en Espagne, le *Neue Zürcher Zeitung* en Suisse, *El Mercurio* au Chili ou le *Straits Times* à Singapour. Ils s'adressent à une large élite. Leur diffusion est, bien sûr, relativement faible (300 à 500 000 exemplaires en Europe) mais leur influence est grande car ils touchent les décideurs.

Le journal populaire (comme *The Sun* en Grande-Bretagne, *Sabah* en Turquie ou le *New York Post* aux États-Unis) se reconnaît à ses titres énormes, ses articles courts, ses photos accrocheuses, ses faits divers, son goût pour le sexe, le crime et le sport. Ses ventes peuvent être impressionnantes (près de 5 millions pour le *Bild Zeitung* allemand) mais son influence est faible.

Quand ces deux extrêmes n'existent pas (comme au Japon), les quotidiens s'efforcent de rester à un niveau moyen de façon à ne déplaire à personne. La presse de province, qui presque partout jouit du monopole local, se place à ce niveau.

L'hebdomadaire (et le bi- ou tri-hebdomadaire) dessert le plus souvent une localité trop petite pour financer un quotidien : le journal, en effet, dépend de la publicité locale. Certains d'ailleurs sont distribués gratuitement (comme souvent en Grande-Bretagne), bien qu'ils contiennent autre chose que des petites annonces et des réclames. Depuis les années 1970, ils font une vive concurrence aux journaux traditionnels.

Il existe aussi des hebdomadaires qui ne sont pas locaux. Certains sont généralistes, comme *Die Zeit* (480 000) en Allemagne ou comme les journaux dominicaux en Grande-Bretagne — populaires comme *News of the World* (4,6 millions d'exemplaires) ou de qualité comme *The Observer* (465 000).

D'autres sont spécialisés. Il en est qui s'adressent à un groupe ethnique ou professionnel, dont la taille ou les revenus ne lui permettent pas d'entretenir un magazine. Ou au contraire, ils consistent en lettres d'information, très chères mais extrêmement utiles à leur poignée d'abonnés.

Les journaux sont les plus anciens des médias, mais leur âge d'or a pris fin avec la Seconde Guerre mondiale. Depuis lors, on annonce fréquemment la mort des quotidiens. En cette fin du XXe siècle, il apparaît dans de nombreux pays, comme la France, que les gens ne ressentent plus l'envie ou le besoin de lire un journal tous les jours. Partout les ventes baissent, sauf en des pays qui se développent comme le Brésil ou l'Inde. Ceci ne signifie nullement que les médias électroniques tuent l'imprimé. Toujours, quand un nouveau média apparaît, les précédents s'adaptent. Aussi le quotidien partout prend-il des allures de magazine[1].

---

1. On peut s'abonner au quotidien anglais *Guardian* un seul jour par semaine, pour le supplément de ce jour là. Par ailleurs, le magazine prend parfois des allures de livre, comme au Japon.

❏ Les revues et magazines

Sauf dans le Tiers-Monde, où n'existe pas de classe moyenne et où la publicité est donc rare, on trouve partout ces périodiques, le plus souvent hebdomadaires ou mensuels, nationaux[1], illustrés, imprimés sur meilleur papier, agrafés et relativement chers. Dans tout pays développé, ils sont des milliers (20 000 environ aux États-Unis) et de plus en plus nombreux.

À l'origine, au XVIIIe siècle, c'étaient des fourre-tout, d'où leur nom de « magasins ». Sauf exceptions (comme le *Reader's Digest* étatsunien), les généralistes ont disparu quand beaucoup des annonceurs leur ont préféré la télévision. Partout aujourd'hui, les magazines se spécialisent davantage : il en est même qui s'adressent seulement aux utilisateurs d'un modèle d'une marque d'ordinateurs. Partout, on en reconnaît plusieurs espèces assez clairement distinctes.

— Un type de magazine se flatte, dans bien des pays, d'avoir la plus forte diffusion : c'est une revue d'association ou de syndicat, par exemple d'automobilistes (*ADAC-Motorwelt*, en Allemagne, 2,9 millions d'exemplaires) ou de retraités (*Modern Maturity* aux États-Unis, 21 millions) qui est envoyée automatiquement aux membres, mais n'est pas forcément lue.

— Les revues techniques : le grand public les connaît peu alors qu'elles constituent un média de la plus haute importance. Chaque corps de métier, chaque secteur de l'économie, possède son ou ses magazines : ils sont indispensables à la circulation du savoir technologique et à la vie de la profession. Ils dépendent presque entièrement d'une publicité spécialisée.

— Les magazines grand public, eux, se vendent à la fois par abonnement et en kiosque. Ils se répartissent en quelques grandes catégories, classées ici par l'importance de leur diffusion :
- magazines de télévision, qui dans tous les pays développés obtiennent de très fortes diffusions : *TV Guide* aux États-Unis avec 13 millions d'exemplaires, *Télé 7 Jours* en France avec 3 millions, *Sorrisi e canzoni TV* en Italie, 1,6 m ;
- magazines féminins, qui s'étagent depuis la revue de luxe (*Harper's Bazaar*) jusqu'au roman-photo (*Grand Hotel*, en Italie), en passant par le magazine touche-à-tout (*Femme actuelle*) ou spécialisé par le thème dominant ou l'âge du public ciblé ;
- hebdomadaires d'actualité, ou *newsmagazines*, tous plus ou moins imités de *Time* (lancé aux États-Unis en 1923), comme *Der Spiegel* en Allemagne, *Le Nouvel Observateur* en France, *Espresso* en Italie ou *Cambio 16* en Espagne ;
- magazines très spécialisés : ils présentent l'actualité d'un secteur très étroit (véliplanchisme, bricolage ou gastronomie) ou offrent de la pure distraction (nus féminins ou mots croisés) ;
- revues de qualité, intellectuelle ou idéologique, à faible diffusion mais à fort impact, comme *Esprit* en France ou la *New York Review of Books*.

Les magazines apparaissent et disparaissent rapidement au gré des modes et des évolutions de la société, mais le nombre total s'accroît. Au contraire du secteur des quotidiens, celui des magazines se porte bien, à tel point que, depuis les années 1960, un peu partout dans le monde, de nombreux quotidiens se sont mis à inclure un magazine généraliste dans leur édition de fin de semaine.

Les magazines sont souvent élaborés autour d'une idée originale par de petites équipes de permanents et beaucoup de pigistes : ils se font alors imprimer à l'extérieur. La plupart des grandes revues, cependant, appartiennent à des groupes, parfois gigantesques, comme Time-Warner Inc. aux États-Unis, Gruner+Jahr en Allemagne ou Hachette en France.

❏ La radio

C'est son apparition, au début des années 1920, qui a marqué le début de l'ère moderne. Entre les deux guerres mondiales, la TSF s'est répandue dans le monde, y compris dans les régions alors colonisées, comme l'Inde ou l'Afrique.

---

1. À l'exception des magazines urbains. Aux États-Unis par exemple, toute grande ville possède un magazine qui porte son nom et traite de ses affaires.

La radio est le média le plus accessible — et donc le plus utilisé aujourd'hui, même dans les pays développés : aux États-Unis, 98 % des gens l'écoutent au moins une fois par semaine. Elle n'exige pas d'infrastructures, et requiert peu d'investissements par les usagers qui, de surcroît, n'ont pas besoin d'être alphabétisés.

Un « poste », une station, se compose au minimum d'un studio, d'un émetteur et d'une équipe pour gérer l'ensemble. Un studio peut se limiter à une pièce munie d'un micro. Il est des « stations » qui se résument à un couple dans une caravane. La radio qu'écoutent les trois quarts des gens a une portée très faible : celle d'une station FM locale.

Mais partout, à l'échelle nationale, existent des programmes que tous les usagers peuvent capter parce qu'ils sont émis à grande puissance en ondes longues ou parce qu'il existe un réseau d'émetteurs relais. Et presque partout, on retrouve cinq types de programmes : musique pop-rock ; variétés et information ; info – débats – feuilletons — dramatiques ; culture et enseignement ; musique classique.

Une autre façon pour une radio centrale de s'assurer une portée nationale, c'est de s'associer à d'autres stations, dites affiliées, qui réémettent ses émissions pendant une partie au moins de la journée. La station centrale, ou *network*, le plus souvent commerciale, joue le rôle de grossiste : elle fournit, sur cassette, par câble ou par satellite, des informations ou des reportages sportifs ou des commentaires d'experts ou des émissions téléphonées ou des interviews de personnalités ou des musiques d'un genre ou d'un autre. Certaines stations sont entièrement automatisées : elles confient à un ordinateur le soin de mettre à l'antenne leur programme et d'y introduire des annonces publicitaires.

La portée de la radio peut être immense, grâce aux ondes courtes ou aux satellites : à l'échelle mondiale, on trouve d'énormes organisations montées par tous les pays riches, comme la *Voice of America*, *Radio France Internationale* ou *Deutsche Welle*, qui s'efforcent d'atteindre une part importante de la population mondiale : la BBC estime à 120 millions l'audience hebdomadaire de ses services extérieurs. Et bien des pays plus petits font de même, comme la Suède ou Israël.

Dans les premières décennies de son existence, la radio émettait uniquement en modulation d'amplitude (ondes moyennes, longues et courtes) ; elle était généraliste ; et les récepteurs étaient fixes. Au cours des années 1950, le transistor et le circuit imprimé sont apparus qui ont rendu les récepteurs mobiles et peu chers. Puis est apparue la radio FM, de qualité sonore très supérieure et de portée courte. La FM a permis de multiplier le nombre des stations — dès que le gouvernement l'autorisait.

Dans le même temps, la télévision s'imposait : la radio lui a donc laissé les dramatiques, feuilletons et variétés. Et elle s'est spécialisée dans la musique, l'information et la conversation. Partout dans le monde ont été créées de petites stations locales à thème, dans les années 1950 aux États-Unis, dans les années 1980 en France. De nos jours, il est normal qu'une station ne passe qu'un genre d'émission, le plus souvent un certain type de musique. Mais il est aussi des stations qui ne s'adressent qu'aux adolescents, aux Juifs, aux homosexuels, aux vieux, etc.

On avait annoncé la mort de la radio à l'apparition de la télévision. Un demi-siècle après, elle se porte bien. Les usagers l'apprécient comme média d'accompagnement, en voiture par exemple. Sur baladeur. Sur ordinateur aussi et depuis 1999 sur téléphone portable (service Reuters). Les annonceurs apprécient les audiences particulières que la radio leur fournit, comme les magazines.

❏ La télévision

Ses principes furent découverts dans les années 1920 ; elle fut expérimentée dans les années 1930 et fut lancée à la fin des années 1940. La télévision s'est développée dans les traces de la radio et a d'abord adopté les mêmes structures. Elle se diffusait alors comme elle, par voie hertzienne.

Partout, quels que soient le régime politique et l'organisation économique, ce média présente des caractéristiques similaires. On crée des images, sur film et sur bande vidéo ; on les associe en un programme ; on les diffuse aux usagers. Pour ce faire, on a besoin d'argent, de créateurs, de techniciens, d'infrastructures, et de foyers équipés de téléviseurs.

Dans les pays développés, les foyers sont désormais équipés[1] à plus de 95 %. Tous les pays qui avaient un théâtre ou un cinéma féconds produisent pour le petit écran, même des pays relativement pauvres comme l'Inde et l'Égypte. Mais tous (sauf les États-Unis) doivent importer. Surtout ceux, la grande majorité, qui possèdent de nombreux canaux d'émission, publics et commerciaux.

Quant à la distribution, elle ne se fait plus seulement par diffusion hertzienne terrestre. Depuis les années 1970, la télévision utilise toujours davantage les satellites de communication pour transporter ses programmes vers les émetteurs terrestres sur de longues distances — et, sur les courtes distances, elle utilise réseau hertzien et câblé. Dès lors, au Canada comme en Belgique, au Japon comme en Suède, le câble sert à livrer les émissions à domicile. L'image qu'il apporte est meilleure et surtout ses canaux sont très nombreux, plus d'une centaine aux États-Unis. Depuis la fin des années 1980, les satellites à diffusion directe ont envoyé directement des images chez les usagers : les petites paraboles ont fleuri[2], surtout dans les zones rurales, qu'il serait trop coûteux de câbler.

À la fin du siècle, on préparait la numérisation : elle allait décupler le nombre de programmes disponibles en rendant possible la compression des signaux. Internet devenait un moyen de distribution de la musique et on s'attendait qu'il devienne le quatrième mode de diffusion de la vidéo.

❏ L'information

Nouveaux ou anciens, tous les médias assument des fonctions diverses[3]. Les deux principales ont toujours été d'informer et de divertir. Le premier quotidien durable (*The Daily Courant* de Londres, 1702-1735) s'occupait de nouvelles, le second (*The Spectator*, à Londres aussi en 1711) se donnait pour mission d'éduquer les classes moyennes en les amusant.

Les frontières du journalisme avec l'enseignement ne sont pas nettes, ni ses frontières avec la documentation et même avec le divertissement. Bien des informations sur notre société ou sur l'étranger nous viennent de feuilletons, séries et longs métrages, où sont présentées des questions d'actualité (drogues, insécurité, banlieues, racisme ou droits des femmes).

L'homme de la rue dirait que le journalisme s'occupe des nouvelles. Qu'est-ce qu'une nouvelle ? Des milliards d'événements se produisent chaque jour qui, pour la plupart, ne constituent pas des « nouvelles ». Mais parmi eux, quelques milliers d'événements sont observés et transmis aux médias par leurs informateurs.

Ces informateurs, ce sont, bien sûr, les journalistes attitrés — mais aussi, et dans une très large mesure, des agences et des attachés de presse. S'abonner à une agence est toujours bien moins cher que d'entretenir des correspondants dans toutes les capitales du globe ; reproduire des communiqués est toujours plus simple que d'envoyer ses reporters découvrir l'information.

Dans cette masse, qui choisit ? Avant tout les rédacteurs en chef, chefs-filtreurs (*gate-keepers*). Comment choisir ? Si l'on veut plaire aux usagers, les critères sont les suivants :

> — la fraîcheur : l'idéal pour certains, c'est le scoop, l'information qu'on obtient avant tous les autres ;
> — la proximité : plus un événement se produit près de lui, plus l'usager le trouve intéressant ;
> — la pertinence : le lien d'une nouvelle avec des questions déjà placées sous les projecteurs de la presse ;
> — l'éminence des personnes impliquées ;
> — l'impact possible de l'événement ;
> — la rareté : « si un chien mord un homme, ce n'est pas une nouvelle ; si un homme mord un chien, c'en est une » ;
> — les émotions suscitées : peur, compassion, envie, amusement, étonnement, émoi sexuel, etc.

---

1. Voir chapitre 11 « Audiences et pratiques », p. 177.
2. Voir chapitre 7 « Nouvelles technologies de communication et nouveaux médias », p. 105.
3. Voir chapitre 2 « Les fonctions des médias », p. 25.

À ces critères s'en ajoutent d'autres. Les uns tiennent à la tradition : la politique et le spectacle ont été pendant longtemps des sujets privilégiés — et l'on négligeait l'environnement, l'énergie, la santé ou la science. D'autres critères relèvent de la nature du média : le journal est local ou régional ou national ; sérieux ou populaire ; la télévision veut des images. D'autres critères enfin, nobles ou ignobles, relèvent des exigences professionnelles (exactitude, objectivité, équilibre) et des objectifs des propriétaires (dépenser peu, ne pas déplaire aux annonceurs).

Les risques de dysfonctionnement[1] sont grands : une omission, une insertion, une hiérarchisation, injustifiées. On fait traditionnellement passer le sport avant l'international, le crime avant la culture. Les fautes de choix sont souvent dues à la personnalité même des professionnels (leur âge, leur sexe, leur milieu, leur éducation, leurs revenus). À l'inverse, un risque nouveau est né de la facilité croissante de l'information en direct : les filtreurs sont alors court-circuités.

➤ LES JOURNALISMES

Dans tous les pays, bien sûr, le journalisme écrit a établi les traditions. C'est lui qui offre la plus grande richesse de styles, lui qui sert d'inspiration au journalisme des ondes.

❖ Journalisme d'opinion, de combat

Souvent le journalisme prend son essor sous cette forme. Il ne s'agit pas là de donner un compte rendu de l'actualité, ni même d'expliquer celle-ci — mais de l'utiliser politiquement dans la lutte contre ou pour l'ordre établi. Qu'on se fasse le champion d'une idéologie, d'une cause, d'une personnalité, on veut non pas informer mais convaincre — et on se soucie donc peu de l'exactitude factuelle.

❖ Journalisme « littéraire »

Ce journalisme, les Européens l'ont pratiqué depuis les origines ou presque, tel Daniel Defoe (auteur de *Robinson Crusoë*) dans son périodique *The Review* (1704-1713). Là aussi l'objectif est d'interpréter la réalité, mais pas pour la faire *comprendre* au lecteur : pour la lui faire mieux *sentir*. Et on utilise des méthodes de romancier : accumulation balzacienne de détails pour susciter une atmosphère, personnages composites, monologues intérieurs imaginés, dialogues reconstitués, styles évocateurs. Ce journalisme exige, pour être acceptable, un talent assez rare. Il est surtout pratiqué dans les magazines, sinon dans des livres[2].

❖ Journalisme de reportage

Il a commencé dans les années 1830-1840, avec les journaux qui voulaient attirer un vaste public et préféraient donc l'information au débat partisan. Le télégraphe allait bientôt leur fournir une abondance de nouvelles. À cette époque-là, aux États-Unis, sont nés deux concepts, celui de *reporter* et celui d'*interview*.

Ce journalisme consiste à rapporter ce qu'on voit ou ce que d'autres ont vu, ou savent, d'un événement, qui peut être prévu, comme une conférence de presse présidentielle, ou accidentel, comme un carambolage sur une autoroute. Utilisant l'observation, l'interrogation, parfois les fuites, le journaliste s'efforce de répondre aux questions « Qui, quoi, où, quand, comment, pourquoi ? » sans, normalement, exprimer son avis. Soit il est généraliste, soit il se spécialise dans un lieu (tel le Parlement) ou dans un domaine (comme la médecine). Avec lui travaillent des photojournalistes.

Aux États-Unis, on vénère ce type de journalisme : l'exactitude factuelle, le style sec, la ségrégation des faits et des commentaires, l'information « neutre », l'objectivité (par utilisation systématique de citations et d'avis opposés).

Par sa rapidité, la radio est vite devenue le média du reportage : il suffisait d'un magnétophone et d'un téléphone. Puis mini-caméras et satellites ont permis à la télévision aussi le compte rendu en direct. Ces deux médias disposent de peu de temps mais ce handicap est désormais un peu compensé sur les chaînes d'information en continu.

---

1. Voir chapitre 15 « Critique des médias et déontologie », p. 231.
2. Comme *In Cold Blood* (*De Sang froid*), 1965, de Truman CAPOTE.

❖ Journalisme d'enquête

Il consiste à aller chercher une information dans des zones obscures, et que certains veulent garder secrètes, ou sous la surface de l'actualité. On en connaît deux types, très différents, mais qui peuvent être combinés.

Dans le premier cas, un reporter, et souvent plusieurs, utilisent pour leur enquête les méthodes du détective ou de l'espion : planques, filatures, indicateurs, achats d'information ou de documents, et même écoutes téléphoniques. Ils recherchent ainsi l'escroquerie, la corruption, l'abus de pouvoir, et, au plus bas niveau, les activités sexuelles illégitimes. L'apogée de ce journalisme fut marqué par l'affaire du Watergate en 1972-1974, qui allait aboutir à la démission du Président des États-Unis.

Le deuxième type, le journalisme de forage, est né aux États-Unis dans les années 1960 sous le nom de *precision journalism*. Il utilise les méthodes des sciences sociales : échantillonnage, sondage, puis analyse sur ordinateur ; et exploitation informatique d'archives[1] (CAIR = *Computer Assisted Investigative Reporting*). Puis le journaliste traduit les résultats en termes accessibles au citoyen ordinaire. La méthode permet de mettre au jour des processus avant qu'ils n'aboutissent à quelque catastrophe ; des dysfonctionnements sociaux graves mais encore obscurs.

Les deux types nécessitent une formation, surtout le second. On ne s'improvise pas enquêteur. Ils nécessitent aussi du temps et de l'argent : une enquête de trois mois peut n'aboutir à rien ; une enquête réussie peut ne donner matière qu'à un ou deux articles. Ce journalisme prestigieux est donc peu pratiqué, même aux États-Unis. Non seulement il est cher, mais il dérange.

❖ Journalisme d'interprétation, de commentaire

Il s'agit non plus de livrer des faits mais de les faire comprendre, ce qui est indispensable dès lors que la presse ne s'adresse plus seulement à une petite élite cultivée. Le journaliste explique le fait en présentant ses origines, son contexte, ses suites possibles. Il en propose une ou plusieurs interprétations. Il évalue son importance. L'exercice implique qu'il soit lui-même spécialisé, et qu'il fasse appel à des experts, ou qu'il puise dans des banques de données et d'autres documentations. Ce journalisme est pratiqué surtout par la presse écrite, presse de qualité et magazines d'information.

❖ Journalisme de service

Il procure aux usagers des informations utiles dans leur vie de tous les jours : météorologie, pharmacies de garde, programmes des cinémas, critiques de spectacle, mais aussi rubriques de jardinage, de cuisine — ou les cours de la Bourse. Tous les journaux (même télévisés), la plupart des magazines spécialisés, et certains journaux gratuits, assurent cette fonction à un moment ou un autre. On peut noter que, depuis une vingtaine d'années, les quotidiens sont enclins à publier des sections spéciales, joliment décorées, différentes selon le jour de la semaine. Elles sont faites à la fois pour rendre service aux usagers (tourisme, gastronomie, décoration) et pour séduire les annonceurs.

❖ Journalisme institutionnel

Des informations sont données par une firme ou une institution, qui sont parfois très utiles et fort intéressantes — mais purgées de tout élément négatif. Il s'agit, pour une part, de propagande et de publicité : on est ici dans le domaine des « relations publiques ». Ce journalisme se trouve dans les médias ordinaires, mais masqué : bien des « communiqués de presse » sont à peine réécrits avant d'être publiés. On le trouve surtout dans des publications qui s'adressent aux employés de l'institution ou de la firme, aux clients ou aux administrés. Qu'à propos de ces activités on parle de journalisme a de quoi irriter bien des journalistes. Toutefois, dans la mesure où ces publications renseignent une communauté sur elle-même et la soudent, elles sont proches des pages locales de bien des journaux — et la plupart des techniques appliquées sont les mêmes.

---

1. Voir Philip MEYER, *The New Precision Journalism*, Bloomington, Indiana UP, 1991.

❖ Journalisme populaire

Avant même que la presse devienne périodique, elle était sensationnelle : elle publiait des faits divers, dramatiques, drôles ou titillants[1], authentiques ou embellis. Assez tôt on y a trouvé des scandales et de spectaculaires changements de destinée. Plus récemment, des potins et interviews de vedettes du spectacle. Cette presse arrange la réalité pour la rendre sensationnelle. À la limite, elle glisse dans la fiction : tout est inventé[2]. Les illustrations abondent, les titres sont énormes et les articles très courts. La langue en est simple et accrocheuse.

Le but de ce journalisme n'est pas d'informer mais d'amuser, d'exciter — parce que c'est là ce que désirent les usagers moins éduqués, dont la vie est morne et pénible. Parce que ce journalisme sait captiver ce public, il lui arrive de faire de la bonne vulgarisation, comme *Paris-Soir* dans l'entre-deux-guerres et le *Daily Mirror*, de Londres, dans les années 1940 à 60. À l'inverse, dans les années 1990, la presse de qualité s'est montrée fâcheusement encline, aux États-Unis, à imiter les tabloïds dans leurs obsessions (procès O.J. Simpson[3], liaison Clinton-Lewinsky) et leurs méthodes.

Tous ces journalismes se rencontrent dans tous les médias mais, pour la plupart, ils caractérisent la presse écrite. Le journalisme de radio a pour lui la vitesse, mais il souffre de n'avoir pas de temps et pas d'images. Quant au journalisme de télévision, il peut réaliser des merveilles, dans ses magazines surtout[4] ; il fait parfois preuve de grand courage[5] ; et il manifeste une efficacité étonnante pour orienter l'attention du public vers quelque drame, comme la famine en Éthiopie dans les années 1980. Toutefois, la télévision est toujours portée à virer au divertissement.

➤ LE DIVERTISSEMENT

❖ Médias écrits

On oublie souvent qu'une grande part des journaux eux-mêmes est consacrée à divertir, surtout depuis qu'ils s'efforcent d'attirer le grand public, en se vendant dans la rue. Une étude étatsunienne révèle qu'un cinquième seulement de la surface des journaux est consacré aux « nouvelles ». Le reste consiste en publicité, bien sûr, et en « services » mais aussi en mots croisés, horoscope, potins, chroniques et dessins humoristiques, BD. Sans compter le sport. Et naguère des feuilletons.

Les magazines, eux, se partagent entre ceux qui apportent surtout de l'information et ceux qui distraient, mais la plupart font les deux. Certains, en fait, informent sur des activités de divertissement, comme la télévision ou le football.

❖ Médias électroniques

Les usagers, de nos jours, trouvent leur divertissement médiatique avant tout sur le petit écran : chacun y passe 3 à 4 heures par jour, en moyenne. Et la diversité de la télévision est grande : elle a repris les traditions de tous les secteurs du spectacle.

Elle peut mettre au programme une pièce de Feydeau ou une symphonie de Haydn. Toutefois, son matériau normal relève de ce qu'on appelle la « culture de masse », industrielle. Une grande partie des émissions sont fabriquées en série dans les « usines à rêve[6] » et elles sont sélectionnées par des comptables qui évaluent, non le plaisir de publics particuliers, mais l'absorption par le plus grand nombre. L'énorme débit des médias interdit une haute qualité des produits. Néanmoins, il faut reconnaître que leur qualité moyenne, sur une période donnée, est bien supérieure à celle des produits du folklore, de l'édition et du théâtre.

---

1. Au Japon, les *kawaraban*, feuilles de nouvelles publiées dès le XVIIe siècle, faisaient dans l'érotique pour (dit-on) écarter les esprits de la politique.
2. Comme dans le *World Weekly News* aux États-Unis.
3. Ancien champion de « football » américain accusé du meurtre de son ex-femme et de l'amant de celle-ci.
4. En France on parle encore de *Cinq colonnes à la une* (né en 1959) ; aux États-Unis on regarde toujours *60 Minutes* (né en 1968) et en Grande-Bretagne *Panorama* (1953).
5. Quand, par exemple, aux États-Unis il attaque de front le bloc militaro-industriel (*The Selling of the Pentagon*, CBS, 1971).
6. Voir *Hollywood, The Dream Factory* de H. POWDERMAKER, Boston, Little Brown, 1950.

• SPECTACLES CULTURELS

La télévision s'est peu occupée d'éducation — à quelques exceptions près comme l'*Open University* (université des ondes) britannique ou la remarquable chaîne éducative de la NHK japonaise et, plus récemment, La Cinquième en France.

Théâtre, opéra, ballets, concerts n'ont pas disparu du petit écran quand la télévision est devenue média de masse, mais ils sont absents des canaux commerciaux aux heures de haute écoute, et peu présents sur les canaux publics. Ces spectacles semblent désormais réservés aux chaînes du câble, comme Arte en Allemagne, ou *Arts & Entertainement* aux États-Unis. Parallèlement, des canaux servent des films anciens, comme *CinéCinéfil* en France ou *American Movie Classics* aux États-Unis.

• SPORTS

Les sports de spectacle se sont développés parallèlement aux médias et à la publicité depuis le milieu du XIXe siècle. À partir des années 1950, la télévision s'est nourrie de boxe et de catch, puis elle a déclenché un essor prodigieux de quelques sports bien adaptés au petit écran. Aux États-Unis, 20 % de la surface des journaux et 25 % des programmes télévisés du week-end leur sont consacrés. Lors de la Coupe du monde de football, ce sont des milliards de téléspectateurs qui suivent la même rencontre. Sur le câble et le satellite, ce sont des canaux entiers (Eurosports, Sky Sports) qui leur sont dévolus.

• VARIÉTÉS

Au minimum, il suffit de placer une caméra devant la scène d'un music-hall. La plupart des télévisions ont commencé ainsi. Les télévisions française, italienne et latino-américaines restent très friandes de variétés. À l'Amérique du Sud, l'Afrique a d'ailleurs emprunté la soirée plus ou moins improvisée, animée 6 ou 8 heures durant par un meneur de jeu. Aux États-Unis, la télévision, au contraire, a totalement abandonné ce genre. Le produit industriel fait à la chaîne (série, feuilleton) est plus rentable : il fidélise et il se conserve et s'exporte mieux.

• FEUILLETONS

Dans ce genre hérité de la presse écrite du XIXe siècle, des récits dramatiques, sentimentaux et sexuels, se continuent, d'un épisode au suivant, parfois pendant plus de 40 ans (comme *The Guiding Light* aux États-Unis). Ces *soap operas*[1] sont tournés en studio, vite, à bas prix. Ils durent normalement une demi-heure, passent à l'antenne tous les jours, dans la journée.

Dans les pays latins, on les appelle des *telenovelas* : le Mexique et le Brésil en sont de gros producteurs et les vendent jusqu'en Russie. Faciles à fabriquer, ils sont extrêmement populaires aussi en Inde, où l'on s'en est servi pour lancer la télévision dans les années 1980, en racontant l'histoire de la nation et de sa religion.

À la fin des années 1960 et pendant une dizaine d'années, une variante a fait fureur : le feuilleton de soirée, hebdomadaire, à gros budget. *Dallas* et *Dynasty* en ont été les plus renommés. À cette dernière catégorie, on peut rattacher la mini-série : récit télévisuel raconté en plusieurs épisodes, comme *Les Yeux d'Hélène* ou *Le Comte de Monte-Cristo*.

• SÉRIES

Les séries, elles aussi, peuvent durer des années mais chaque épisode est complet. Le genre a été légué à la télévision par le cinéma des premiers temps : le *western*, par exemple, est passé sans heurt du grand au petit écran. Aujourd'hui, on distingue entre deux espèces, nées aux États-Unis : les séries comiques et les séries d'action.

Les premières, ou *sitcoms* (comédies de situation), qui durent moins d'une demi-heure, ont toujours été très populaires outre-Manche et outre-Atlantique : certaines des émissions les plus célèbres de l'histoire en font partie (*Steptoe & Son* en Grande-Bretagne, *M*A*S*H* aux États-Unis). Au contraire, la France jusqu'aux années 1980 produisait une télévision grave.

Les séries d'action, elles, durent environ une heure. Elles sont souvent faites en décors naturels avec une abondance d'effets spéciaux : d'où un coût élevé qui, à Hollywood, atteint le million de

---

1. Encore aujourd'hui, aux États-Unis, la plupart sont faits par des fabricants de lessive.

dollars par épisode. Certaines séries britanniques, comme *The Avengers* (*Chapeau melon et bottes de cuir*) ou étatsuniennes, comme *Kojak*, ont conquis les téléspectateurs du monde entier. Les thèmes sont de western (*Bonanza*), de science fiction (*Star Trek*), d'espionnage (*Mission Impossible*) et surtout, de nos jours, policiers (*Navarro*). Il arrive, bien sûr, qu'une série participe de plusieurs genres, comme *Amicalement vôtre* ou *Les Mystères de l'Ouest*. Il en est aussi, comme *Maigret* ou *Columbo*, qui relèvent du long métrage.

• LONGS MÉTRAGES

Partout aujourd'hui, la plupart des gens regardent les films de cinéma sur le petit écran et les apprécient davantage que toute autre émission. Les principaux revenus des Studios hollywoodiens viennent désormais, non plus des salles, mais de la télévision — et des vidéocassettes.

Le désir de faire toujours plus spectaculaire pour attirer des clients vers les salles a causé une inflation énorme des coûts du cinéma. D'où la nécessité, pour nourrir l'insatiable appétit de la télévision, de faire pour elle des téléfilms, films à petit budget, successeurs des série B d'autrefois.

• DOCUMENTAIRES

Vieille tradition, le documentaire, court métrage sur la vie des hommes ou des animaux, a survécu au déclin des salles de cinéma. Il a trouvé refuge d'abord sur les écrans de la télévision « publique », et maintenant au sein de certains magazines télévisés et sur des canaux du câble qui lui sont réservés, comme *Discovery* aux États-Unis et Planète en France. Les téléspectateurs du monde entier ont été séduits par les reportages sous-marins du Commandant Cousteau.

• *REALITY SHOWS*

On y mêle réalité et fiction de diverses manières : on y reconstitue des accidents / sauvetages exceptionnels ; on y demande aux téléspectateurs d'aider à retrouver des personnes disparues — ou les auteurs de crimes dont on présente une version filmée : la série *Aktenzeichen XY...Ungelost* sur la ZDF allemande a été le pionnier du genre.

Hybrides aussi, les *docudramas*, comme on les appelle aux États-Unis, reconstitutions historiques romancées de la vie d'un personnage célèbre, tel le Président Kennedy ou le protagoniste d'une affaire criminelle exceptionnelle.

• *TALK SHOWS*

Spectacle de plateau, populaire et peu cher, il a toujours existé mais a connu une vogue au début des années 1990. Un animateur s'entretient avec une poignée d'invités, des auteurs de livres (*Apostrophes*) ou des vedettes de la scène (*Tonight Show* aux États-Unis) — ou encore des personnages singuliers. Autre formule : on remplit tout un studio de gens pour débattre de quelque sujet bizarre ou à la mode — comme le font *Oprah Winfrey* aux États-Unis et *Kilroy* à la BBC.

• JEUX

Eux aussi sont peu chers et font participer le public. Il est assez rare qu'ils exigent des compétences, intelligence (*Les Chiffres et les Lettres*) ou connaissances (*Questions pour un champion*). Naguère ils excitaient la cupidité des participants, mais désormais ils relèvent presque tous de la devinette. D'un bout du monde à l'autre, ils se ressemblent car la formule de la plupart d'entre eux a été achetée ou copiée aux États-Unis.

Partout, dans les premières années, la radio puis la télévision ont été des médias familiaux proposant un ou deux programmes. Depuis les années 1980, la technologie (FM, magnétoscopes, télécommande, câble, satellites) et la déréglementation (levée du monopole, privatisation) ont entraîné une multiplication des canaux, une démassification des deux médias électroniques, une diversification immense de l'offre.

LES DIFFÉRENCES

Quand on parle des médias, il faut toujours prendre en compte leur environnement : ils ne sont que des éléments d'un vaste système social, très complexe, dont tous les rouages, bien sûr, sont inter-dépendants. Aussi, dans chaque pays, la croissance lente du système médiatique dans un terroir particulier l'a rendu différent de celui des autres nations. Cela dit, on peut discerner quelques modèles de base.

❏ La presse écrite

➤ LES MAGAZINES

Du fait que les magazines se ressemblent d'un bout à l'autre du monde, il sera question ici surtout des journaux. Pourtant, quelques originalités valent d'être signalées.

D'une façon générale, on peut dire que les pays sous-développés ont peu de magazines, car ils ont peu de lecteurs et peu de publicité. Les petits pays, comme la Suisse, lisent beaucoup des magazines venant de pays voisins de même culture. Les pays où on lit beaucoup les quotidiens, comme la Suède, ont assez peu de magazines ; au Japon, on lit peu de magazines et on les considère même comme une presse inférieure, consacrée à la politique ou au divertissement. Au contraire, les Français sont les plus grands lecteurs de magazines du monde.

Certains pays exportent leurs formules de magazines, d'autres (comme l'Australie) ont surtout des adaptations de magazines étrangers. Parmi les grands exportateurs, les États-Unis, avec le *Reader's Digest* (qui publie 40 éditions en 17 langues), *Playboy* ou *Cosmopolitan*. Et aussi des firmes alle-mandes qui éditent certains des magazines le plus vendus en France, ainsi d'ailleurs qu'en Grande-Bretagne. Mais également la France dont *Elle* et *Marie Claire* ont des éditions dans une vingtaine de langues.

Une originalité frappante, les *mangas* japonaises. Ce sont de gros livres de BD, souvent vite et mal faites, dans le style des dessins animés que les Nippons exportent partout. Elles occupent un tiers du marché, un des titres (*Shonen Jump*) vendant 4 millions exemplaires par semaine.

➤ LES JOURNAUX

Les journaux sont censés faire, avant tout, du journalisme. Or, mise à part la variante communiste qui consiste en pure propagande, même dans les démocraties occidentales le journalisme présente des différences. Au moins deux conceptions existent : une latine et une étatsunienne. La première est héritière d'un passé où le rôle de la presse était de commenter l'information officielle. On y distingue mal entre nouvelles et commentaires mais, en revanche, l'information est rendue plus excitante et plus facile à comprendre. Le second type de journalisme insiste sur l'exactitude factuelle, l'objectivité, la séparation des faits et des opinions, le style froid. Traditionnellement, le premier genre a le tort d'être trop lié aux partis politiques et à l'État ; et l'autre, plus commercial, celui d'être soumis aux annonceurs.

Plus concrètement, examinons les journaux d'information. Ils diffèrent d'abord par leurs proprié-taires. Ils peuvent être aux mains de familles, comme c'est la tradition au Japon ou dans la province française. Ou encore ils peuvent appartenir à de grosses sociétés industrielles (automobiles, textiles ou chimiques) comme en Italie (Fiat) ou en Inde (Tata). Mais il devient plus courant qu'ils appartiennent à des groupes de presse, comme aux États-Unis (Knight-Ridder), ou à des conglomérats multinatio-naux, comme en Grande-Bretagne (News International).

Les journaux diffèrent aussi par le mode de distribution. En France et en Italie, on les achète en kiosque surtout. En Suède, le portage à domicile est généralisé. Aux États-Unis, la diffusion se fait par portage et par boîtes à sous — ou encore, formules qui ont démarré dans les années 1990, par télé-phone, fax et surtout Internet.

Les journaux diffèrent aussi par la consommation qu'on en fait. Dans le Tiers-Monde, elle est très faible en raison d'un ou plusieurs obstacles : analphabétisme, absence d'infrastructures, contrôle gouvernemental et pauvreté. Dans les pays totalitaires, la « consommation » est artificiellement forte en raison de la maigre pagination, du prix très bas et de l'obligation d'achat. En Europe du Sud, elle est moyenne. Dans l'Europe du Nord et au Japon, elle est très forte.

Enfin et surtout, les journaux diffèrent par leurs structures d'ensemble où se combinent les différents genres de publication. On peut distinguer au moins huit types de presse différents.

❖ Le modèle chinois

Le premier, le modèle soviétique, est fort heureusement en voie d'extinction. Ce modèle n'existait plus à la fin du millénaire que dans quelques pays d'Asie sous régime communiste, dont la Chine, pays le plus peuplé du monde. Les médias font tous partie d'un État centralisé[1], lui-même assimilé au Parti unique. Leur but n'est pas d'informer ou de divertir, mais d'endoctriner et de mobiliser. Et de transmettre les instructions du centre à la périphérie.

L'agence de presse centrale fournit la version officielle de l'actualité au journal central du Parti communiste (la *Pravda* autrefois en URSS, *Renmin Ribao* en Chine) — ainsi qu'aux chaînes de radio et de télévision centrales. Les journaux et stations de niveaux inférieurs les copient, en ajoutant quelques ingrédients. Outre cette division horizontale de la presse en niveaux (de la presse nationale jusqu'à celle de l'usine ou de la ferme), il existe une division verticale en secteurs : presse du parti, des syndicats, de l'armée, des femmes, des agriculteurs, etc.

❖ Le modèle étatsunien : détaillants et grossistes

Aux États-Unis[2] tous les quotidiens sont locaux, à deux exceptions près : deux journaux qui ensemble vendent moins de 3,5 millions d'exemplaires dans un pays de 260 millions d'habitants[3].

Les quelque 1 500 quotidiens sont pour la plupart petits et n'ont pas de gros moyens. D'autre part, leur but principal est de faire des profits. Aussi en sont-ils venus à se procurer leur matériau à bas prix auprès de grossistes, pour la plupart new-yorkais — à l'exception, bien sûr, des nouvelles, services et publicités locaux.

Les journaux reçoivent donc leurs informations et leurs photos, régionales, nationales et internationales de grandes agences, comme *Associated Press*. Et le reste vient de 400 autres agences indépendantes (*syndicates)* ou créées par de grands journaux (*newsservices*). Elles vendent aussi bien des reportages et des commentaires politiques que des chroniques de conseils (en jardinage, médecine, droit ou affaires de cœur), des articles de style magazine, des dessins et BD, des horoscopes et des mots croisés.

En conséquence, la presse étatsunienne est bien plus uniforme, plus nationale qu'on pourrait s'y attendre. Une autre conséquence est que cette presse locale est de très honorable qualité — et fort prospère, contrairement à beaucoup d'autres.

❖ Le modèle britannique, centralisé

La Grande-Bretagne est, avec le Japon, la seule grande nation à posséder une presse véritablement nationale : une dizaine de quotidiens faits à Londres qui sont vendus abondamment dans tout le pays. Leurs diffusions sont énormes : en 1999, ils vendaient chacun entre 300 000 et 4 millions d'exemplaires — plus de 13 millions en tout, près du double des journaux français dans un pays de même population. La presse provinciale, une centaine de quotidiens de qualité moyenne, représente un tiers seulement de la diffusion totale.

Pourquoi la presse britannique[4] est-elle si développée et si centralisée ? Plusieurs facteurs l'expliquent, qui existent ou n'existent pas en d'autres pays. Entre les deux guerres mondiales, l'habitude de lire le journal a été fortement enracinée par une concurrence frénétique. Toutefois, à partir

---

1. Voir chapitre 2 « Les fonctions des médias », p. 25.
2. Voir C.-J. BERTRAND, *Les médias aux États-Unis*, Paris, PUF, « Que sais-je ? », 5e édition 1997.
3. Le *Wall Street Journal* et *USA Today*. Le *New York Times* ne vend qu'une petite part de son tirage hors de New York.
4. Voir C.-J. BERTRAND, *Les médias en Grande-Bretagne*, Paris, PUF, « Que sais-je ? », 1998.

des années 1920, quelques groupes ont commencé d'organiser le marché à leur avantage : aussi de nos jours la presse nationale paraît le matin tandis que l'après-midi est réservé à la presse provinciale. Par ailleurs, en ce pays compact très urbanisé, les gens utilisent beaucoup les transports publics pour se rendre à leur travail. La grande diversité des titres permet à chacun de trouver un quotidien à son goût. Enfin les prix sont bas grâce, pour une part, à l'abondance de publicité.

La presse britannique possède deux autres traits caractéristiques. L'un est rare[1] : une dichotomie nette entre journaux populaires de divertissement et journaux d'information de qualité. L'autre est unique : une presse du dimanche qui, dans une large mesure, est autonome et qui vend plus encore que la quotidienne.

Au Japon, cinq quotidiens de Tokyo vendent 60 % du tirage global. Et la diffusion est plus forte encore qu'en Grande-Bretagne : alors que la population n'est que double de la britannique, les ventes du n° 2, l'*Asahi Shimbun*, atteignent 13 millions d'exemplaires. Il est à noter que les quotidiens sont, à plus de 95 %, portés à domicile. Mais il faut savoir aussi qu'ils publient sous le même titre deux éditions distinctes, une du matin et une du soir, 60 % des gens achetant les deux. L'*Asahi* vend 8 millions d'exemplaires le matin et près de 5 l'après-midi.

❖ Le modèle allemand, tricéphale

En Allemagne, on trouve quelque 1 300 titres quotidiens qui se distribuent en trois catégories : les presses nationale, régionale et locale, fort différentes.

Mis à part une poignée d'imitateurs dans quelques grandes villes, le *Bild Zeitung,* avec ses 4,5 millions d'ex., le record d'Europe, constitue à lui seul la presse quotidienne nationale allemande, presse populaire, au sens anglais du terme, avec beaucoup de sang et de sexe, qui se vend dans la rue, au numéro donc.

Par ailleurs, il y a les journaux auxquels on s'abonne et qui sont portés à domicile. D'une part, la grande presse régionale, environ 50 titres — dont quelques uns, comme le prestigieux *Frankfurter Allgemeine Zeitung,* exercent une influence nationale. D'autre part, des quotidiens locaux dont la moitié n'a une diffusion que d'environ 1 000 exemplaires. Leurs titres diffèrent mais, à quelques pages locales près, un grand nombre sont identiques : une centaine d'équipes de rédaction en produisent un millier[2].

La presse suédoise appartient au même type : deux tabloïds d'après-midi publiés à Stockholm sont vendus dans la rue d'un bout à l'autre du pays. Une douzaine de grands régionaux sont publiés 7 jours sur 7 dans les grandes villes, ceux de la capitale ayant une forte influence, bien sûr. Et enfin la presse locale dessert les petites villes 4, 5 ou 6 fois par semaine et s'occupe à 80 % d'affaires locales.

Par rapport à la population, les ventes des quotidiens suédois sont, avec les japonaises, les plus fortes du monde (plus de 500 exemplaires pour 1 000 habitants). Pourquoi ? Là encore on trouve une intéressante combinaison de facteurs : le climat nordique ; un système de distribution coopératif opérant surtout par portage ; le haut niveau culturel des Suédois et leur sens des devoirs civiques ; la crédibilité d'une presse indépendante depuis le milieu du XVIIIᵉ siècle ; et enfin le sens qu'elle a de sa « responsabilité sociale ».

❖ Le modèle français, féodal

Les quotidiens français se sont partagé le pays en fiefs. La presse est régionale et on ne rencontre de véritable concurrence que dans une région, celle de la capitale. Les journaux parisiens (parmi les plus chers du monde) se prétendent nationaux, mais en province, un dixième seulement des gens qui achètent un journal, choisit un quotidien parisien.

De son côté, la presse provinciale vend trois fois plus que la presse parisienne et elle comprend le quotidien qui a la plus forte diffusion, *Ouest-France*, avec ses quelque quarante éditions locales. Cette presse est relativement prospère, et comme elle s'adapte assez bien à l'évolution technologique, elle a

---

1. On la retrouve en Amérique du Sud où de maigres petits journaux d'après-midi se consacrent aux faits divers, violents surtout.
2. De même, aux Pays-Bas et en Wallonie il arrive qu'un même journal soit vendu sous deux titres différents dans deux villes différentes.

pu longtemps échapper à la concentration de type britannique. Cependant des exceptions sont apparues, comme la chaîne Hersant.

La presse en Italie et en Espagne, les deux sœurs latines, montre des caractères similaires, avec des diffusions encore plus faibles. Chaque journal jouit normalement d'un monopole dans sa région et une vive concurrence n'existe que dans une ou deux grandes villes, comme Milan et Rome en Italie, Madrid et Barcelone en Espagne. Rizzoli en Italie et Prisa en Espagne sont les seuls groupes très importants.

L'originalité de ces deux pays vient de la prééminence, tant par la diffusion que par la qualité, d'un quotidien national de naissance assez récente (1976) : *El Pais* en Espagne et *La Repubblica* en Italie. Et aussi de l'existence de 4 à 5 quotidiens sportifs dans chacun.

❖ Le modèle autrichien, multinational

Un petit pays qui partage la même culture qu'un grand voisin tend à l'imiter ; et il importe beaucoup de ses produits médiatiques. C'est le cas de l'Autriche avec l'Allemagne ; de l'Irlande où un journal vendu sur trois vient de Grande-Bretagne ; et aussi des petites enclaves indépendantes comme le Luxembourg ou Monaco en Europe.

❖ Le modèle suisse, multiculturel

Dans plusieurs pays européens, on trouve des groupes ethniques parlant des langues différentes, en Finlande et en Espagne, par exemple — et dans tous les Balkans. Ainsi, en Moldavie, on trouve des journaux en roumain, en russe, en bulgare, en yiddish et en dialecte turc.

En Suisse et en Belgique, la division culturelle est officielle. Les médias des diverses zones sont totalement distincts, même la radiotélévision. Il n'y a pas de journaux bilingues ou de journaux avec deux éditions différentes. Le résultat est un nombre de titres particulièrement élevé. À noter que des publications importées des pays voisins de même culture sont vendues en abondance, par exemple les magazines français en Suisse romande. Et les Wallons regardent beaucoup TF1.

❖ Le modèle indien

Semblablement, il existe des nations où coexistent de très nombreux groupes ethniques qui utilisent des idiomes différents : une langue autre s'y est donc imposée. En Israël, la langue religieuse, l'hébreu, a été ranimée. Ordinairement, comme la plupart de ces pays ont été longtemps colonisés, c'est la langue du colonisateur qu'ils ont adoptée.

En Inde, les journaux les plus prestigieux (comme le *Times of India* ou *The Hindu*) et une bonne part de la télévision utilisent l'anglais, aux côtés de l'hindi, la langue officielle, et des 14 autres langues majeures du pays. Il en va de même aux Philippines — après un siècle d'occupation étatsunienne.

En Afrique noire, les langues sont multiples même au sein de pays infiniment plus petits. Et donc, si la radio parle souvent un dialecte local, la presse écrite et la télévision utilisent, selon le cas, le français, l'anglais ou le portugais.

❑ Les médias électroniques

➤ PROPRIÉTÉ ET CONTRÔLE

Il y avait naguère deux modèles de base — qu'on pourrait baptiser étatsunien et français : la radiotélévision pouvait consister en des entreprises privées, peu réglementées, à but lucratif, tirant leurs revenus de la publicité, et souvent concentrées en oligopole. Cette radiotélévision courante dans le Nouveau monde est d'ordinaire accusée de « se prostituer » aux annonceurs et au grand public.

Ou bien la radiotélévision consistait en un service public jouissant d'un monopole d'État, comme la RAI italienne jusqu'à 1975 ou *Sveriges Radio*, en Suède, jusqu'à 1991. En Europe, un tel système est financé d'ordinaire par une redevance annuelle ; et aussi, assez fréquemment, par la publicité[1] ; ou, dans certains cas, par des fonds d'État, comme dans les ex-pays communistes ou en Australie. Cette radiotélévision publique était, elle, accusée d'être manipulée par le gouvernement.

---

1. La BBC et la NHK n'acceptent pas de publicité. À l'opposé, en Espagne et en Amérique latine, la redevance n'existe pas.

À la fin des années 1990, avec quelques exceptions comme l'Autriche, il n'y avait plus de pays développés, ou de démocraties industrialisées, où subsistait le monopole d'État. La plupart des pays avaient adopté un système mixte. Mais le mélange se présente sous trois formes différentes.

Aux États-Unis, la radiotélévision commerciale est énorme alors que la radiotélévision « publique » est petite, sinon par le nombre de ses stations, du moins par son audience qui dépasse rarement 2 % en soirée. Et puis il y a des pays comme la Grande-Bretagne, le Japon et l'Italie, où un équilibre a été atteint : les deux systèmes se partagent presque également le public. Enfin, il y a quelques pays où le secteur commercial est encore réduit, comme en Norvège ou en Suisse.

Une variante intéressante, c'est le pays où le contrôle d'une large part de la télévision se situe à l'étranger. Il en va ainsi au Canada où la majorité de la population, qui habite le long de la frontière, est fidèle aux stations étatsuniennes. Et, par le biais du satellite, dans des pays comme l'Algérie où dans les années 1990 l'on regardait beaucoup plus les chaînes françaises que le programme national.

➤ STRUCTURES ET FONCTIONNEMENT

La radio est assez semblable d'un bout à l'autre du monde, mais quelques originalités valent d'être signalées.

D'abord, l'existence de stations « pirates », faciles à mettre en action. Certaines diffusent de l'extérieur du pays. Ainsi, pendant toute la Guerre froide, deux stations américaines installées à Munich ont percé le « rideau de fer » avec leurs informations destinées aux pays de l'empire soviétique. Dans les années 1960, des stations comme Radio Caroline, installées sur des bateaux hors des eaux territoriales, séduisait les jeunes Anglais avec une musique pop que la BBC ne leur servait pas. Dans d'autres cas, les « pirates » se sont attaqués au monopole de l'intérieur : stations musicales en URSS ou stations « libres » en France dans les années 1970.

Curieusement, il arrive que des stations « extérieures », violant le monopole de l'État sur la radio d'un pays et l'interdiction de la publicité sur les ondes, soient en fait contrôlées par le gouvernement. C'était le cas de la plupart des stations dites « périphériques » en France, Europe 1 et RMC en particulier, jusqu'au début des années 1980. Autre curiosité : il arrive que les stations le plus populaires d'un pays soient gérées, hors monopole, par des forces considérées d'ordinaire comme répressives, comme la police en Turquie et l'armée en Israël.

En matière de télévision, il y a fondamentalement cinq modèles, sans parler de cas très particuliers comme celui de la Finlande où pendant de nombreuses années la télévision d'État louait son canal plusieurs heures par jour à une chaîne commerciale. Ou le cas du Chili où les principales chaînes de télévision sont entre les mains d'universités, privées ou publiques.

La station locale : c'est le modèle originel de la radio, à l'époque où la technologie ne permettait pas d'émettre bien à longue distance. Puis, dans les pays de monopole étatique, la station locale s'est faite rare — jusqu'à l'émergence conjointe de la FM, du câble et d'une exigence de localisme exprimée par le public. Dans les autres pays (États-Unis, Amérique latine ou Japon), la station locale a trouvé d'abord coûteux de fabriquer ses propres émissions puis, quand il s'est agi de faire de la télévision, elle a trouvé la chose impossible. Elle a dû se mettre sous la dépendance de grands fournisseurs de programmes.

La pyramide : elle a été le modèle normal, et unique, en Europe jusqu'aux années 1980, pour des raisons économique et politique. Une institution monolithique, située dans la capitale, produit la plupart de ses émissions (et achète le reste), puis les envoie par réseau hertzien ou par câble à ses propres émetteurs sur tout le territoire national. C'est là ce que font la TVE espagnole, la RAI italienne et la BBC britannique — et ce que faisait l'ORTF en France jusqu'à 1974.

Le réseau : c'est un modèle moins courant. Il s'agit de l'association de stations régionales (comme celles de l'ARD, publique, en Allemagne) ou de l'association de producteurs régionaux (comme l'ITV, commerciale, en Grande-Bretagne) qui mettent leurs ressources en commun pour façonner en soirée un programme commun pour tout le pays. De même, aux États-Unis, le Public Broadcasting Service est un réseau coopératif organisé grâce au satellite par les stations non commerciales indépendantes éparpillées sur tout le territoire des États-Unis.

Il faut aussi placer dans cette catégorie le système hollandais, très particulier : des associations d'usagers (en fait, les abonnés à leurs magazines de TV), pour la plupart marquées idéologiquement, se partagent le temps d'antenne de trois canaux hertziens en fonction du nombre de leurs membres. Chacune fabrique ou achète ses programmes à son gré — avec sa part de la redevance et de la publicité.

Le *network* est la version étatsunienne, et commerciale, du fournisseur central. Trois *networks* (CBS, NBC, ABC) ont dominé des années 1950 à 1970 — mais depuis les années 1980, ils déclinent. Basés à New York, ils fabriquent quelques types d'émissions (informations, sports), mais ils commandent le principal à Hollywood. Avec les produits livrés, chaque *network* façonne une grille savamment agencée, introduit les messages d'annonceurs nationaux dans la plupart des plages publicitaires, puis par des moyens qui ne lui appartiennent pas (satellites, réseaux hertziens ou câble) il distribue gratuitement le programme à des stations locales avec lesquelles il a signé un contrat d'affiliation. Et il les encourage à les diffuser en leur reversant une petite part de ses revenus publicitaires. Ainsi les *networks* ne sont que des intermédiaires, mais très puissants, entre les grands annonceurs nationaux, les producteurs de divertissement et les stations émettrices.

Dans d'autres pays, dès que des stations de télévision commerciales ont été autorisées, il est apparu des *networks* à l'américaine : au Japon après 1950, en Italie après 1975. De même, en Europe, pour alimenter les centaines de nouvelles stations locales dans les années 1980, des *networks* de radio ont pris naissance, comme en France ceux de NRJ ou Fun Radio.

Le serveur satellisé (*cable network*) est une variante du *network* traditionnel. Il a atteint une pleine expansion aux États-Unis et il se répand partout dans le monde au fur et à mesure que décollent le câble et le satellite à diffusion directe. On trouve en Europe, par exemple, la francophone TV5 et les britanniques Sky Channels. Il s'agit d'un fournisseur qui offre des programmes aux réseaux câblés locaux, mais également, si le besoin se fait sentir, aux stations de télévision « indépendantes » (c'est-à-dire non affiliées) et aux réseaux à ondes ultracourtes MMDS. Ce serveur est d'ordinaire spécialisé (information, météo, finance, émissions enfantines, religieuses ou musicales). Il est financé par la publicité, ou par le réseau câblé, ou par le producteur (comme dans le cas du télé-achat), ou encore par l'usager (abonnement supplémentaire ou paiement à l'unité) — ou enfin par une combinaison de ces moyens. Les réseaux câblés peuvent ainsi activer cinquante, soixante ou soixante-dix de leurs canaux et l'usager peut regarder quasiment à toute heure du jour une émission du type qui lui plaît.

Le degré de développement des nouveaux médias dépend du régime politique d'un pays, de la politique gouvernementale en matière de télécommunications, des ressources technologiques et financières, des traditions — et, curieusement, de l'ordre dans lequel ont été introduits le magnéto-scope, le câble et le satellite. En Belgique ou aux États-Unis, le câble a décollé avant l'arrivée du magnétoscope et a ainsi connu un vif essor ; au Japon, le contraire s'est produit. En Grande-Bretagne, la télévision directe par satellite a démarré avant le câble et a donc ralenti son développement. En France, en 1999, on comptait un peu plus d'un million de foyers câblés — contre plus de 10 millions en Allemagne, alors que les deux pays avaient lancé leur câblage ensemble, quinze ans plus tôt. D'autres pays, même techniquement avancés, comme l'Italie ou la Russie, n'avaient toujours pas de câble en 1994.

On prévoit qu'au début du 3e millénaire, l'enregistrement de tous les signaux, leur stockage, leur compression et leur diffusion seront numérisés : tous les médias utilisant la même « langue », ils pourront aisément être mis en communication. Au moins dans les démocraties industrialisées, les usagers recevront sons, images, et autres données, par le câble ou par antenne parabolique en associa-tion avec l'ordinateur domestique. La banalisation de l'abonnement au câble et de l'accès au satellite, la multiplication des canaux à péage sur ces deux nouveaux médias, et le paiement des spectacles à l'unité vont bientôt rendre désuète la distinction entre télévision prétendument « gratuite » (payée par la seule publicité) et télévision « publique » (payée par la redevance plus, d'ordinaire, la publicité).

Histoire des médias en France

Les médias sont les reflets des sociétés ; ce sont aussi des guides. Reflets, ils renvoient aux sociétés une image de leur développement. Guides, ils accompagnent, informent, orientent les grands mouvements de l'opinion. Aussi l'histoire des médias est-elle aussi légitime que celle des sociétés et des mentalités. Dans leur développement, les médias ont bénéficié tout à la fois de l'accroissement des curiosités et des connaissances d'un public de plus en plus nombreux, de l'évolution brutale ou progressive des systèmes politiques vers la démocratie, enfin du développement technologique dans la collecte des nouvelles, la fabrication du média, sa diffusion. Rôle social du média, statut politique, technologie sont si interdépendants qu'il serait téméraire de décider quel fut le plus déterminant. Il est bien évident que rien n'eût pu exister à l'origine sans les deux grandes innovations du XVe siècle : la poste, pour l'obtention des nouvelles et leur diffusion ; l'imprimerie, pour leur duplication. Les premières feuilles périodiques d'information n'ont cependant vu le jour que beaucoup plus tard, au début du XVIIe siècle, preuve s'il en est, que le développement technologique ne suffit pas à expliquer l'expansion des médias. Il faut qu'il existe une demande sociale.

LES ORIGINES ALLEMANDES DE LA PRESSE

L'imprimerie, la poste puis les gazettes naquirent en pays germanique. Au XVe siècle, les villes allemandes bénéficièrent d'un extraordinaire essor fondé sur l'activité minière, la métallurgie et le grand commerce. Les nouvelles universités, les grandes abbayes, la bourgeoisie des villes développèrent un intense mouvement intellectuel qui demanda la multiplication des livres. Jusque-là manuscrits dans des ateliers de copistes, ces derniers étaient encore rares et chers. La reproduction des images bénéficiait déjà de la xylographie, ou gravure sur bois de fil ; les figures pouvaient y être accompagnées de textes insérés dans des phylactères (les bulles de nos bandes dessinées). Dès 1430, des livres étaient tirés à la « brosse », grâce à ce procédé. Mais cela était très long et coûteux. Il fallait trouver un autre matériau que le bois, il fallait surtout découvrir le moyen de composer des textes à l'aide de caractères susceptibles d'être réemployés.

❑ L'invention de l'imprimerie

Établi à Strasbourg de 1434 à 1444, puis à Mayence à partir de 1448, Johann Gensfleisch dit Gutenberg mit au point, entre 1438 et 1455, la double invention qui permit une fabrication quasi industrielle des livres. Ses caractères mobiles, en plomb, étaient indéfiniment multipliables grâce à des moules gravés en creux ; mais les ouvriers compositeurs ne pouvaient en manier plus de 1 000 à 1 200 à l'heure. Inspirée des presses à raisins, la presse à bras à deux coups permettait l'impression d'environ 300 côtés de feuille par heure.

Dès les origines de l'imprimerie, les ateliers produisirent deux sortes d'ouvrages. Les grands livres ambitieux, telle la *Bible* de Gutenberg, mais aussi de petits imprimés plus éphémères comme les almanachs ou les lettres d'indulgence. Dès la fin du XVe siècle, lors des guerres d'Italie, furent publiés les premiers bulletins d'information occasionnels. Le roi de France y découvrait un puissant moyen de propagande, cependant que les imprimeurs s'apercevaient que ces petites pièces, rapidement imprimées et vite diffusées, étaient d'un profit facile et rapide. Autres occasionnels, les « canards », de plus en plus nombreux en France à partir de 1529, récits illustrés de gravures grossières, souvent stéréotypés, consacrés à des événements merveilleux, monstrueux, accidentels ou criminels, tout autant destinés à informer qu'à proposer au peuple des exemples de conduite à tenir ou ne pas tenir. Autres pièces « volantes », les libelles violemment polémiques imprimés lors des luttes entre les États, pendant les querelles religieuses ou lors des moments de bouillonnement politique. La multiplication de ces petites pièces d'actualité était encore favorisée par une innovation tout aussi importante que l'imprimerie, le développement de la poste.

❏ Le développement de la poste

Au Moyen Âge, les souverains, les monastères, les marchands, les universités avaient organisé des réseaux de messagers qui avaient périclité avec le tragique XIVe siècle. La fin du siècle suivant vit la fondation de la poste moderne dans l'Empire allemand, mais aussi en France. Dès avant 1460, la famille de Tour et Taxis organisa les premières lignes postales autour de la ville impériale d'Innsbruck. En 1516, au début du règne de Charles Quint, les courriers reliaient les Pays-Bas, l'Espagne, l'Allemagne, Venise, Rome et Naples. Le roi de France, depuis Louis XI en 1464, organisa lui aussi sa propre poste. Dès la seconde moitié du XVIe siècle, les postes finirent par transporter les dépêches des simples particuliers, parce qu'elles y trouvaient une nouvelle source de revenus. Ainsi l'information put-elle circuler régulièrement, condition nécessaire à l'apparition de la presse périodique.

❏ Les premières feuilles périodiques

Le besoin de nouvelles était d'autant plus vif que la Renaissance et la Réforme avaient accru la curiosité et élargi le champ de l'information au politique, au religieux et au culturel, à l'économique. L'aristocratie princière ou ecclésiastique, les grands marchands-banquiers recevaient des nouvelles à la main, ces *avisi*, *zeitungen* ou *relaciones* qui étaient rédigés et copiés dans des officines spécialisées. Les premiers périodiques furent les chronologies, parues à Francfort-sur-le-Main à partir de 1588, à l'occasion des grandes foires bisannuelles où se rendaient les imprimeurs-libraires. Ces *Messrelationen* semestrielles donnaient surtout les grands événements politiques et militaires.

Les courriers des postes impériales reliant régulièrement chaque semaine les grandes villes, il vint tout naturellement à l'idée de quelques imprimeurs qu'ils pourraient diffuser des feuilles de périodicité plus courte. Déjà, en 1597, Samuel Dilbaum avait lancé à Augsbourg une chronologie mensuelle. Et, en 1605, l'imprimeur anversois Abraham Verhoeven avait publié deux fois par mois une suite de relations rédigées à l'occasion de tel ou tel événement, les *Nieuwe Tijdinghen* ou « nouvelles récentes ». La première gazette hebdomadaire apparut à Strasbourg, ville alors allemande. L'imprimeur Jean Carolus distribuait quelques copies des *Ordinarii Avisen*, les « nouvelles ordinaires » manuscrites reçues chaque semaine. À la fin de 1605, il imagina de les imprimer, pour gagner du temps et multiplier les lecteurs. Ainsi était-on tout naturellement passé des *avisi* manuscrits qui couraient la poste depuis le milieu du XVIe siècle, à la gazette imprimée, parce que leurs lecteurs s'étaient multipliés au-delà des aristocraties princière et marchande.

Les gazettes se multiplièrent en Allemagne, avant de se répandre dans le reste de l'Europe. En 1618 et 1619, Amsterdam eut deux courriers hebdomadaires, dont le *Courante uyt Italien, Duytslandt*, etc., avec dès 1620 une traduction en français, le *Courant d'Italie et d'Almaigne*, etc. Enfin, à Londres, furent publiées en 1622 les *Weekely Newes* de Thomas Archer. Lorsque Théophraste Renaudot fonda *La Gazette* à Paris, il disposait donc de nombreux modèles.

L'ANCIEN RÉGIME : L'INFORMATION-CÉLÉBRATION ET LE COMMENTAIRE LITTÉRAIRE

Jusque dans les années 1770, la presse d'information française n'eut pas le droit de faire de commentaire politique : cette information-célébration conviait le public à admirer, non à réfléchir. L'analyse et le commentaire se réfugièrent dans le journalisme littéraire. Et peu à peu, les gens de lettres devinrent les guides d'une opinion, de plus en plus autonome et critique au cours du XVIIIe siècle. Cela dit, *La Gazette* voisinait depuis toujours avec les gazettes étrangères, plus libres de ton et de contenu. Enfin, au cours des années 1770, parut un nouveau journalisme de réflexion politique, avec les journaux du libraire Panckoucke.

❑ Théophraste Renaudot et *La Gazette*

La première gazette publiée en France arriva exactement à son heure, pour permettre au pouvoir monarchique de justifier sa politique, alors que Richelieu engageait la France dans la guerre de Trente ans. Coup sur coup naquirent deux feuilles hebdomadaires : *La Gazette*, fondée par Renaudot le 30 mai 1631, et les *Nouvelles ordinaires* rédigées par Jean Epstein, un bourgeois de Paris d'origine allemande, qui traduisait les nouvelles et les gazettes venues d'Allemagne pour deux libraires. Dans son tout début, la presse française fut donc pluraliste, dans un monde marchand, concurrentiel. Très vite cependant, Renaudot réussit à enlever aux deux libraires la collaboration d'Epstein. La monarchie choisit de l'appuyer contre le corps des imprimeurs et libraires, trop indépendant. Du mode concurrentiel de l'été 1631, la presse française passa dès l'automne au système préventif du privilège (véritable autorisation préalable) et de la censure. Ainsi la monarchie instaura-t-elle sa mainmise sur l'information, une information que les Français prirent très vite l'habitude d'attendre d'en haut.

Chaque samedi furent désormais publiées huit pages puis douze à partir de 1642. Comme toutes les autres gazettes de l'époque, la feuille de Renaudot était une suite de dépêches venues des villes étrangères, insérées les unes après les autres, selon leur ancienneté ; on y trouvait bien sûr aussi des nouvelles des armées du roi en campagne, des nouvelles de la Cour. De février 1632 à décembre 1633, Renaudot se risqua au journalisme d'analyse dans un supplément mensuel, la *Relation des nouvelles du monde*. On lui fit rapidement comprendre qu'il devait renoncer à ce genre de réflexion politique. Il eut alors l'astuce de remplacer ces *Relations* par des *Extraordinaires* à périodicité variable, annexant ainsi les bulletins d'information occasionnels.

Au temps de Renaudot, *La Gazette* fut d'une grande richesse de contenu parce que son rédacteur montrait un tempérament et un talent journalistiques exceptionnels. Il n'en fut plus de même par la suite. Après la remise en ordre qui acheva la Fronde et précéda le règne personnel de Louis XIV, *La Gazette* fut normalisée elle aussi. Elle participa au culte de la personne royale et garda la même structure rédactionnelle jusqu'à la Révolution.

❑ La presse d'annonces, du « modèle Renaudot » aux *Intelligenzblätter*

Espérant soulager les pauvres et leur donner du travail, Renaudot avait fondé, en 1630, son *Bureau d'adresse*, une agence pour l'emploi tout autant qu'une véritable agence publicitaire enregistrant les annonces particulières et les annonces marchandes. Dès le début des années 1630, ce *Bureau d'adresse* avait tenté de publier une feuille d'annonces, sans succès. Le « modèle Renaudot » de la presse d'annonces échoua parce qu'il était fondé sur le refus du « support mixte ». *La Gazette*, feuille de propagande royale, était trop noble dans son statut et dans son contenu pour frayer avec le monde de la marchandise. Trop noble, la nouvelle ne pouvait rencontrer l'annonce.

Pour se développer, l'annonce dut adopter un autre modèle, celui des *Intelligenzblätter*, feuilles d'annonces établies un peu partout en Allemagne depuis 1722. Lancées à Paris en février 1745, *Les Affiches de Paris*, feuille bihebdomadaire présentant des annonces et quelques rubriques de service, obtinrent un grand succès. Annexées au privilège de *La Gazette* en 1751, les affiches se multiplièrent dans les provinces à partir de 1757. À partir des années 1770, le contenu rédactionnel — un contenu non politique — devint plus important, et l'on peut dire que *Les Affiches* furent le « support mixte » nouvelles / annonces que *La Gazette* avait refusé d'être.

❏ Le monopole de *La Gazette* et les gazettes « périphériques »

Dès les années 1630-1650, des gazettes étrangères traduites ou rédigées directement en français furent reçues dans le royaume, sans aucune difficulté, grâce à la poste royale. Contrairement à une légende tenace, il n'y eut rien de moins clandestin. Dès la fin des années 1670 ou un peu plus tard, un véritable « double marché de l'information » se mit définitivement en place : à *La Gazette*, s'exprimant au nom du roi et sous le contrôle de ses ministres, les nouvelles de l'étranger ou de la guerre, et à ces gazettes « périphériques », les mêmes nouvelles, mais aussi et surtout, une véritable information, jamais neutre, sur ce qui pouvait se passer en France et sur la politique du roi et de son gouvernement. Les rédacteurs des gazettes étrangères savaient qu'ils devaient être d'une relative modération dans l'expression de leur polémique, faute de quoi, ils risquaient de se voir fermer les frontières.

❏ La diffusion postale des gazettes et la réforme des années 1750

Jusqu'en 1751, les conditions de distribution de *La Gazette* furent très onéreuses en province. La poste avait le monopole de sa diffusion en dehors de Paris et ses tarifs étaient établis en fonction de la distance. Aussi ne faut-il pas s'étonner de voir les imprimeurs provinciaux passer contrat avec le propriétaire de *La Gazette* pour la réimprimer. Ce système, d'une remarquable efficacité, se généralisa à partir des années 1680. La presse parisienne inaugura ainsi une longue tradition qui perdura jusque dans les années 1950 : elle était plus diffusée et plus lue en province que dans la capitale. *La Gazette* diffusait environ 7 800 exemplaires en 1750, dont 20 % seulement à Paris.

Les gazettes « périphériques » étaient distribuées par la poste qui s'était accordée avec un libraire parisien. Ce monopole permettait une politique de très haut prix. Dans les années 1740, une année de *La Gazette d'Amsterdam* était achetée vingt-deux à vingt-quatre livres de France à l'éditeur hollandais, revendue par la poste quatre-vingt-trois livres quatre sous au libraire qui la proposait cent-quatre livres aux Parisiens. C'était bien cher, alors qu'un ouvrier imprimeur de Paris gagnait trois livres par jour de travail ! Et bien sûr, en province, il fallait ajouter la taxe postale depuis Paris. D'où des réimpressions de *La Gazette d'Amsterdam* à Avignon, Bordeaux, Genève (pour Lyon), La Rochelle.

En 1740, le *Courrier d'Avignon* parvint à obtenir de la poste le premier « contrat d'abonnement » qu'elle ait jamais passé avec un périodique. Payée au départ d'Avignon, la taxe postale fut diminuée et uniformisée, quelle que fût la distance. Ainsi put-on souscrire des abonnements « franco de port » de dix-huit livres. En 1752, *La Gazette* imita le *Courrier d'Avignon*. Ses réimpressions furent interdites, et les provinciaux purent la recevoir moyennant sept livres dix sous d'abonnement « franco de port ». En 1759, les gazettes « périphériques » bénéficient, elles aussi, de la « modération de port », et leur abonnement s'effondra à trente-six livres.

Les années 1750 marquèrent ainsi un tournant décisif dans l'histoire de la presse française. Les réimpressions de *La Gazette* avaient progressivement fait entrer tout le royaume dans un nouvel espace de communication médiatisée et contribué à la lente formation d'une opinion nationale. La réforme postale des années 1750 provoqua une chute des tarifs d'abonnement, génératrice de nouveaux abonnés. Cette politique de bas prix permit à la poste de maintenir son monopole sur le transport des feuilles périodiques. Certes, la presse parisienne en tira de grandes facilités de diffusion dans les provinces. Mais pendant 100 ans, jusqu'en 1856, l'abonnement postal allait l'encadrer et empêcher toute adaptation au marché.

❏ Les journaux littéraires

À la suite du *Journal des savants*, les *journaux* étaient alors des recueils de commentaires et de réflexions littéraires ou scientifiques, alors que les *gazettes* étaient consacrées au récit de l'actualité. Ces deux journalismes opposaient aussi deux types de format : le cahier léger des gazettes, facilement transportable par la poste — quatre pages in-4° —, la livraison plus lourde des journaux, proche du livre — 120 à 240 pages in-12. Beaucoup de journaux étaient des mensuels. Au milieu du XVIIIe siècle, les trimensuels et les bimensuels, voire même les hebdomadaires, devinrent plus nombreux.

Le Journal des savants, fondé en 1665 pour rendre compte des livres parus en France et à l'étranger, et *Le Mercure galant*, lancé en 1672 pour donner des anecdotes mondaines et des échos de l'actualité littéraire, devinrent tous deux au XVIIIe siècle des institutions dépendant du gouvernement. À partir des années 1720 et 1730, se développa une véritable presse littéraire, favorable ou non aux idées des philosophes. Ces journaux développèrent l'esprit critique de leurs lecteurs. Les dernières années de l'Ancien Régime virent aussi l'éclosion d'une véritable presse spécialisée : presse économique, presse médicale, presse de mode.

❏ Le *Journal de Paris* et les journaux politiques

En 1777 seulement, naquit le *Journal de Paris*, premier quotidien français, soixante-quinze ans après le premier quotidien anglais ! La politique et les annonces, domaines de *La Gazette* et des *Affiches*, lui étaient interdites. Ses quatre pages in-4° présentaient un contenu très diversifié : des rubriques de service (météorologie, état civil, cours financiers), l'annonce des spectacles et de quelques livres, des informations de vie quotidienne (textes administratifs, variétés et anecdotes), un riche courrier des lecteurs, une partie littéraire importante. Ce fut tout de suite le succès. En 1784, *Les Affiches de Bordeaux* laissaient place au *Journal de Guienne*, premier quotidien provincial.

Le libraire Charles-Joseph Panckoucke fonda à Paris deux journaux politiques trimensuels, le *Journal historique et politique de Genève* (1772) et le *Journal de politique et de littérature de Bruxelles* (1774). En fusionnant en 1778 le *Journal de Bruxelles* et *Le Mercure de France*, héritier du *Mercure galant*, Panckoucke réunit les deux traditions journalistiques, le récit d'actualité et la réflexion littéraire. À l'extrême fin de l'Ancien Régime, le vocable *journal* perdait son ancienne acception, pour prendre son sens d'aujourd'hui et caractériser les feuilles d'actualité immédiate.

Les périodiques s'étaient multipliés à partir de 1730 : 39 titres avaient été créés pendant la décennie 1730, 58 le furent dans les années 1750, 107 dans les années 1780. Grâce aux systèmes de lecture collective alors très répandus (cabinets de lecture, sociétés de coabonnés, limonadiers, lectures orales dans la rue), chaque exemplaire des feuilles d'information était lu par six ou huit personnes. En 1780 ou 1781, lors de la guerre d'Indépendance américaine, *La Gazette de France* diffusait 12 000 exemplaires, les journaux politiques de Panckoucke 19 500, les gazettes « périphériques » 14 000, *Les Affiches* de Paris peut-être 6 000, *Les Affiches* publiées en province environ 13 200, enfin le *Journal de Paris* 5 000 : avec quelque 70 000 exemplaires diffusés dans tout le royaume, la presse d'information disposait donc à la veille de la Révolution d'un lectorat d'un demi-million de personnes. Ainsi s'explique l'explosion de la presse en 1789 : un public préexistait, déjà nombreux.

LE « QUATRIÈME POUVOIR » : LA PRESSE D'OPINION ET SON COMBAT POUR LA LIBERTÉ (1789-1881)

Pendant près de cent ans, le pouvoir d'État et la presse vont lutter l'un contre l'autre pour orienter l'opinion. À partir de la Révolution, les journalistes tirent suffisamment de force et de légitimité de leur lectorat, pour surveiller et critiquer le pouvoir politique. Ils jugent beaucoup plus qu'ils informent. Le commentaire et la réflexion envahissent les colonnes des journaux, au détriment du simple récit des faits. Il est moins important de rechercher l'information, d'établir les faits, que d'avoir la liberté de donner son opinion. Comme il l'avait été sous l'Ancien Régime, le pouvoir, encore renforcé par la centralisation jacobine et la dictature napoléonienne, reste la principale source de l'information. Les journaux se dispensant d'entretenir des correspondants à l'étranger et de développer des réseaux d'enquêteurs et de reporters comme leurs confrères allemands ou anglo-saxons, il est naturel que la première agence de presse, l'agence Havas, soit née en France en 1832 pour offrir des informations tirées de sources gouvernementales et de la traduction des feuilles étrangères, seize ans avant l'agence allemande Wolff, dix-neuf ans avant l'agence anglaise Reuter.

❏ De la liberté d'expression au contrôle administratif

La Révolution de 1789 marque une double rupture : l'abolition des privilèges accompagnée de la liberté d'expression, l'irruption d'une actualité quotidienne et foisonnante. La réunion des États généraux crée en France un intense besoin de connaître le déroulement des faits. La prise de la Bastille balaie les dernières interdictions du pouvoir royal, et l'ancien régime de la presse, fondé sur les privilèges, disparaît avec ceux-ci dans la nuit du 4 août 1789.

L'article XI de la Déclaration des droits de l'homme et du citoyen fonde les nouveaux droits de la presse en garantissant la liberté d'expression. Il s'agit moins d'affirmer le droit du public à l'information, que d'établir la liberté de jugement et de commentaire des auteurs et des journalistes. Même dans sa restriction finale, cet article est libéral et fondateur, puisqu'il protège de l'arbitraire en prévoyant une définition précise des délits et des abus possibles. Par là même, il laisse prévoir cette législation particulière à la presse qui, aujourd'hui encore, est une originalité française.

Pendant les dix ans de la Révolution, la presse participe si intensément au combat politique qu'elle ne parvient pas à imposer le respect de sa liberté : les pouvoirs successifs, mais aussi les courants d'opinion qui s'opposent, craignent son influence et la combattent quand elle ne leur est pas favorable. Pendant trois ans (1789-1792), elle jouit d'une liberté presque illimitée, mais la chute de la monarchie, le 10 août 1792, marque le début des persécutions : des journalistes royalistes sont massacrés par la foule ou guillotinés. Après l'été 1793, Brissot et ses amis girondins sont à leur tour éliminés. L'année suivante, la Terreur finit par atteindre Hébert, le rédacteur du *Père Duchesne* et ses amis montagnards « enragés », Camille Desmoulins (*Les Révolutions de France et de Brabant*, puis *Le Vieux Cordelier*) et les montagnards « indulgents ».

Avec le Directoire (1795-1799), la presse retrouve sa diversité ; mais, après le coup d'État de septembre 1797 contre les royalistes, le pouvoir soumet les journaux à la surveillance administrative du ministère de la police générale et des autorités locales. Il innove en important d'Angleterre la brimade financière du timbre imposé sur chaque feuille de papier-journal. Pendant deux ans, les suspensions et les suppressions se multiplient à Paris et en province. Lorsque s'installe le Consulat, la presse a déjà été bien mise au pas.

Seconde rupture de la Révolution : l'explosion d'une presse essentiellement politique et quotidienne. Dans la seule année 1789, ont été fondés 158 journaux ! Toutes les formules ont été essayées. Les journaux consacrés au compte rendu des débats de l'Assemblée nationale avec ou sans commentaire, mais aussi les feuilles d'information générale : fondée en novembre 1789, *La Gazette nationale* ou *Le Moniteur universel* du libraire Panckoucke a été un modèle riche d'avenir. Les quatre pages in-folio de son grand format inhabituel présentent trois colonnes de rubriques, dont la hiérarchie immuable, reprise par toute la presse du XIXe siècle, ne devait rien à l'actualité, mais tout au prestige du politique (nouvelles de l'étranger, puis de France), suivi du littéraire et du social (faits divers, rubriques de service). Les articles s'y suivent, sans artifice visuel : le journal est alors fait pour être lu comme un livre, par un public qui pouvait y consacrer du temps.

À côté de ces grands journaux d'information, on pouvait lire des feuilles de nouvelles spéculant sur l'anecdote ou la rumeur, des revues-chroniques hebdomadaires donnant le détail des « journées » et des événements de la semaine, des journaux-pamphlets satiriques et bouffons, souvent violents dans la dénonciation, enfin des journaux-discours énonçant sur un ton personnel les réflexions de leur rédacteur.

Les plus importants quotidiens diffusaient à plus de 10 000 exemplaires. Comme auparavant *La Gazette*, ces journaux parisiens étaient distribués par la poste à travers toute la France, où ils venaient concurrencer une presse départementale qui se développait elle aussi. En janvier 1791, la poste répandait dans les provinces plus de 100 000 exemplaires chaque jour. À quoi il faut ajouter les exemplaires diffusés par colportage dans Paris. Les années de la Révolution furent bien une période de formidable épanouissement pour la presse.

❑ La dictature napoléonienne : un retour à l'Ancien Régime de la presse ?

Comme Richelieu, Napoléon n'a vu dans la presse qu'un moyen de gouvernement et de propagande. Retour à l'Ancien Régime ou annonce des pouvoirs totalitaires du XXe siècle ? Le 17 janvier 1800, un décret supprime une cinquantaine de journaux parisiens pour n'en maintenir que treize, dont *Le Moniteur*, devenu journal officiel. Les journaux départementaux sont épargnés. Toutes ces feuilles sont menacées de suppression si elles insèrent « des articles contraires au respect dû au pacte social, à la souveraineté du peuple et à la gloire des armées », ou si elles publient « des invectives contre les gouvernements et les nations amies ou alliées de la République ».

Par la suite, Napoléon ne cesse de se plaindre des journaux parisiens qu'il trouve encore trop libres. À partir d'avril 1805, des censeurs sont établis auprès de chacun d'eux, comme sous l'Ancien Régime. Des titres sont de nouveau supprimés. En 1811, les quatre journaux maintenus sont enlevés à leurs propriétaires. Comme sous l'Ancien Régime, le nombre des imprimeurs est également réduit en février 1810, par le système du brevet, l'équivalent des anciens privilèges.

Seule la presse départementale s'en tire plutôt bien, parce que les préfets en ont besoin pour publier leurs décisions. Elle est certes, elle aussi, réorganisée par une série de décrets en 1810 et 1811, mais elle se développe (250 titres à la fin de l'Empire). Depuis 1807, elle publie les annonces légales ordonnées par le code de procédure civile et elle sert la propagande du pouvoir en ne donnant pour articles politiques que des extraits du *Moniteur*.

À toute cette politique de réduction de la presse, viennent s'ajouter les effets du timbre. Imité par ses confrères, le *Journal des débats* prend en 1800 le format petit folio (230 x 350 mm) en s'ajoutant en pied de page un feuilleton de critique, tout en gardant les avantages des journaux in-4° (210 x 270 mm) : trois centimes de timbre et deux centimes de taxe postale, alors que *Le Moniteur* (290 x 490 mm) était taxé de cinq et quatre centimes. Impôt très lourd, parce que progressif, le timbre avait immédiatement provoqué la hausse des tarifs d'abonnement et diminué le nombre des abonnés. Porté à soixante francs, l'abonnement annuel du *Journal des débats* avait doublé depuis les débuts de la Révolution.

Si l'on y ajoute la méfiance du lectorat pour une presse qu'il savait censurée, on comprend que l'Empire ait été une période de grand reflux pour les quotidiens parisiens qui avaient à peine gardé 33 000 abonnés en 1802, 32 000 en 1813.

❏ La presse d'opinion et sa lente conquête de la liberté

Avec la monarchie constitutionnelle, la presse retrouve les commentaires et les jugements que Napoléon lui avait interdits. Ne lui faut-il pas éclairer les notables, qui participent en nombre réduit au suffrage censitaire ? Naturellement, les gouvernements cherchent à se défendre de ses attaques ou de ses jugements critiques. Tiraillée entre un fort courant réactionnaire et quelques velléités libérales, la Restauration (1814-1830) ne parvient pas à définir une politique cohérente et hésite entre un régime d'autorisation préalable et le libéralisme de la simple déclaration. En 1819, elle établit le cautionnement qui garantit le paiement des amendes infligées lors des procès. Après avoir utilisé la censure comme Napoléon, on finit par l'abandonner progressivement à partir de 1822, car elle est devenue insupportable à l'opinion.

La Restauration s'achève sur le coup d'État des ordonnances de juillet 1830 : la presse, cet « instrument de désordre et de sédition », qui « ne tend pas moins qu'à subjuguer la souveraineté et à envahir les pouvoirs de l'État », est soumise à une autorisation préalable renouvelable tous les trois mois, révocable au gré de l'administration. Les journaux d'opposition appellent à la résistance. Après la révolution des Trois Glorieuses, la Monarchie de Juillet se veut libérale. La nouvelle charte proclame que « la censure ne pourra jamais être rétablie ». La déclaration préalable est remise en vigueur et les contraintes financières sont allégées. En septembre 1835, la censure est cependant imposée sur les caricatures de presse. Avec la révolution du Printemps des peuples en février 1848, toutes les contraintes disparaissent. Après les journées sanglantes de juin 1848, la République conservatrice restaure le cautionnement en août 1848, multiplie les délits de presse en juillet 1849, rétablit le timbre, désormais confondu avec la taxe postale, en juillet 1850.

Au coup d'État du 2 décembre 1851, le prince-président Louis-Napoléon Bonaparte supprime de nombreux journaux à Paris et en province. Le décret du 17 février 1852 rétablit l'autorisation préalable, interdit de rendre compte des débats du Corps législatif autrement que par la reproduction de bulletins officiels, oblige à insérer les communiqués du gouvernement. Le nouveau pouvoir invente le système des avertissements qui peut entraîner arbitrairement la suppression du journal et impose une prudente autocensure aux rédacteurs. Après 1860, le Second Empire allège les contraintes pour trouver de nouveaux appuis dans l'opinion. La loi du 11 mai 1868 revient à la déclaration préalable, supprime l'avertissement, diminue le timbre, mais maintient le cautionnement. Libérée, la presse s'épanouit à nouveau, mais le régime ne bénéficie pas de cette ouverture et il s'effondre dans la défaite de 1870.

La République supprime, en septembre 1870, le timbre, le brevet des imprimeurs et le cautionnement. Mais, effrayés par la Commune de 1871, les gouvernements conservateurs multiplient les brimades contre la presse. Lors de la crise du 16 mai 1877, la presse appuie les républicains. Aussi, la loi de libération de la presse, du 29 juillet 1881, trouve-t-elle tout naturellement sa place parmi les grandes lois républicaines des années 1880. La majorité républicaine et l'opposition conservatrice qui espère en bénéficier, sont unanimes pour réglementer et non plus limiter la presse.

La nouvelle loi supprime quarante-deux lois, décrets ou ordonnances antérieurs. Elle libère l'imprimerie et la librairie, la presse, l'affichage et le colportage, définit de manière très restrictive les crimes et délits par voie de presse et réglemente leur répression. Bénéficiant d'un droit spécifique et vivant sous le régime de la déclaration préalable, la presse est complètement libérée de la tutelle de l'administration, de toute contrainte financière ou vexatoire et ne doit plus de compte qu'à la justice. Jouissant d'une quasi-impunité dans un marché de libre concurrence, les journaux vont perdre une partie de leur influence. Leur liberté devient sans danger pour la stabilité politique. Mais, si la presse est enfin parfaitement libre face au pouvoir, elle n'est pas protégée de toute menace économique. La loi est muette sur la gestion des entreprises de presse, à propos des éditeurs, mais aussi des journalistes.

❏ Un public élargi des notables vers la petite bourgeoisie

Malgré le niveau élevé des tarifs d'abonnement, la presse accrut son audience à la fin de la Restauration : 59 000 exemplaires pour 12 quotidiens parisiens en 1825, 83 000 pour 17 en 1832. Les lectures collectives par coabonnements ou dans les cabinets de lecture furent plus florissantes que jamais. L'abonnement annuel fut porté à 80 francs en 1828 quand le gouvernement fixa à cinq centimes la taxe postale de tous les journaux. Une brimade à laquelle ces derniers répondirent en prenant un format plus grand (330 x 450 mm), pour consacrer ce supplément d'espace à la publicité : innovation facilitée par l'installation des premières presses mécaniques anglaises.

Améliorées dans les années 1770 par les imprimeurs Anisson et Didot et installées dans les grandes imprimeries parisiennes sous l'Empire, de nouvelles presses à bras avaient un rendement horaire de 375 côtés de feuille, semblable à celui des presses métalliques à bras de l'Anglais Stanhope. L'agrandissement des formats et la hausse des tirages des quotidiens demandaient cependant le travail simultané de plusieurs presses, d'où la composition de plusieurs formes imprimantes identiques, pour imprimer l'édition du matin dans les 8 heures de la nuit.

De plus en plus lourds, les frais d'impression venaient s'ajouter aux frais progressifs du papier et surtout du timbre. En Angleterre, où le timbre était plus élevé qu'en France, les ingénieurs allemands Koenig et Bauer inventèrent les premières presses mécaniques. Le 29 novembre 1814, une machine à deux cylindres de pression imprima simultanément pour le *Times* 2 200 côtés de feuilles à l'heure, soit au bout de deux heures 2 200 exemplaires complets. En 1820, la machine améliorée parvint à imprimer 4 000 exemplaires en deux heures. Dès 1823, *Le Constitutionnel* était imprimé à 16 000 exemplaires sur une « machine anglaise » : il suffisait de huit heures pour les sortir.

Sous l'impulsion d'Émile de Girardin, le tarif des abonnements fut réduit de moitié, à quarante francs. Tirant les leçons de la réforme de 1828, il montra que le journal était vendu deux fois, d'abord aux annonceurs, puis à l'abonné : la baisse du montant de l'abonnement augmenterait le nombre des abonnés ; les annonceurs en deviendraient tout naturellement plus nombreux ; la hausse des ressources publicitaires compenserait la baisse des recettes d'abonnement.

En juillet 1836, *La Presse* de Girardin et *Le Siècle* de Dutacq furent lancés. Pour attirer encore plus de lecteurs, Girardin inventa les romans-feuilletons, un genre journalistique appelé à un grand avenir. *La Presse* resta cependant un demi-succès, parce que sa position politique était ambiguë. *Le Siècle* réussit mieux, car sa couleur anticléricale et centre gauche en faisait le « journal des épiciers », lu par la petite bourgeoisie. Il n'y eut pas de « révolution girardinienne », parce que la presse d'opinion à 80 francs sut s'adapter dès 1837, par une véritable guerre des tarifs pour l'insertion des annonces.

Proposant des « annonces uniformes », dites « annonces anglaises », ou petites annonces sans effet typographique, des « annonces-affiches » ou placards publicitaires et des « réclames » ou « faits-Paris payés », annonces déguisées en articles pour tromper le lecteur, de nombreux courtiers s'interposèrent dès la Monarchie de Juillet entre les journaux et les annonceurs. Prenant en régie leurs espaces publicitaires, les courtiers étaient payés par les journaux qui versaient 10 à 25 % de commission. D'où de très hauts tarifs d'insertion, fixés en fonction du tirage. Un système pervers, accentué par la régie des espaces de plusieurs journaux à la fois. Les annonceurs n'avaient pas toujours besoin de diffuser leur message dans toute la France par les journaux à grand tirage, et les insertions dans certaines feuilles moins importantes pouvaient être plus efficaces. À partir de 1857, la formation de la Société générale des annonces, par fusions successives des principaux courtiers, perpétua le système et empêcha toute évolution. Aussi les commerçants et les industriels préférèrent-ils l'affiche murale, très utilisée depuis l'Ancien Régime, le catalogue, la presse spécialisée. Bénéficiant trop peu de la manne publicitaire, certains journaux prirent l'habitude de trouver dans la corruption d'autres sources de revenu.

Si Girardin n'est point parvenu à développer l'annonce autant qu'il l'espérait, la presse à 40 francs marqua tout de même une étape dans l'évolution des tirages des journaux parisiens : 145 000 exemplaires en 1846 (vingt-cinq quotidiens), 200 000 en 1863 (seize). *Le Siècle* tira à 35 000 en 1845, 52 300 en 1861. Les formats s'agrandirent : 400 x 560 mm, quatre colonnes en 1836, 430 x 600 mm en 1846 (le grand format standard utilisé jusque dans les années 1960), d'abord cinq colonnes, puis six colonnes à partir de 1850, toujours quatre pages. En 1847, la nouvelle presse à réaction de l'ingénieur Marinoni permit d'imprimer recto verso, avec ses quatre cylindres de pression, 3 000 très grandes feuilles, soit 6 000 exemplaires à l'heure. À partir de 1852, la stéréotypie réduisit les frais de composition, par la multiplication rapide des copies de la forme imprimante originale.

Plus prudents dans leurs réflexions de politique intérieure pendant le Second Empire, les journaux redonnèrent une grande importance aux questions de politique étrangère. Ils y furent aidés par les bulletins de l'agence Havas et par l'expansion des réseaux du télégraphe électrique. Depuis 1845, le télégraphe électrique était venu relayer l'ancien télégraphe optique de Chappe (1794). La loi de mai 1837 établit le monopole de l'État sur l'installation et l'exploitation des lignes télégraphiques. Le réseau s'étoffa rapidement, jusqu'au niveau des cantons (41 000 km de lignes en 1870). Les liaisons internationales furent facilitées par la pose des câbles sous-marins trans-Manche (1850-1851) et transatlantique (1864-1866).

Fondé en 1832, le *Bureau de traduction des journaux étrangers* de Charles-Louis Havas était devenu en 1835 l'*Agence des feuilles politiques. Correspondance générale.* Dès ses débuts, l'agence Havas servit les journaux parisiens et les banquiers. En 1838, elle obtint la correspondance du gouvernement destinée aux journaux ministériels des départements et aux préfets. Grâce au télégraphe électrique, elle passa des accords avec trois autres agences internationales pour avoir un quasi-monopole sur les nouvelles de l'étranger (Wolff et Reuter en 1859, l'Associated Press américaine en 1872). Depuis le début du Second Empire, Havas contrôlait également l'information de politique intérieure et le marché de la publicité, par ses accords avec les correspondances politiques qui envoyaient informations et publicités aux journaux des départements, et par son traité avec la Société générale des annonces qui tenait le marché parisien. Ainsi la presse française dépendait-elle d'Havas et du gouvernement pour ses annonces et ses informations.

À côté des quotidiens, la presse se diversifia à partir de 1830. La presse illustrée se développa grâce à la lithographie et à la gravure sur bois de bout (*Le Charivari*, *L'Illustration*). La presse littéraire trouva un nouveau départ avec de grandes revues comme *La Revue des deux mondes* ou *La Revue de Paris*. La presse enfantine attendit surtout le Second Empire avec *La Semaine des enfants* (Hachette, 1857) qui publia les romans de la comtesse de Ségur, et le *Magasin d'éducation et de récréation* (Hetzel, 1864) qui proposa les récits de Jules Verne. Les publications économiques, financières, scientifiques et techniques, artistiques, les feuilles de mode, les feuilles religieuses, les feuilles de théâtre et de boulevard se firent nombreuses elles aussi. Sous le Second Empire, le journalisme littéraire jouit d'une grande liberté d'expression, à condition de n'aborder aucun des sujets brûlants de l'actualité. C'était alors le règne des chroniqueurs qui savaient bien écrire à partir des riens de la vie parisienne. Hippolyte de Villemessant fut le maître du genre, avec son journal *Le Figaro* (hebdomadaire, 1854), devenu quotidien en 1866.

LA GRANDE PRESSE D'INFORMATION ET LES DÉBUTS DE LA RADIOPHONIE

Entre 1863, date du premier quotidien destiné à la lecture populaire, et 1914, date où prend fin le XIXᵉ siècle dans la tourmente de la Grande Guerre (1914-1918), le marché de la presse change complètement d'échelle et les quotidiens évoluent dans leur présentation et dans leur contenu. En 1863, le tirage[1] des journaux parisiens est de 200 000 exemplaires pour 16 titres. L'accès des classes populaires à la lecture de la presse s'est puissamment traduit dans les chiffres : dès 1867, les vingt et un quotidiens parisiens tirent ensemble à 763 000 exemplaires, dont 560 000 pour les seuls petits journaux populaires. En 1880, les chiffres sont de deux millions d'exemplaires pour 60 titres, et en 1914 de 5,5 millions pour 80. Il est plus difficile de mesurer l'évolution réelle de la presse des départements. En 1867, 57 quotidiens tirent à 200 000 exemplaires, en 1880, 190 à 750 000, en 1914, 242 à

---

1. Seuls des chiffres de tirage sont disponibles, pas les chiffres de diffusion (ou de vente).

4 millions. Les feuilles hebdomadaires, bi- ou trihebdomadaires locales sont très nombreuses (environ 4 000 en 1914, 900 en 1939). En 1914, avec un tirage quotidien total de 9,5 millions d'exemplaires, la France est au deuxième rang mondial avec 244 exemplaires pour 1 000 habitants, contre 255 aux États-Unis et 160 en Grande-Bretagne. La pénétration de la presse dans les milieux populaires s'est accompagnée d'une évolution des contenus. Le chroniqueur, journaliste-roi sous le Second Empire, est remplacé à partir des années 1885-1890 par le reporter et l'enquêteur, favorisés par le développement du téléphone depuis 1878. La presse d'opinion laisse place à la presse d'information.

❑ Les débuts de la presse populaire et *Le Petit Journal*

Le recul de l'analphabétisme par la généralisation des écoles primaires grâce aux effets de la loi Guizot de 1833 (53 % de conscrits analphabètes en 1832, 38 % en 1852, 27 % en 1869, 17 % en 1880), le suffrage universel instauré en 1848 et maintenu sous le Second Empire, le développement des chemins de fer (3 000 km de voies en 1850, 18 000 en 1870), les effets contrastés de l'urbanisation transformant les genres de vie et élargissant les curiosités, contribuèrent à faire entrer les masses populaires dans l'ère des médias. Ces nouveaux lecteurs ne pouvaient laisser indifférents les entrepreneurs de presse et de librairie.

Lorsqu'il lança, en 1831, son *Journal des connaissances utiles*, un mensuel de 32 pages à quatre francs d'abonnement annuel, Émile de Girardin proposa aux « classes intermédiaires et industrieuses » une vulgarisation très sérieuse en économie générale et domestique, en agriculture, en industrie, en éducation. Le *Journal* fut immédiatement copié par le *Penny Magazine* de Londres en 1832, qui y ajouta des illustrations. L'innovation revint en France : dès 1833 *Le Magasin pittoresque* de Charton et *Le Musée des familles* de Girardin étaient illustrés de bois gravés abondants.

Au milieu des années 1850, ces magazines didactiques furent relayés par de nouveaux périodiques de lecture populaire. Rédigée selon de « bons principes », cette presse non politique fut favorisée par le gouvernement impérial, qui voulait élever le niveau culturel des masses populaires, tout en les maintenant en dehors des tentations révolutionnaires.

Pour répandre ces lectures distrayantes partout et à bas prix, il fallait soustraire la presse aux contraintes du monopole postal qui imposait l'abonnement lorsque le journal était diffusé en dehors de sa ville d'édition. La loi de juin 1856 permit aux journaux non politiques, donc non timbrés, d'être transportés par des messageries, moins coûteuses que la poste. Arrivés à destination, les ballots étaient ouverts et les journaux vendus au numéro. Ce nouveau mode de diffusion permit la floraison d'une quinzaine de magazines hebdomadaires vendus cinq à dix centimes, colportés dans les villes et les campagnes entre 1855 et 1862. Imprimés sur huit ou seize petites pages de mauvais papier, illustrés de gravures sur bois, ces magazines proposaient des romans à suivre, des jeux, quelques rubriques de conseil et de vulgarisation, des poèmes et des chansons. Leur succès les conduisit à devenir bihebdomadaires à partir de 1861. En 1862, les vingt et un titres alors publiés diffusaient ensemble quelque 300 000 exemplaires, soit autant que tous les quotidiens parisiens et départementaux réunis (320 000).

Une telle réussite inspira à Moïse Polydore Millaud le lancement du *Petit Journal* en 1863, un quotidien de petit format (300 x 430 mm), non politique, non timbré, lui aussi diffusé par messagerie et vendu un sou (cinq centimes) le numéro. Pour attirer, il privilégia le récit sensationnel (faits divers criminels, accidentels ou sentimentaux ; romans-feuilletons « rocambolesques » ; longue chronique au ton et au fond moralisateur, exaltant la sagesse populaire sur le tout venant d'une actualité non politique). Entretenu par des campagnes de publicité et la constitution à Paris, puis en province, d'un réseau déjà dense de distribution et de colporteurs, le succès atteignit des dimensions extraordinaires : 38 000 exemplaires en juillet 1863, 154 000 en octobre 1864, 250 000 un an plus tard, enfin plus de 400 000 à l'automne 1869, lors de la fameuse affaire Troppman (horrible assassinat d'une famille de huit personnes).

Le Petit Journal était alors tiré en trois heures, entre 16 heures et 19 heures, moment où il était expédié par chemin de fer. Aussi était-il imprimé dans plusieurs ateliers. D'où d'énormes frais d'impression et de gestion. Dès 1866, l'ingénieur Marinoni livra à l'imprimeur du journal *La Liberté* de Girardin, une rotative à feuilles imprimant recto verso 10 000 exemplaires à l'heure. En 1868, il l'améliora pour *Le Petit Journal*, en portant son rendement horaire à 18 000 exemplaires, soit 36 000 exemplaires petit format.

Après l'abolition du timbre, en septembre 1870, les rotatives imprimèrent en continu, sur papier en bobine. Constamment améliorées et automatisées, ces machines purent, vers 1900, tirer 70 000 exemplaires grand format de quatre pages à l'heure. L'abolition du timbre permit aussi la généralisation de la vente au numéro, grâce à de nombreuses messageries. À partir de 1890, la librairie Hachette, qui exploitait depuis le Second Empire un réseau serré de bibliothèques de gare, finit par racheter successivement beaucoup de ces entreprises et détint en 1914 un quasi-monopole pour la diffusion des journaux parisiens.

❏ Le temps des « quatre grands »

Jusque-là produit à partir du chiffon, le papier est obtenu à partir du bois depuis la fin des années 1860. D'où une chute de son prix. Inventée aux États-Unis en 1886, la linotype, machine permettant à un ouvrier de composer plus de 6 000 signes typographiques à l'heure, n'est pas acceptée dans les grands ateliers parisiens avant 1905 : la lutte des compositeurs contre ce redoutable concurrent est l'un des combats fondateurs de la Fédération du livre CGT. De nouveaux procédés d'illustration sont développés : la zincogravure, ou gravure en relief à l'acide (1850-1872), la similigravure, permettant de reproduire en relief la photographie tramée sur plaque de zinc (1885), l'héliogravure ou gravure en creux de tout dessin ou photographie (1895), permettant aux magazines une très belle qualité d'impression à partir des années 1910.

Entre 1880 et 1890, les journaux « populaires » ne se distinguent plus des autres feuilles. Ils prennent le grand format, cependant que les « grands journaux » adoptent le prix de 5 centimes le numéro. Aussi les quotidiens à un sou se multiplient-ils : quatre seulement à Paris en 1871, 51 en 1892. Si les journaux à grand tirage peuvent profiter des progrès techniques, ils doivent rester modérés au point de vue politique, pour ne pas heurter les convictions très diverses de leur énorme lectorat. Tout favorise donc l'épanouissement d'un journalisme d'information, emprunté à la presse américaine, plus attaché au fait, qui est développé par les quatre grands de la presse parisienne : *Le Petit Journal*, *Le Petit Parisien* (1876), *Le Matin* (1883), *Le Journal* (1892).

Dans *Le Matin*, la nouvelle prend le pas sur l'éditorial, l'écho sur la chronique, le récit (reportage ou enquête) sur le commentaire et la réflexion. Les journalistes écrivent désormais plus court. On abandonne l'ancienne succession des rubriques et on choisit d'organiser la « une » autour de l'actualité du jour. Le choix est d'autant plus facile que la pagination s'accroissant (six pages en 1895, huit en 1914), il existe plus de place. La presse française reste cependant rédigée par des écrivains qui font leurs premières armes dans le journalisme. Elle est mieux écrite et plus littéraire, mais elle est moins sérieusement informée que la presse anglo-saxonne.

Le Matin innove aussi en adoptant le premier la photographie en similigravure (1902), bientôt suivi par ses trois grands concurrents en 1903. Fondé en novembre 1910, *Excelsior* se veut un quotidien de luxe privilégiant la photographie : trois de ses douze pages lui sont consacrées. Autre innovation d'*Excelsior*, la spécialisation de pages réservées à certaines rubriques. Si à la veille de la Grande Guerre, la plupart des grands quotidiens, à Paris et en province, présentent des photographies, ils ont quelque mal à en faire de vrais documents d'information. Alors que la nouvelle et le reportage parviennent rapidement à la rédaction par le télégraphe ou le téléphone, le dessin, tout autant que la photographie ne peuvent parvenir que par le chemin de fer. Nécessairement en retard sur l'actualité, la photographie est donc souvent atemporelle. La téléphotocopie, inventée par Korn et améliorée par Belin (1902-1912), n'en est encore qu'au stade expérimental en 1914.

Propriété de la famille Dupuy, *Le Petit Parisien* a le plus fort tirage mondial en 1914 (1,5 million d'exemplaires). C'est une énorme entreprise employant 75 rédacteurs et 450 correspondants provinciaux, 400 employés et 370 ouvriers. Comme *Le Petit Journal*, *Le Petit Parisien* a ses propres messageries et un réseau de près de 20 000 points de vente en France, qui diffusent 65 % de son tirage. Depuis 1905, la famille Dupuy a même sa propre papeterie, afin d'échapper au monopole de la maison Darblay à Essonnes. On peut déjà parler d'un véritable groupe de presse, avec le lancement du *Miroir*, magazine de grande actualité en 1913, et le rachat d'*Excelsior* en 1917.

À la veille de la Grande Guerre, le monde très contrasté des quotidiens parisiens juxtapose les « quatre grands » tirant chacun à plus de 800 000 exemplaires et une bonne trentaine de « journaux fantômes » diffusés à moins de 1 000 et survivant tout juste pour glaner des profits publicitaires ou servir le combat politique de tel ou tel député ou ministre. Tirées entre 25 000 et 45 000 exemplaires, les feuilles de qualité (*Le Temps*, *Le Journal des débats*, *Le Gaulois*, *Le Figaro*) gardent une grande influence car elles sont lues par les notables, le personnel politique et les gens d'affaire. La presse d'opinion est relayée par la nouvelle presse militante (*L'Humanité*, de Jean Jaurès, *La Croix*, des Pères assomptionnistes, *L'Action française*, de Charles Maurras, 63 000, 140 000, 23 000 exemplaires en 1912). Cette presse quotidienne s'est diversifiée avec *Comœdia*, journal des théâtres (1907), *Le Vélo* (1892) et *L'Auto-Vélo* (1900), premiers journaux de sport.

❑ Le temps des incertitudes (1919-1939)

L'Entre-deux-guerres marque la fin de l'âge d'or, au moins pour la presse parisienne. Le « bourrage de crâne » des années de censure de la Grande Guerre a déconsidéré les journaux ; le désordre des transports a rendu plus difficile la diffusion des feuilles parisiennes, alors que la presse des départements trouvait une véritable utilité dans les conseils pratiques qu'elle pouvait donner à la population. Avec ses restrictions économiques, la guerre a fait disparaître les feuilles qui survivaient en 1914. Dès 1924, il ne reste plus à Paris que trente titres. Il en existe trente-deux en 1939. Le tirage global demeure parfaitement stable : 5,5 millions d'exemplaires en 1939 comme en 1914.

L'apparente stabilité de la presse parisienne cache un véritable redéploiement. Avant guerre, sept titres tiraient à plus de 100 000 exemplaires, dont les quatre grands. En 1939, le marché est plus ouvert : quatorze titres dépassent les 100 000. *Le Petit Parisien* est encore « millionnaire », mais les trois autres « grands » survivent à 178 000 (*Le Petit Journal*), 312 000 (*Le Matin*), 411 000 (*Le Journal*). Un nouveau venu, *Paris-Soir*, culmine à 1,7 million. *L'Humanité*, journal communiste, et *L'Œuvre*, feuille de gauche, tirent à 350 000 et 240 000, *La Croix* à 140 000.

La presse de province est en pleine expansion avec un tirage de 5,5 millions, contre 4 millions en 1914 (175 titres au lieu de 242 avant la guerre). Mieux diffusée grâce aux automobiles, une véritable presse régionale achève de se mettre en place au détriment de la presse parisienne et des feuilles départementales ou locales. Ces journaux régionaux multiplient leurs éditions locales, étoffent leur contenu national et international, développent les pages magazines, mais ils n'ont pas encore acquis dans leur région une position de monopole. Le premier d'entre eux est déjà, en 1939, le grand quotidien de Rennes, *Ouest-Éclair* (350 000 exemplaires), le prédécesseur de *Ouest-France*.

Les journaux parisiens et provinciaux doivent faire face à un accroissement de leurs charges, alors qu'il faut moderniser les entreprises et les matériels, dans un contexte d'inflation des prix dans les années 1920, de crise économique dans les années 1930. Le papier augmente de prix. Se livrant à une concurrence plus âpre, les journaux augmentent leurs frais de photogravure et paient plus cher leurs informations (part croissante des nouvelles de l'étranger, frais de reportage, usage généralisé du téléphone et du bélinographe). Depuis la grève de novembre 1919, les ouvriers du livre ont obtenu des augmentations de salaire. Enfin, les journalistes, appuyés sur un nouveau syndicat (1918), ont amélioré leurs rémunérations et se sont vu reconnaître un statut professionnel en 1935.

Tous ces frais sont mal compensés par des recettes publicitaires insuffisantes. En 1938, 41 % de l'investissement publicitaire bénéficie à la presse en France, contre 50 % en Grande-Bretagne et 80 % aux États-Unis. Il faut donc trouver d'autres ressources. Depuis 1836, le prix du journal n'a cessé de diminuer, jusqu'à cinq centimes. À partir de 1917, la presse française entre dans une hausse continue du prix au numéro (dix centimes en 1917, cinquante centimes en 1938), qui n'est pas faite pour encourager son lectorat. Comme avant 1914, des ressources financières occultes viennent s'ajouter aux recettes : argent étranger pour développer des campagnes de propagande, rachat en sous-main du *Temps*, vendu clandestinement dès 1927 au Comité des Forges, organisation patronale.

À la suite du *Matin* et d'*Excelsior*, et grâce au bélinographe, les quotidiens utilisent de mieux en mieux la photographie. Leur contenu est mieux structuré (grandes rubriques politiques ou littéraires, pages magazines : sport, cinéma, radio, tourisme, rubriques enfantines et féminines, etc.). La généralisation de la « retourne » (un article commencé à la une se poursuit dans le corps du journal), l'augmentation du nombre des pages (huit en 1924, dix en 1928 ; douze à seize, parfois vingt après 1932), le passage à sept (1924) puis à huit colonnes (1938) donnent plus de souplesse à la mise en page.

À partir de 1931 et sous la direction de Jean Prouvost, *Paris-Soir* bouleverse la mise en page. La « une » est illustrée de plusieurs photographies, consacrées aux faits du jour. La « dernière » est une pleine page de photographies. Le corps du journal est très structuré, avec des pages de lecture et de loisir à gauche (pages paires) et des pages d'information à droite (pages impaires). En 1937, on s'inspire du *Daily Express* de Londres. Le « décroché » vient briser la symétrie de la mise en page. Dans un journal désormais fait pour être vu avant d'être lu, l'information est hiérarchisée par la titraille, les encadrés, les illustrations, le caractère employé, l'emprise spatiale. Mais, privilégiant le sensationnel et le spectaculaire, *Paris-Soir* et les autres grands journaux d'information n'ont pas su sérieusement informer leurs lecteurs, lors de la montée des périls dans l'Europe des années 1930.

Jean Prouvost est à la tête d'un groupe de presse. En 1937, il fonde le premier grand magazine féminin, *Marie Claire*, qu'il porte à près d'un million d'exemplaires en 1939. En 1938, il relance le magazine sportif *Match*, et en fait un magazine moderne de grande actualité illustrée (1,1 million d'exemplaires en 1939).

L'expérience malheureuse de Henri Dumay avec *Le Quotidien* (1922) qui participe à la victoire du Cartel des gauches (280 000 exemplaires en 1924), mais qui est abandonné par ses principaux rédacteurs dès 1926, dans le scandale d'une mauvaise gestion ; le lancement en fanfare de *L'Ami du peuple* par le parfumeur Coty en 1928, journal fasciste vendu dix centimes, alors que tous les autres journaux le sont à vingt-cinq (un million d'exemplaires en 1930), et sa faillite en 1933 : tout prouve qu'il est alors difficile, comme aujourd'hui, de fonder un nouveau quotidien capable de durer. Aussi vont se multiplier les hebdomadaires politico-littéraires, un type de presse original, violemment polémique, qui n'exista que pendant cette période, et qui influença profondément l'opinion : à droite, très antisémites, *Candide* (1924), *Gringoire* (1929), *Je suis partout* (1930), à gauche, *La Lumière* (1927), *Marianne* (1932), *Vendredi* (1935), *Messidor* (1938). Autres magazines : les magazines photographiques d'information (*Vu*, 1928, *Miroir du monde*, 1930, *Voilà*, 1931), les magazines de cinéma, la presse de radio.

❑ La radio, au temps des bricoleurs

La TSF (télégraphie sans fil, transmettant des messages codés en morse) puis la radiophonie (transmettant des sons), sont nées dans les années 1890 et 1900, à partir des recherches sur l'électromagnétisme des physiciens Oersted, Ampère, Ohm et Faraday. En 1864, l'Écossais Maxwell donne une théorie d'ensemble des ondes électromagnétiques. En 1885, l'Allemand Hertz met en évidence ces ondes pressenties par Maxwell et leur donne son nom. Le Français Branly et son cohéreur (détecteur d'ondes hertziennes), l'Anglais Lodge et la syntonie (l'émetteur et le récepteur doivent être sur la même longueur d'onde), l'Américain Tesla et les courants de haute fréquence, le Russe Popov et son antenne ont tous préparé l'invention de la TSF par l'Italien Guglielmo Marconi (1894-1896) qui prend des brevets industriels tout en poursuivant ses expériences de transmission-réception. En décembre 1901 est effectuée la première liaison TSF transatlantique entre Terre-Neuve et la Grande-Bretagne. Les chercheurs perfectionnent émetteurs, récepteurs et antennes. En 1906, l'Américain Fessenden prouve qu'il est possible de transmettre la voix humaine par ondes hertziennes, cependant que son compatriote Lee de Forest perfectionne les lampes radio en inventant la triode, excellent détecteur et amplificateur des ondes.

Les industriels et les militaires passent à l'utilisation pratique. En juillet 1908, les régates de Kingstown sont l'objet du premier « reportage » TSF, grâce à un poste émetteur-récepteur installé sur un navire, relié à un journal de Dublin. Les marines de guerre et les marines marchandes s'équipent rapidement : le naufrage du paquebot *Titanic*, en avril 1912, accélère le mouvement. En France, le capitaine (puis général) Ferrié va présider, pendant une trentaine d'années, à l'équipement de l'armée de terre. Dès 1906, toutes les places de la frontière de l'Est et du Nord sont reliées par TSF avec la tour Eiffel qui échappe ainsi à la destruction : en 1907, cette antenne permet aux navires de calculer plus facilement leur longitude grâce à ses signaux horaires ; en 1908, elle transmet les premiers bulletins météorologiques. En 1914, ont lieu les premières transmissions radiophoniques de musique à partir de concerts hebdomadaires à Bruxelles.

La Grande Guerre arrête ces transmissions, mais elle va donner une grande impulsion aux recherches et aux industries radioélectriques. En février 1917 et en mai 1921, deux décrets étendent tout naturellement à la TSF le monopole de l'État sur la télégraphie. Mais, face aux grands intérêts industriels, le gouvernement adopte une politique incertaine, parce qu'il manque de moyens financiers pour équiper le pays. En octobre 1920, il concède à la CSF (Compagnie générale de TSF d'Émile Girardeau) la constitution et l'exploitation des liaisons TSF internationales en ondes courtes, alors qu'il se charge des liaisons moins rentables avec les colonies. Dès ce moment, Radio France (CSF) s'oppose aux PTT, et les grands intérêts industriels à la logique du service public.

Que faire de la radiophonie, un média qui est bien autre chose que la TSF, puisqu'il est destiné à un public indifférencié ? Le groupe CSF fait pression sur l'État. Il doit proposer des programmes au public s'il veut vendre ses récepteurs Radiola. Le gouvernement autorise la station Radiola en octobre 1922. La loi de finances de juin 1923 impose la nécessité d'une autorisation pour l'émission de « signaux radiophoniques de toute nature ».

Radiola est inaugurée, sur grandes ondes, le 6 novembre 1922, huit jours avant la BBC. Trois autres importantes stations sont fondées : en janvier 1923, Paris-PTT émet sur ondes moyennes, grâce à du matériel américain ; Radio-Tour Eiffel, la station des militaires, débute ses émissions régulières en janvier 1924 ; en avril 1924, le Poste Parisien est fondé par Paul Dupuy, directeur du *Petit Parisien*. Les grands intérêts industriels, un grand groupe de presse, mais aussi l'État (par l'administration des PTT et l'armée) se sont donc rapidement installés sur le marché. Dès 1924, Radiola, devenue Radio-Paris, installe des filiales régionales (Radio-Lyon, Radio-Toulouse).

Ces stations des années 1920 développèrent les grands genres radiophoniques : les radio-concerts entrecoupés de plages parlées, le théâtre radiophonique et ses bruitages, les premiers reportages sportifs à Radiola ; le « journal-parlé » de Maurice Privat à Radio-Tour Eiffel, malgré l'opposition du gouvernement (novembre 1925) ; le grand reportage sportif sur le Tour de France cycliste, grâce à la collaboration de Paris-PTT et de *L'Intransigeant* à partir de 1929 ; les premières émissions matinales de 7 à 9 heures par le Poste Parisien en mars 1933. Le gouvernement n'autorisa la publicité qu'en juillet 1925.

❏ La radio, au temps des auditeurs

Dans ses premiers temps, la radio ne touche que quelques amateurs passionnés, constructeurs de leur propre récepteur, pour qui le maniement du poste à galène et de ses écouteurs, le réglage de l'antenne sont plus importants que le contenu de l'écoute. À partir des années 1928-1930, on passe des sans-filistes aux auditeurs, du bricolage au loisir. L'auditeur est un consommateur qui a acheté cher l'un de ces postes à haut-parleur incorporé apparus sur le marché dès 1925, très confortables d'écoute dès 1930. Si la France n'a pas de retard dans la multiplication de ses stations parisiennes et provinciales, elle marque le pas dans la pénétration des récepteurs, plus lente que partout ailleurs. À la fin de 1930, le pays compte 1,4 récepteur pour 100 habitants, contre 6,7 en Grande-Bretagne et 4,9 en Allemagne. En 1939, ces chiffres sont respectivement de 12,6, contre 18,5 et 16,1. Faut-il mettre un tel retard en parallèle avec la stagnation de la presse parisienne à cette époque-là ?

Au cours de ces années 1920 et 1930, l'État affirme son monopole tout en laissant s'exprimer les stations privées. Un décret-loi de décembre 1926 décide que l'exploitation de la radio serait exclusivement confiée à l'État en 1933 mais que, pendant un an, le ministère des PTT pourrait délivrer des autorisations provisoires à de nouvelles stations privées. La loi de finances de mars 1928 interdit la création de toute nouvelle station, mais les 13 stations privées émettant au 31 décembre 1927 sont autorisées à poursuivre leurs émissions au-delà de l'échéance de 1933, « à titre temporaire ».

Pendant les années 1930, s'engage entre stations privées et publiques une course à la puissance pour une meilleure écoute des auditeurs, encouragée par les industriels qui vendent de nouveaux équipements à toutes les stations. Les fonctionnaires des PTT ont obtenu la création d'un réseau de onze stations régionales en ondes moyennes (plan Ferrié, 1931) et la nationalisation de Radio-Paris (1933). Si, en 1932, les stations privées dépassent en puissance le réseau d'État (160 kW contre 90), la situation est inversée en 1939 (180 kW contre 950). Entièrement rééquipées, les stations, reliées à des studios de centre-ville, sont établies dans le calme des banlieues.

Les stations privées peuvent vivre et se moderniser grâce à la publicité que le réseau d'État leur abandonne à partir de 1933, quand il est exclusivement financé par la redevance. La loi interdisant toute nouvelle création de station privée, les nouvelles radios sont installées hors des frontières (Radio-Luxembourg en 1933, Radio-Andorre en 1939), ou bien reprennent les autorisations d'anciennes stations. En 1935, Radio-Cité est lancée à Paris par Marcel Bleustein (Publicis), qui a pris le contrôle de Radio LL, un petit poste parisien créé par l'ingénieur Lucien Lévy en 1926. Radio 37, fondée par Jean Prouvost reprend la licence de Radio-Béziers. Station imaginative, Radio-Cité développe les jeux radiophoniques enregistrés en public et patronnés par une grande marque (*Crochet radiophonique*, *Les Fiancés de Byrrh*, etc.), révèle Édith Piaf et Charles Trenet, fait bonne place aux chansonniers, renouvelle les chroniques (*La Minute du bon sens*, de Saint-Granier), sait rendre l'actualité vivante avec le feuilleton quotidien de *La Famille Duraton* (1936), propose une information à chaud et des tribunes politiques.

En 1937, la presse écrite s'émeut de la concurrence de la radio, notamment des revues de presse que les stations donnaient dans les émissions du matin. En juillet 1938, les stations acceptent de condenser ces revues et de réduire les informations en matinée à trois bulletins de sept minutes. Mais la guerre se profile à l'horizon. Déjà, le gouvernement soumet à la censure les stations privées, qui comme le réseau public, devront servir sa politique (septembre 1938). En juillet 1939, un premier décret aligne toutes les émissions d'information des stations privées sur *Le Radio Journal de France* du Poste National (ancien Radio-Paris), repris par tout le réseau d'État depuis mai 1938. Un second décret donne à la radio publique une administration autonome, soustraite à la tutelle des PTT et placée dans la dépendance directe de la présidence du Conseil des ministres.

LE TEMPS DES MÉDIAS CONCURRENTS

La Seconde Guerre mondiale (1939-1945) et l'Occupation ont achevé de discréditer la presse écrite, soumise à la censure et à la propagande allemande en zone nord, étroitement contrôlée par les autorités de Vichy en zone sud. La presse clandestine de la Résistance fut certes nombreuse (plus de 1 000 titres) et active, mais ses tirages et ses moyens de diffusion restreints pouvaient-ils équilibrer ceux de la presse installée ? Si la radio vécut, elle aussi, sous la censure et fut un instrument de propagande des Allemands, elle offrit cependant aux Français, malgré les brouillages, l'information pluraliste qu'ils ne pouvaient trouver ailleurs, grâce aux émissions françaises de la BBC, grâce aussi à Radio-Alger (à partir de novembre 1942). La radio ne fut plus seulement un moyen de communication. Elle devint un moyen de gouvernement et de lutte. Les années 1950 et 1960 virent la télévision prendre une place croissante dans la vie du public. La nouvelle époque ouverte par la Libération au mois d'août 1944 marqua pour la presse écrite la fin du monopole de l'information collective qu'elle avait exercé pendant trois siècles.

❏ Des illusions généreuses de la Libération aux contraintes du marché

La Libération se voulut une rupture : on désira faire table rase du passé, construire une presse « pure et dure », indépendante des puissances d'argent et du pouvoir politique, quatrième pouvoir vraiment autonome, au seul service de ses convictions et des intérêts du public. Selon une tradition qui remonte aux origines même de la presse, l'État joua un grand rôle dans sa reconstruction. Les ordonnances des 6 mai, 22 juin, 26 août et 30 septembre 1944 supprimèrent tous les journaux ayant paru sous le contrôle allemand. Les nouveaux journaux durent recevoir, jusqu'en février 1947, une autorisation de paraître qui fut accordée aux anciennes feuilles clandestines, aux anciens journaux qui s'étaient sabordés à temps, et à de nouvelles équipes patronnées par la Résistance. On s'efforça d'assurer la transparence des entreprises en interdisant les prête-noms dans leur capital et en remplaçant le gérant responsable par un « directeur de publication », représentant qualifié des propriétaires.

Les journalistes furent, eux aussi, épurés. Les plus compromis dans la collaboration furent condamnés par les cours de justice. Sept d'entre eux furent condamnés à mort et exécutés. Les autres durent justifier de leurs états de service auprès de la Commission de la carte d'identité des journalistes professionnels, qui siégea en Commission d'épuration en 1944 et 1945.

Dans une ignorance volontaire des réalités économiques du marché de la presse, tout fut fait pour éliminer la concurrence commerciale : prix de vente unique imposé, organisation coopérative du marché du papier et de la diffusion, étatisation de l'agence France-Presse, aide de l'État aux entreprises. Les messageries Hachette furent mises sous séquestre dès août 1944, et furent remplacées par les Messageries de la presse française qui firent place en avril 1947 aux Nouvelles Messageries de la Presse Parisienne (NMPP), dont le capital était réparti entre les coopératives des journaux (51 %) et une filiale d'Hachette (49 %).

De 1944 à 1958, le ministère de l'information fut chargé de répartir le papier entre les journaux, de définir les formats et les périodicités : les quotidiens ne furent autorisés à passer à six pages qu'en 1949. En 1947, fut créée la Société Professionnelle des Papiers de Presse (SPPP), organisme régi par les différents syndicats professionnels concernés et contrôlé par les représentants de l'État, afin que les journaux jouissent des mêmes tarifs, quelles que fussent leur consommation et leur position géographique.

Relancée au cours des années 1920 par l'emploi de la TSF puis de la radiophonie, l'agence Havas avait été handicapée, pendant les années 1930, par la récession du marché publicitaire et le déficit de sa branche information. Subventionnée, depuis 1931, par le gouvernement dont elle servait la politique à l'étranger, elle s'était repliée à Vichy. En septembre 1944, la branche information, devenue agence France-Presse, fut étatisée, avec un statut provisoire assurant la mainmise du gouvernement qui fournissait l'essentiel du budget. Son statut de 1957 en fit un organisme autonome à personnalité civile, mais l'État continua d'y jouir d'une grande influence. Havas, la branche publicité, placée sous l'administration provisoire de l'État en août 1944, devint une société d'économie mixte en novembre 1945, et fut gérée directement par l'État jusqu'à la privatisation de 1987.

La rupture de 1944, un peu comme celle de 1789, provoqua l'explosion d'une presse d'opinion. En juin 1946, les vingt-huit quotidiens parisiens tiraient à 6 millions d'exemplaires, soit un peu plus qu'en 1939. Cette presse était très marquée à gauche (27 % du tirage étaient d'obédience communiste, 21 % socialiste). La droite n'était pratiquement pas représentée et ses lecteurs durent se rabattre sur les feuilles démocrates chrétiennes du MRP (21 %). Parmi les titres les plus importants, atteignant ou dépassant 400 000 exemplaires, *L'Humanité* et *Ce Soir* bien sûr, mais déjà aussi *Le Figaro* de Pierre Brisson et *France-Soir* de Pierre Lazareff. *Combat* d'Albert Camus et *Le Monde*, d'Hubert Beuve-Méry, parvenaient tout juste à 160 000.

Mais bien des feuilles ne purent durer. La frénésie de lecture du retour à la liberté qui conduisait de nombreux lecteurs à acheter souvent deux journaux chaque jour, parce qu'ils étaient rapidement lus, vu leur faible pagination (deux à quatre pages), finit par s'estomper. D'autant plus que le prix des quotidiens ne cessa de monter pour suivre la hausse des charges des entreprises, notamment le papier, les salaires et les sureffectifs volontaires des ouvriers typographes. De deux francs en juin 1945, on passa à dix francs en mai 1950. Dès juin 1947, le nombre des quotidiens parisiens n'était plus que de dix-neuf pour un tirage de 4,7 millions d'exemplaires. Et le marché continua à décroître jusqu'en juin 1952, date à laquelle il était parvenu à quatorze titres et 3,4 millions d'exemplaires. La presse d'opinion disparaissait ou voyait ses ventes baisser, alors qu'une presse d'information plus modérée, populaire ou de qualité, finissait par dominer le marché. *France-Soir* avait repris la formule de *Paris-Soir* et atteignait 750 000 exemplaires, *Le Parisien libéré* celle du *Petit-Parisien* et sortait à 500 000, *Le Figaro* à 450 000 et *L'Aurore* à 320 000.

Cette véritable crise des années 1947-1952 se soldait par la faillite des idéaux de la Résistance. Alors que l'on attendait un statut de la presse, toujours promis et jamais voté, les grands intérêts économiques investissaient dans les journaux. À partir de 1946-1947, Hachette entrait dans le capital de *France-Soir*. En 1950, le groupe Jean Prouvost rachetait la moitié des actions du *Figaro*, mais Pierre Brisson préservait l'indépendance de la rédaction. En 1951, l'industriel Marcel Boussac rachetait 74 % du capital de *L'Aurore*, mais il se gardait d'intervenir dans la rédaction.

La presse de province subissait la même évolution, mais déjà s'amorçait le mouvement qui devait, au cours des années 1960, conduire à des situations de monopole, en faisant disparaître les feuilles locales ou départementales au bénéfice de grands régionaux, ou en leur faisant perdre leur indépendance. En 1947, le marché comptait 161 titres, tirant à 8,2 millions d'exemplaires, alors qu'en 1952 il n'en avait plus que 117, tirant à 6,2 millions.

Déjà se redéployait la presse magazine, un moment gênée par le manque de papier. En 1949, *Paris-Match* prenait la suite du *Match* d'avant-guerre. La presse féminine était relancée par la création d'*Elle*, d'Hélène Gordon-Lazareff (1945). Les hebdomadaires politiques prenaient un nouveau départ grâce à l'affaiblissement de la presse d'opinion (*L'Observateur* en 1950, *L'Express* en 1953).

❑ Le monopole de la Radiodiffusion-Télévision française

Dès la Libération, la presse écrite, tout autant que d'anciens journalistes de la radio privée, réclamèrent avec insistance l'instauration du monopole sur la radio. Le 20 novembre 1944, étaient réquisitionnés « les locaux, installations et le matériel des entreprises privées d'émissions radiophoniques sises sur le territoire de la métropole ». L'ordonnance du 23 mars 1945, qui retirait toutes les autorisations accordées avant-guerre aux postes privés, installa définitivement le monopole. Un monopole qui devait durer longtemps, jusqu'en 1982, sans doute parce qu'il était atténué par la présence des radios périphériques, au statut très ambigu. Par l'intermédiaire de la SOFIRAD (Société financière de radio), l'État français possédait 80 % de Radio-Monte-Carlo et 35 % d'Europe n° 1, créé en Sarre en 1955. Radio-Luxembourg, au capital en partie français, reprit ses émissions en novembre 1945, après les avoir cessées pendant la guerre.

La Radiodiffusion-Télévision française (RTF) fut considérée comme un instrument politique, et resta sous la dépendance étroite des gouvernements successifs jusqu'à la fin de la IVe République, aucun des seize projets de statut déposés entre 1945 et 1958 n'ayant pu aboutir. Il fallut attendre la Ve République, pour qu'en février 1959, une ordonnance donnât à la RTF le statut d'établissement public, doté d'un budget autonome. Aux deux premiers programmes (*Programme national* et *Programme parisien*), vint s'ajouter en 1947 *Paris-Inter*.

Alors que la RTF se voulait plus sérieuse et culturelle, notamment le *Programme national*, les radios périphériques, faisant appel à la publicité, étaient plus attractives. Sous l'impulsion de Louis Merlin, Radio-Luxembourg reprit les émissions vedettes du Poste Parisien et de Radio-Cité (*Le Crochet, Sur le banc, Les Incollables, La Famille Duraton*), mais aussi des émissions que la RTF abandonna, les trouvant indignes d'elle. Elle lança aussi *Quitte ou double*, qui révéla l'abbé Pierre, et *Reine d'un jour*. À Europe n° 1, le même Louis Merlin promut un nouveau style de radio : une publicité moins tapageuse, la primauté donnée à l'information (une information vivante, à l'aide de reportages en direct, facilités par les nouveaux magnétophones portatifs Nagra et non plus des bulletins monocordes, extraits de dépêches d'agence), le renouvellement du contenu musical par la jeune chanson (*Salut les copains*). Pour mieux résister à la concurrence de la télévision, les points forts de la journée furent déplacés du soir (concédé à la télévision), à la mi-journée ou au début de la matinée. Les techniques de sondage des goûts du public s'affinèrent et permirent d'établir des programmes différenciés selon les heures de la journée, selon les âges des auditeurs.

Au cours des années 1960 et 1970, Radio-Luxembourg, devenue RTL, abandonna ses formules vieillottes et recruta des animateurs popularisés par la télévision, pour devenir une station populaire, très écoutée par les femmes. Europe n° 1 donna une grande importance aux informations et visa un public de cadres citadins, tout en diffusant des émissions décontractées adressées aux jeunes. France Culture et France Musique donnèrent des émissions de très haute qualité, mais de faible audience. France Inter fut relancée à la fin des années 1960. Après avoir durement accusé la concurrence de la télévision, la radio regagna le terrain perdu, grâce aux transistors et aux autoradios parce que les auditeurs y trouvaient plus commodément de la musique, des variétés et des jeux, et parce qu'elle était un moyen d'information plus rapide lors des grandes crises nationales ou internationales.

Comme la Grande-Bretagne et l'Allemagne, la France eut, dès les années 1930, ses premières émissions de télévision. Henri de France et René Barthélémy travaillèrent d'abord sur la télévision mécanique de l'Anglais Baird. Cette voie sans issue fut rapidement abandonnée au profit de la télévision électronique de l'Américain Zworykin. Barthélémy fit une première expérience publique en avril 1931, et finit par être patronné par les PTT qui lui offrirent des crédits, des laboratoires et l'usage de la tour Eiffel. En novembre 1935, fut inauguré le premier poste d'État qui diffusa 30 minutes chaque jour en 1936, 14 heures de programme hebdomadaire dès 1937. En 1938, le gouvernement annonçait son intention de couvrir la France d'un réseau de télévision. Les émissions cessèrent en septembre 1939.

Après la guerre, le studio de la rue Cognacq-Jay reprit ses émissions régulières en octobre 1947. En 1949, fut adopté le standard de 819 lignes mis au point par Henri de France. La durée hebdomadaire des programmes passa de douze heures en 1947 à vingt en 1950, trente-quatre en 1953, environ cinquante en 1960. Le réseau s'installa très lentement : le premier émetteur de province fut inauguré à Lille en avril 1951, le troisième à Strasbourg en 1953. Dix pour cent seulement des Français pouvaient alors recevoir la télévision, 50 % en 1957, 70 % en 1959, plus de 90 % en 1969. Né trihebdomadaire en janvier 1949, le journal télévisé devint quotidien en octobre, puis biquotidien en novembre. La télévision lança de grandes émissions de variétés (*La Piste aux étoiles*, *36 Chandelles*), des émissions culturelles (*Lectures pour tous*, *La Caméra explore le temps*), des documentaires, des dramatiques, des feuilletons, des jeux. L'actualité sportive était suivie par de grands reportages.

Pendant les années 1960 et 1970, la télévision devint le grand média de masse qu'elle est aujourd'hui. En 1960, 17 % seulement des foyers français possédaient un récepteur, mais les chiffres n'ont cessé de s'élever par la suite : 46 % (1965), 71 % (1970), 84 % (1975), 90 % (1980), 94 % (1985). En 1973, 65 % des adultes regardaient la télévision tous les jours, en 1989, 73 %. En avril 1964 et en janvier 1973 une deuxième et une troisième chaînes de télévision vinrent s'ajouter à la première. La couleur pénétra les programmes à l'automne 1967. Au cours des années 1960, se développèrent de grands magazines d'information (*Cinq colonnes à la une*, *Les Dossiers de l'écran*), cependant que se multipliaient les feuilletons (*Janique Aimée*, *Thierry la Fronde*, *Rocambole*, *Belphégor*) et les jeux (*Intervilles*). Pendant les années 1970, les séries américaines et les films envahirent les programmes, pour ne plus les abandonner.

En juin 1964, la RTF fut remplacée par l'ORTF (l'Office de Radiodiffusion-Télévision Française), désormais gouverné par un directeur général, assisté d'un Conseil d'administration. Une apparente autonomie qui cachait en réalité un plus grand contrôle du gouvernement. La publicité de marque, gérée par la RFP (Régie Française de Publicité), fut admise à la télévision en octobre 1968. En août 1974, l'ORTF finissait par être démantelé et divisé en sept sociétés, trois de services (TDF, SFP et INA), 4 de production de programmes (Radio France, TF1, Antenne 2, FR3).

Comme la presse au XIXe siècle, l'audiovisuel a été un tel enjeu politique depuis la Libération qu'il ne faut pas s'étonner qu'il ait été nécessaire d'accompagner sa croissance de quatre statuts successifs entre 1959 et 1974. En attendant les années 1980 et la législation foisonnante qui s'efforça de donner une certaine indépendance politique et gestionnaire à la radio et à la télévision, tout en les adaptant aux nouvelles technologies, en les ouvrant aux initiatives privées et en multipliant les chaînes.

❑ Une presse quotidienne en difficulté, depuis 1968

Après la baisse de 1946 à 1952 (de 370 exemplaires tirés pour 1 000 habitants, on passa à 218), la presse quotidienne eut encore quelques beaux jours jusqu'en 1968 (262 pour 1 000). Après quoi, ce fut la chute jusqu'en 1976 (193), puis la stabilisation dans la stagnation (186 en 1988). Après avoir tiré jusqu'à 13 millions d'exemplaires en 1968, cette presse parvenait à peine à 10 millions en 1988. La part des quotidiens parisiens n'avait cessé de diminuer (39 % en 1946, 29 % en 1986), du fait de la meilleure tenue des quotidiens régionaux.

Alors qu'on ne comptait plus les titres disparus, un seul nouveau, *Libération* (1973), réussit à s'installer durablement sur le marché national. Le titre phare des années 1950 et 1960, *France-Soir*, fut diffusé à plus d'un million d'exemplaires entre 1956 et 1966. *Le Parisien libéré* vint le relayer au milieu des années 1970 (785 000 exemplaires en 1974), mais le long conflit de son propriétaire Émilien Amaury avec la CGT (1975-1977) le fit rapidement décliner. En 1981, *Le Monde* était le premier quotidien parisien et diffusait 439 000 exemplaires. Dès la fin des années 1970, un grand régional, *Ouest-France*, devint le premier quotidien français (765 000 exemplaires en 1988).

Faut-il expliquer une telle langueur par la montée en puissance de la télévision, ou par le développement de la presse magazine ? Beaucoup plus que les magazines féminins ou les hebdomadaires illustrés, les *news magazines* apparus depuis 1964, à l'imitation de *Time* (États-Unis, 1923) ont concurrencé les quotidiens. Destinés aux cadres moyens et supérieurs, présentant une actualité complète par des articles brefs et précis, donnant peu de place au commentaire, *L'Express* et *Le Nouvel Observateur* (formule *news* en 1964), *Valeurs actuelles* (1966), *Le Point* (1972), *L'Événement du Jeudi* (1984), diffusaient quelque 1,5 million d'exemplaires en 1988. En 1990, la France était au premier rang européen pour la diffusion des magazines : 1 314 exemplaires pour 1 000 habitants.

Faut-il expliquer les difficultés des quotidiens par la hausse trop rapide de leur prix de vente, due à la relative faiblesse des recettes publicitaires et à une modernisation trop lente des rédactions et des imprimeries, au moins pour la presse parisienne, où elle ne débuta qu'après les accords d'août 1977 entre patronat et syndicats ? Après les bonnes années 1980, la publicité entra dans une grave crise au début des années 1990. Les quotidiens, mais aussi les magazines, en subirent de plein fouet les effets.

Ne faut-il pas bien plus attribuer l'inappétence du lectorat à une baisse de qualité ? Les formes et les contenus de la presse quotidienne répondent-ils aux attentes ? Ne devrait-elle pas faire preuve de plus d'originalité, de densité, de diversité dans l'approche et dans l'écriture ? Peut-être devrait-elle s'inspirer des bons côtés de la double tradition française, représentée dans les années 1950-1960 par la réussite du *France-Soir* de Pierre Lazareff, un journalisme de récit, vécu, personnalisé, et du *Monde* d'Hubert Beuve-Méry, un journalisme de réflexion.

Bibliographie

➤ EN FRANCE

ALBERT Pierre, *La Presse française*, Paris, Documentation française, éd. rév. 1990.

ALBERT Pierre et Fernand TERROU, *Histoire de la presse*, Paris, PUF, « Que sais-je ? », 8e éd., 1996.

BOURDON Jérôme, *Histoire de la télévision sous De Gaulle*, Paris, Anthropos, 1990.

BROCHAND Christian, *Histoire générale de la radio et de la télévision*, Paris, Documentation française, 1994 (Tome 1 : 1921-1944, 690 pages / Tome 2 : 1944-1974, 692 pages).

CHARON Jean-Marie, *La Presse en France de 1945 à nos jours*, Paris, Le Seuil, 1991.

CHEVAL Jean-Jacques, *Les Radios en France : histoire, état, enjeux*, Rennes, Apogée, 1997.

DUVAL René, *Histoire de la radio en France*, Paris, Alain Moreau, 1979.

FEYEL Gilles, *L'Annonce et la Nouvelle : la presse d'information et son évolution sous l'Ancien Régime (1630-1788)*, thèse d'État, Université de Paris I, 1994.

FLICHY Patrice, *Une histoire de la communication moderne*, Paris, La Découverte, 1997.

JEANNENEY Jean-Noël, *Une histoire des médias des origines à nos jours*, Paris, Seuil, 1996.

GRISET Pascale, *Les Révolutions de la communication, XIXe et XXe siècle*, Paris, Hachette, 1991.

LAMIZET Bernard, *Histoire des médias audiovisuels*, Paris, Ellipses, 1999.

MARTIN Marc, *Médias et Journalistes de la République*, Paris, Odile Jacob, 1997.
    — *Trois siècles de publicité en France*, Paris, Odile Jacob, 1992.

PALMER Michael, *Des petits journaux aux grandes agences : naissance du journalisme moderne (1863-1914)*, Paris, Aubier, 1983.

REMONTE J.-F. et S. DEPOUX, *Les Années radio : 1949-1989*, Paris, Gallimard, 1989.

➤ POUR L'HISTOIRE DES MÉDIAS EN QUELQUES AUTRES PAYS

BLANCHARD Margaret A. (dir.), *History of the Mass Media in the United States : An Encyclopedia*, Chicago, Fitzroy Dearborn, 1998.

CHANG Won-Ho, *Mass Media in China : The History and Future*, Ames, Iowa State University Press, 1989.

EMERY Michael et Edwin EMERY, *The Press and America,* Englewood Cliffs, Prentice Hall, 8e éd., 1992.

FANG Irving, *A History of Mass Communication : Six Information Revolutions*, Boston, Focal Press, 1997.

MOITRA, *A History of Indian Journalism*, Calcutta, National Book Agency, nouv. éd. 1993.

MURIALDI Paolo, *Storia del giornalismo dalle prime gazzette ai telegiornali*, Torino, Gutenberg, 1986.

QUINTERO Alejandro-P., *De la Gazeta Nueva a Canal Plus : breve historia de los medios de comunicacion en España*, Madrid, Editorial Computense, 1992.

SEYMOUR-URE Colin, *The British Press and Broadcasting Since 1945*, Oxford, Blackwell, 1991.

STERLING Christopher H. et al., *Stay Tuned : A Concise History of American Broadcasting*, Belmont (CA), Wadsworth, 2ᵉ éd., 1990.

THOVERON Gabriel, *Histoire des médias*, Paris, Seuil, 1997.

Chapitre 5

Les médias en France :
situation actuelle

Les médias français étant européens, ils contrastent avec les médias étatsuniens. Les médias français étant latins, ils diffèrent des médias de l'Europe du Nord. De surcroît, pour le meilleur et pour le pire, ils possèdent certaines originalités[1]. Certaines d'entre elles, anciennes et regrettables, qu'on rappelle souvent à l'étranger, ont en fait disparu, deux en particulier, la corruption des journaux et d'étroit contrôle gouvernemental sur la radiotélévision.

1998	France	Allemagne	Grande-Bretagne	Italie
Population (en millions)	59,2	82,5	59,3	57,7
PIB (US $ milliards)	1 623 *	2 431	1 450	1 294
PIB par habitant (US $)	25 425	27 418	23 478	21 685

* 4e du monde derrière les États-Unis, le Japon et l'Allemagne.

Le système médiatique français possède peu de records, mais c'est un des rares au monde qui soient autosuffisants :

- La France possède une des trois agences d'information mondiale — l'AFP, la plus ancienne (1832), la seule qui ne soit pas anglo-américaine — et les deux plus importantes agences de photos Sygma et Gamma.
- Elle est le 4e producteur de longs métrages de la planète (plus de 100 films par an) après l'Inde, les États-Unis et le Japon ; et le premier producteur européen de dessins animés.
- Elle n'est que le 3e producteur de fiction télévisée en Europe, derrière l'Allemagne et la Grande-Bretagne, mais le premier exportateur mondial de programmes non anglophones.
- Enfin les deux plus grosses agences de publicité en France, Havas Advertising (dont Euro-RSCG) et Publicis, sont nationales, ce qui n'est pas le cas dans les autres pays occidentaux (sauf au Japon et en Grande-Bretagne).

À propos de publicité, l'hostilité des Français à son égard est bien connue[2]. Ses causes sont anciennes[3]. Au XIXe siècle, les journaux avaient l'habitude d'affirmer leurs dernières pages où était parquée la publicité et ensuite de vendre l'espace rédactionnel pour de la publicité clandestine. De nos jours, outre qu'elle s'atténue, cette publiphobie peut être due à ce que la publicité est surtout une publicité de marque, manipulatrice, et non informative comme la publicité des magasins et services

1. Le manuel étant destiné, avant tout, à un public français, le présent chapitre vise moins à décrire le système hexagonal, qu'à en souligner les originalités — et à fournir des chiffres précis.
2. Pour le titre de son premier livre, Jacques Séguéla, le plus renommé des publicitaires français, a repris une vieille plaisanterie : *Ne dites pas à ma mère que je suis dans la publicité, elle me croit pianiste dans un bordel.*
3. Voir le remarquable ouvrage de Marc MARTIN, *Trois siècles de publicité en France*, Paris. Odile Jacob, 1992.

locaux. Beaucoup de Français, curieusement, ne considèrent pas que les petites annonces en font partie.

Un effet de cet antagonisme est que la publicité est souvent de qualité excellente. Un autre effet, négatif celui-là, est que, malgré une forte progression depuis les années 1960, la publicité reste sous-développée en France : par tête d'habitant, les dépenses n'y sont que moitié de celles des États-Unis. En outre, un tiers seulement de la publicité est investie dans les médias — et non la moitié comme en Grande-Bretagne.

Avec pour résultat que les journaux sont pauvres. En effet, trait original, la répartition de la publicité désavantage les journaux : si l'affichage en reçoit nettement plus qu'ailleurs, les journaux, eux, en reçoivent peu : environ 20 % (contre 42,5 % en Allemagne) et de moins en moins ; ils n'en tirent que 40 % de leurs recettes (contre 60 à 70 % aux États-Unis).

INVESTISSEMENTS PUBLICITAIRES DANS LES GRANDS MÉDIAS (1996)

Médias	France	Grande-Bretagne	Italie	États-Unis
Journaux	20,3 %	29,1 %	16,2 %	27 %
Magazines	22,7 %	17,5 %	16,7 %	12,8 %
Télévision	36,2 %	42,6 %	61 %	45,2 %
Radio	7,5 %	4,7 %	3,5 %	13,6 %
Cinéma	0,7 %	0,9 %	-	-
Affichage	12,6 %	5,1 %	2,7 %	1,3 %

[Source : Observatoire européen de l'audiovisuel]

PRESSE ÉCRITE

❑ Les journaux

Il y a en France environ soixante-dix quotidiens, nettement moins que dans des pays de même population comme l'Italie et la Grande-Bretagne. Et ils sont différents.

LES QUOTIDIENS PARISIENS
(Diffusion globale : 2,4 millions d'exemplaires)

Titre	Né en	Diffusion 1998	Difusion 1993	Caractéristiques
Le Figaro	1854	370 000	402 000	Qualité. Droite
Le Parisien *	1944	476 000	400 000	Populaire
Le Monde	1944	394 000	368 000	Qualité. Centre gauche
L'Équipe	1946	404 000**	320 000	Sportif
France-Soir	1944	164 000	219 000	Populaire. Droite
Libération	1973	171 000	174 000	Qualité. Gauche
Paris-Turf	1948	110 000	126 000	Hippique
Les Échos	1908	134 000	117 000	Financier
La Croix	1883	94 000	101 000	Catholique
La Tribune D.	1984	91 000	69 000	Financier
L'Humanité	1904	58 000	66 000	Communiste

* Y compris Aujourd'hui, édition nationale.
** L'Équipe du lundi : 500 000.

D'abord, il n'y a quasiment plus de quotidiens du soir — alors qu'aux États-Unis, 55 % des quotidiens, les petits, paraissent l'après-midi et en Grande-Bretagne plus de 80 % de la presse quotidienne de province. En France même, le grand quotidien de l'avant-guerre était *Paris-Soir*. Il reste une demi-exception : *Le Monde* qui sort en début d'après-midi mais qui n'est reçu dans une partie de la France que le jour suivant, ce pourquoi il porte toujours la date du lendemain.

Il n'y a pas véritablement de presse nationale : les quotidiens de Paris sont lus pour les deux tiers dans la région parisienne. Ils sont en vente en province, mais peu de lecteurs en achètent. Les quotidiens régionaux et locaux, qui n'assuraient qu'un quart de la diffusion totale en 1870, en assurent les trois quarts.

	Diffusion 1913		Diffusion 1993	
Paris	5,5 millions	58 %	2,2 millions	27,5 %
Province	4 millions	42 %	6,9 millions	72,5 %

Il n'existe plus de presse quotidienne populaire (mis à part peut-être *Le Parisien*, devenu journal régional[1], et le moribond *France-Soir*) alors qu'autrefois *Le Petit Parisien* et *Le Petit Journal*, grands spécialistes du fait divers et du scandale, s'enorgueillissaient d'énormes ventes. On peut regretter surtout *Paris-Soir* (1,4 millions d'ex.), de l'entre-deux-guerres, et le *France-Soir* de l'après-guerre, qui savaient informer et distraire sans être ignobles.

Enfin, il y a peu de journaux du dimanche, une vingtaine seulement, qui vendent moins de 4 millions d'exemplaires, en tout moitié moins que les quotidiens — alors qu'en Angleterre, les dominicaux vendent 2,5 millions de plus que les quotidiens.

Les quotidiens français sont peu vendus et vendus de moins en moins : la pénétration de la presse française[2] est de 145 exemplaires pour 1 000 habitants (en 1999), la moitié de la britannique : la France, quatrième puissance économique du globe, ne se classe pas parmi les vingt-cinq premiers consommateurs de journaux. Que la consommation baisse n'a rien en soi de très original : partout les magazines et surtout la télévision ont fait chuter les ventes. Mais il faut savoir qu'au début du siècle les Français étaient (avec les États-uniens) les plus voraces lecteurs de journaux du monde. Alors, la presse française vendait deux fois plus que la britannique ; maintenant elle vend deux fois moins. Trois quotidiens sont nés presque en même temps, dans les années 1970 : *La Repubblica* en Italie vend plus de 600 000 ex., *El Pais* en Espagne plus de 400 000 — et *Libération* en France moins de 200 000.

Pourquoi ces faibles ventes[3] ? Une des raisons, c'est que les quotidiens sont chers, surtout au regard du nombre de pages. En francs constants, leur prix a décuplé depuis 1914. Dans les années 1990, ils coûtaient entre 4 et 7,50 francs alors qu'en Grande-Bretagne les prix allaient de deux à 4,50 francs et aux États-Unis de 1,50 à 4 francs. Le manque de publicité explique en partie cette cherté[4].

Une autre raison, c'est la rareté du portage (sauf dans l'Ouest et en Alsace). Autrement dit, l'usager. doit chaque jour décider d'acheter le journal dans un des 33 000 points de vente. Par ailleurs, la distribution est le quasi-monopole des Nouvelles Messageries de la Presse Parisienne (NMPP) : il en résulte une distribution plus chère que dans les autres pays — et une proportion d'invendus qui va de 10 à plus de 40 %.

Une explication de la faible consommation est aussi à chercher dans la méfiance. Des sondages annuels le démontrent : le public doute de l'indépendance économique et politique des journalistes. Enfin et surtout, la mévente des journaux est due à ce que les journaux, très portés sur la politique ne répondent pas suffisamment aux besoins ou désirs des usagers, moins encore qu'en d'autres pays. Il faut constater que, par ses contenus, 450 pages par jour en quarante éditions locales, un quotidien comme *Ouest-France*[5], qui a la plus forte diffusion du pays (environ 800 000), est très différent de

---

1. Quoiqu'il ait lancé en 1994 une édition nationale intitulée *Aujourd'hui*.
2. Contre 582 au Japon, 438 en Suède, 330 en Grande-Bretagne — et 105 en Espagne et en Italie, 93 au Portugal.
3. Au Japon (population 120 millions), un quotidien, le *Yomiuri Shinbun,* vend à lui seul presque le double de toute la presse quotidienne française.
4. *Le Monde* tire des ventes 75 % de ses revenus et le *New York Times* moins de 30 %.
5. À noter une originalité de ce journal : depuis 1990, il n'est pas une entreprise à but lucratif.

journaux de qualité comme *La Vanguardia* de Barcelone ou la *Stampa* de Turin, qui couvrent abondamment l'actualité nationale et internationale. Rares sont en France les quotidiens régionaux qui tentent de rivaliser avec la presse de qualité de la capitale, comme le font les *Dernières Nouvelles d'Alsace, Sud-Ouest* de Toulouse ou *Le Progrès* de Lyon. On les accuse de manquer d'imagination, d'indépendance, d'audace, du sens des responsabilités.

PRINCIPAUX QUOTIDIENS RÉGIONAUX

Titre	Ville principale	Diffusion en 1998	Diffusion en 1993
Ouest-France	Rennes	783 000	790 000
Le Progrès	Lyon	415 000*	284 000
Sud-Ouest	Bordeaux	350 000	364 000
La Voix du Nord	Lille	337 000	371 000
Dauphiné libéré	Grenoble	268 000	292 000
Nouvelle République	Tours	257 000	267 000
Nice Matin	Nice	234 000	251 000
L'Est républicain	Nancy	223 000	225 000
La Montagne	Clermont-Ferrand	221 000	241 000
Dernières Nouvelles d'Alsace	Strasbourg	213 000	219 000

* le Groupe Progrès, ensemble de plusieurs journaux.

Une bonne part de la presse de province s'est endormie dans son monopole local, longtemps protégée par les notables contre la concurrence de nouveaux médias. Ses propriétaires se sont peu souciés de ce qui se passait dans la presse du reste du monde. Ils ont, certes, investi dans la technologie, mais peu dans les hommes, dans l'étude de marché, dans le contrôle de qualité. À la fin du siècle seulement, certains quotidiens envisageaient de se lancer dans la télévision locale.

En revanche, ils ont longtemps su se défendre contre les assauts extérieurs. La presse quotidienne en France diffère de celle des grands voisins du Nord et du Sud-Est, en ce qu'elle appartient à des indigènes, ce qui n'est pas le cas en Grande-Bretagne, et à des gens de presse, ce qui n'est pas le cas en Italie. Il n'existe qu'un seul grand groupe de journaux, le groupe Hersant, en déclin à la fin des années 1990. Dans ce secteur, la propriété reste assez morcelée — alors qu'au contraire la propriété des magazines est concentrée.

❏ Les magazines

Si les Français lisent peu le journal, ils se rattrapent sur les magazines : chaque jour, 35 millions de personnes en lisent un. Il se publie 30 000 périodiques, dont 1 300 hebdomadaires et 500 mensuels. On en vend en France beaucoup — et de plus en plus : plus de 1 300 pour 1 000 habitants, deux fois plus qu'en Italie ou en Grande-Bretagne. C'est, semble-t-il, un record. Au début du siècle, les journaux représentaient 70 % du volume manipulé par les messageries : 80 % maintenant sont des magazines.

Une des causes de leur succès est sans aucun doute que les magazines s'adaptent vite : sur les dix plus gros magazines féminins actuels, six datent des années 1980. Et l'informatique les a beaucoup aidés.

Les magazines sont souvent de très bonne qualité, notamment certains hebdomadaires d'information générale. *Le Nouvel Observateur, L'Express, Le Point, Marianne, L'Événement, La Vie, VSD,* vendent, à eux dix, plus de 3,5 millions d'exemplaires (1998). Un survivant en fait partie qui date des années 1930 : *Paris-Match* — et aussi un nouveau venu, le *Figaro Magazine*.

QUELQUES HEBDOMADAIRES TRÈS VENDUS

Titre	Diffusion 1998	Type
*Télé 7 Jours**	2 736 000	Télévision
Femme actuelle	1 872 000	Féminin
Paris Match	812 000	Illustré
Voici	668 000	Potins
Télérama	661 000	TV & spectacles
France-Dimanche	591 000	Populaire
L'Express	541 000	Newsmagazine
Figaro Magazine	504 000	Newsmag. Droite
Le Nouvel Observateur	477 000	Newsmag. Gauche
Journal de Mickey	194 000	BD – Enfants

* 4 autres magazines de télévision vendent plus d'un million d'exemplaires.

Les magazines ne sont peut-être pas très originaux. Toutefois, certains s'exportent bien : *Elle, Marie Claire* ont plus de 20 éditions en d'autres langues et d'autres pays. La presse enfantine, remarquable trouve preneur à l'étranger : Bayard Presse et Milan exportent leurs formules. En revanche, grâce à ses études de marché et des prix bas, la firme allemande Prisma Presse (Bertelsmann) connaît de grands succès en France avec *Femme Actuelle, Capital, Géo, Prima, VSD, Gala* ou *Voici*. Et Disney domine la presse pour enfants.

QUELQUES MENSUELS À FORTE DIFFUSION

Titre	Diffusion 1998	Type
Prima	1 175 000	Féminin
Notre temps	1 034 000	Familial
Reader's Digest	759 000	Édition française
Modes et travaux	710 000	Féminin
Top Santé	602 000	Santé
Marie Claire	515 000	Féminin
Géo	509 000	Géographie
Star-Club	457 000	Adolescents
Capital	443 000	Économie
Auto-moto	413 000	Automobiles
Science & vie	350 000	Science
Point de vue	345 000	Potins

Un hebdomadaire est à lui seul est une des grandes originalités de la presse française. Dans une veine anarchisante bon enfant, *Le Canard enchaîné* (1915) publie sur un ton satirique, des informations politiques, des scandales, que les autres médias omettent. Comme il n'accepte pas la publicité, il est indépendant des annonceurs — mais, bien qu'il vende entre 300 et 500 000 exemplaires (selon le contexte politique), il a peu de moyens et ne peut faire du journalisme d'enquête à l'américaine.

La plus originale des créations récentes, c'est *Courrier international* (né en 1990 — 114 000 exemplaires) qui chaque semaine présente une sélection d'articles fraîchement tirés de la presse du monde entier, du Japon, d'Israël, du Brésil, de Russie ou d'Espagne. On obtient ainsi le point de vue qu'ont d'autres peuples sur l'actualité chez eux et chez nous.

❑ Le journalisme

Professionnellement, la plupart des 28 000 journalistes du pays sont conservateurs. Non seulement ils changent peu d'emploi[1] mais ils restent attachés aux traditions françaises. L'une d'elle remonte à la naissance de la presse. Le journaliste français n'est pas un glaneur de nouvelles ; l'information, traditionnellement, on la reçoit, de l'État surtout. Il est intéressant qu'il n'y ait pas en français de mots pour *reporter* et *interview*. La presse est là pour interpréter. Vu de l'étranger, le journaliste français paraît être un commentateur politique à ambitions littéraires. Les vedettes du journalisme, témoins de l'histoire, grands prêtres de l'information, estiment faire partie de l'intelligentsia. Dans la presse écrite, ils écrivent pour l'élite, utilisant des termes et des concepts inconnus de la masse. Ils pensent (mythe ancien) jouer un rôle crucial dans la vie politique. En revanche, la vieille tradition de contrôle de la presse (de l'écrit au moins jusqu'à 1881 ; de l'audiovisuel au moins jusqu'à 1981), a longtemps incliné les responsables politiques à traiter avec mépris le journaliste de base, parfois bien trop respectueux.

Une évolution s'est faite depuis 1968. Plus de la moitié des jeunes journalistes ont maintenant un diplôme universitaire (mais 15 % seulement sont issus d'une école de journalisme). Les observateurs étrangers leur reprochent de n'avoir pas appris à préparer leurs reportages et leurs interviews, à vérifier les faits, à utiliser des experts, à sortir des sentiers battus, à entreprendre des enquêtes.

MÉDIAS ÉLECTRONIQUES

Le paysage audiovisuel a été bouleversé au cours des années 1980 : par l'abrogation du monopole, par l'autorisation d'une radiotélévision commerciale, par la décentralisation et la création de nouvelles chaînes et stations, par l'autorisation des nouveaux médias (câble et satellite), par la spécialisation, par l'expansion du divertissement — et enfin par la mise en place d'un organisme de régulation, le CSA, isolant la radiotélévision des pressions gouvernementales.

ÉQUIPEMENT COMPARÉ DES FOYERS

Pays	2+ téléviseurs	Magnétoscopes	Câblage
France	35,3 %	72 %	9,7 %
Grande-Bretagne	56	70	8
Italie	46,4	56	ND
Espagne	57,5	65	1,3
Allemagne	34	68	49,6
États-Unis	78	90	66,2

[Source : Observatoire européen de l'audiovisuel, 1998]

❑ La radio

Après la généralisation de la télévision, les Français n'ont nullement délaissé la radio : en 1998, un foyer moyen possédait six récepteurs. Mais jusqu'aux années 1980, les Français ont dû se contenter d'une douzaine de stations. Ils en ont maintenant environ 1 700. La plupart des « radios libres » locales nées à la fin des années 1970 sont devenues commerciales et ont trouvé plus profitable de s'affilier à une douzaine de serveurs parisiens. Il reste pourtant plus de 500 stations associatives, à but non lucratif, qui servent soit une localité (comme Radio Dreyeckland en Alsace), soit une minorité dans

---

1. 60 % ne changent pas d'organe au cours de leur carrière.

une grande ville (comme Beur FM à Paris) et dont la survie repose sur leur personnel bénévole, la participation du public et des subventions d'État.

Quant aux autres, le CSA les répartit en quatre catégories : les stations locales indépendantes, les stations locales affiliées à de grands réseaux, les services thématiques nationaux (surtout musicaux, comme Fun, Nostalgie ou NRJ), et enfin les services nationaux généralistes (comme Europe 1 ou, RTL). La tendance générale est à la croissance des stations locales et musicales aux dépens des généralistes.

RADIO (parts d'audience, fin 1998)

PUBLIQUE [23 % env.]	Radio France	France Inter	Généraliste	11,6 %
		France Musique	Classique	0,9
		France Culture	Culturelle	-
		France Info	Tout information	4.2
		RFI	International : 25 millions d'auditeurs	
		RFO	France d'outre-mer	ND
	Stations locales	FIP, FIM, etc. (9)	FM grandes villes	3,2
		38 autres stations		5,8
PRIVÉE [70 % env.]*	Stations ex-« périphériques » OL et FM	RTL		18,7 %
		Europe 1		6,9
		RMC		2.1
	Réseaux FM musicaux (une quinzaine)	Chérie FM		4,1
		Europe 2		3.9
		NRJ		6,7
		Nostalgie		4.8
		Skyrock		3,1
		RFM		3
		RTL 2		2,3
		Fun Radio		2,1
	Stations associatives			2,9

[Source : Médiamétrie]

En 1987 fut lancée une chaîne très originale[1] consacrée exclusivement à l'actualité, France Info qui se révéla immédiatement très populaire. Certes, cette chaîne s'inspire des *all-news stations* locales des États-Unis mais, elle, elle ne s'occupe que d'information nationale et internationale, peut être entendue, presque 24 heures par jour, par les trois quarts de la population du pays, et n'impose pas à ses auditeurs des interruptions publicitaires.

Une grande originalité radiophonique française a disparu : les stations périphériques, Radio-Luxembourg (RTL), Radio Monte-Carlo (RMC), Radio Andorre et Europe 1. Ces stations généralistes, avec des émetteurs « grandes ondes » situés hors des frontières, tournaient à la fois le monopole d'État sur la radio et l'interdiction de la publicité sur les ondes. Depuis la déréglementation, les périphériques n'ont plus de raison d'être. Les stations utilisent à la fois les GO et des canaux FM en France. Elles ont perdu cependant beaucoup de leur audience au profit des stations thématiques, y compris France Info.

L'État français avait créé la SOFIRAD pour gérer ses participations financières dans les périphériques. Celle-ci a ensuite créé des stations commerciales opérant loin de France pour des publics qui n'étaient pas français, complétant l'action de Radio France Internationale (RFI). « RMC Moyen Orient »

---

1. *Radio 5 Live* de la BBC l'a imité au début des années 90.

(1972), une des stations étrangères le plus écoutées au Proche Orient, a été rattaché à RFI. En 1980, Radio Méditerranée Internationale fut mise en place à Tanger en coopération avec le Maroc pour servir le Maghreb. Depuis 1981, Africa n° 1, bâti avec le gouvernement gabonais, parle à l'Afrique francophone. Et des radios françaises opèrent aussi dans l'Est de l'Europe.

❏ Télévision

À la fin du siècle, la télévision française s'enorgueillissait de posséder un système mixte, composé de six chaînes nationales hertziennes, plus que la moyenne européenne. Certains, toutefois, déploraient la domination, exceptionnelle, d'une chaîne commerciale ayant plus de 35 % de part d'audience. La centralisation caractérisait toujours le système : très peu de stations privées locales hertziennes avaient été créées.

PARTS DE MARCHÉ DES TÉLÉVISIONS (journée entière)

			1997	1993
Chaînes publiques	France 2	Généraliste	23,8 %	24,7
	France 3	Généraliste et régionale	17,5 %	14,6
	Arte (1992)	Culturelle (avec l' Allemagne)	1,4 %	0,9
	La Cinquième	Éducative	1,7 %	-
Chaînes privées	TF1	Généraliste	35,1 %	41
	M6	Généraliste. Lancée en 1986	11,2 %	12,3
	Canal+	TV à péage codée	4,9 %	4,7
Autres			3,5 %	2,7

On a longtemps reproché à la télévision publique française de s'être attachée à faire sérieux et de n'avoir su que faire terne et morose. Certes, elle est une des plus « culturelles » d'Europe (21 % des programmes), mais au contraire de la BCC, elle n'a pas acquis au cours des années une réputation de créativité, d'indépendance, de zèle pour l'éducation.

Le cinéma français, pourtant le plus vivant d'Europe, a peu coopéré avec la télévision, au contraire de Hollywood. Marquée par la tradition du théâtre et du cinéma, médiocrement gérée et entravée par des syndicats puissants, la télévision a longtemps été incapable de produire en série des produits nerveux et ripolinés — ou bon marché. En conséquence elle exportait peu. L'Allemagne produisait bien plus ; la Grande-Bretagne produisait plus et exportait bien plus.

Les chaînes publiques vivent de la redevance et de la publicité, sauf Arte ; les commerciales vivent du péage (Canal+) et/ou de la publicité. La télévision française se place troisième en Europe par ses revenus publicitaires : 2,7 milliards d'euros (1996), contre 4 en Allemagne et 3,5 en Grande-Bretagne. La réglementation est encore stricte : pas d'interruption d'émission pour les chaînes publiques, une seulement pour les commerciales (sauf exceptions).

La privatisation et la concurrence ont apporté des améliorations. La productivité s'est améliorée : *Navarro, Julie Lescaut, L'Instit* sont vendus dans le monde entier et l'on a même fabriqué des séries comiques très populaires comme *Hélène et les garçons* (1992). L'indépendance a augmenté, comme en ont témoigné l'insolence du *Bébête Show* (créé en 1987) et des *Guignols* (1988).

Dans les années 1980, on a déréglementé, mais pas au point d'éliminer le sens du service public[1]. La télévision française fait de l'information de bon aloi (depuis 1981), des magazines d'actualité remarquables (comme *La Marche du siècle*), d'excellents documentaires (comme *Thalassa*), des débats politiques stimulants (comme feus 7 *sur* 7 ou *L'Heure de vérité*), des émissions littéraires qui attirent un public relativement vaste, comme *Apostrophes* (1975-1988) puis *Bouillon de culture* — et même

---

1. On accuse même la réglementation d'avoir causé la disparition d'une chaîne commerciale, La Cinq, en 1992 phénomène rarissime.

des jeux non stupides, comme *Des Chiffres et des Lettres* (commencé en 1965) ou *Questions pour un champion*.

> **CONSOMMATION DES FRANÇAIS** (1998)
> — 51 % lisent un quotidien 3 à 6 fois par semaine (y passant en moyenne 30').
> — Chacun passe en moyenne 3 heures / jour à écouter la radio.
> — Chacun passe en moyenne 3 heures / jour à regarder la TV (contre 228' pour les Britanniques, 218' pour les Espagnols).
> — Ils lisent 1,7 magazines par jour.
> — 18 % des foyers sont abonnés à Canal+.
> — 7 % sont abonnés au câble et 5 % au satellite.

❏ Nouveaux médias

Comme d'autres secteurs de l'économie française, les médias sont de temps en temps l'objet de grands délires technocratiques : le public en bénéficie parfois et parfois il en souffre.

Le procédé français de télévision en couleur SECAM a été adopté en URSS, en Arabie Saoudite, en Iran et en Afrique francophone, mais il n'a pu s'imposer en Europe contre le système allemand PAL. Quant à la norme D2 MacPaquet pour la télévision à haute définition, elle a avorté.

Les satellites à diffusion directe TDF 1 et 2 n'ont pas donné satisfaction : ils offraient peu de trans-pondeurs et tombaient trop souvent en panne. Résultat : en 1997, il n'y avait en France que 250 000 paraboles contre 3 millions en Allemagne (et 2,5 millions en Grande-Bretagne).

Le Plan câble de 1982, qui visait à équiper tout le pays en fibre optique sur dix ans, a échoué. À la fin du siècle, à peine plus que 1,5 million de foyers étaient abonnés au câble en France alors que 18 millions l'étaient en Allemagne.

Ce faible développement, malgré la présence de trois énormes opérateurs (Vivendi ex-Générale des Eaux, Lyonnaise des Eaux et la Caisse des dépôts), était attribué, pour une très large part, au lancement, dans les années 1980, de nouvelles chaînes hertziennes, dont Canal+ ; et à l'absence de programmes supplémentaires suffisamment attractifs.

Cela dit, à la fin du siècle, satellite et câble avait décollé : offrant plus d'une soixantaine de chaînes, françaises ou étrangères, généralistes ou thématiques, ils faisaient jeu égal, avec chacun 4,6 millions de spectateurs.

CÂBLE : PRINCIPAUX SERVEURS FRANCOPHONES (1999)

Nom	Caractère	Origine	Audience*
RTL-9	Général	Luxembourg	2 944 000
Eurosport	Sports	France	2 367 000
LCI	Informations	France	1 774 000
TMC	Général	Monaco	1 560 000
Planète	Documentaires	France	1 242 000
MCM	Musique pop	Monaco	1 181 000
Paris Première	Spectacles	Paris	1 141 000
Cinéstar 1/2	Cinéma	France	978 000
TV5	Francophone	F,B,CH & Can.	906 000
Canal J	Jeunes	France	438 000

* cumulée sur une semaine

La France peut aussi se flatter de belles réussites. Le Minitel fut lancé en 1983 en France[1] pour compléter la révolution téléphonique. Il comptait 15 millions d'utilisateurs en 1998 à qui il offrait quelque 25 000 services. La France a été ainsi le premier pays au monde à avoir banalisé l'usage du vidéotex dont on a rêvé, en ces temps où les audiences se fragmentaient, qu'il devienne un média au même titre que les autres, mais un instrument bien plus versatile et puissant est apparu qui était bien moins cher à l'usage : le PC rattaché à Internet.

Arte, initiative franco-allemande, est une télévision exclusivement culturelle, binationale et bilingue, publique et sans publicité, bien financée[2], hertzienne et en français en France, sur le câble et en allemand en Allemagne. À la fin des années 1990, elle attirait moins de 2 % de l'audience, mais c'est le taux de la chaîne publique PBS aux États-Unis. On espérait qu'elle devienne la première télévision véritablement européenne. Pendant la journée, son canal était utilisé par La Cinquième (1994), première chaîne hertzienne dédiée à l'éducation en Europe, avec laquelle Arte a été fusionnée.

Autre réalisation de qualité, la chaîne francophone TV5 à laquelle participent Français, Wallons, Suisses romands et Québécois mais qui dans les années 1990 a manifesté une créativité autonome. Elle est distribuée par satellite à 80 millions de foyers dans 120 des cinq continents. Parallèlement, Canal France International, banque de programmes télévisuels, distribue plus de 5 000 heures par an à des chaînes nationales[3].

La plus remarquable réussite a été Canal+. Lancée en 1984, la formule nouvelle, une télévision hertzienne à péage, a eu grand succès (11 millions de foyers abonnés dans dix pays en 1999, dont 6 millions en France), malgré son prix élevé, grâce à ses films, téléfilms, émissions sportives et documentaires. Les émissions en clair (3h30 / jour), qui lui ont été imposées, attirent le public. Outre qu'il finance abondamment le cinéma en Europe et aux États-Unis, il a lancé de nombreuses chaînes thématiques (21 dans six pays européens) pour le câble et le satellite : Planète, MCM, Eurosports, Canal J, Ciné-Cinémas, etc. Canal+ s'est étendu à une dizaine de pays dont l'Espagne, l'Allemagne, la Pologne, la Turquie, le Chili — ainsi qu'en Afrique.

Les Français se montrent en général lents à adopter les nouveaux médias : ce fut le cas pour la radio, puis pour la télévision. Internet a souffert de cette réticence : en fin 1998 quand la moitié des foyers US y avaient accès, en France seulement 20 % des foyers possédaient un ordinateur et moins de 5 % avaient accès au cyberespace.

❏ Conclusion

Sur la scène médiatique mondiale, s'affrontent désormais des entreprises gigantesques, telles l'américaine Time Warner Inc., l'allemande Bertelsmann ou l'australo-américaine News International (de Murdoch). Certes, la France a engendré quelques colosses, comme Hachette ou la Lyonnaise des Eaux — tandis que les sociétés étrangères ne possèdent qu'une toute petite part des médias français. Mais le pays ne peut espérer défendre sa culture, ses créateurs, son industrie médiatique contre la concurrence, étatsunienne surtout, qu'au sein d'un bloc européen.

Dernière originalité : la France était, dans les années 1990, le seul pays d'Europe à se défendre vigoureusement contre le très spécial *dumping* culturel hollywoodien : la vente d'émissions au tiers du prix qu'elles coûteraient à fabriquer localement. Peu à peu néanmoins, elle recevait l'appui d'autres Européens.

Comparée aux États-Unis, l'Europe a des faiblesses : elle n'est pas fédérée et monolingue ; elle n'a pas depuis trois quarts de siècle bâti un réseau de distribution mondial ; elle n'a pas habitué le monde à un certain type de culture de masse. Mais, par la population et le PNB, l'Europe est le premier consommateur de médias du monde, et elle pourrait devenir le premier producteur. En effet, les médias sont, en France, semblables et différents de ce qu'ils sont dans les autres nations de l'Europe

---

1. Où l'on comptait en 1995 plus de téléphones pour 100 habitants (56) qu'en Grande-Bretagne ou en Allemagne.
2. En 1994, 1,7 milliards de francs, dont les deux tiers fournis par la France.
3. Euronews, très bonne réplique européenne à CNN, avait été longtemps soutenue par France Télévision, mais fut finalement vendue par Alcatel à la Britannique ITN.

occidentale : cette vingtaine de pays, tout à la fois, partagent une culture séculaire et conservent une grande diversité. D'extraordinaires hybridations sont possibles : l'Europe a déjà souvent connu des périodes d'immense créativité. Les États-Unis eux-mêmes ont besoin de sa rivalité. Par ailleurs, s'il est utile qu'existe une concurrence, il est indispensable que, d'une manière ou d'une autre, survive le modèle européen de médias de service public, notamment en radio et en télévision : des médias au moins aussi préoccupés de donner aux usagers ce dont ils ont besoin que d'engranger des profits maximaux au détriment de la culture et de la santé morale et politique du public.

Bibliographie

ALBERT Pierre, *La Presse française*, Paris : Documentation française, 4e éd., 1998.

ALEXANDRE Pierre, *Les Patrons de presse, 1982-1997*, Paris, A. Carrière, 1997.

BAUDELOT Philippe, *Les Agences de presse en France*, Paris, SJTI / Documentation française, 1991.

BOURDON Jérôme, *Introduction aux médias*, Paris, Montchrestien, 1997.

CHANIAC Régine, *La Télévision de 1983 à 1993 : chronique des genres et de leurs publics*, Paris, INA / SJTI, Documentation française, 1994.

CHEVAL Jean-Jacques, *Les Radios en France : Histoire, état et enjeux*, Rennes, Apogée, 1997.

CSA, *Rapport d'activité*, Paris, Documentation française, annuel.

CSA / Ministère de la culture, *Indicateurs statistiques de la radio*, Paris, Documentation française, 1997.

GUERIN S. et J.-L. POUTHIER, *La Presse écrite 1992 – 1993*, Paris, Éditions du CFPJ, 1992.

GUILLAUMA Yves, *La Presse en France*, Paris, La découverte, 1990.

INA / CSA / CNC, *Les Chiffres Clés de la télévision et du cinéma – France 1997*, Paris, Documentation française, 1997.

MATHIEN Michel, *La Presse régionale en France*, Paris, PUF, « Que sais-je ? », n° 2074, 3e éd., 1993.

MédiasPouvoirs : la revue publie dans son numéro de fin d'année les chiffres de tirage et diffusion des quotidiens et magazines français.

SJTI, *Tableaux statistiques de la presse 1995 et rétrospective 1982-1995*, Paris, Documentation française, 1998.

SJTI, *Média SID : l'aide-mémoire de la presse*, Paris, Documentation française, annuel [coordonnées des responsables de la presse régionale, nationale et internationale].

Henri Pigeat

Chapitre 6

Les aspects internationaux de la communication de masse

Le début du XXIe siècle pourrait rester marqué, dans le domaine des communications, comme l'époque de la convergence des techniques et de la mondialisation des médias et des marchés de l'information.

En fait, la circulation internationale de l'information est devenue une réalité pratique au XIXe siècle lorsque le télégraphe électrique a donné de nouvelles facilités aux échanges de nouvelles. L'internationalisation de l'information s'est développée régulièrement depuis lors, au rythme des progrès techniques, des transactions économiques et des échanges de toutes sortes entre les États.

La liberté de circulation des informations, devenue liberté fondamentale, a progressivement pris place dans les Déclarations des Droits de l'Homme après la Seconde Guerre mondiale. Un véritable cadre juridique international a ainsi été élaboré et se trouve désormais reconnu par la plupart des pays du monde.

Pratiquement, les premiers et principaux acteurs de l'échange international des informations ont été les grandes agences de presse, qui ont su constituer un système mondial de collecte, d'échange et de distribution des informations pour tous les médias, pour les gouvernements et pour les responsables économiques.

Les agences ont cependant commencé à perdre leur quasi-monopole depuis les années 1980. Les progrès des télécommunications et de l'informatique et le satellite ont, en effet, facilité l'échange direct d'informations entre les médias, mais aussi l'apparition de nouveaux acteurs, tels que les banques de données et les télévisions internationales.

La numérisation généralisée des textes, des images et des données a permis la création d'Internet et son développement à grande échelle à partir des années 1990. La réalité internationale de l'information est ainsi devenue plus complexe, mais aussi plus ouverte et plus riche.

Aujourd'hui l'internationalisation de l'information présente des réalités contrastées. Un écart de plus en plus grand existe entre d'une part l'intérêt dominant du grand public pour une information locale, vérifié par toutes les études, et d'autre part la capacité technique d'échanges véritablement mondiaux d'informations. En revanche, pour les milieux professionnels de tous genres, journalistiques, économiques et politiques, l'échelle mondiale s'impose désormais comme cadre de l'activité quotidienne d'information.

LE CADRE JURIDIQUE INTERNATIONAL

Après la Seconde Guerre mondiale et malgré les divergences idéologiques et les crises, le principe de libre circulation de l'information est devenu une des valeurs fondamentales de la société internationale.

❑ Le principe de libre circulation de l'information

➤ LES GRANDS TEXTES

La Déclaration universelle des droits de l'homme, adoptée par les Nations Unies le 10 décembre 1948 reste un demi-siècle plus tard, une référence. Elle pose dans son article 19 le principe de la libre circulation de l'information en soulignant clairement que les frontières ne doivent pas être un obstacle aux échanges.

> ARTICLE 19 DE LA DÉCLARATION UNIVERSELLE DES DROITS DE L'HOMME
>
> Tout individu a droit à la liberté d'information et d'expression ce qui implique le droit de ne pas être inquiété pour ses opinions et celui de rechercher, de recevoir et de répandre sans considération de frontières des informations et des idées par quelque moyen d'expression que ce soit.

Le pacte des Nations Unies sur les droits civils et politiques, adopté en 1966 et en vigueur depuis 1976, précise dans un article qui porte également le numéro 19, que cette liberté se réalise sous forme orale, écrite, imprimée ou artistique et par tout moyen. Les limites de ce droit doivent être à la fois fixées par la loi et nécessaires au respect des droits ou de la réputation d'autrui ou à la sauvegarde de la sécurité nationale, de l'ordre public de la santé et de la moralité publique.

La Convention européenne de sauvegarde des droits de l'homme et des libertés fondamentales signée sous l'égide du Conseil de l'Europe à Rome le 4 novembre 1950 et entrée en vigueur en 1953, a permis de développer un droit original et supranational en particulier dans le domaine de l'information visé par l'article 10.

> ARTICLE 10 DE LA CONVENTION EUROPÉENNE DES DROITS DE L'HOMME
>
> Toute personne a droit à la liberté d'expression. Ce droit comprend la liberté d'opinion et la liberté de recevoir ou de communiquer des informations ou des idées sans qu'il puisse y avoir ingérence d'autorités publiques et sans considération de frontière. Le présent article n'empêche pas les États de soumettre les entreprises de radiodiffusion, de cinéma ou de télévision à un régime d'autorisations.
>
> L'exercice de ces libertés comportant des devoirs et des responsabilités peut être soumis à certaines formalités, conditions, restrictions ou sanctions prévues par la loi, qui constituent des mesures nécessaires, dans une société démocratique, à la sécurité nationale, à l'intégrité territoriale ou à la sûreté publique, à la défense de l'ordre et à la prévention du crime, à la protection de la santé ou de la morale, à la protection de la réputation ou des droits d'autrui, pour empêcher la divulgation d'informations confidentielles ou pour garantir l'autorité et l'impartialité du pouvoir judiciaire.

Plus précis que l'article 19 de la déclaration universelle, cet article 10 reconnaît aux citoyens un droit à l'information en invoquant la liberté de recevoir des informations. Par la référence à une liberté « sans considération de frontière », il confirme la nécessité d'une libre circulation de l'information à l'échelle de tous les pays ayant ratifié la convention et même au-delà, étant donné le caractère absolu et permanent du principe posé.

La Conférence sur la Sécurité et la Coopération en Europe (CSCE dite Conférence d'Helsinki) a adopté le 1er août 1975 un Acte final signé par trente-cinq pays et confirmé à la Conférence de Paris en 1989. Celui-ci prône notamment une diffusion plus large et plus libre de l'information de toute nature, encourage la coopération dans le domaine de l'information et l'échange de nouvelles entre pays. Il se fixe également l'objectif d'améliorer les conditions de travail des journalistes en reportage dans un pays autre que le leur.

> ACTE FINAL DE LA CONFÉRENCE D'HELSINKI — PRINCIPE VII — ARTICLE 5
> Les États participants reconnaissent l'importance universelle des droits de l'homme et des libertés fondamentales, de la paix, de la justice et du bien-être pour assurer des relations amicales et de coopération entre eux comme entre tous les États.

Cet acte signé par les pays européens mais aussi les États Unis et l'Union soviétique annonce les profondes évolutions politiques internationales des années 1980 et constitue une étape décisive dans l'application pratique des principes de liberté de circulation de l'information dans le monde.

➢ LES MOYENS

La mise en pratique de ces principes a été largement facilitée par le développement des moyens techniques modernes. Le satellite de télécommunication et l'ordinateur ont, à partir des années 1970, permis de décupler les capacités de collecte et surtout de transmission internationale de l'information. Augmentant la vitesse de transmission, multipliant les canaux et abaissant les prix, ils ont facilité le travail de tous les médias. Ils ont permis également des systèmes d'interrogation à distance ouvrant la voie aux banques de données.

Les techniques développées dans la décennie 1990, numérisation généralisée et compression notamment, ont ouvert la voie à une nouvelle et importante multiplication des canaux disponibles, au mélange du texte, du son et de l'image sur les mêmes voies et à l'interactivité entre l'émetteur et le destinataire. Les applications directes de ces phénomènes sont les réseaux Internet, les satellites à diffusion directe, individuelle et interactive (Vsat) et la télévision numérique.

➢ LES CONFLITS DOCTRINAUX

L'expansion pratique de la circulation de l'information a longtemps conduit à opposer deux doctrines en matière d'information : la doctrine libérale qui pose le principe de liberté en valeur absolue et la doctrine dirigiste qui pose le principe de la subordination de l'information à une finalité supérieure de nature idéologique, politique ou économique. La première donne à chaque citoyen la responsabilité du choix des nouvelles. La seconde donne cette responsabilité à l'État ou à un parti dominant. La fin de l'Empire soviétique a beaucoup réduit l'impact de la doctrine dirigiste. Néanmoins, la doctrine libérale reste elle-même divisée entre l'école abstentionniste anglo-saxonne qui fait préexister la liberté à l'État et l'école interventionniste, descendant du droit romain qui donne à la loi le pouvoir de déterminer la liberté.

Les applications de la liberté d'information et de communication connaissent donc des nuances à travers le monde, même si les États dirigistes, adeptes par exemple du monopole de la télévision sont désormais rares, à l'exception notable de la Chine.

❑ Le rôle des organisations mondiales du système de l'ONU

➢ L'ONU

Au-delà de la Déclaration universelle de 1948 et du Pacte sur les droits civils et politiques, l'Organisation des Nations Unies a toujours considéré la libre circulation de l'information comme un instrument de la paix du monde et des bonnes relations entre les États.

C'est ce qui l'avait conduite à organiser en mars 1948 à Genève une conférence mondiale sur la liberté de l'information. Bien que n'ayant pas abouti à des accords formels, cette conférence a permis la définition de concepts doctrinaux qui servent encore de référence, notamment sur la définition internationale du journaliste ou des agences de presse.

➢ L'UNESCO

Sans avoir été véritablement développée dans sa charte constitutive, la question de l'information est devenue progressivement une préoccupation de l'UNESCO, notamment à travers l'objectif de libre circulation des idées.

La période la plus active de l'UNESCO en ce domaine a commencé au milieu des années 1970 quand, sur l'initiative des pays du Tiers monde et avec le soutien de l'Union soviétique, est née l'idée d'un « Nouvel Ordre Mondial de l'Information et de la Communication » (NOMIC). Cette idée lancée à la conférence générale de Nairobi en 1976 s'est développée à travers les travaux d'une commission ad hoc présidée par l'ancien ministre irlandais et prix Nobel de la Paix, Sean MacBride. Celle-ci a remis en 1980 un rapport complexe et controversé prônant notamment des flux plus équilibrés d'informations entre le Nord et le Sud.

Le NOMIC a en fait été une pomme de discorde pendant plus de quinze ans entre les États membres de l'UNESCO. Il a provoqué le départ de l'Organisation de plusieurs pays parmi les plus riches contributeurs, notamment les États-Unis et le Royaume-Uni. La querelle est née de ce qu'au-delà de la revendication générale d'un meilleur équilibre des échanges d'informations entre le Sud et le Nord, une forte proportion des pays de l'UNESCO, soutenus à l'époque par l'Union soviétique, a semblé vouloir faire admettre la pratique d'une information contrôlée, voire dirigée par l'État.

La crise du NOMIC a pris fin en 1989 avec l'effondrement de l'empire soviétique et l'adoption par l'Unesco d'une «Nouvelle Stratégie » constituant une approche pragmatique plus conforme aux principes libéraux.

> « NOUVELLE STRATÉGIE DE l'UNESCO » D'OCTOBRE 1989 (129E SESSION DU COMITÉ EXÉCUTIF)
>
> Le conseil exécutif déclare sa volonté d'encourager la libre circulation de l'information de promouvoir la diffusion la plus large et la mieux équilibrée de l'information sans aucune entrave à la liberté d'expression, de développer les moyens propres à renforcer les capacités de communication dans les pays en voie de développement pour accroître leur participation au processus de communication et enfin de favoriser la connaissance et la compréhension mutuelle des nations en prêtant son concours aux organes d'information de masse.

➢ L'UNION INTERNATIONALE DES TÉLÉCOMMUNICATIONS (UIT)

La plus ancienne des organisations internationales, créée en 1865 pour faciliter les liaisons et la coopération entre les systèmes nationaux de télécommunication, l'UIT devenue après la Seconde Guerre mondiale une institution spécialisée de l'ONU a largement facilité le développement des satellites de communication en organisant la distribution internationale des fréquences.

➢ L'ORGANISATION MONDIALE DU COMMERCE (OMC)

Créée en 1996 pour remplacer le GATT (Accord général sur les tarifs et le commerce), l'OMC a commencé à traiter des questions délicates du commerce international des programmes de télévision, sans pouvoir trancher pour l'instant, entre la prédominance de la loi du marché qui assimile les programmes à des marchandises dont l'échange est libre et les concepts de « biens culturels » qui, notamment pour la France fait prévaloir la protection de l'identité culturelle.

❏ Les organisations régionales

➢ L'UNION EUROPÉENNE DE LA RADIODIFFUSION (UER)

L'UER a pour origine une première Union Internationale de Radiodiffusion rassemblant en 1925 une trentaine de pays européens soucieux de coopérer dans leurs activités radiophoniques, à l'époque la plupart sous statut public. C'est toutefois après la Seconde Guerre mondiale qu'elle a pris son véritable essor avec la mise en forme définitive de l'organisation en 1950 sous son sigle actuel. L'Europe de la radio et de la télévision est cependant restée divisée en deux blocs politiques de 1950 à la réunification du continent en 1992.

L'UER est avant tout une organisation de concertation pour défendre les intérêts communs de ses membres, réaliser des études d'intérêt général, aider au développement de la radio et de la télévision, et régler, s'il y a lieu, les différents qui peuvent exister entre ses adhérents.

Parallèlement à cette mission de concertation, elle a développé à partir de 1954, un système d'échanges quotidiens d'informations sous le sigle général « Eurovision » qui constitue une véritable bourse d'échange d'images d'actualité.

L'UER dispose d'une administration et de moyens techniques permanents à Genève. Longtemps divisée entre deux blocs politiques opposés, l'Europe des radios et télévisions l'est aujourd'hui entre les organisations publiques financées par les États et les organisations commerciales. Ainsi est née, en 1990, une Association Européenne des Télévisions Commerciales pour défendre les intérêts spécifiques des télévisions privées.

L'Asie et le Moyen Orient disposent d'organisations régionales comparables à l'UER.

➤ L'UNION EUROPÉENNE

Créée par le traité de Rome, le 25 mars 1957, la Communauté économique européenne orientée essentiellement vers la constitution d'un marché unique des activités économiques classiques n'avait pas prévu de place particulière pour les activités d'information, à l'époque très largement sous contrôle étatique en Europe.

Son renforcement et son élargissement, d'abord par l'Acte unique de 1985, puis par le Traité de Maastricht en 1991 et d'Amsterdam en 1997, ont introduit les questions d'information et de communication dans les préoccupations de ce qui est depuis 1993, l'Union Européenne.

En ce qui concerne les réseaux de télécommunications, un premier Livre Vert en 1987 a conduit les États membres à séparer les fonctions de réglementation des fonctions opérationnelles et à la mise en concurrence de certains services, avant l'établissement d'une concurrence généralisée en 1998.

Dans le domaine de la radio et de la télévision, l'Union Européenne a eu une attitude prudente. Elle n'a pris position qu'en 1989 avec la Directive « Télévision sans frontière » révisée en 1995. Destinée à faciliter les échanges de programmes à l'intérieur de la Communauté, cette directive cherche aussi à protéger les identités culturelles par l'établissement de quotas de diffusion d'œuvres d'origine européenne.

➤ LE CONSEIL DE L'EUROPE

Depuis le 4 mai 1949, date d'adoption de ses statuts à Londres, le Conseil de l'Europe est une instance de concertation des États européens qui reconnaissent la prééminence du droit et des libertés. Ceux-ci au nombre de trente en 1998 s'engagent à respecter les droits de l'homme et en particulier la liberté de l'information conformément à la Convention Européenne des Droits de l'Homme.

L'originalité de cette Convention est qu'elle est applicable dans le droit interne des États qui y ont adhéré. D'autre part, elle comporte un système de contrôle juridictionnel, la Cour Européenne des Droits de l'Homme qui siège à Strasbourg.

Le Conseil de l'Europe a également adopté une convention spécifique dite « Télévision Transfrontière » adoptée en 1989 pour faciliter les échanges de programmes en parallèle avec la directive de la Communauté européenne.

LE RÔLE CENTRAL DES AGENCES DE PRESSE
DANS LA DIFFUSION INTERNATIONALE DE L'INFORMATION

Les agences d'information demeurent au début du XXIᵉ siècle un des instruments clefs de la diffusion internationale des nouvelles, même si elles ne disposent plus d'un monopole dans cette activité.

Journal des journaux ou grossistes en information, depuis la création de la première d'entre elles, l'agence Havas en 1835, les agences ont pour rôle de collecter l'information partout dans le monde et de la distribuer à tous les médias. Leur compétence s'étend à tous les domaines. Elles ont toujours fait appel aux techniques les plus modernes de diffusion : le télégraphe électrique à partir de 1850, le câble sous-marin en 1885, la radio au début de ce siècle, le satellite de télécommunication en 1965, l'ordinateur dans les années 1970 et les techniques numériques actuellement.

L'agence de presse apporte en effet plusieurs services simultanés, l'alerte, c'est-à-dire la garantie que tous les faits d'actualité sans exception seront signalés à ses abonnés ; la fourniture de reportages et nouvelles dans une forme répondant à des critères de rigueur et de neutralité ; enfin et depuis une époque plus récente, un véritable service d'assistance à la rédaction et à la composition du journal puisque les nouvelles de l'agence de presse entrent désormais directement dans l'ordinateur des journaux. Les journalistes des médias travaillent ainsi directement sur écran pour sélectionner, modifier ou recomposer des informations d'agences qui souvent n'ont plus à être complètement réécrites.

À l'origine, seuls les principaux pays possédaient une agence de presse. Au XXᵉ siècle et surtout depuis la Seconde Guerre mondiale, les agences se sont multipliées. Chaque pays, à quelques exceptions près, dispose désormais de son agence de presse, devenue souvent un des instruments d'expression de l'identité nationale.

Toutes les agences d'information sont supposées faire le même métier. En fait, certaines répondent aux besoins de tous les médias et servent même un certain nombre d'autres interlocuteurs, comme les grandes entreprises, les gouvernements ou les organisations publiques. D'autres ne servent que certains médias, souvent uniquement la presse écrite. De même, elles couvrent un champ plus ou moins large de l'actualité.

Divers critères permettent de distinguer les agences. Les critères opérationnels correspondent aux fonctions plus ou moins complètes et plus ou moins diversifiées des agences généralistes ou spécialisées. Les critères juridiques distinguent les agences commerciales privées, les agences coopératives propriété des journaux sans objectif lucratif, les agences d'État enfin, suscitées et soutenues par le gouvernement de leur pays. Certaines disposent d'un statut mixte, comme l'AFP qui en France dispose d'une indépendance rédactionnelle garantie par la loi, mais qui bénéficie du soutien financier de nombreux abonnements souscrits par l'État.

Un dernier critère de classification, d'ordre géographique, est souvent retenu car il éclaire l'importance réelle des activités de l'agence. On distingue ainsi les agences mondiales qui comme leur nom l'indique sont présentes dans le monde entier à la fois pour collecter de l'information mais aussi pour la vendre aux médias de tous les pays ; les agences internationales qui répondent aux mêmes critères que les précédentes mais qui opèrent dans un nombre réduit de pays. Enfin, les agences nationales qui limitent à leur pays d'origine leur activité de collecte de nouvelles, tout comme leur activité de diffusion. Afin d'offrir à leur abonnés un service complet de nouvelles à la fois nationales et internationales, celles-ci s'abonnent généralement aux services des agences mondiales ou internationales qu'elles redistribuent sur leur territoire.

❏ Les agences mondiales

Trois agences seulement répondent aujourd'hui à ce qualificatif, Reuters, Associated Press et l'agence France-Presse.

➤ L'AGENCE REUTERS

L'agence Reuters a été créée à Londres par Julius Reuter en 1851 soit seize ans après l'agence française Havas. Dans le dernier quart du XXe siècle, Reuters est devenue de très loin la plus puissante et la plus complète des agences d'information, grâce notamment à son succès dans le domaine de l'information financière, boursière et économique. Les profits ainsi réalisés lui ont permis de renforcer son activité dans l'information générale destinée aux journaux mais aussi de se diversifier dans la téléphotographie destinée à la presse et surtout dans l'actualité télévisée avec son département Reuter Television développé en 1990 à partir de Visnews, ancienne filiale de la BBC.

L'évolution statutaire de Reuters est assez significative du pragmatisme britannique. Née comme société privée, elle s'est développée pendant tout le XIXe siècle comme société commerciale. Au début du XXe siècle, elle a opéré un rapprochement avec l'État britannique. À partir des années 1930, elle a adopté un statut proche de celui d'une société coopérative, en devenant la propriété d'une part de l'Agence coopérative des journaux de province britanniques nommée Press Association et d'autre part, de l'association des journaux londoniens la Newspaper Publishers Association. Depuis 1985, elle est redevenue une société commerciale cotée à la Bourse de Londres et à celle de New York. En 1941, une charte a garanti un certain nombre de règles déontologiques en précisant que Reuters ne peut passer sous le contrôle d'un groupe d'intérêts particuliers, ni laisser porter atteinte à son intégrité et à son indépendance.

Après les nouvelles difficultés économiques apparues dans les années 1950, Reuters a commencé une troisième étape de son développement en 1964 sous la direction de Gérald Long (1923-1998). Misant sur l'information financière et économique, cette réorientation s'accompagna d'un choix technique fondamental, celui du satellite de télécommunication et de l'ordinateur. Cette politique audacieuse qui nécessita plus de dix ans d'investissements et qui se heurta initialement à une forte réserve des journaux coopérateurs, se révéla providentielle en 1971 lorsque la fin de la convertibilité du dollar rendit nécessaire un système d'établissement quotidien et permanent des cours des changes dans le monde entier. Reuters devint ainsi en quelques années le premier opérateur international sur les cours des changes et des bourses et bientôt une des entreprises les plus prospères du monde de l'information.

En 1997, le chiffre d'affaires de l'agence Reuters, de l'ordre de 16 milliards de francs, représentait seize fois celui de l'agence France-Presse alors qu'il était à peu près son équivalent trente ans plus tôt.

Plus de 90 % des recettes de Reuters proviennent désormais des informations financières et économiques. Les 10 % restants du chiffre d'affaires se partagent entre les services d'informations écrites, les services photographiques et les services d'images télévisées. La plupart de ces services aux médias sont déficitaires mais constituent un élément de référence important pour Reuters.

Plus qu'une simple agence d'information, Reuters est désormais un véritable groupe de communication multimédia qui emploie 10 000 personnes. Elle dispose d'énormes capacités de financement qui ont permis de diversifier ses activités aussi bien dans le domaine de l'information que dans celui des télécommunications et de l'électronique. Elle n'est plus seulement un distributeur d'informations pour les médias, mais s'adresse également directement aux publics spécialisés dans le monde des affaires et désormais même au grand public à travers ses participations dans des télévisions internationales. Elle est enfin un distributeur de matériel électronique et un opérateur de télécommunications.

Quelles que soient ces diversifications, la référence de Reuters reste la qualité de l'information désormais garantie par le Reuter's Trust qui a repris les termes de la charte de 1941.

➤ ASSOCIATED PRESS ET LES AGENCES AMÉRICAINES

Quelques années après la naissance de Reuters, les journaux de la jeune démocratie américaine ont éprouvé le besoin de se constituer en coopérative pour créer une agence de presse d'abord à New York en 1857 puis avec une ambition nationale en 1865, l'Associated Press (AP). L'objectif à l'époque était de préserver l'indépendance des journaux en matière de collecte d'information face aux ambitions des sociétés de télécommunication qui disposaient d'instruments techniques permettant de couvrir le territoire d'un pays qui s'étendait chaque jour un peu plus vers l'ouest. Le statut adopté à l'époque a été celui d'une simple coopérative, dans laquelle chaque journal était représenté en fonction de son poids commercial.

La coopérative avait pour but de rendre le meilleur service possible sans faire de bénéfice. Ce système, après divers aménagements, a été très efficace jusqu'au début du XXe siècle. Certains groupes de presse considérant alors qu'Associated Press était trop institutionnelle et trop prudente décidèrent alors de lancer leur propre agence commerciale. Deux ont réussi : United Press créée en 1907 par Scripps et International News Service créée en 1908 par Hearst. Ces deux agences après avoir conquis une clientèle nationale et internationale par leur qualité journalistique et par leur agressivité commerciale, ont fusionné en 1958 pour créer la société United Press International (UPI).

Jusqu'en 1985, le système américain d'agences a correspondu à un duopole fort efficace entre Associated Press et UPI. Appuyée sur plus de 1 800 journaux et 2 000 radios et télévisions, les agences américaines se sont installées partout dans le monde après la Seconde Guerre mondiale pour diffuser aux médias des informations écrites et photographiques et pour offrir des réseaux de télécommunication utilisables par les agences nationales et les grands médias.

Ce système aurait pu se prolonger si le groupe Scripps n'avait commencé à la fin des années 1970 à s'interroger sur la rentabilité de UPI au sein d'un groupe de presse rassemblant journaux, radios et télévisions. Par démembrements successifs, UPI a connu ainsi une lente agonie. Devenue au début des années 1990 propriété d'un groupe d'intérêts saoudiens, UPI a désormais perdu sa position d'agence généraliste mondiale.

Associated Press demeure ainsi la seule agence américaine d'ambition mondiale. Elle est efficacement présente dans tous les pays du monde, dans tous les types de médias avec des services d'information écrite et radiophonique. Associée au groupe de presse économique Dow Jones, elle s'est d'abord diversifiée dans l'information économique au début des années 1970 puis s'est engagée en 1994 dans l'actualité télévisée où elle a conforté sa position en achetant en 1998 l'agence World Television News (WTN).

Avec un chiffre d'affaires équivalent à 2,2 milliards de francs en 1993, elle est plus deux fois plus puissante financièrement que l'AFP, mais sept fois moins que Reuters. Sa force vient de la solidité de son marché intérieur qui représente 85 % des recettes.

➤ L'AGENCE FRANCE-PRESSE

Grâce à une tradition professionnelle ancienne et à un statut juridique garantissant l'indépendance rédactionnelle, la France dispose de l'une des trois grandes agences de presse méritant encore pleinement le qualificatif d'agence mondiale.

Née au lendemain de la Seconde Guerre mondiale, l'agence France-Presse est en fait l'héritière de l'agence Havas, la plus ancienne des agences d'information. Présente dans 170 pays, à la fois pour collecter de l'information et la vendre, l'AFP emploie aujourd'hui 2 000 personnes dont près d'un millier de journalistes permanents auxquels s'ajoutent de nombreux correspondants à temps partiel. Elle sert environ 2 000 médias dans le monde. Son information écrite est diffusée en six langues, le français, l'anglais, l'espagnol, l'allemand, l'arabe et le portugais du Brésil. Ses services en forme écrite et photographique s'adressent à tous les médias. En revanche, elle ne possède pas de service d'images télévisées, à l'exception d'un accord limité à de l'information parlée avec l'agence financière Bloomberg. Ses services d'informations financières sont également limités à ceux de certains cours de bourse essentiellement français. Elle dispose de services économiques généraux en langue française et en langue anglaise dans sa filiale AFX en association avec l'agence anglaise Extel, filiale du groupe Pearson qui édite le *Financial Times*.

Dans le domaine technique, l'AFP a assez bien soutenu la concurrence internationale et au début des années 1980, elle a même été à la pointe du progrès dans le traitement électronique des photographies.

Historiquement, l'AFP trouve son origine en 1835 lorsqu'un ancien banquier, Charles Havas, comprend que l'information a un prix si elle est fiable et rigoureuse et si elle est acheminée rapidement vers ceux qui en ont besoin. C'est ainsi qu'il crée à Paris en 1832, un bureau de traduction de presse étrangère, transformé trois ans plus tard en agence assurant sa propre production de nouvelles. D'un point de vue commercial, Havas est l'histoire souvent imaginative et dynamique d'une puissante société capable de se diversifier notamment vers des « annonces » que l'on appellera plus tard la publicité, vers les voyages et vers de nombreux services. Du point de vue de l'information, Havas est l'histoire d'une organisation qui, tout en étant très soucieuse d'éviter des conflits avec les pouvoirs politiques en France, développera dans le monde un système professionnel de production et d'échanges d'informations qui servira longtemps de référence.

Nationalisée en 1940 et divisée en deux branches, l'agence laissera le nom d'Havas à la publicité et aujourd'hui à l'édition à dominante professionnelle, tandis que la branche information renaîtra en 1944 sous le nom d'agence France-Presse érigée en établissement public soutenu financièrement par l'État.

En quelques années, la nouvelle AFP sut conquérir des positions à travers le monde entier. Parallèlement à ce succès opérationnel, l'AFP, en revanche, se heurte dans les années d'après guerre au problème juridico-politique de son statut. La qualité de son information assurée par des journalistes professionnels indépendants n'est guère contestée, mais son statut d'établissement public nuit gravement à sa crédibilité et offre de surcroît d'excellents arguments à la critique de ses concurrents anglo-saxons. La question du statut va ainsi être pendant une dizaine d'années la question centrale de l'existence de l'AFP. Le statut d'établissement public permet en effet au gouvernement de nommer et démettre librement son directeur, ce dont il ne se prive guère, au gré des changements de majorités parlementaires. Diverses voix s'élèvent ainsi dans les milieux de la presse mais aussi dans les milieux politiques pour proposer que l'AFP dispose d'un statut qui garantisse son indépendance et ainsi sa crédibilité.

Une référence souvent invoquée est celle du statut de la BBC, l'organisme britannique de radio et de télévision, qui grâce à la charte dont il bénéficie depuis 1936, a acquis une indépendance d'information reconnue dans le monde entier.

Après plus de dix ans de débats publics, une solution juridique mixte est adoptée, celle d'un établissement *sui generis* défini par l'ordonnance du 10 janvier 1957. L'AFP devient ainsi un « organisme autonome doté de la personnalité civile et dont le fonctionnement est assuré selon les règles du droit commercial ».

Cette entreprise *sui generis* s'efforce dans son statut de concilier diverses formules. Elle emprunte à la coopérative un conseil d'administration composé en majorité de directeurs de journaux clients. Elle voit son indépendance confortée par diverses instances qui entourent le conseil d'administration, un Conseil Supérieur chargé de veiller au bon accomplissement de ses missions et une Commission Financière destinée à veiller à la régularité des comptes.

Officiellement l'AFP, dans ce nouveau statut, n'est pas soumise à la tutelle publique mais, pour assurer son existence financière, elle bénéficie d'abonnements de l'État en nombre et à prix garantis qui vont représenter longtemps plus de 60 % de ses recettes. L'État n'est pas seulement présent financièrement, il l'est également par diverses modalités juridiques. S'il n'a que trois représentants officiels au sein du Conseil d'administration, il pèse cependant sur les décisions importantes. Ainsi, l'exigence d'une majorité qualifiée de douze voix sur quinze pour l'élection du Président-directeur général donne en fait un droit de veto à l'État.

Malgré ces limites et ces imperfections, ce statut de 1957 s'est révélé efficace du point de vue politique et a pu garantir l'indépendance de l'information de l'AFP. Le Président-directeur général élu par le conseil d'administration a longtemps été choisi avec les garanties prévues, grâce à une position forte des représentants de la presse qui a le plus souvent rendu obligatoire le compromis. Depuis le milieu des années 1980, le système fonctionne cependant moins bien et l'État pèse plus dans le choix de présidents dont aucun n'a pu accomplir plus d'un mandat. La rédaction a pour sa part bénéficié d'une garantie d'expression et d'indépendance reconnue par les médias français et étrangers.

En revanche, le statut s'est révélé moins efficace du point de vue économique. Conçu par des spécialistes de droit public, à une époque de réglementation étroite où les médias français étaient placés quasiment en dehors des règles normales du marché, ce statut a prêté peu d'attention aux nécessités commerciales et encore moins aux nécessités d'investissement.

À partir des années 1970, la situation de l'AFP est ainsi devenue plus difficile. L'évolution technique permanente qui remet en cause tous les procédés de transmission mais aussi de traitement de l'information et de la photographie, nécessite des investissements importants auxquels l'agence peut très difficilement faire face puisqu'elle ne dispose ni de capital social, ni d'actionnaire, ni même d'un bilan classique capable de convaincre un banquier sollicité pour un prêt. Quant à ses ressources permanentes, elles sont souvent insuffisantes pour couvrir des charges courantes qui croissent au rythme des protections sociales et salariales multiples qui caractérisent la presse française.

Sur le marché international, une déréglementation généralisée rend beaucoup plus vive la concurrence non seulement entre les agences de presse mais aussi entre celles-ci et un certain nombre d'autres producteurs d'information, grands médias, télévisions internationales, banques de données, etc.

À partir de 1975, souvent avec l'aide de l'État qui garantira des emprunts, l'AFP s'engage dans des modernisations techniques et dans une politique de diversification en même temps qu'elle s'efforce de rationaliser sa gestion. Des nouveaux services sont ainsi ouverts : services télématiques en 1980, services radios en 1982, services photographiques internationaux en 1985, services infographiques en 1988, services économiques en anglais en 1990.

Mais, cette diversification dépasse peu le monde des médias et l'AFP continue à vivre principalement sur des marchés qui demeurent souvent largement déficitaires.

Reconnue en tant qu'agence mondiale effective, l'AFP a pu jusqu'à présent soutenir les concurrences les plus directes sur le marché des médias, mais les années 1990 la placent désormais devant de nouveaux défis commerciaux dans le domaine de la télévision, de l'information économique et des services utilisant Internet. Face à ces nouveaux défis, son système de gestion et de financement demeure insuffisant et inadapté aux nécessités. Un renforcement des financements publics mettrait en péril les garanties politiques du statut, mais le respect des principes de celui-ci exige que soient inventées d'autres moyens de recettes si l'AFP veut pouvoir assurer ses charges. Avec un chiffre d'affaires d'un milliard de francs et un équilibre financier toujours précaire, elle voit en effet se creuser l'écart qui la sépare de ses deux concurrentes mondiales.

❏ Les agences internationales

Six à sept agences dans le monde peuvent prétendre au qualificatif d'agences internationales ; il s'agit en Europe de l'agence allemande DPA, de l'agence italienne ANSA, de l'agence espagnole EFE, en Asie des agences japonaises Kyodo et Jiji Press et enfin de l'agence russe Itar-Tass et de l'agence Chine Nouvelle.

➤ DEUTSCHE PRESSE AGENTUR (DPA)

Cette agence, héritière lointaine de l'ancienne agence Wolff créée au XIXᵉ siècle, elle aussi, par un ancien collaborateur de Charles Havas, est née après la guerre par la fusion des agences provisoires mises en place par les armées britanniques et américaines dans leur zone d'occupation en Allemagne.

Elle a pour statut celui d'une coopérative de presse dans laquelle des plafonds de participation empêchent un seul groupe de presse de dominer l'organisation. Elle est gérée par un conseil de surveillance de dix-huit personnes composé exclusivement de responsables de journaux.

Sa direction, selon une tradition que l'on retrouve dans les pays scandinaves, comporte une double hiérarchie, un directeur général responsable des affaires administratives, commerciales, techniques et un directeur de la rédaction autonome et pleinement responsable sans être soumis à l'autorité hiérarchique du directeur général.

Juridiquement indépendante des pouvoirs publics, l'agence DPA bénéficie toutefois de quelques soutiens financiers publics, par le biais d'abonnements de l'État, mais aussi par la prise en charge de certaines activités internationales. Ces aides sont toutefois sans communes mesures avec celles dont bénéficie l'AFP et les contributions de la presse allemande à DPA sont beaucoup plus importantes que celles de la presse française à l'AFP. Très présente en Europe et dans beaucoup de pays pour collecter l'information, DPA distribue surtout en Allemagne et dans les pays germaniques. Elle est également active au Moyen Orient avec un service en langue arabe ainsi qu'en Amérique Latine avec un service en langue espagnole. Après avoir disposé d'une filiale d'information économique VWD, elle s'en est dégagée en 1994.

Les résultats de DPA sont bons sur le plan commercial et financier et elle est journalistiquement respectée. Ses langues de travail sont l'allemand, l'anglais, l'arabe et l'espagnol.

➤ L'AGENCE ITALIENNE ANSA

Créée elle aussi après la guerre, ANSA a la forme d'une coopérative de presse et dépend directement des journaux et médias italiens.

Son conseil d'administration est composé de dix-sept représentants de la presse. Juridiquement indépendante du gouvernement, elle a cependant des liens financiers avec les pouvoirs publics sous forme de contrats commerciaux dits « de sécurité », également sous forme d'aides publiques à certains de ses bureaux à l'étranger.

En dehors de l'Europe, ANSA a une présence forte, notamment en Amérique Latine, dans les pays où existent de fortes minorités d'origine italienne. Ses langues de travail sont l'italien, l'anglais et l'espagnol.

➤ L'AGENCE ESPAGNOLE EFE

Héritière de l'ancienne agence privée Fabra et devenue agence d'État à l'époque du franquisme, EFE s'est progressivement démocratisée parallèlement à l'évolution de la société et des institutions espagnoles.

Son statut juridique est celui d'une société anonyme dont le capital appartient totalement à des organismes publics. Elle est dirigée par un conseil d'administration désigné de facto par le gouvernement. Il en va de même de son directeur général traditionnellement proche du pouvoir politique.

Depuis la démocratisation du pays, EFE a conquis une plus grande crédibilité. Avec le soutien très actif du Ministère espagnol des Affaires étrangères, elle a mené une politique vigoureuse d'expansion dans le monde hispanique et plus particulièrement en Amérique Latine où elle bénéficie d'affinités culturelles.

➤ LES AGENCES JAPONAISES

Deux agences principales se partagent aujourd'hui le marché japonais : Kyodo une coopérative de presse et Jiji Press une société anonyme s'adressant à la presse et aux entreprises industrielles et financières.

Ces deux agences sont les héritières de l'ancienne agence Domei qui avant 1940 avait au Japon une structure très comparable à celle de l'agence Havas en France puisqu'elle était à la fois agence d'information et agence de publicité. La branche publicité a été séparée en 1945 et est devenue l'agence Dentsu, une des plus importantes au monde en chiffre d'affaires.

Les deux agences japonaises fonctionnent selon les critères professionnels classiques, c'est-à-dire avec une rigueur professionnelle reconnue et respectée qui leur permet de servir tous les journaux sans exception. Le succès des agences japonaises est certain sur leur marché. Elles y exercent une position très dominante malgré la présence de Reuters et d'AP. L'AFP pour sa part distribue beaucoup d'information au Japon, à travers un accord commercial avec l'agence Jiji Press.

Ni Kyodo ni Jiji n'ont cependant réussi à conquérir des positions commerciales à l'étranger, même si elles envoient et entretiennent des journalistes très nombreux dans tous les centres internationaux d'actualité.

➤ LES AGENCES DES ANCIENS PAYS SOCIALISTES

Pendant longtemps, ces agences ont occupé une place statistiquement importante dans le monde puisqu'elles correspondaient au système adopté par tous les pays communistes et par une proportion importante des pays en voie de développement. La disparition de la plupart des systèmes socialistes au début des années 1990 a réduit formellement le nombre de ces agences à celles de la Chine, du Vietnam, de Cuba et de Corée du Nord. Cependant, dans les pays qui ont changé de système politique, notamment dans l'ancien empire soviétique, beaucoup des agences nouvelles qui se sont reconstituées parfois sur les vestiges des anciennes, restent proches du système ancien à l'exception de l'idéologie. En d'autres termes, elles restent souvent dépendantes du gouvernement à la fois financièrement et politiquement.

À l'origine, l'agence d'un pays socialiste a une mission très claire et très simple, différente de celle des agences des pays libéraux. Son but en effet n'est pas de fonctionner comme un journal selon les principes classiques de liberté de la presse, de l'autonomie du journaliste et du pluralisme. Il est de dire la vérité officielle définie par le parti ou par le gouvernement. C'est ainsi que l'agence soviétique Tass, pendant toute son existence de 1917 à 1991 a été en fait un des porte-parole principaux du gouvernement soviétique. Par voie de conséquence, ses dirigeants comme ses journalistes ont toujours été des fonctionnaires nommés par le gouvernement. De surcroît, la plupart des dirigeants successifs de Tass ont été des membres éminents du parti communiste soviétique.

Ces agences ont eu également une fonction de contrôle de l'information. Dans le système socialiste, l'importation de nouvelles étrangères passe en effet obligatoirement par le canal de l'agence nationale qui bénéficie d'un monopole pour contracter avec les agences étrangères. C'est ainsi que l'AFP n'a jamais pu vendre directement ses informations aux médias russes jusqu'à la chute du système communiste.

Elle devait passer obligatoirement par l'agence Tass qui, avant redistribution locale, procédait aux sélections de nouvelles qui lui paraissaient souhaitables. Depuis 1991, l'agence russe porte le nom d'ITAR-TASS. Elle reste proche du gouvernement, mais se trouve désormais confrontée à la concurrence d'agences privées plus indépendantes.

❑ Les agences nationales

La quasi-totalité des États du monde dispose désormais d'une agence nationale, c'est-à-dire d'une agence d'information qui assure la couverture de l'actualité du pays à l'intention de la presse et des médias de ce pays.

Ces agences n'envoient généralement pas de reporters à l'extérieur de leurs frontières et se contentent d'acheter les services des agences mondiales ou internationales qu'elles redistribuent à leur clientèle nationale. Réciproquement, elles vendent aux agences mondiales et internationales leur production nationale ce qui permet aux grandes agences de compléter les nouvelles collectées par les bureaux qu'elles entretiennent dans chaque pays.

Nées pour répondre aux besoins de la presse, ces agences répondent aussi aux besoins des États proprement dits, besoins d'information et besoins d'identité. Les agences nationales relèvent de diverses organisations juridiques.

Le cas le plus simple, qui n'est pas forcément le plus répandu statistiquement, est celui des agences coopératives. Les médias d'un pays s'associent pour constituer une agence de presse. C'est le cas de divers pays européens, tels la Belgique avec l'agence Belga, la Suisse avec l'Agence télégraphique suisse, les Pays-Bas avec l'agence ADN, l'Autriche avec l'agence APA ou les pays nordiques avec RITZAU, au Danemark, NTB en Norvège, TT en Suède et SST en Finlande.

Le second cas, beaucoup plus fréquent, est celui des agences d'État. Ce système est encore plus répandu dans les pays en voie de développement. Ces agences, établissement public, sont financièrement supportées par l'État même si elles répondent aux besoins de la presse et vendent des abonnements aux médias.

Certaines agences nationales enfin ont un statut mixte qui présente pour l'essentiel les attributs d'une coopérative de presse mais bénéficient de certains soutiens financiers de l'État.

Les fonctions des agences répondent d'abord aux besoins de la presse mais ont tendu à se diversifier ces dernières années.

La première compétence des agences de presse est celle de l'information écrite, destinée aux journaux et utilisable de ce fait par les médias audiovisuels, mais aussi par les gouvernements et les services publics ou par les grandes entreprises.

Ces services d'information écrite ont été complétés à peu près systématiquement depuis quinze à vingt ans par des services de téléphotographie et permettent aux agences d'offrir aux journaux une illustration complète des faits d'actualité.

Un certain nombre d'activités nouvelles se sont développées plus récemment et d'une façon inégale selon les agences ; ce sont parfois des services d'information sonore destinés aux radios et des services d'information financière et économique. Rares sont cependant les agences nationales qui ont pu développer des services vidéo pour la télévision.

❏ Les essais de regroupements régionaux

Malgré la forte connotation nationale qui accompagne le plus souvent l'agence généraliste, certaines agences ont eu le souci de réaliser des rapprochements régionaux pour renforcer leurs moyens et être moins dépendantes des grandes agences internationales ou mondiales.

Essai le plus élaboré dans les pays en voie de développement, le Pool des agences non alignées est né à la suite de la conférence des pays non alignés de 1977 et en liaison avec le mouvement du Nomic. La plupart des agences de ce « Pool » avaient le statut d'établissement public et une forte connotation politique. Néanmoins le système a donné lieu à des échanges réels d'informations. Son centre était situé à Belgrade au sein de l'agence yougoslave Tanjung qui jouait un rôle d'animateur central. La disparition du soutien soviétique et l'éclatement de l'ancienne Yougoslavie ont entraîné la fin de ce « Pool ».

Regroupements régionaux plus limités en Afrique, en Amérique centrale et en Asie du Sud-Est, divers pools régionaux ont fonctionné selon le même principe. Ce furent notamment la CANA dans les Caraïbes et l'OANA en Asie du Sud-Est. Ces regroupements ont également perdu l'essentiel de leur activité dans les années 1990.

L'agence interafricaine PANA dont le siège est à Dakar a été créée par l'UNESCO à la fin des années 1970. En fait malgré de nombreuses conférences diplomatiques, la difficulté d'harmoniser les points de vue d'États aussi différents que les pays africains a empêché la Pana d'être autre chose qu'une idée et un siège social. Son activité s'est limitée à établir un réseau de transmission rarement utilisé pour de réels échanges d'informations. La rédaction centrale de la PANA, au demeurant fort limitée, n'a jamais obtenu l'autorisation des pays membres d'apporter la moindre modification rédactionnelle aux dépêches officielles arrivées des différents pays membres.

Après plusieurs crises financières et plusieurs directions successives, la Pana tente à la fin des années 1990 de trouver un nouveau destin par la recherche d'une privatisation.

➤ EPA

Parmi les essais réussis de regroupements sur des secteurs spécialisés d'information, un des plus importants et des plus concrets a sans doute été l'Agence photographique européenne EPA (European Press Photo Agency).

Créée en 1985 à l'initiative de l'AFP et de DPA, elle rassemble douze agences photographiques européennes, soit des agences nationales diffusant de l'information écrite et photographique, soit des agences photos spécialisées, à raison d'une par pays.

Le principe de l'EPA est celui d'un rassemblement des productions photographiques européennes de toutes les agences membres. Cette production, centralisée à Francfort fait l'objet d'un tri et d'un complément par un service éditorial central propre à l'EPA ; le réseau de transmission de l'AFP rediffuse ces photographies à l'ensemble des pays membres.

L'agence EPA a compétence sur l'ensemble de l'Europe occidentale et orientale. Elle vend sa production européenne au service photographique mondial de l'AFP et achète les photos que celle-ci réalise sur les autres continents. EPA ne vend pas directement son service aux médias mais aux agences nationales qui l'intègrent dans leurs services photos, sous leur propre signature, ce qui leur permet d'offrir ainsi une couverture photographique à la fois nationale et internationale de l'actualité. Ce système s'est révélé efficace pour développer une couverture véritablement européenne de l'Europe et pour mettre fin au monopole exercé jusqu'alors par les agences américaines sur ce continent.

LES NOUVEAUX ACTEURS DU COMMERCE INTERNATIONAL DE L'INFORMATION

Tant qu'elles avaient été rares, les techniques de communication avaient servi les agences d'information. Leur multiplication affecte le quasi-monopole ancien des agences et favorise depuis les années 1980 l'apparition de télévisions internationales, de services internationaux d'informations spécialisées et désormais de services Internet ouverts à tous.

❑ Les organismes d'informations spécialisées

➤ L'INFORMATION FINANCIÈRE

Dans la voie ouverte par Reuters au cours des années 1960, de nombreux services d'informations financières se sont développés à l'échelle des pays ou à l'échelle de la planète. Ceux-ci distribuent des données financières mises en forme et sont parfois accompagnées de logiciels d'analyse et de traitement pour faciliter leur utilisation. Ils rassemblent des données financières, des cours de bourse, des cours de matières premières et des cours des changes ainsi que des informations économiques plus élaborées. Leurs destinataires ne sont plus prioritairement les médias, mais les professions financières et les entreprises. Les principaux concurrents internationaux de Reuters, pour la plupart américains, sont Telerate du groupe Dow Jones, Knight Ridder et Bloomberg, le plus récemment arrivé sur le marché.

➤ LA PHOTOGRAPHIE

À côté des services de téléphotographie des grandes agences de presse, des agences exclusivement spécialisées dans la photo magazine se sont créées dans les années 1960 à destination des journaux et des éditeurs de livres. Elles produisent des documents de haute qualité, la plupart du temps vendus en exclusivité à un seul titre par pays ou par région. Les trois plus célèbres sont françaises et occupent 60 % du marché mondial, il s'agit des agences Gamma, Sygma et Sipa. Leur marché a cependant tendance à évoluer vers celui des bases de données photographiques, le plus souvent américaines.

➢ BANQUES DE DONNÉES

Dans des domaines plus spécialisés encore, sont apparues à l'échelle internationale de très nombreuses banques de données dont l'interrogation est ouverte sans limitation de frontières.

Trois catégories sont traditionnellement distinguées : les banques sur « compact disques » (CD-Rom ou CDI) régulièrement actualisés, les banques en ligne et code ASCII destinées aux professionnels et les banques vidéotex (minitel en France) qui pendant longtemps étaient les seules à pouvoir s'adresser à un public plus large, mais qui sont désormais dépassées par les services de l'Internet.

➢ LES SERVICES D'INFORMATION TÉLÉVISÉE

Pendant longtemps, le nombre relativement réduit des chaînes de télévision n'a pas justifié le développement d'un grand nombre d'agences d'informations télévisées.

Le réseau américain CBS avait organisé un département de vente de ses informations en films ou vidéos. L'agence généraliste américaine UPI avait créé un service télévisé sous le nom de UPI TN. Enfin, la BBC avait développé avec Reuters une filiale d'informations télévisées intitulée Visnews.

En Europe, l'échange des images télévisées était assuré par un « pool » d'échanges au sein de l'Union Européenne de Radiodiffusion avec le système dit des « EVN » (Eurovision), permettant à chaque télévision membre d'offrir ses images nationales, de les mettre à la disposition des autres télévisions.

La multiplication des chaînes de télévision a fait évoluer la situation à partir de 1990. L'agence Visnews a été rachetée en totalité par Reuters qui en a fait un de ses départements sous le nom de Reuters Television. Ce système désormais appuyé sur les bureaux de Reuters partout dans le monde bénéficie de l'apport des services d'information générale et économique de l'agence mère.

CBS a maintenu ses activités d'agence. Le service UPI-TN, devenu WTN depuis les difficultés de l'agence UPI, est depuis 1998 la propriété d'Associated Press avec quelques participations de chaînes américaines de télévision.

❏ Les télévisions transfrontières

Les progrès du satellite ont permis l'apparition de télévisions internationales qui se sont souvent spécialisées dans les services d'informations continues.

La plus célèbre d'entre elles, CNN (Cable News Network) est née aux États Unis dans l'État de Géorgie à l'origine, pour alimenter en informations des réseaux de câble. Progressivement, cette chaîne d'information a étendu son activité en dehors des États-Unis et a véritablement inventé un nouveau style d'information télévisée, multipliant les reportages en direct sur tous les grands événements du monde : de la chute du mur de Berlin à la guerre du Golfe en passant par les débarquements militaires en Afrique. CNN malgré des audiences souvent faibles est devenue un phénomène mondial et a suscité des imitations.

Le groupe Murdoch a ainsi à travers Sky Channel en Europe et Star TV en Asie développé plusieurs chaînes internationales de télévision par satellite. Parallèlement la BBC a créé un BBC World Television Service à l'image du fameux BBC World Service de radio.

En Europe la Deutsche Welle, radio internationale allemande à statut public, a développé un système d'informations télévisées internationales.

La France en association avec d'autres pays francophones a mis en place TV5, chaîne internationale composée d'extraits de programmes nationaux intégrant des images d'information.

L'UER, enfin, à lancé en 1993 avec plusieurs pays européens dont la France une chaîne d'informations télévisées internationales, Euronews dont le siège est à Lyon. Son actionnaire de référence est désormais l'agence d'image britannique ITN dont Reuters est un des actionnaires.

La fin des années 1990 voit s'ouvrir une nouvelle étape avec le développement des télévisions numériques qui vont pouvoir diffuser plusieurs centaines de canaux. La plupart des grands pays voient naître ces nouveaux types de télévision dont beaucoup deviendront inévitablement internationales, à l'image de ce que tente le groupe Murdoch en Asie et en Europe.

❑ Les groupes multimédias internationaux

Un certain nombre de groupes d'information écrite ou audiovisuelle ont étendu leurs activités au-delà de leurs frontières d'origine au cours des dix dernières années. Ils constituent en eux-mêmes un nouveau phénomène de diffusion internationale non seulement de l'information, mais du divertissement et de la culture.

Le groupe américain Time-Warner / Turner déjà évoqué à propos de CNN est désormais présent dans un grand nombre de pays du monde. Le groupe australo-anglo-américain Murdoch déjà cité fait de même à travers ses journaux ou ses télévisions par satellite.

Le groupe Bertelsmann, grand éditeur allemand de livres et de presse spécialisée a exporté vers d'autres pays dont la France, ses formules de presse, notamment dans les publications féminines et le tourisme. Il élargit désormais ses ambitions à la radio avec la CLT, et aux services Internet multimédia.

Les entreprises françaises sont moins nombreuses à répondre à cette caractéristique. On y trouve le groupe Hachette qui a développé dans une vingtaine de pays des formules de presse féminine sur le modèle de l'hebdomadaire féminin Elle. Dans la presse écrite quotidienne le groupe Hersant après avoir commencé une expansion internationale notamment en Belgique et en Espagne et en Europe centrale, s'est replié pour l'essentiel sur ses activités nationales.

L'entreprise publique Radio France International (RFI) soutient des programmes internationaux de radio, mais sans commune mesure avec ceux de la BBC ou de la Deutsche Welle. La Compagnie Luxembourgeoise de Télédiffusion (CLT) présente en radio et en télévision au Grand Duché du Luxembourg, en France, en Allemagne, au Bénélux et en Angleterre, s'est dégagée de ses liens avec Havas et passée dans l'orbite de Bertelsmann. En revanche, dans le domaine audiovisuel, Canal+ a su développer des chaînes cryptées payantes en Espagne et en Italie.

La fin du XXe siècle se caractérise ainsi par une internationalisation croissante des marchés des médias, au sens le plus large. Les films et les programmes de télévision constituent un des principaux secteurs d'exportation des États Unis. Time Warner, Walt Disney et beaucoup d'autres groupes ont désormais le monde comme marché.

À l'inverse, l'Europe et notamment la France éprouvent les plus grandes peines à soutenir cette concurrence et leurs marchés de programmes sont lourdement déficitaires. Une telle situation crée, au-delà des problèmes économiques, un problème culturel d'autant plus aigu que les médias jouent un rôle central dans le fonctionnement des sociétés, dans la vie démocratique et dans la réalisation de l'identité culturelle. L'évolution des techniques ne peut qu'amplifier cette internationalisation qui devient un des grands défis culturels du XXIe siècle.

Bibliographie

BOYD-BARRETT Olivier et Michael PALMER, *Le Trafic des nouvelles*, Paris, Alain Moreau, 1980.

COHEN-JONATHAN Gérard, Henri PIGEAT et al., *La Circulation des informations et le droit international*, Paris, Pedone, 1978.

FENBY Jonathan, *The International News Services*, New York, Schocken, 1986.

HUTEAU Jean et Bernard ULLMANN, *AFP : une histoire de l'agence France-Presse, 1944-1990*, Paris, Laffont, 1992.

LEFEBURE Antoine, *Havas : les arcanes du pouvoir*, Paris, Grasset, 1992.

PIGEAT Henri, *Le Nouveau Désordre mondial de l'information*, Paris, Hachette, 1987.
— *Les Agences de presse*, Paris, Documentation française, 1997.

PIGEAT Henri et al., *AFP : 150 ans d'agence de presse*, Paris, BPI Beba, 1985.

READ Donald, *The Power of News : The History of Reuters*, London, Oxford University Press, 1992.

L'INDUSTRIE DES MÉDIAS

Thierry Vedel

Chapitre 7

Nouvelles technologies de communication et nouveaux médias

INTRODUCTION

L'histoire des médias est marquée par de grandes mutations technologiques qui, à plusieurs reprises, ont modifié les modes de production, de diffusion et de consommation de l'information. Avec la mise en œuvre de nouveaux réseaux ou supports tels que les satellites, les autoroutes électroniques, ou les disques optiques, nous vivons aujourd'hui l'une de ces mutations — parfois qualifiée de révolution numérique. Nous pressentons qu'elle aura d'importantes répercussions sur nos façons de communiquer, de travailler, de nous divertir.

L'étude de ces nouvelles techniques de communication[1] (NTC) ne peut cependant se réduire à celle de leurs usages et de leurs effets, positifs ou négatifs, sur les systèmes médiatiques ou la société. L'avènement de NTC n'est jamais la résultante d'un progrès scientifique inéluctable. Il est aussi l'expression de politiques publiques ou de stratégies économiques.

On ne peut, certes, pas faire n'importe quoi avec la technique : le fonctionnement des outils de communication obéit à des règles et à quelques principes élémentaires qu'il est nécessaire de comprendre (section II). Mais, si la technique présente des rigidités, elle laisse ouvert un vaste champ d'alternatives et peut faire l'objet d'applications très diverses (section III). Ce décalage entre le « pouvoir-faire » de la technique et le « vouloir-faire » des acteurs sociaux illustre le rapport particulier que chaque société entretient avec la technologie (section IV) et explique la diversité des effets des NTC (section V).

---

1. On peut se demander s'il est légitime de qualifier de *nouvelles* des technologies de communication qui parfois existent depuis une quarantaine d'années (comme le câble) ? En fait, ce qui est important n'est pas la date de mise au point d'une technique mais le moment et le degré de son insertion sociale. De ce point de vue, le câble, les satellites et Internet, qui ne touchent qu'une minorité de la population, sont bien des technologies nouvelles.

PRINCIPES TECHNIQUES ET OUTILS

❑ Le codage de l'information

➤ LE CODAGE ANALOGIQUE

Dans les systèmes analogiques, l'information est saisie, manipulée, transmise ou stockée, et enfin restituée sous la forme d'une variation continue d'une grandeur physique (mécanique, électrique, magnétique ou chimique). Il y a analogie entre le signal capté à la source et le signal restitué en fin de chaîne. Ainsi, lorsqu'on écoute un disque en vinyle, les vibrations mécaniques de l'aiguille sont traduites en variations équivalentes du champ magnétique par la tête de lecture, converties en variations électriques par l'amplificateur, puis transmises aux haut-parleurs qui les transforment en variations mécaniques de la membrane.

Les systèmes analogiques présentent deux défauts majeurs. Le signal subit au cours de ses transformations une dégradation de sa qualité. D'autre part, la transmission du signal exige une liaison permanente entre la source et le récepteur : par exemple, une communication téléphonique analogique occupe un fil en permanence.

➤ LE CODAGE NUMÉRIQUE

Dans les systèmes numériques, l'information est codée sous la forme de nombres binaires (ou *bits*), c'est-à-dire de 0 et de 1 correspondant au passage ou non du courant électrique. Dans l'informatique, ces nombres sont regroupés en ensembles de huit chiffres (octets ou *bytes*), chaque octet représentant par convention une lettre ou un signe typographique. La numérisation du son se fait, elle, par échantillonnage : on mesure chaque 125 millionième de seconde l'amplitude du son et on convertit cette mesure en *bits*. La technique est la même pour l'image : chaque point élémentaire est défini par un nombre précisant sa position, sa couleur, son intensité, etc.

L'un des avantages du numérique sur l'analogique est d'éviter une dégradation de l'information : si le traitement ou la transmission a détérioré le signal, on peut estimer si ce que l'on a reçu est proche d'un 0 ou d'un 1 et reconstituer presque intégralement le signal original. La numérisation permet également de « travailler » le son ou l'image par ordinateur tout comme on traite un texte. Les studios de télévision et de cinéma, qui ont commencé leur numérisation au début des années 1990, sont ainsi capables de modifier l'apparence d'un personnage, d'enlever certaines parties d'un paysage ou, à l'inverse, d'ajouter dans un film des images provenant d'autres sources. Cette faculté d'action sur la représentation de la réalité peut avoir une visée esthétique mais aussi conduire à des manipulations dangereuses sur un plan politique.

La numérisation de l'image pose divers problèmes. Elle exige de traiter ou de transporter d'énormes quantités d'information qui dépassent largement les capacités des réseaux hertziens ou câblés. Ainsi, une seconde d'image de télévision SECAM, produite en studio selon la norme numérique internationale dite 4.2.2, représente de 200 à 250 MBits[1]. D'autre part, la réception des images numériques nécessite de nouveaux postes de télévision, dotés d'une électronique complexe et encore coûteuse, pour décoder instantanément la masse d'information reçue.

➤ LA COMPRESSION DE L'INFORMATION NUMÉRIQUE

La compression des signaux numériques offre une solution au problème de leur stockage et de leur transmission. Ce procédé consiste à réduire un flux d'information pour diminuer le coût et le temps de transmission sans modifier fondamentalement le sens du message. Remplacer le mot Vélizy-Villacoublay par 78140 est ainsi une opération de compression (19 caractères étant réduits en 5). Pour

---

1. Megabits ou million de bits.

comprimer une séquence d'images, on peut par exemple transmettre intégralement la première image, et ensuite seulement les éléments qui changent.

Techniquement, la compression met en œuvre des formules mathématiques (algorithmes) d'autant plus complexes qu'on désire accroître le taux de compression. Explorée en laboratoire depuis les années 1950, la compression des images animées a été maîtrisée industriellement en juin 1990 par la firme General Instrument et fait désormais l'objet d'une norme internationale dite MPEG2 (Motion Picture Expert Group). Grâce à celle-ci, il est possible de comprimer une image numérique dans un rapport de un à huit (soit de plus 200 Mbit/s à 34 Mbit/s) sans altérer fondamentalement le rendu visuel. Cette avancée technique ouvre la voie à deux évolutions possibles de la télévision. Sans modifier les réseaux existants, on peut transmettre soit des images plus riches en information, c'est-à-dire de meilleure qualité visuelle, soit une plus grande quantité d'images, c'est-à-dire multiplier le nombre de chaînes diffusées.

❏ Les supports de stockage

➤ LES SUPPORTS TRADITIONNELS

Jusqu'aux années 1960, le stockage des sons et des images s'est fait sur des supports différenciés. L'image a d'abord été conservée sur des plaques métalliques (daguerréotype, 1839), puis sur des plaques de verre (années 1850) et enfin sur des films (mis au point par Eastman au début des années 1880), support qui est resté dominant pendant près d'un siècle. Le son a été d'abord conservé sur des cylindres d'étain ou de cire (phonographe d'Edison en 1877), puis sur des disques (gramophone de Berliner) qui furent améliorés avec l'apparition des microsillons en vinyle (années 1940).

Dans les années 1930, est apparu le procédé d'enregistrement sur support magnétique. D'abord utilisé pour les sons (magnétophones), ce support s'est ensuite étendu aux données informatiques (disques durs et disquettes des ordinateurs) et aux images (cassettes vidéo). Le support magnétique a introduit une double innovation. Pour la première fois, on dispose d'un support capable de conserver des informations de nature différente. Ce support est de plus inscriptible : les particuliers peuvent non seulement lire des informations préenregistrées mais aussi enregistrer des informations.

➤ LES SUPPORTS OPTIQUES

Les années 1980 ont vu l'émergence des supports optiques, popularisés dans le grand public par les disques compact (ou CD). Par rapport aux supports traditionnels, les CD présentent plusieurs avantages :
— une plus grande capacité de stockage, car l'information, codée sous forme numérique, peut être échantillonnée ou comprimée ;
— une conservation plus longue de l'information. La lecture de l'information ne se fait plus par contact physique (comme avec le disque en vinyle où le son était lu par une aiguille), mais de façon optique : un rayon laser est réfléchi par les micro-cuvettes qui composent le CD ;
— un accès direct et instantané (et non plus séquentiel) à l'information désirée.

Apparus à l'origine comme supports musicaux, les CD servent désormais à stocker également des textes et des images fixes, et on les utilise aussi bien avec des micro-ordinateurs (CD-Rom) qu'avec des appareils photos. Il sont également devenus enregistrables grâce à la diffusion de graveurs bon marché. En 1999 a commencé la commercialisation de CD-vidéo (ou Digital Versatil Disk) qui, connectés à un téléviseur, permettent de visionner plusieurs heures de films.

❑ Les supports de transmission

➤ LA VOIE HERTZIENNE

La transmission par voie hertzienne consiste à diffuser l'information par modulation d'ondes électromagnétiques se propageant dans l'air. Suivant la quantité d'information transportée et la qualité de transmission souhaitée, on utilisera une bande de fréquences plus ou moins grande, mesurée en hertz (Hz). Ainsi, pour diffuser une émission de radio, une bande de 200 kHz est suffisante, mais pour une émission de télévision on a besoin d'une bande de 4 à 8 MHz (et bien davantage pour de la télévision à haute définition).

À la suite d'accords internationaux, l'ensemble des fréquences disponibles (ou spectre hertzien) a été découpé en bandes réservées chacune à un usage précis (voir tableau 1). Ce découpage s'explique par les caractéristiques physiques de propagation des ondes. Les fréquences élevées se propagent moins facilement à travers les obstacles naturels ou artificiels que les fréquences basses : la bande des GHz a donc été affectée aux transmissions par satellites, ceux-ci étant toujours en visibilité directe des points d'émission et de réception. Par ailleurs, plus les fréquences sont élevées, plus l'espacement entre deux canaux doit être grand : afin d'optimiser l'usage du spectre hertzien, les fréquences basses sont donc réservées à des canaux à faible débit (transmission de la voix ou de données) et les fréquences hautes à des canaux à haut débit (image ou voix haute qualité).

TABLEAU 1 : RÉPARTITION DU SPECTRE HERTZIEN ENTRE DIFFÉRENTES APPLICATIONS

Bandes de fréquence	Applications
148,5 KHz – 283,5 KHz	Radio ondes longues
526,5 KHz – 1,6065 MHz	Radio ondes moyennes
3 MHz – 30 MHz	Radio ondes courtes
47 – 68 MHz	Télévision VHF
87,5 – 108 MHz	Radio FM
470 – 854 MHz	Télévision UHF
1,449 – 1,504 GHz	Radio numérique
11,7 – 12,5 GHz	Télévision directe par satellite

❖ Réseaux terrestres et satellitaires

La diffusion par voie hertzienne se fait soit par l'intermédiaire de réseaux d'émetteurs terrestres (tours hertziennes analogues aux châteaux d'eau), soit par l'intermédiaire de satellites. Les satellites de communication sont généralement des satellites géostationnaires. Situés sur une orbite à 36 000 km d'altitude environ, ils tournent à la même vitesse que la terre et restent donc constamment en regard de la même zone de notre planète.

Les satellites présentent plusieurs avantages par rapport aux émetteurs terrestres : ils permettent de desservir des zones beaucoup plus vastes[1] avec des coûts d'investissement et d'exploitation considérablement moins élevés (à population équivalente) tout en offrant une meilleure qualité de réception (le problème des zones d'ombre ne se pose pas). En revanche, ils ont une durée de vie limitée (dix à quinze ans) et leur réparation est extrêmement difficile en cas de panne.

---

1. Un satellite géostationnaire couvre approximativement un tiers de la planète. Les satellites de communication peuvent également être placés en orbite basse. Mais, ils couvrent alors une zone plus restreinte et ne sont pas immobiles par rapport à la terre, ce qui nécessite d'en lancer plusieurs dizaines.

❖ Une ressource rare ?

Le spectre hertzien constitue une ressource rare. Théoriquement, toutes les fréquences comprises entre 3 KHz et 300 GHz sont exploitables pour transporter des informations. Mais, pratiquement, on ne sait exploiter qu'une partie de cet intervalle, compris entre 3 KHz et 60 GHz.

La rareté des fréquences hertziennes est cependant relative. Au cours des quarante dernières années, les progrès techniques ont permis d'une part l'utilisation de fréquences de plus en plus élevées, d'autre part une exploitation plus intense des fréquences disponibles. La plus grande précision et sélectivité des émetteurs et des récepteurs réduit l'espace minimal à laisser entre deux canaux pour éviter les interférences ; la compression des signaux diminue la largeur de bande nécessaire à une transmission ; on pratique le multiplexage de différentes communications sur une même fréquence.

Indépendamment des contraintes techniques, la disponibilité des ressources hertziennes dépend des politiques de radiodiffusion adoptées par les gouvernements. On peut ainsi mettre plus ou moins de stations sur la bande FM suivant la façon dont on arbitre entre leur qualité sonore et leur taux de couverture. Jusqu'au début des années 1980, la plupart des pays européens ont opté pour un nombre réduit de stations de radio ou de télévision, mais recevables par la quasi-totalité de la population[1]. Au contraire, aux États-Unis, et à partir du milieu des années 1970 dans certains pays comme l'Italie, on a privilégié le nombre de canaux offerts au détriment de la couverture du territoire et de la qualité de réception.

➤ LES RÉSEAUX CÂBLÉS

❖ Coaxial et fibre optique

Jusqu'au début des années 1980, les réseaux utilisaient des câbles en cuivre coaxiaux et véhiculaient l'information sous la forme de signaux électriques. Depuis cette date, sont apparues les fibres optiques qui transportent l'information (y compris la voix et les données) sous la forme de signaux lumineux.

La fibre optique présente plusieurs avantages par rapport au le câble coaxial. Elle transporte une quantité d'information bien plus importante : une fibre d'un diamètre de 125 microns peut acheminer 30 000 conversations téléphoniques alors qu'il n'en passe que 30 sur deux fils de cuivre de 0,8 mm de diamètre. Elle permet la propagation du signal sur une plus longue distance sans amplification et la dégradation du signal est moins grande, ce qui permet de diminuer le nombre d'amplificateurs (un tous les 100 km contre un tous les 2 km pour le coaxial) et donc les coûts de génie civil et d'exploitation. Cependant, la pose de la fibre optique reste encore délicate et ses coûts de fabrication sont plus élevés. Pour cette raison, elle est surtout réservée aux artères principales ou aux liaisons à haut débit.

❖ Architectures en arbre et en étoile

On distingue traditionnellement deux types d'architecture de réseaux.

Dans les réseaux en arbre, tous les signaux qui partent du point d'émission se retrouvent chez chacun des usagers. Comme dans un arbre, où la sève part des racines, remonte le tronc et gagne ensuite les branches puis les rameaux et les feuilles, le signal (émission de radio ou de télévision) part de la tête de réseau, passe dans le réseau de transport puis de distribution pour parvenir chez l'abonné. Un réseau en arbre est analogue aux réseaux de distribution d'eau et d'électricité.

Dans les réseaux en étoile, tous les signaux qui partent de la tête de réseau ne parviennent pas nécessairement chez chacun des usagers. En effet, à divers points du réseau ces signaux sont filtrés ou aiguillés par des centres de commutation qui les laissent ou non passer. Le réseau se présente alors sous la forme d'un ensemble d'étoiles. Cette architecture est celle du réseau téléphonique.

---

1. Cette politique était justifiée par un principe de service public : l'égalité des citoyens devant la radiotélévision ; mais elle s'expliquait aussi par le souci des gouvernements de préserver l'emprise des stations d'État en interdisant le développement de chaînes concurrentes.

Jusqu'au début des années 1980, la totalité des réseaux câblés était organisée en arbre. Cette architecture est devenue problématique avec le développement de chaînes optionnelles et payantes : il faut alors soit mettre en place un filtrage au niveau du boîtier de connexion de l'abonné (ce qui implique le déplacement d'un technicien lors de tout changement d'abonnement), soit brouiller les signaux des chaînes payantes qui ne pourront être reçus que par les abonnés disposant d'un décodeur activé grâce à un code ou une carte (ce qui n'exclut pas la possibilité d'un piratage des signaux non payés mais néanmoins reçus). La structure en étoile résout ces deux problèmes. La sélection ne se fait plus au niveau de l'abonné, mais au niveau de centres de commutation. Seuls les signaux pour lesquels l'abonné a payé un abonnement particulier lui parviennent : le déplacement de techniciens n'est plus nécessaire et le piratage est impossible.

Les réseaux en étoile sont aussi plus propices à l'offre de services interactifs. De tels services nécessitent en effet une remontée d'informations de l'abonné vers le centre de gestion du réseau. Un tel dispositif est plus simple à mettre en place sur des réseaux en étoile où chaque abonné est relié au centre de commutation par une voie de retour.

On notera que la capacité interactive d'un réseau est indépendante de la nature des câbles utilisés : on peut construire un réseau en étoile aussi bien avec du câble coaxial qu'en fibre optique Afin de concilier les avantages techniques et financiers des deux architectures, la plupart des réseaux câblés de télévision construits aujourd'hui sont des réseaux hybrides associant coaxial et fibre optique : la partie de transport sera par exemple en arbre tandis que leur partie terminale sera en étoile.

❑ Les équipements de réception

➤ LES TERMINAUX ACTUELS

L'accès des usagers à l'information électronique se fait actuellement par des équipements distincts. Plus de la moitié des ménages français dispose d'au moins sept terminaux (voir tableau 2). Cette situation est la résultante du mode de développement du secteur de l'information électronique en filières indépendantes les unes des autres, chacune correspondant à l'apparition d'un nouveau mode de transmission ou de stockage de l'information.

TABLEAU 2 : ÉQUIPEMENT DES MÉNAGES EN TERMINAUX DE COMMUNICATION

Type de terminal	Ménages équipés (en pourcentage)*	Principale période de développement
Radio	99 %	Années 1930 à 1950
Télévision *dont multi-équipement*	95 % 45 %	Années 1960
Téléphone	95 %	Années 1960 et 1970
Lecteur de disques vinyle	50 à 60 %	Années 1960
Lecteur de cassette audio	85 %	Années 1970
Magnétoscope	70 %	Années 1970
Lecteur de CD	65 %	Années 1980
Consoles de jeux	30 %	Années 1980
Minitel	30 à 35 %	Années 1980
Micro-ordinateur *avec CD-Rom* *avec modem*	20 à 25 % 15 % 10 %	Années 1990

* Il s'agit d'ordres de grandeur, les pourcentages variant suivant les sources statistiques.

➤ LES TERMINAUX MULTIMÉDIA

Depuis quelques années, apparaissent des terminaux intégrant plusieurs fonctions. Cette évolution est généralement désignée sous le nom de « multimédia » — alors qu'il faudrait plus justement l'appeler unimédia puisqu'elle tend à remplacer des supports séparés par un support unique. Pour l'instant, c'est principalement à partir des ordinateurs que se fait cette intégration. Les derniers modèles d'ordinateurs sont capables de lire des CD, de se connecter au réseau téléphonique pour servir de Minitel, de fax ou de répondeur, ou encore se connecter au réseau Internet. Mais les fabricants de téléviseurs se positionnent également sur ce marché et concurrenceront sous peu les industriels de l'informatique en offrant des postes multifonctions.

À terme, de nombreux foyers seront sans doute équipés de plusieurs terminaux multimédia grâce auxquels chaque membre de la famille effectuera l'ensemble de ses activités de communication et d'information (y compris celles mettant en œuvre des images animées). Et l'on peut imaginer que la scène suivante se déroulera dans les années 2010. Dans la cuisine, le père cherche sur le réseau Internet une recette pour le repas du soir. N'ayant rien trouvé, il commande une pizza et envoie par fax le plan d'accès à sa maison au livreur qui s'est perdu. Dans le salon, la mère discute par vidéophone avec une amie du match de foot diffusé au même moment sur une chaîne japonaise. En désaccord avec elle sur l'âge des enfants du gardien de but, elle vérifie sur un CD-Rom encyclopédique ces informations. Dans sa chambre, leur fils finit sa dissertation sur son ordinateur, tout en jetant un coup d'œil sur un match de tennis qui apparaît dans un coin de l'écran. Sa sœur lit le courrier électronique que lui ont envoyé des amis africains tout en écoutant les dernières nouveautés que propose un serveur musical sud-américain.

➤ LES PORTABLES ET LES MOBILES

Jusqu'à présent la consommation de l'information électronique a été une activité essentiellement sédentaire se réalisant autour d'équipements fixes. Cette situation change sous l'effet conjugué de deux facteurs techniques. D'une part, la miniaturisation continuelle des composants entraîne la diminution de la taille des terminaux tout en accroissant leur puissance de traitement (portabilité). D'autre part, des réseaux de réémetteurs de plus en plus denses ont été mis en place auxquels il est possible de se connecter sans fil (mobilité). En 1998, Motorola a commencé la commercialisation d'Iridium qui, grâce à une constellation de 66 satellites placés en orbite basse, permet de téléphoner à partir de n'importe quel endroit de la planète. D'autres constellations de ce type sont annoncées : Globalstar, consortium autour de la société américaine Loral auquel participe France Télécom (48 satellites), Teledesic (288 satellites), Skybridge (80 satellites[1]).

Dès à présent, plusieurs millions d'individus possèdent des terminaux portables (notamment téléphoniques dont le parc français est passé de quelques centaines de milliers en 1993 à 11 millions à la fin 1998). Depuis 1997, sont apparus des ordinateurs de poche et il sera bientôt possible de consulter instantanément d'importants stocks d'information dans les lieux les plus divers. Ceci devrait favoriser l'émergence de nouvelles pratiques de communication, dites « nomades », mais aussi de nouveaux modes de relations sociales. La possibilité de travailler depuis son domicile (ou télétravail), celle d'être joint à tout moment risquent en effet d'entraîner une plus grande porosité des frontières entre espaces professionnel ou amical d'une part, espaces familial ou privé d'autre part.

---

1. Les projets connaissent toutefois des difficultés financières du fait de l'ampleur des investissements nécessaires et d'une demande encore réduite.

LES GRANDES APPLICATIONS DES NTC

❑ La télévision par câble :
de la télédistribution au kiosque audiovisuel

➤ LA TÉLÉDISTRIBUTION

La télévision par câble est apparue aux États-Unis à la fin des années 1940 comme un moyen de retransmission d'émissions de télévision mal reçues pour des raisons topographiques. Une antenne collective était installée sur une colline qui alimentait ensuite par câbles les foyers d'une ville ou d'un quartier. Initiée par des vendeurs de postes de télévision, cette pratique s'est structurée en activité à part entière. Des sociétés de câblo-opérateurs sont apparues qui, en contrepartie d'un abonnement, ont offert des programmes de plus en plus nombreux (notamment en important les émissions de stations de télévision d'autres régions).

➤ LA TÉLÉVISION COMMUNAUTAIRE

Après cette première période, axée sur la qualité de réception et la diversification du choix des téléspectateurs, le câble a connu un regain d'attention au début des années 1970. Aux États-Unis, mais aussi au Canada et en Belgique, le câble a été perçu comme un média susceptible de contribuer à la vie des communautés de quartier. De nombreuses expériences de canaux communautaires ont été alors engagées : retransmission des séances du conseil municipal, programmes éducatifs de l'université locale, libre expression d'associations ou même de simples citoyens. Ces programmes n'ont en général rencontré qu'un faible intérêt de la part des téléspectateurs, notamment en raison de leur amateurisme. Cependant, la diffusion dans le public de matériels semi-professionnels tels que les caméscopes et la familiarité naturelle des jeunes générations avec la culture audiovisuelle pourrait favoriser leur résurgence.

➤ LES CHAÎNES THÉMATIQUES

C'est à la fin des années 1970 que le câble s'est véritablement développé avec l'apparition de chaînes thématiques. Celles-ci ont commencé à apparaître en 1975 aux États-Unis et constituent aujourd'hui l'une des principales raisons de l'abonnement au câble. Ces chaînes offrent un genre particulier de programmes (sport, cinéma, musique, informations continues) et sont offertes par des sociétés spécialisées (par exemple, CNN, HBO ou ESPN aux États-Unis ; Planète, Canal Jimmy ou Ciné-Cinéma en France). Elles contiennent généralement peu ou pas de publicité. Elles font parfois l'objet d'abonnements spécifiques souscrits en sus de l'abonnement au service de base (on parle alors de chaînes optionnelles). Originellement, ces chaînes étaient uniquement proposées sur le câble, mais désormais la plupart est également diffusée par satellite.

➤ LES SERVICES INTERACTIFS

Depuis la fin des années 1980, la télévision par câble connaît une importante évolution avec la mise en œuvre de procédés dits interactifs. L'adoption de réseaux en structure étoilée autorise les téléspectateurs à intervenir dans le déroulement des programmes. Les applications envisageables sont nombreuses : visionnage « à la demande » d'un film dans une vidéothèque ; obtention de statistiques lors de la retransmission d'un match de tennis, etc. Certains experts prévoient vers l'an 2010 le développement de kiosques audiovisuels. De la même façon que le kiosque télématique permet d'accéder à des centaines de banques de données par le réseau téléphonique, le kiosque audiovisuel permettra de se connecter à une multitude de serveurs d'images situés en divers points de la planète. Dès à présent, les réseaux câblés commencent à être utilisés pour accéder à Internet — beaucoup plus rapidement que le réseau téléphonique.

TABLEAU 3 : PÉNÉTRATION DU CÂBLE ET DU SATELLITE EN EUROPE ET AUX ÉTATS-UNIS EN 1998

	Nbre foyers TV (millions)	% foyers abonnés au câble	% foyers équipés en antennes satellite
Allemagne	34	48	30
Belgique	4	92	7
États-Unis	96	65	15
Espagne	13	3	10
France	22	10	10
Grande-Bretagne	23	6	18
Italie	21	neg.	6
Pays-Bas	6,5	90	8

❏ La télévision sans frontières

➢ LES SATELLITES DE TÉLÉCOMMUNICATION

Les premiers satellites de communication, mis en service dans les années 1960, étaient des satellites de faible puissance (20 à 50 W). De ce fait, le signal renvoyé par le satellite vers la terre pouvait SEULEMENT être capté par des stations de réception équipées d'antennes très larges (plusieurs mètres de diamètre) et donc très coûteuses. Ces stations de réception relayaient ensuite le signal, soit par des réseaux câblés, soit par des liaisons hertziennes terrestres vers leur destination. Cette première génération de satellites était donc utilisée pour des liaisons de télécommunication, c'est-à-dire de point à point : échange d'images entre organismes de télévision, alimentation de la tête d'un réseau câblé en programmes, liaison entre le site d'un reportage et les studios centraux.

➢ LES DEUX PREMIÈRES GÉNÉRATIONS DES SATELLITES DE TÉLÉDIFFUSION DIRECTE

Dans les années 1980, sont apparus des satellites à forte puissance (généralement autour de 200W) dont les signaux pouvaient être reçus par des antennes de petit diamètre (60 à 90 cm), moins chères et plus faciles à installer sur un toit. Ces satellites étaient destinés à diffuser les programmes de télévision directement vers les foyers des téléspectateurs, sans passer par l'intermédiaire d'une station de réception. Plusieurs satellites de télévision directe ont été lancés en 1988 et 1989 (TDF1 et 2 en France, Olympus et TV Sat en Allemagne, Télé X dans les pays scandinaves). Cette première génération de satellites de télévision directe, qui n'a touché au mieux que quelques centaines de milliers de téléspectateurs, a été rapidement abandonnée. Mettant en œuvre des technologies très fragiles, elle a en effet connu de nombreuses difficultés de fonctionnement.

Le perfectionnement et la baisse du prix des paraboles de réception a permis de les remplacer au début des années 1990 par une seconde génération de satellites de moyenne puissance (entre 50 et 100 W) tels que Télécom 2, Astra et Eutelsat. Diffusant 15 à 20 canaux de télévision (contre cinq pour les satellites de télévision directe), ces satellites sont plus rentables car leurs coûts d'exploitation sont partagés entre un plus grand nombre de partenaires. Organisés en systèmes cohérents (plusieurs satellites sont mis en service sur différentes positions orbitales), et touchant ainsi la quasi-totalité des téléspectateurs européens, ces satellites ont favorisé la création de chaînes paneuropéennes multilingues telles que Eurosports ou Euronews.

➢ LES SATELLITES DE TÉLÉVISION NUMÉRIQUE

On assiste depuis 1994 à l'apparition d'une nouvelle génération de satellites. Utilisant les technologies de transmission numérique, ceux-ci sont capables de diffuser plusieurs centaines de chaînes et constituent désormais une forte concurrence pour le câble, dont l'un des avantages par rapport au mode de diffusion hertzien était jusqu'ici la quantité de programmes offerts. En Europe, deux opérateurs techniques dominent le marché de la télévision numérique par satellite : la SES qui exploite les satellites Astra, et Eutelsat qui exploite les satellites Hot Bird. Ces opérateurs louent des capacités de transmission à une multitude d'opérateurs commerciaux — tels que Canalsatellite ou TPS (Télévision par satellite) en France (voir tableau) — qui assemblent des bouquets de programmes.

Ces bouquets sont cryptés et ne peuvent être reçus que par les téléspectateurs dotés d'un boîtier de décodage et ayant acquitté un abonnement. La télévision numérique par satellite est ainsi — après le câble — une nouvelle forme de télévision payante. Pour l'instant, les procédés de cryptage des satellites numériques n'ont pas été normalisés au plan international. En Europe, et en dépit des recommandations émises par la Commission européenne, il existe trois systèmes : Viaccess, mis au point par France Télécom ; Mediaguard dont Canal+ est propriétaire ; Irdeto conçu par la firme Nethold. Dans certains pays, comme la France ou l'Espagne, les téléspectateurs qui désirent recevoir l'ensemble des chaînes numériques doivent pour l'instant acquérir plusieurs boîtiers de décryptage.

TABLEAU 4 : PRINCIPALES PLATES-FORMES DE TÉLÉVISION NUMÉRIQUE PAR SATELLITE

Nom de la plate-forme	Pays couvert(s)	Principaux actionnaires	Date de lancement	Nombre d'abonnés (fin 1998)
DirecTV	Amérique du Nord	Hugues Electronics, General Motors	Automne 1994	4,5
Primestar		Câblo-opérateurs américains,	1995	2,3
Canal+ Numérique	France	Canal Plus	Avril 1996	1,1
TPS	France	M6, TF1, France Télécom, France Télévision, CLT, Lyonnaise des eaux	Décembre 1996	0,65
DF1	Allemagne	Kirch	Juillet 1996 abandonné en août 1997	0,04
Via Digital	Espagne	Telefonica, TVE, Televisa	Septembre 1997	0,4
Canal Satélite Digital	Espagne	Canal+, Antena 3, Prisa	Février 1997	0,6
Stream	Italie	Telecom Italia	Fin 1997	0,12
British Interactive Broadcasting	Grande-Bretagne	News Corp., British Telecom, Midland, Mtasushita	Été 1998	ND
British Digital Broadcasting (par voie hertzienne)	Grande-Bretagne	Granada, Carlton	Fin 1998	ND

❏ Les réseaux planétaires

➤ LES DÉBUTS DE LA TÉLÉINFORMATIQUE

L'accès à des ordinateurs distants a été une préoccupation constante dès les débuts de l'informatique. Jusqu'au milieu des années 1970, cet accès se faisait en fonction du langage spécifique à chaque ordinateur. Les services téléinformatiques n'étaient généralement pas compatibles entre eux. Pour utiliser une banque de données, il fallait disposer d'un logiciel de communication et d'un terminal adaptés à la norme propre à celle-ci. Ainsi, un quotidien devait avoir plusieurs terminaux et logiciels pour se connecter à différentes agences de presse. Il fallait en outre maîtriser le passage par des réseaux de télécommunication qui n'avaient pas toujours été prévus pour la transmission de données.

En conséquence, le coût des services téléinformatiques était élevé puisque les utilisateurs devaient multiplier les équipements en fonction du nombre d'applications désirées. De leur côté, les fournisseurs de services, s'adressant à une clientèle réduite et segmentée, étaient obligés de pratiquer des tarifs élevés pour amortir leurs investissements.

➤ L'ÉPISODE DU VIDÉOTEX ET DU MINITEL

Conscients du problème, les opérateurs publics de télécommunication des grands pays se sont efforcés de développer des systèmes téléinformatiques universels, c'est-à-dire permettant à l'ensemble de la population d'accéder par le réseau téléphonique à une multitude de banques de données avec un terminal et des protocoles de communication standardisés.

Cette stratégie a conduit, à la fin des années 1970, au lancement de programmes télématiques dans trois grands pays européens et au Canada[1]. Ceux-ci s'appuient d'une part sur une norme de transmission et d'affichage (norme vidéotex) unique dans chaque pays : Prestel en Grande-Bretagne, Bildschirmtext en Allemagne, Télétel en France et Télidon au Canada ; d'autre part, sur l'utilisation d'un terminal, autonome (Minitel), ou d'un clavier connecté au poste de télévision, mais dans tous les cas simple à utiliser (l'intelligence étant dans le réseau de télécommunication).

Les services télématiques offerts par les systèmes vidéotex sont analogues à ceux qu'on trouve aujourd'hui sur Internet (quoique beaucoup plus rudimentaires graphiquement) : annuaires de toutes sortes, guides, petites annonces, informations tarifaires, etc. Sous la forme de messageries, ils permettent également la communication directe entre utilisateurs. Le vidéotex n'a connu un réel succès qu'en France où, à la fin du siècle, plus de 6 millions de foyers étaient équipés d'un Minitel. Dans les autres pays, les services vidéotex ont compté au mieux quelques centaines de milliers d'utilisateurs et ont été abandonnés.

➤ INTERNET

❖ De l'application militaire au Web

L'histoire d'Internet peut se décomposer en trois phases : d'abord conçu pour un usage militaire, Internet est devenu un outil de communication pour le monde universitaire avant de s'ouvrir au grand public et aux sociétés commerciales grâce à l'essor du Web.

Au début des années 1960, la RAND Corporation — un important organisme de recherche américain — est amenée à réfléchir au problème des communications militaires lors d'un conflit nucléaire. Elle imagine un réseau de communication décentralisé, capable de fonctionner même lorsque certaines de ses composantes ne sont pas opérationnelles. Techniquement, un tel réseau repose sur un ensemble de nœuds, capables chacun d'orienter les messages reçus vers le nœud le plus proche en état de fonctionnement, et ainsi de suite jusqu'à leur destination finale. Séduite par le concept, l'ARPA (Advanced Research Project Agency) du ministère de la Défense américain subventionne à partir de 1965 des centres de recherche universitaires pour étudier la mise en place d'un tel réseau. Celui-ci, baptisé ARPANET, commence à fonctionner fin 1969 à partir des centres informatiques de quatre universités de l'Ouest.

Progressivement, de nouveaux sites universitaires se joignent à l'ARPANET qui, en 1972, compte 37 nœuds. Conçu pour une application militaire, l'ARPANET est approprié par la communauté universitaire qui l'utilise pour des échanges entre équipes de recherche. L'un des problèmes des chercheurs est de faire communiquer entre elles des machines dont les normes ne sont pas forcément compatibles et d'utiliser des réseaux de communication de nature différente. À cet effet, un groupe de travail, l'International Network Working Group (INWG), est créé en octobre 1972 par les utilisateurs d'ARPANET. Ses travaux aboutiront à la spécification d'un protocole de communication commun, baptisé Transmission Control Protocol / Internet Protocol, qui sera définitivement adopté en 1982. Internet est né.

---

1. Mais non aux États-Unis en raison de l'existence de plusieurs compagnies de téléphone et d'une réglementation restrictive leur interdisant de s'impliquer dans la transmission de services d'information.

Son usage reste toutefois très complexe et nécessite une bonne maîtrise du langage informatique. Cette barrière technique va disparaître à partir de 1992, lorsque des chercheurs du Centre Européen de Recherche Nucléaire (CERN), situé en Suisse, mettent au point un format de documents, le *Hypertext Markup Language*. Cette innovation améliore la présentation visuelle des textes disponibles sur Internet et facilite la navigation entre les différents ordinateurs du réseau. Grâce à l'établissement de liens automatiques, l'utilisateur, en cliquant sur sa souris, peut ainsi passer d'un document stocké sur un ordinateur A à un autre document stocké sur un ordinateur B. Ce sous-ensemble d'Internet, baptisé le *Web* (la toile), a connu une croissance très rapide et populariser Internet bien au delà de la communauté universitaire. En même temps, Internet s'ouvre à des sociétés commerciales qui l'utilisent pour leur publicité ou la vente de produits.

❖ Fonctionnalités

Internet peut se définir comme un réseau de réseaux d'ordinateurs utilisant un protocole de communication commun (l'Internet Protocol ou IP). Chaque utilisateur d'Internet est connecté à un *serveur* local, qui peut être géré soit par un fournisseur d'accès (dans ce cas un abonnement est nécessaire), soit par une université, une administration ou une entreprise. Ce serveur est relié à d'autres serveurs par des réseaux publics ou privés, eux-mêmes reliés les uns aux autres. Du fait de cette organisation, l'accès à un ordinateur d'Internet permet de proche en proche d'accéder à l'ensemble des autres ordinateurs.

Internet offre cinq types d'applications :
— la consultation d'informations sous la forme de textes, de photos, de courtes séquences vidéo ou encore de sons. Suivant leur nature, ces informations se présentent sous un format particulier (par exemple, *FTP*, *Gopher*, *Web* pour les textes ; MPEG pour les images animées).
— la messagerie qui peut prendre plusieurs formes : le courrier électronique de personne à personne (*E-mail*), les forums de discussions (*newsgroups*) autour des thèmes les plus divers, les services de dialogues en direct (*Internet Relay Chat*).
— les services transactionnels grâce auxquels il est possible de commander un produit, généralement en donnant le numéro de sa carte de crédit.
— l'accès à des ordinateurs distants : c'est l'application Telnet grâce à laquelle un utilisateur d'Internet peut se connecter à un ordinateur plus puissant comme si son micro-ordinateur n'était qu'un simple terminal — par exemple pour effectuer des calculs complexes ou travailler en parallèle avec d'autres utilisateurs.
— l'édition et la diffusion d'informations : les utilisateurs d'Internet peuvent s'autoéditer et mettre à la disposition des autres utilisateurs des textes, des sons, ou des images en créant leurs pages personnelles.

Fin 1998, on estime qu'environ 100 millions de personnes utilisent régulièrement Internet. Les États-Unis et le Canada représenteraient plus de la moitié de cette population. En revanche, seulement 2,5 millions de personnes seraient connectées à Internet en France.

TABLEAU 5 : LEXIQUE D'INTERNET

Cookies : commandes envoyées par un serveur Internet sur les ordinateurs des utilisateurs afin de faire remonter vers ce serveur des informations sur le contenu des ordinateurs (par exemple les sites qui ont été consultés).

Courrier électronique (E-mail) : système d'échange de messages. Chaque utilisateur d'Internet est doté d'une adresse de la forme suivante : nom@nom du serveur. pays. Toutefois, aux États-Unis, le dernier élément sert à identifier l'origine professionnelle de la personne : edu. pour université, gov. pour administration, mil. pour armée, org. pour organisation à but non lucratif, com. pour société commerciale.

Client : logiciel permettant de « lire » les informations disponibles sur Internet en fonction du format utilisées pour leur présentation et leur transmission. Ainsi, pour pouvoir visionner des photos, il faut installer sur son micro-ordinateur, un client capable de recevoir des documents en format JPEG.

FTP (*File Transfer Protocol*) : application qui permet de recopier les fichiers d'un ordinateur sur son micro-ordinateur. Surtout utilisée aux débuts d'Internet pour la diffusion de travaux scientifiques.

Forums de discussion (*newsgroups*) : groupes de discussion qui permettent d'afficher ou de lire des messages sur les thèmes les plus divers. Il en existe plusieurs dizaines de milliers répartis en grandes catégories : par exemple, comp. regroupe les forums traitant de l'informatique, biz. ceux ayant trait aux activités commerciales, alt. ceux qui abordent des sujets dits alternatifs, marginaux ou n'entrant dans aucune des autres catégories (sexualité, photos de mauvais goût, fans d'un vedette de cinéma). Certains groupes sont « modérés » : pour y participer, il faut y être autorisé par un modérateur qui, le cas échéant, filtre les messages.

Fournisseur d'accès à Internet (*Internet Access Provider*) : société mettant à la disposition du public, moyennant la souscription d'un abonnement, un ordinateur permettant d'accéder au réseau Internet. Cet ordinateur héberge le courrier électronique de ses abonnés et, éventuellement, leurs pages personnelles.

Gopher : format de présentation de textes et application qui permet de rechercher des fichiers classés sous la forme de listes arborescentes. Cette application (dominante jusqu'en 1993) a été aujourd'hui supplantée par le Web.

HTML (*HyperText Markup Language*) : format utilisé pour composer les pages des serveurs Web.

HTTP (*HyperText Transport Protocol*) : protocole de communication entre serveurs Web.

IP Address : série de 4 nombres — par ex. 193.51.124.4 — qui permet d'identifier chaque ordinateur connecté à Internet.

IRC (*Internet Relay Chat*) : messagerie permettant d'échanger des messages en ligne.

Modem (*Modulateur Démodulateur*) : appareil qui permet la transmission d'informations entre un micro-ordinateur et le réseau téléphonique. La vitesse de transmission d'un modem est mesuré en bauds ou bits. Pour utiliser Internet avec un confort minimal, un modem de 33 600 bits par seconde est conseillé.

Liste de diffusion : liste d'individus, identifiés par leur adresse électronique, auxquels sont automatiquement envoyées par courrier électronique des informations (par exemple, sur l'actualité d'un secteur économique). Peuvent être gratuites ou payantes.

Moteur de recherche (*search engine*) : système de recherche par mots clefs des informations disponibles sur l'ensemble d'Internet. Parmi les plus connus : Yahoo, Lycos, Infoseek, Voila (francophone).

Navigateur (*browser*) : interface graphique qui facilite la consultation de la plupart des services d'Internet, et notamment ceux du Web. L'écran fait apparaître des menus et des boutons que l'utilisateur clique. Nestcape et Explorer (Microsoft) sont les plus répandus.

Serveur : ordinateur sur lequel sont stockées des informations. On distingue les serveurs en fonction du format qu'ils utilisent pour présenter ces informations (serveurs Web, Gopher, FTP, etc.).

Pages personnelles (*home pages*) : pages conçues par des utilisateurs d'Internet et servant à les présenter. Ces pages sont généralement hébergées par le serveur hôte auquel l'utilisateur est lié (voir fournisseur d'accès).

Portail : site (par exemple celui du fournisseur d'accès ou d'un moteur de recherche) par lequel un utilisateur accède à Internet. Les portails sont stratégiques en ce qu'ils orientent les consultations ultérieures des utilisateurs et servent de support publicitaire.

URL (*Universal Ressource Locator*) : adresse unique de chaque page d'information disponible sur le Web.

World Wide Web ou WWW ou Web : sous-ensemble d'Internet qui offre des documents en format HTML. Celui-ci permet une meilleure présentation graphique (images, mots soulignés, couleurs, logos ou dessins, etc.) et offre des liens automatiques avec des documents situés sur d'autres ordinateurs. Par exemple, un mot en bleu indiquera la référence d'un ouvrage. En cliquant ce mot, l'utilisateur est relié à un autre ordinateur contenant le texte de cet ouvrage.

➤ LES AUTOROUTES DE L'INFORMATION

Internet préfigure les réseaux de communication du futur, désignés parfois sous le nom d'auto-routes de l'information. Celles-ci se caractériseront par deux propriétés :
- ce seront des réseaux polyvalents et à très grande capacité, capables de transporter aussi bien des sons, des données que des images. Ils pourront être ainsi utilisés pour une multitude d'applications : communications personnelles ou professionnelles ; télévision, télétravail, téléformation, télémédecine, etc.
- ce seront des réseaux universels. Il sera possible de se connecter de n'importe quel foyer à des serveurs situés en tout point de la planète.

Les premiers projets d'autoroutes de l'information remontent au milieu des années 1980 lorsque les opérateurs de télécommunication ont commencé à mettre en place des réseaux numériques à intégration de services (RNIS). Le développement des autoroutes de l'information a été relancé en 1993 par la décision du gouvernement américain de créer une infrastructure nationale de l'information (National Information Infrastructure ou NII). De nombreux pays de l'Union européenne (avec le livre blanc *Croissance, compétitivité et emploi*, publié en juin 1993), le Canada et le Japon ont engagé des projets similaires.

❑ Les nouvelles images

➤ LA TÉLÉVISION HAUTE DÉFINITION (TVHD)

Les normes de diffusion de télévision actuelles (NTSC aux États-Unis et au Japon, PAL et SECAM dans le reste du monde) ont été mises au point il y a plus de vingt-cinq ans. Elles offrent, en termes de détails, des images d'une qualité très inférieure aux images cinématographiques. Elles présentent en outre divers défauts : papillotement des images, apparition de fausses couleurs entre les lignes.

La TVHD consiste à améliorer le rendu visuel des images de télévision en accroissant le nombre de points élémentaires — ou pixels — qui les composent. Un autre attribut de la TVHD est le format de l'image mesuré par le ratio hauteur / largeur : le format actuel 4/3 est remplacé par un format 16/9 afin d'obtenir une image plus proche de la vision naturelle. Le principal enjeu de la TVHD est cependant moins esthétique qu'économique : le renouvellement du parc mondial de téléviseurs (estimé à 800 millions d'unités) représente en effet un marché considérable (2 400 milliards de francs sur la base de téléviseurs à 3 000 francs).

Dans un premier temps, les industriels ont travaillé sur des procédés analogiques. Au début des années 1980, le Japon a mis au point la norme MUSE, suivis en 1986 par les Européens avec la norme D2-Mac. Mais cette voie a été aujourd'hui abandonnée car il est vite apparu que l'avenir de la TVHD reposait sur des procédés numériques. Les États-Unis, initialement absents de la TVHD, jouent désormais un rôle moteur en mettant à profit l'expertise de leur industrie informatique. En 1991, la FCC a lancé un appel d'offres pour la définition d'une norme de TV numérique qui a provoqué un regroupement des principaux industriels mondiaux (la Grande Alliance).

La diffusion de la TVHD, peu probable avant 2005, est subordonnée à deux conditions : d'une part, la mise au point de procédés de compression très complexes ; d'autre part, l'engagement des producteurs et des diffuseurs de programmes. Or jusqu'à présent, ceux-ci ont préféré privilégier la multiplication des canaux plutôt que l'amélioration de la qualité des images (voir ci-dessus section sur la compression de l'information numérique).

➤ LES IMAGES ARTIFICIELLES ET LA RÉALITÉ VIRTUELLE

La réalité virtuelle est un mode de simulation de la réalité qui repose sur deux attributs. Elle s'appuie, en premier lieu, sur l'utilisation d'images synthétiques fabriquées à l'aide d'ordinateurs extrêmement puissants qui donnent l'illusion du réel. Grâce à ces images, on peut représenter ce qui n'est matériellement pas enregistrable par une caméra (par exemple l'intérieur du cerveau) comme ce qui ne s'est pas réellement passé mais qui aurait pu se passer. En second lieu, la réalité virtuelle permet en quelque sorte une entrée du spectateur dans l'image. Celle-ci n'est pas une image « plate » qui s'impose à lui ; elle se compose en permanence en fonction des instructions données par le spectateur, comme si celui-ci était doté d'une caméra qui lui permette d'orienter son regard vers l'ensemble de l'environnement artificiel dans lequel il se trouve. Différents procédés (lunettes qui occultent tout ce qui n'est pas l'image, capteurs sensoriels sur le corps qui modifient l'image en fonction des mouvements du spectateur) accroissent cette impression d'immersion.

Les applications, réalisées ou envisagées, de la réalité virtuelle sont nombreuses. Elles sont le prolongement des traditionnels jeux de simulation, mais avec une qualité d'image et une variété de situations incomparablement plus élevées. Parmi les plus connues, on peut citer : la visite du musée ; la modélisation architecturale qui permet d'imaginer de l'intérieur une maison ; les simulations professionnelles d'exercices militaires ou d'opérations chirurgicales. Afin d'abaisser ses coûts de production et de rendre les films plus spectaculaires, l'industrie cinématographique fait un appel croissant aux images de synthèse (comme par exemple dans le film *Titanic*).

La réalité virtuelle modifie notre rapport au réel. Certains spécialistes considèrent qu'il s'agit non pas d'une révolution technologique mais d'une rupture radicale dans l'histoire des modes de représentation, comparable à l'apparition de l'alphabet ou à l'invention de l'imprimerie.

NTC ET SOCIÉTÉ

❑ Les politiques gouvernementales

➢ L'ÉTAT RÉGLEMENTEUR

Dans le secteur de la communication, l'État exerce traditionnellement une action réglementaire qui peut prendre deux formes :
— l'une est structurelle en ce qu'elle organise l'accès au marché : allocation de fréquences ou d'autorisations d'exploitation, limitation de la concentration, plafonds de participation au capital d'entreprises, etc. ;
— l'autre est « comportementale » en ce qu'elle régit les activités des entreprises : fixation de normes techniques, contribution à des fonds de soutien, quotas de production ou de programmation, limitation des tarifs, etc.

L'évolution technologique remet en cause la fonction réglementaire de l'État de diverses façons. Dans le passé, la régulation publique de la communication électronique était principalement justifiée par la rareté de la ressource hertzienne : l'État intervenait pour allouer les canaux de radio ou de TV. Aujourd'hui, avec le câble et le satellite, il n'y a plus d'obstacle technique qui justifierait une telle régulation, et si l'État intervient, c'est au nom de conceptions politiques (par exemple la préservation du pluralisme de l'information) ou morales (l'interdiction d'images pornographiques). Par ailleurs, l'apparition des satellites et de réseaux planétaires empêche les États de contrôler effectivement les programmes reçus par leurs ressortissants et met à mal une régulation purement nationale des communications.

Contrairement à une idée courante, la libéralisation du secteur de la communication ne conduit pas à une dérégulation, mais (au moins dans une phase transitoire) à une inflation réglementaire. L'instauration d'une concurrence effective et loyale entre des acteurs plus nombreux, l'établissement d'un droit des consommateurs, l'évolution technique qui provoque une convergence entre des secteurs régis par des principes différents nécessitent l'élaboration d'un appareil très complexe de règles.

➤ L'ÉTAT OPÉRATEUR

Jusqu'au milieu des années 1970, les systèmes de communication électronique de la plupart des pays européens étaient exploités par des entreprises publiques. Ce contrôle était justifié, dans l'audiovisuel, par les missions sociales que remplissait la télévision, et dans les télécommunications, par l'existence d'un monopole naturel[1].

La remise en cause de ce modèle relève de facteurs d'ordre politique ou idéologique : montée du libéralisme, assimilation de la télévision à un service banal et du téléspectateur à un consommateur souverain. Mais elle procède aussi de l'évolution technologique, qui ébranle la théorie du monopole naturel. La diminution des coûts de transmission limite l'importance des économies d'échelle, tandis que le développement des radiocommunications rend économiquement plus facile la constitution de réseaux privés à côté du réseau public. En Europe, depuis le milieu des années 1980, la quasi-totalité des opérateurs de télécommunications a été privatisée tandis que de nombreuses chaînes de télévision privées étaient autorisées. Toutefois, l'État n'a pas complètement disparu du secteur de la communication en tant qu'opérateur : il continue à exploiter des chaînes de télévision et est un des plus importants producteurs d'information sur Internet.

➤ L'ÉTAT SUBVENTIONNEUR

Les États soutiennent fréquemment le développement des NTC par des subventions, directes ou indirectes. Une part des recherches fondamentales conduisant à la mise au point de nouveaux procédés de communication s'effectue dans des centres de recherche publics (comme le CNET en France).

L'Union européenne a mis en place divers programmes pour aider les industriels, généralement à 50 % de leurs coûts de recherche-développement. Parmi ceux-ci, on peut citer le programme ESPRIT (European Strategic Programme of Research Development in Information Technologies) pour soutenir les recherches de base sur les NTC, et le programme RACE (Research and Development in Advanced Communication technologies in Europe) pour aider à la mise en place de réseaux de communication numériques transeuropéens. Sur le plan des contenus, le programme MEDIA (Mesures pour Encourager le Développement de l'Industrie Audiovisuelle Européenne) soutient notamment les coproductions européennes.

➤ L'ÉTAT ANIMATEUR

Les gouvernements jouent enfin un rôle d'animation dans le développement des NTC : mise en place de grandes commissions d'étude, publication de rapports (tels que le rapport sur l'informatisation de la société, dit rapport Nora-Minc, en 1978), adoption de programmes pluriannuels (comme le projet d'infrastructure nationale de l'information de l'administration Clinton en février 1993). Ces actions fixent des objectifs et des plans d'action, mais visent aussi à sensibiliser la société aux enjeux des NTC et à mobiliser les énergies collectives. Ainsi, l'Union européenne s'efforce-t-elle d'accélérer le passage à une société de l'information au travers de l'Information Society Project Office (ISPO) qui est chargé de mettre en contact les acteurs concernés et d'impulser des expériences innovantes. Cette fonction d'animation, plus symbolique qu'instrumentale, est d'autant plus importante qu'il n'y a le plus souvent pas de demande préalable pour les NTC. Le corps social doit être persuadé de leur nécessité et de leur utilité, mais aussi rassuré quant à leurs effets.

---

1. On dit que les télécommunications constituent un monopole naturel en ce qu'il est économiquement plus avantageux de mettre en place un réseau unique plutôt que plusieurs réseaux concurrents. Cet avantage est dû aux économies d'échelle et d'envergure que génère un réseau unique.

❑ Les stratégies des firmes

➤ L'ARTICULATION CONTENU / CONTENANT

Le développement des NTC nécessite le plus souvent le développement simultané de contenants et de contenus. Ainsi, pour que les consommateurs s'équipent en lecteurs de disques laser, il est nécessaire qu'ils puissent acquérir des programmes pour les faire fonctionner. Mais, les éditeurs phonographiques ne vont proposer un catalogue de CD que s'ils sont assurés de toucher un public important. Ce problème, analogue au dilemme de l'œuf et de la poule, peut se résoudre de deux façons :

- L'État peut intervenir en organisant l'offre des supports techniques de communication. C'est la stratégie qui a été suivie en France lors du plan télématique. Grâce à la distribution gratuite de Minitels, les éditeurs électroniques, assurés de disposer d'une masse critique d'utilisateurs potentiels, ont pu entreprendre les investissements nécessaires à l'offre de services.
- La seconde manière est l'intégration, ou concentration verticale, au sein d'une même firme des activités du contenant et de celles du contenu. Cette firme peut alors planifier un développement coordonné des supports et des programmes correspondants. Cette stratégie permet de sécuriser soit les approvisionnements, soit les débouchés et elle diminue par ailleurs les coûts de transaction de l'entreprise. Elle a été illustrée en 1989 par la prise de contrôle des disques CBS par Sony qui souhaitait disposer de vastes catalogues programmes pour faciliter le lancement de nouveaux appareils. Le développement de Canal+, la création de chaînes thématiques par les câblo-opérateurs français pour stimuler les abonnements, ou encore la prise de contrôle du *network* ABC par Disney, relèvent de la même logique.

➤ LES STRATÉGIES MULTIMÉDIA ET LA CONVERGENCE

L'évolution technologique conduit les firmes à renforcer leurs stratégies multimédia. Historiquement, le secteur de la communication s'est organisé en filières indépendantes les unes des autres et se différenciant par la spécificité du support et/ou du réseau utilisé pour la diffusion de l'information. Une stratégie multimédia consiste à être présent dans plusieurs de ces filières. Cette intégration horizontale génère des économies dites d'envergure (*scope economies*) dues à l'utilisation conjointe des mêmes équipements ou ressources humaines pour offrir une gamme de services ou produits distincts. La création par la presse écrite de magazines électroniques sur Internet, les investissements dans les réseaux câblés d'opérateurs de télécommunication relèvent par exemple d'une telle stratégie.

La numérisation de l'information annonce une nouvelle étape dans les stratégies multimédia puisque les mêmes réseaux et les mêmes équipements de réception permettront de véhiculer des textes, des sons ou des images qui transitent aujourd'hui par des supports distincts. Cette convergence se heurte toutefois à des obstacles réglementaires (limitation par la loi des participations d'une même firme dans plusieurs secteurs) et surtout organisationnels (différences de cultures entre entreprises de l'audiovisuel et de l'informatique par exemple).

➤ L'ENJEU DES NORMES

La numérisation des réseaux et des outils de communications ne constitue qu'en apparence un langage universel. Si les mêmes lettres (les bits) sont utilisés, les mots et les grammaires ne sont pas forcément identiques. Les réseaux et les outils de communication utilisent fréquemment des normes incompatibles. Lors de l'apparition d'une NTC, les industriels qui en sont à l'origine cherchent souvent à se préserver de la concurrence par l'élaboration de normes spécifiques dont ils sont propriétaires. Parfois, ce sont les gouvernements qui édictent des normes nationales afin de protéger leur marché intérieur.

L'histoire des outils de communication abonde en exemples d'incompatibilité entre équipements destinés à un usage donné. Le monde des utilisateurs s'est ainsi partagé : entre PAL, SECAM et NTSC pour la télévision en couleur ; entre IBM et Mac pour l'informatique ; entre VHS, Betamax et V2000 pour la vidéo ; entre Télétel et Prestel pour la télématique. Chaque fois, une compatibilité minimale a finalement triomphé, soit par le jeu du marché qui a conduit à la victoire d'un standard (magnétoscopes), soit par la commercialisation de terminaux multi-standards (télévision et télématique), soit par concertation entre industriels (informatique, TVHD).

❑ La diffusion des NTC

➤ LE SCHÉMA CLASSIQUE : LA COURBE EN S

La diffusion d'une innovation technique dans une société est souvent représentée sous la forme d'une courbe en S. Celle-ci mesure le nombre cumulé d'individus qui dans une population donnée ont adopté l'innovation considérée. Des études de cas portant sur des innovations très diverses ont montré que l'adoption d'une innovation était conditionnée par des facteurs socio-démographiques. En général, les personnes jeunes, vivant en milieu urbain et ayant des diplômes d'enseignement supérieur, adoptent plus précocement une innovation que les personnes âgées, vivant en milieu rural et ayant peu ou pas de diplômes : ceci a pu s'observer pour le magnétoscope, le baladeur ou les lecteurs de CD. Les études de diffusion ont par ailleurs souligné l'importance de canaux de communication tels que les médias ou les relations interpersonnelles. Ces canaux donnent de l'information sur l'innovation et permettent d'en percevoir les avantages et les inconvénients.

Dans les faits, ce modèle ne se vérifie pas toujours. Les variables socio-démographiques jouent parfois dans des sens inattendus : ainsi, en France, l'acquisition d'antennes paraboliques est beaucoup plus forte dans les milieux modestes des banlieues que chez les cadres urbains[1]. Une autre limite du modèle tient à ce qu'il considère l'innovation comme une donnée immuable alors qu'en pratique, l'innovation se modifie souvent au cours du temps et fait l'objet de perfectionnements techniques. Ce n'est plus alors la même innovation dont on observe la diffusion.

➤ OBSTACLES ORGANISATIONNELS ET SOCIAUX

La diffusion des NTC se heurte souvent à des obstacles organisationnels ou à des résistances sociales. Ainsi, dans de nombreuses entreprises de presse, l'introduction de l'informatique a été rendue difficile par l'opposition de ceux (ouvriers typographes, clavistes) qui risquaient de perdre leur emploi ou leur statut, ou qui devaient changer de qualification. De la même façon, bien que la technologie du câble soit disponible depuis les années 1950, le développement de ce support a été bloqué, en Europe, par les gouvernements afin de préserver le monopole de l'État sur l'audiovisuel.

De façon générale, l'apparition de NTC inquiète souvent de nombreux acteurs dont elle menace les positions : la presse écrite qui craint une ponction de ses recettes ; les télédiffuseurs qui doivent partager le marché de la télévision avec d'autres opérateurs ; les hommes politiques qui sont toujours soucieux de contrôler l'influence supposée des médias sur l'opinion.

➤ DÉPLACEMENTS ET DÉTOURNEMENTS

À côté de ces résistances ou obstacles sociaux — qui ralentissent la diffusion des NTC sans nécessairement l'interrompre —, les sociologues de l'innovation ont mis en évidence des phénomènes de déplacement ou de détournement d'usages. Entre les utilisations imaginées ou prévues par les ingénieurs et celles qui s'imposent effectivement dans la société, il y a rarement équivalence. Ainsi, le téléphone a d'abord été pensé comme un outil pour retransmettre des spectacles d'opéra ou des concerts avant de devenir un moyen de communication interpersonnelle. Les concepteurs de Télétel

---

1. Ce qui s'explique par le désir des habitants des banlieues de recevoir des chaînes étrangères non proposés par les réseaux câblés.

n'avaient pas anticipé les messageries. Les usagers des NTC ne sont pas inertes ; ils sont capables dans une certaine mesure de s'approprier les outils qui leur sont offerts pour en définir des utilisations inattendues.

❏ Les usages des NTC

➤ L'ACCROISSEMENT DU CHOIX

La mise en œuvre de nouveaux supports de stockage (optiques ou informatiques) et de diffusion (câble et satellites) ainsi que les progrès réalisés en matière de transmission rendent techniquement possible l'offre d'une quantité presque illimitée d'informations. Cette évolution est particulièrement sensible dans le domaine de l'audiovisuel. Pendant les 40 premières années de son existence, la télévision a fonctionné sous un régime de pénurie. Jusqu'en 1985, la France ne disposait que de trois chaînes de TV et quelques stations de radios. Les téléspectateurs du XXIe siècle pourront accéder à plusieurs centaines de canaux et les réseaux électroniques mettront à la portée de chacun les plus grandes bibliothèques du monde.

Cette abondance peut avoir d'importantes répercussions sur le rapport que nous entretenons avec l'information. La définition de l'objectivité et du pluralisme, la conception de l'influence des médias sur l'opinion n'ont plus le même sens lorsque, dans un pays, on passe d'un canal de télévision — unique fenêtre par laquelle on regarde le monde — à plusieurs dizaines, offrant des visions concurrentes, sinon multiples, de la réalité.

➤ L'INTERACTIVITÉ

On dit souvent que les NTC favorisent l'interactivité, mais cette notion est trompeuse. Comme l'a montré la sociologie de la réception, toute personne qui regarde (même passivement) la télévision fait preuve d'une certaine activité en ce qu'elle interprète l'image qui lui est donnée à voir. Cette inter-action invisible est d'autant plus intense que la polysémie du programme est riche. À cet égard, regarder un film implique une activité qualitativement bien supérieure à celle que met en œuvre un jeu sur console vidéo qu'on qualifiera pourtant plus volontiers d'interactif.

Ce qu'on appelle interactivité ne désigne généralement qu'une possibilité de sélectivité. Cette sélectivité a d'abord été rudimentaire, dans les années 1980, avec la télécommande qui a modifié la façon de regarder la télévision par le phénomène du zapping. La sélectivité qu'offrent aujourd'hui les NTC est plus élevée. Elle peut porter sur le moment auquel on regardera un programme donné : c'est la télévision à la demande qui permet au téléspectateur de commander dans une banque d'images celles qu'il désire visionner. Elle peut aussi consister en une possibilité d'action sur le déroulement d'un programme : par exemple, le téléspectateur peut choisir tel ou tel angle de vue lors d'une retransmission sportive. Toutefois, la liberté de l'usager n'est que relative : les options possibles ont été prévues par le concepteur du programme de façon explicite (menus) ou implicite (jeux vidéos).

Ce sont les messageries qui représentent le degré le plus élevé d'interactivité. Dans ce cas, les utilisateurs ne se bornent pas à émettre des informations qui commandent l'ordre d'apparition des images ou des données d'un programme ; ils construisent également le contenu de ce qui est communiqué.

➤ LA « MARCHANDISATION » DE L'INFORMATION

La presse écrite ou la télévision relèvent actuellement d'une économie particulière. Leurs lecteurs ou leurs téléspectateurs n'assurent qu'une partie de leur financement, et leurs recettes ne dépendent qu'indirectement de leur consommation[1].

---

1. Y compris dans le cas des chaînes à abonnement : on paie alors le droit d'accès à une ensemble de programmes quelle que soit l'écoute effective qu'on en fait.

Les NTC remettent en cause ce modèle et favorisent un mouvement de « marchandisation » de l'information qui tend à assimiler celle-ci à un service banal. Elles permettent en effet de crypter les informations et de limiter leur distribution aux seules personnes qui ont payé pour les acquérir. La marchandisation de l'information peut prendre plusieurs formes : chaînes de télévision ou services Internet par abonnement (on achète le droit d'y accéder pour une durée déterminée) ; paiement à la séance, ou *pay-per-view*, par lequel le téléspectateur achète le droit de regarder un programme particulier (film, épreuve sportive, magazine) ; kiosque télématique dans lequel le prix payé pour obtenir des informations est fonction du temps de consultation.

La marchandisation de l'information a d'abord touché la télévision par l'intermédiaire du câble, puis des satellites numériques. On estime qu'en 2005 plus de 50 % des ressources de l'audiovisuel proviendront d'abonnements ou de paiement à la séance. Elle concerne également les données : le Minitel en France a ainsi conduit à transformer en denrées payantes des renseignements qui étaient traditionnellement fournis gratuitement (tels les horaires de train). De la même façon, Internet tend à se commercialiser avec la multiplication de sites payants.

LES EFFETS DES NTC

❑ La protection des informations

➤ L'INTÉGRITÉ DES ŒUVRES ET LES DROITS D'AUTEUR

Les NTC risquent de remettre en cause la notion d'œuvre, et les droits qui lui sont attachés, de diverses façons. En premier lieu, comment fixer les rémunérations des auteurs ? Le développement d'autoroutes électroniques donnant accès à des banques d'images, de sons ou de données va rendre prépondérante la diffusion sur la reproduction (vente) de supports matériels. Le droit d'auteur, largement basé sur le modèle du livre, devra être adapté pour tenir compte de la dématérialisation de l'information. Même dans ce cas, sera-t-il possible de contrôler les utilisations qui sont faites d'une œuvre à travers des réseaux internationaux, ou les copies qui en sont faites à l'aide d'appareils de plus en plus performants et de moins en moins coûteux ?

Comment ensuite protéger le droit moral des auteurs ? La colorisation des films en noir et blanc ne donne qu'une vague idée des multiples manipulations que pourront subir les images. D'ores et déjà, les ordinateurs permettent de triturer les sons de n'importe quelle musique et d'en échantillonner des extraits pour en composer une autre. Quant à l'interactivité, elle porte en elle une dilution des notions d'œuvre et d'auteur : le programme interactif n'existe plus en soi — comme un livre ou un disque —, mais seulement au travers de multiples usages qui, constamment, modifient son contenu.

➤ LA CONFIDENTIALITÉ DES DONNÉES PERSONNELLES

Les NTC peuvent également constituer une menace pour la vie privée de leurs utilisateurs. En devenant interactifs, les réseaux câblés permettent de connaître à la seconde près les images regardées par les téléspectateurs. Sur Internet, divers dispositifs tels que les *cookies* font remonter vers les serveurs des informations sur les sites consultés par les internautes. L'accès à certains sites n'est possible que si l'on remplit au préalable un questionnaire. Intel commercialise depuis 1999 un nouveau microprocesseur qui identifie chaque ordinateur lors de ses connexions à Internet.

Pour l'instant, ces pratiques ont une visée commerciale : il s'agit de classer les internautes en fonction de profils de consommation afin de leur adresser des propositions de services ou des publicités susceptibles de les intéresser. Mais, on peut craindre certains dérapages, comme par exemple l'établissement de profils à risques en fonction de l'origine ethnique (celle-ci étant connue grâce aux sites Web consultés). On peut aussi s'inquiéter des utilisations politiques auxquelles pourraient donner lieu ces classifications.

❏ Le choc des cultures nationales

➤ DIVERSIFICATION OU HOMOGÉNÉISATION CULTURELLE ?

Jusqu'à la fin des années 1970, les systèmes médiatiques fonctionnaient dans des cadres presque exclusivement nationaux. Les NTC favorisent une internationalisation des flux d'information. Les satellites prodiguent de nouvelles images dans des pays qui vivaient avec une ou deux chaînes de télévision. Les réseaux de télécommunication permettent d'accéder à des gisements de savoir situés à l'autre bout de la planète. Cet affranchissement des frontières nationales qui provoque des chocs culturels inédits (lorsque, par exemple, la montée de l'intégrisme musulman dans les pays arabes se trouve confrontée à l'hédonisme ou aux conceptions des droits de la personne dans les pays occidentaux) peut être perçu comme un facteur de liberté et d'enrichissement, ou au contraire comme un facteur d'asservissement culturel et une menace.

D'un côté, les NTC ouvrent des fenêtres sur d'autres mondes, favorisent la connaissance de façons de vivre ou de penser différentes et, peut-être, une meilleure compréhension entre les peuples. D'un autre côté, l'internationalisation des flux médiatiques se fait surtout à l'avantage de quelques pays. Les pays importateurs d'images ou de données craignent que les NTC aient des effets néfastes sur leur modes de vie, ou leur imposent une vision du monde étrangère à leur propre culture[1].

➤ LA RÉGULATION DES CONTENUS

Comment réguler ce choc entre cultures ? Certains pays tentent de limiter l'accès aux images et aux informations venues d'ailleurs, en interdisant ou en contrôlant l'usage d'antennes paraboliques (Chine, Iran, Algérie, Arabie Saoudite), ou en limitant les accès à Internet (Singapour, Cuba, mais aussi Allemagne). Cependant, les régulations purement nationales sont souvent vouées à l'échec car elles peuvent être détournées techniquement.

L'élaboration d'une réglementation internationale apparaît difficile dans la mesure où tous les pays n'ont ni les mêmes normes culturelles, ni les mêmes traditions juridiques au regard de la circulation de l'information. Par exemple, de nombreux pays européens interdisent l'expression d'idées racistes qui, aux États-Unis, est protégée par le Premier amendement de la constitution. C'est pourquoi on semble s'orienter vers des solutions plus pragmatiques reposant sur l'autodiscipline des fournisseurs d'information (qui s'engageraient à respecter des codes de bonne conduite ou des chartes déontologiques) ou sur l'autocontrôle des utilisateurs (grâce à des systèmes de filtrage qui permettent de refuser certains types d'information ou certaines images).

❏ La fin des médiateurs ?

➤ L'AGORA ÉLECTRONIQUE

Le développement des réseaux à large bande favorise une croissance de l'offre de programmes qui, combinée à la mise en œuvre de procédures interactives, entraîne des comportements d'écoute fragmentés et singuliers. Cette évolution semble conduire à un déplacement de la fonction de programmation vers l'aval. L'usager ne serait plus dépendant des choix effectués en amont par quelques fournisseurs d'information, mais puiserait librement dans de vastes catalogues les images ou les données dont il a besoin. Les NTC semblent même donner à chacun la possibilité de devenir à son tour émetteur d'informations : avec les autoroutes électroniques, on peut écrire un poème et le diffuser dans le monde entier, ou alimenter une banque d'images de petits reportages réalisés avec un caméscope.

---

1. L'attitude de la France est révélatrice des effets ambigus de l'internationalisation de la communication : nous nous réjouissons de ce que les NTC participent au rayonnement de la culture française ou européenne, mais de nombreuses voix s'élèvent pour dénoncer l'impérialisme culturel américain qui nous menacerait via des satellites.

➤ L'ÉMERGENCE DE NOUVEAUX MÉDIATEURS

Cela signifie-t-il pour autant la fin des médiateurs : journaux triant les dépêches des agences de presse pour les présenter sous une forme hiérarchisée ; sociétés de télévision sélectionnant et organisant en grilles un ensemble de programmes ; éditeur choisissant parmi des dizaines de manuscrits celui qu'il publiera ? Rien n'est moins sûr. En fournissant une information surabondante, les NTC créent le problème de l'accès à l'information pertinente : celle dont on a besoin pour un but particulier. Comment la repérer dans des centaines de banques de données ? Paradoxalement, les nouveaux médias pourraient réhabiliter, sous de nouvelles formes, la fonction d'assemblier et « d'éditeur » que remplissent les vieux médias. Ainsi, sur Internet se mettent en place des systèmes d'intermédiation (navigateurs, moteurs de recherche, portails) qui sélectionnent et filtrent les informations en fonction des besoins des utilisateurs.

❏ Village planétaire ou monde dual ?

➤ LE MYTHE DU VILLAGE GLOBAL

Il y a plus de trente ans, McLuhan prophétisait un village global, où chacun retrouverait grâce aux médias électroniques la chaleur de la société tribale. La formule est séduisante, mais reste loin de correspondre à la réalité. Sur les 5,5 milliards d'habitants que compte notre planète, un petit dixième seulement est en mesure de produire et de traiter de l'information. Les réseaux de télécommunication sont encore sous-développés en Europe de l'Est et en Amérique Latine, rudimentaires en Afrique. L'informatique individuelle reste encore peu répandue, même dans les pays industrialisés. Seules la radio et la télévision, et dans une moindre mesure les appareils de reproduction sonore, apparaissent comme des médias universels. En fin de compte, les neuf dixièmes de la planète écoutent l'intense activité électronique d'une quinzaine de pays.

➤ UN ACCÈS INÉGAL À LA SOCIÉTÉ DE L'INFORMATION

Les NTC font disparaître les obstacles techniques à la communication planétaire, mais pas les obstacles économiques ou culturels. L'utilisation des nouveaux médias réclame d'abord des ressources financières (pour acheter les équipements et les programmes). Il nécessite aussi un niveau d'éducation minimal lorsque, comme dans le cas d'Internet, il s'agit de s'orienter parmi des sources d'information nombreuses, écrites et complexes.

Ainsi, l'accès à la société de l'information est pour l'instant inégal et fait apparaître un double clivage : vertical, ou géographique, entre pays du Nord et pays du Sud ; horizontal, à l'intérieur de chaque pays, entre ceux qu'on appelle parfois les info-riches et les info-pauvres. Pour corriger cette situation, certains pays ont engagé des programmes de formation aux NTC dans les écoles, mais ceux-ci ne résoudront pas les inégalités économiques devant l'information qui devraient au contraire s'accroître du fait de la marchandisation croissante des médias et de la communication.

CONCLUSION

Quel sera le visage futur de la société de l'information ? Toute prospective sur les effets des NTC sur le fonctionnement de nos sociétés est délicate. L'impact des médias sur nos manières de vivre et de penser n'est jamais immédiat : il se produit sur une longue période, probablement une ou deux générations. En outre, on ne sait pas sous quelle forme les NTC se diffuseront effectivement compte tenu des phénomènes de déplacement d'usage ou des résistances sociales qu'elles peuvent faire apparaître.

Les NTC ne portent pas en elles un modèle social unique. Comme l'ont montré il y a quelque quarante ans Jacques Ellul et plus récemment la sociologie des innovations, toute nouvelle technologie présente une ambivalence fondamentale : elle est à la fois productrice de bénéfices et de coûts, de solutions et de problèmes, d'impacts positifs et négatifs inséparables. Le type de société qu'engendreront les NTC sera donc la résultante de rapports de force et des équilibres qui s'établissent entre les stratégies des firmes, les comportements des utilisateurs, et les interventions des États ou des autorités réglementaires. Et il dépend de chacun de nous, en tant que citoyen et consommateur, que la société de l'information devienne plutôt une version électronique de la démocratie athénienne ou, au contraire, incarne plutôt la prophétie orwellienne du *Big Brother*[1].

---

1. Dans le roman *Nineteen Eighty Four* de George ORWELL (1949).

Bibliographie

BONNELL René, *La Vingt-cinquième image : une économie de l'audiovisuel*, Paris, Gallimard / FEMIS, 2e éd., 1996.

CASTELLS Manuel, *La Société en réseaux. L'ère de l'information*, Paris, Fayard, 1998.

COMMISSARIAT GÉNÉRAL DU PLAN, *Les Réseaux de la société de l'information (rapport MILEO)*, Paris, Éditions ASPE *Europe*, 1996.

ELLIS David, *Split Screen : Home Entertainment and The New Technologies*, Toronto, Friends of Canadian Broadcasting, 1992.

FREEMAN Christopher et Henri MENDRAS, *Le Paradigme informatique. Technologies et évolutions sociales*, Paris, Descartes, 1995.

HAYWARD Trevor, *Information Rich and Information Poor : Access and Exchange in The Global Information Society*, Londres, Bowker-Saur, 1995.

KAHIN Brian et Ernest WILSON (dir.), *National Information Insfrastructure Iniatives : Vision and Policy Design*, Cambridge (Ma), MIT Press, 1997.

LUNVEN Ronan et Thierry VEDEL, *La Télévision de demain*, Paris, Armand Colin, 1993.

MIÈGE Bernard, *La Société conquise par la communication (2) La communication entre l'industrie et l'espace public*, Presses universitaires de Grenoble, 1997.

MONOT Philippe et Michel SIMON, *Habiter le Cybermonde*, Paris, Éditions de l'Atelier, 1998.

NEVEU Erik, *Une société de communication ?*, Paris, Montchrestien, 1994.

NORA Dominique, *Les Conquérants du Cybermonde*, Paris, Calmann-Levy, 1995.

PARACUELLOS Charles, *La Télévision : clefs d'une économie invisible*, Paris, Documentation française, 1993.

POOL Iṭhiel de Sola, *Technologies of Freedom : On Free Speech in an Electronic Age*, Cambridge, Belknap / Harvard University Press, 1983.

REGOURD Serge, *La Télévision des Européens*, Paris, Documentation française, 1992.

Nadine Toussaint-Desmoulins

Chapitre 8

L'économie des médias

L'approche économique des médias parait tardive au regard des enjeux que la presse et l'audiovisuel représentent à l'aube du XXIe siècle. Il a fallu attendre la fin des années 1960 pour que l'on s'interroge sur le poids et les stratégies économiques des médias, dont les fonctions sociopolitiques sont telles que certains n'osent toujours pas les assimiler à des « industries » ordinaires. Aujourd'hui il est clair que la presse, la radio, la télévision (et le cinéma qui lui est lié), ne sauraient échapper à l'analyse économique, en raison tant de l'importance des moyens mis en œuvre pour leur production et leur diffusion, que des spécificités de l'offre et de la demande, ou des stratégies de développement adoptées par des entreprises médiatiques

L'IMPORTANCE DES MOYENS MIS EN ŒUVRE

❑ Le champ d'analyse des activités médiatiques

➤ LES ENTREPRISES MÉDIATIQUES

Au sens étroit du terme l'analyse des activités de presse, de radio et de télévision, peut se cantonner dans l'étude des seules entreprises spécialisées chargées à la fois de la conception, de la fabrication et de la diffusion, intermittentes ou continues, de texte écrit, de son et/ou d'image. Cette vision est cependant trop limitative.

Si, au sens strict du terme, les entreprises médiatiques sont bien des entreprises spécialisées, les biens matériels (publications) ou immatériels (émissions) qu'elles proposent sont souvent les vecteurs d'un contenu qu'elles n'ont pas nécessairement créé elles-mêmes : elles peuvent n'être que l'« assembleur » de produits créés par d'autres. Ainsi dans l'audiovisuel, ce que l'usager perçoit comme une « chaîne » n'est le plus souvent que le résultat d'un assemblage conçu par des « programmateurs » chargés de concevoir une « grille de programmes », succession de tranches de temps consacrées à des contenus divers dont la provenance peut être variable. Cette pratique se rencontre aussi dans la presse où la maquette rédactionnelle associe des textes et des illustrations qui ne sont pas obligatoirement conçus par l'entreprise éditrice. Les médias peuvent donc utiliser une production originale créée par d'autres secteurs d'activités, souvent voisins. C'est pourquoi il convient de prendre en compte l'amont des entreprises. De même, à l'aval du processus, c'est-à-dire au stade de la diffusion, les entreprises médiatiques peuvent avoir recours à des intervenants extérieurs. Cette extension du champ d'analyse, si elle rend les frontières du secteur plus floues, permet de mieux saisir l'importance des médias et la logique de leur processus de concentration et de diversification.

➤ L'AMONT DES ENTREPRISES

Il concerne deux aspects : l'un a trait à la conception du contenu, l'autre à la production physique du contenant.

❖ Les contenus

Le contenu des médias peut en premier lieu être lié à de nombreux domaines de l'information : politique, économie, social, culture ou, sports, qui correspondent aux objectifs généraux des médias : informer, éduquer, distraire. En deuxième lieu, et pour une raison économique déjà ancienne (leur incapacité d'offrir leur produit à des prix accessibles au plus grand nombre), les médias ont recours à un « second marché », celui de la publicité de marque et des « petites annonces », qui offre, outre un financement complémentaire (ou parfois exclusif) un contenu souvent important.

Il convient donc d'élargir le champ de l'analyse au moins aux activités suivantes :

• AGENCES DE PRESSE, BANQUES DE DONNÉES, AGENCES ET RÉGIES PUBLICITAIRES, CENTRALES D'ACHAT D'ESPACE

Qu'il s'agisse de l'écrit ou de l'audiovisuel, les médias font appel à des entreprises spécialisées dans la fourniture de données brutes. Les agences sont soit généralistes, soit spécialisées par type de contenu ou de support (texte, image, son). Elles fournissent des ingrédients qui sont souvent des produits finis et que des procédés techniques de transmission (satellite, rédaction informatisée) permettent d'injecter directement dans le journal ou l'émission de radio ou de télévision. Les banques de données, souvent très spécialisées, remplissent une fonction similaire. Quant aux intermédiaires de la publicité et des annonces, régisseurs et centrales d'achat d'espace, ils sont chargés de vendre l'espace publicitaire et de collecter les messages publicitaires de forme variées : texte illustré ou non, spot, jingle musical, voir émission préfabriquée, que les agences de publicité ont conçus et dont les médias sont les supports.

• ACTIVITÉS ARTISTIQUES, CULTURELLES, SPORTIVES

Pour des raisons tenant en grande partie au coût croissant et élevé des productions originales, mais aussi pour répondre à la demande des usagers, les médias ont tendance à rechercher leur contenu auprès d'entreprises créatrices périphériques. Pour la presse, ce sera l'édition (pour ses feuilletons et ses bandes dessinées), tandis que l'audiovisuel dispose d'une très large gamme : industries du disque, des cassettes, des vidéomusiques, producteurs audiovisuels indépendants et, bien sûr, le cinéma. Ces activités artistiques peuvent elles-mêmes avoir concédé la gestion de leur patrimoine à des sociétés particulières détentrices des droits de diffusion. Ce recours à des activités connexes peut également être autre chose que la simple diffusion d'un produit fini, et consister, moyennant des frais techniques et des versements de droits, à enregistrer des spectacles vivants : théâtre, musique, danse, variétés et sports. Ces derniers occupent une place particulière dans l'économie de la télévision. Dans la mesure où certains sports génèrent des audiences importantes, les organisateurs de compétitions ont au fil des dernières années considérablement augmenté les droits de diffusion tout en stimulant la concurrence entre chaînes avides d'exclusivité. Ce qui a poussé, en réaction, certains diffuseurs à prendre le contrôle de fédérations (cas du football et du rugby notamment). Ainsi les liens économiques entre sport et télévision sont-ils de plus en plus étroits.

❖ Les contenants

La réalisation des contenus, qu'il s'agisse de création originale ou de « mise en boîte », exige le recours à des matières premières et des matériels que les entreprises médiatiques vont acquérir ou louer auprès d'entreprises spécialisées.

Pour la presse, la filière passe par les diverses étapes de la composition, de l'impression et du brochage. Toutes ces opérations nécessitent des matières premières : papier et encre notamment, et des matériels dont la production n'est pas destinée aux seules entreprises de presse. De même que les imprimeries de labeur sollicitées par la presse peuvent ne pas travailler uniquement pour elle mais aussi pour l'édition ou tout autre client.

Dans l'audiovisuel, la filière va de la pellicule ou des bandes magnétiques vierges au produit fini en passant par des matériels et des studios de tournage, d'enregistrement, de montage et de mixage qui, eux aussi, peuvent ne pas travailler uniquement pour des entreprises de radio et de télévision, mais aussi pour le cinéma, le documentaire ou la création publicitaire.

➤ L'AVAL DES ENTREPRISES

Une fois le contenu d'un média réalisé, il convient de le diffuser dans le public. Ici encore, les entreprises médiatiques peuvent ou doivent avoir recours à des activités complémentaires situées à leur aval. Il convient cependant de distinguer entre distribution de la presse et diffusion de l'audiovisuel.

Pour la presse, rares sont les éditeurs qui se chargent eux-mêmes de la totalité des opérations permettant l'acheminement des exemplaires tirés jusqu'aux mains des usagers. Tout ou partie de ces opérations peuvent être confiées à des entreprises extérieures : routeurs, messageries et service postal pour le tri et le transport ; dépositaires et vendeurs divers pour la vente au numéro qui demeure le mode d'acquisition majoritaire en France. Ainsi pour la seule presse quotidienne seuls 26 % des journaux sont portés à domicile à la différence du Japon ou des pays scandinaves où 90 % des exemplaires sont livrés par porteurs à domicile.

Pour l'audiovisuel, qu'il s'agisse de transmission directe ou différée, les diffuseurs sont le plus souvent tributaires d'entreprises spécialisées peu nombreuses (télécommunications, sociétés de câblage) étant donné l'ampleur et les coûts d'installation et de maintenance des réseaux hertziens, câblés ou satellitaires. Mais on ne saurait oublier que l'usager doit disposer d'un matériel de réception, assorti d'antennes, de paraboles et éventuellement de décodeur. À cela s'ajoutent désormais des matériels de conservation et de reproduction du son et de l'image, et des ordinateurs pour bénéficier d'Internet. Par conséquent l'activité audiovisuelle est étroitement liée à l'industrie électronique et informatique ainsi qu'à son système de commercialisation, de location et de réparation.

❏ Le repérage statistique

Évaluer le poids économique des activités médiatiques pose donc une série de problèmes délicats liés à des obstacles de nature différente.

L'imbrication d'entreprises souvent filiales les unes des autres empêche toute évaluation précise tant du personnel employé par les médias que de leur chiffre d'affaires. Cette difficulté est encore accentuée du fait de l'intrusion croissante d'opérateurs extérieurs au domaine : collectivités locales, entreprises, partis politiques ou associations. Ils produisent des médias (presse municipale ou politique) dont le budget, souvent déficitaire, est parfois intégré à leur activité propre et demeure mal connu. Souvent aussi l'État intervient, comme dans d'autres secteurs, de façon directe ou indirecte, sur le fonctionnement économique des médias : les exonérations ou tarifications favorables et les subventions minorent les dépenses, tandis que les prises de participation au capital brouillent les cartes.

Enfin et surtout, le monde des médias, si avide de divulguer des informations sur autrui, demeure très hostile aux investigations qui le concernent.

Aussi est-ce plutôt en se cantonnant dans l'aval que l'on réussit à avoir une vision globale de l'économie des médias. Il convient alors d'étudier les données concernant les deux marchés : celui des consommateurs au sens économique du terme (ceux qui « achètent » ou du moins payent pour les médias) et celui des annonceurs (ceux qui payent pour diffuser de la publicité de marque ou des petites annonces), tout en sachant qu'entre les dépenses, souvent estimées, effectués par les consommateurs ou les annonceurs et les entreprises médiatiques proprement dites, certaines sommes sont dérivées au profit des réseaux de vente et des intermédiaires de la publicité, et n'alimentent pas les caisses des médias.

➤ ENTREPRISES, « PRODUCTION » ET EFFECTIFS

Repérer le nombre d'entreprises qui opèrent dans le secteur n'a pas une grande signification. En effet l'organisation des médias est tributaire non seulement de l'économie générale d'un pays, mais aussi de la technologie qui offre la possibilité de créer certains types de médias (par exemple, jusqu'à récemment le nombre de diffuseurs était limité par la façon d'utiliser les fréquences hertziennes), et elle est surtout tributaire de la législation.

— La presse française est depuis longtemps une activité libre et privée, ce qui explique le très grand nombre d'entreprises spécialisées : plusieurs centaines, dont environ 420 emploient plus de vingt salariés. L'audiovisuel a du attendre le début des années 1980 pour voir la fin du régime de monopole public. Aujourd'hui encore, si la création de stations de radio est relativement aisée (d'où l'existence de prés de 1 600 stations privées), celle de chaînes de télévision doit se plier à une réglementation rigide. Cela explique, outre les seuls problèmes financiers, que la France ne disposait, à la fin des années 1990, que de 6 chaînes de télévision hertziennes nationales, d'un nombre à peine supérieur de stations de télévision privées locales, mais d'un nombre sans cesse croissant de télévisions satellitaires et câblées à vocation internationale, nationale et/ou locale, mais surtout thématiques, liées à la multiplication des programmes inclus dans les « bouquets ».

Beaucoup plus nombreuses sont les sociétés de producteurs, souvent très spécialisées dans tel ou tel type de programmes. Aux quelques sociétés de production, filiales des grandes chaînes télévisées ou liées au cinéma, se sont joints un nombre croissant de producteurs nouveaux : vedettes du grand ou du petit écran et du spectacle, filiales d'investisseurs financiers ou industriels qui créent leur propre société. Ainsi, en 1997, le CNC (Centre national du cinéma) recensait plus de 600 entreprises ayant la production de programmes télévisuels pour activité principale : elles réalisaient un chiffre d'affaires de près de 11 milliards de francs, double de celui de la production cinématographique.

Quant aux agences de presse, leur nombre exact est mal connu du fait de leur extrême diversité : il y en aurait en France une trentaine qui emploient plus de dix personnes, dont la plus importante, et de loin, est l'agence France-Presse (AFP) qui emploie prés de 2 000 salariés et dont le budget en 1998 dépassait 1,2 milliard de francs.

— L'évaluation de la production est, elle aussi, délicate. Pour la presse, on peut chercher à dénombrer le nombre de titres publiés, mais le total est mal connu. En France, il va des quelque 40 000 périodiques recensés par le dépôt légal, dont la très grande majorité correspond à de petites feuilles, souvent éphémères, qui ne sont pas le fait d'entreprises de presse, aux quelque 3 000 publications à vocation marchande (dont environ 370 gratuits) issues d'éditeurs professionnels, avec seulement 12 quotidiens nationaux (en comptant la presse spécialisée) et une soixantaine de quotidiens provinciaux d'information générale et politique.

C'est plutôt le chiffre des tirages qui est significatif de la « production de presse ». Il s'élevait, en 1997, à environ 8,12 milliards d'exemplaires (pour les seuls 3 000 « titres éditeurs »), dont 6,25 sans compter les « gratuits ». Il est à remarquer cependant que ces chiffres sont très inférieurs à ceux de pays voisins (Grande-Bretagne et Allemagne) en raison notamment des faibles ventes de la presse quotidienne française.

— Pour l'audiovisuel, le concept de production n'a pas de sens précis étant donné le mode d'élaboration des grilles de programmes. Tout au plus peut-on dire que l'offre de programmes télévisuels a été en 1998 de l'ordre de 42 706 heures pour les chaînes hertziennes nationales (contre 13 000 heures environ en 1983 pour les trois chaînes publiques d'alors). Mais sur ce total, à peine 2 150 heures sont des « créations françaises originales » au sens étroit du terme : fiction, documentaire, animation et certains magazines, en version originale française et jamais diffusés auparavant. Quant au câble son volume global de diffusion peut être estimé à plus de 360 000 heures pour l'année 1997.

TIRAGE, DIFFUSION, AUDIENCE DES QUOTIDIENS NATIONAUX FRANÇAIS (1998)

Titres	Tirage	Diffusion		Audience (population de + de 15 ans)
		payée France	totale France + étranger	
Aujourd'hui	190 640	112 199	112 616	302 000
La Croix*	113 065	83 466	89 557	320 000
Les Échos	176 592	111 860	137 542	754 000
L'Équipe	572 986	391 924	407 669	2 522 000
Le Figaro*	478 531	346 472	366 175	1 380 000
France-Soir*	264 181	156 106	162 716	674 000
L'Humanité*	85 776	51 869	55 863	355 000
Libération*	244 116	160 328	171 861	954 000
Le Monde	514 533	385 254	394 739	2 030 000
Paris Turf*	169 775	97 095	108 118	n. c.
Le Parisien + Aujourd'hui	622 923	471 409	477 655	1 983 000
La Tribune*	128 386	81 290	94 352	468 000

[Sources : Diffusion Contrôle, procès verbal ou * déclaration sur l'honneur ; O.J.D. ; EuroPQ]

— Pour ce qui est des effectifs, on doit aussi se contenter d'estimations en raison du recours par la presse à de nombreux pigistes et correspondants non professionnels, et par l'audiovisuel, à de multiples intervenants payés au cachet (acteurs et musiciens en particulier). Enfin, comment imputer aux médias le personnel des diverses entreprises connexes mises à contribution pour leur fabrication et leur commercialisation ?

— Pour la presse, on peut avancer que ce sont plus de 200 000 personnes qui sont concernées. Aux 55 000 directement employées dans les seules entreprises de plus de vingt salariés, il faut ajouter celles, non chiffrées, qui œuvrent dans de petites rédactions qui ne sont en fait que des lieux de conception d'une publication imprimée ailleurs ; et celles qui élaborent une importante presse non « éditeur » (presse d'entreprise ou institutionnelle, par exemple). Il faut aussi ajouter une fraction indéterminée des 75 000 personnes qui travaillent dans des imprimeries de labeur et, en amont de celles-ci, une fraction des effectifs de l'industrie papetière. Enfin c'est surtout la distribution de la presse qui requiert des effectifs importants : plus de 70 000 personnes dans les quelque 32 000 points de vente de presse nationale alimentés par les Nouvelles Messageries de la Presse (NMPP), et les 8 500 points réservés à la presse régionale et locale, ceci sans compter les routeurs et autres messagers, ni les porteurs à domicile et surtout les très nombreux préposés de la Poste qui délivrent les abonnements. Dans les pays qui pratiquent le portage à domicile de façon systématique, les effectifs employés sont bien plus élevés, ainsi au Japon plus de 500 000 personnes s'occupent du portage.

— Pour l'audiovisuel il semble que les effectifs directement et régulièrement employés soient moins nombreux. Les causes en sont le faible nombre de chaînes et la gestion très automatisée des réseaux câblés et de certaines radios qui ne sont que les diffuseurs techniques de programmes préfabriqués.

Pour le secteur public, l'on dénombrait environ 13 000 permanents en 1998, toutes sociétés confondues : c'est-à-dire chaînes de télévision et de radio, INA et TDF. Par ailleurs TF1, Canal +, et M6 emploient à elles trois environ 6 250 permanents. On estime en fait que l'ensemble des personnels permanents des radios et télévisions publiques et privées est inférieur à 30 000 personnes.

On connaît mal aussi la périphérie amont et aval de l'audiovisuel mais les syndicats professionnels de l'électronique estiment qu'en France environ 60 000 personnes ont leur sort directement ou indirectement lié à l'évolution du marché des matériels audiovisuels, au sens large (fabrication et vente de récepteurs de radio et télévision, magnétoscopes, lecteurs de cassettes, chaînes hi-fi, etc.).

On peut aussi considérer que l'industrie cinématographique a désormais son destin lié à celui de la télévision, tout comme l'édition de disques, de bandes et de cassettes image ou son.

Enfin il convient d'ajouter les professionnels de la publicité qui à plusieurs niveaux : conception et réalisation des campagnes, vente de l'espace publicitaire, travaillent pour les médias. Ici encore, on ne peut opérer une imputation sans arbitraire. Tout au plus peut-on estimer que plus de la moitié travaillent pour les trois « grands médias ».

En considérant l'ensemble des activités, ce sont environ 400 000 personnes qui dépendent des médias, ceci sans parler des auteurs, acteurs et interprètes, des personnels de la poste et des télé-communications et de nombreux actifs rattachés à des activités de communication dans le secteur public ou privé. En fin de compte, ce sont probablement 500 000 personnes qui sont impliquées à des degrés divers dans le monde des médias, soit environ 2 % de la population active occupée française.

➤ CHIFFRE D'AFFAIRES ET TAILLE DES ENTREPRISES

— Le poids économique d'un secteur se mesure aussi à l'ampleur des capitaux qu'il met en jeu. Une telle approche peut se faire en partant de la base, c'est-à-dire du marché final. Les données disponibles montrent que, pour 1997, les trois médias ont eu un chiffre d'affaires d'environ 126 milliards de francs qui se décompose ainsi :

FRANCE – CHIFFRE D'AFFAIRE BRUT DES MÉDIAS – 1997 (MILLIONS DE FRANCS)

	Dépenses des ménages	Recettes de publicité	Total
1. Presse écrite	36 437	25 438 pub. de marque 21 271 petites annonces 4 167	63 090
2. Audiovisuel : – Achat de récepteurs	16 967	Pub. télévision 18 280	
– Redevance & abonnements	24 042	Pub. radio 3 565	
Total	41 009	21 945	62 954
TOTAL	**78 661**	**47 383**	**126 044**

[Source : comptabilité nationale et IREP]

Ce total doit être regardé avec prudence. Il correspond à ce que les ménages ont dépensé, et aux investissements publicitaires, y compris les petites annonces (hors taxes, dégressifs déduits mais commissions aux intermédiaires incluses). Sur ce montant les entreprises de presse payent la TVA sur les recettes de vente (2,1 %), versent des frais de portage et de transport, et accordent des commissions au réseau de vente (environ 25 % du prix facial). La presse et l'audiovisuel accordent aussi des commissions aux intermédiaires de la publicité (environ 15 % pour les régies).

Cela étant, ce ne sont que 1,6 % de la consommation des ménages et 1,5 % environ du PIB qui sont consacrés aux trois médias : presse radio et télévision. Ceci peut sembler faible au regard du rôle et de l'attention accordés à ces activités. Mais ce total ne correspond qu'à des flux apparents. Il ne tient pas compte de flux invisibles qui correspondent aux déficits pris en charge par le secteur public et privé quand ils investissent dans les médias : journaux ou radios, mais surtout chaînes de télévision ou réseaux câblés ou satellitaires encore largement déficitaires. Sont omis aussi le financement de nombreuses infrastructures assurées par des investisseurs publics ou privés, qui participent à la mise en place du câble (pour lequel plus de 25 milliards de francs ont été investis entre 1982 et 1993) et au lancement de satellites. Manquent aussi les programmes de recherche mis en œuvre pour la télévision de haute définition et ses nouvelles normes, ainsi que les aides de l'État à la presse, principalement indirectes, d'un montant estimé à près de 8 milliards de francs par an. On peut donc affirmer que le poids économique des médias est bien plus important que le total qui apparaît sur le tableau. Ceci d'autant plus qu'on ne tient pas compte dans ce tableau des dépenses des ménages pour des activités proches : les achats de livres et brochures (28 milliards), les appareils enregistreurs et reproducteurs du son et de l'image (28 milliards), les achats et location de vidéo cassettes (8,5 milliards) et les entrées au cinéma (5 milliards).

– Si l'on cherche enfin, dans une approche plus microéconomique, à savoir si le secteur des médias est dominé par des grandes entreprises ou des groupes, on ne peut qu'être frappé par la relative faiblesse des entreprises françaises, à quelques exceptions près.

Les principaux groupes sont, bien sûr, multimédias. Ils ont pour « métier » d'origine soit l'édition de livre pour Hachette, contrôlé par Lagardère (CA de 37,5 milliards environ dans les médias en 1997 et 41,8 en 1998), soit la publicité pour Havas (CA de 51,7 milliards en 1997 avant la restructuration par Vivendi qui fait tomber le chiffre d'affaires à moins de 20 milliards de francs). Pour le seul audiovisuel, tandis que le CA total du service public avoisinait 17,4 milliards de francs en 1997 (budget prévisionnel de 18, 478 milliards de francs pour 1999), avec des budgets de 5 et 5,5 milliards de francs pour France 2 et France 3, les deux groupes privés bénéficiaires en 1997, TF1 et Canal+, avaient respective-ment un CA de 10,3 et 13,5 milliards. Mais la grande majorité des groupes ou sociétés ont des CA. voisins ou inférieurs à 2 milliards de francs. Il n'est donc pas étonnant de voir le monde des médias investi par des industriels ou des financiers qui voient dans cette diversification une chance d'avenir et le moyen de faire parler d'eux à bon compte. Que représentent quelques milliards — même perdus — pour Suez-Lyonnaise (CA de près de 200 milliards en 1998), Vivendi (CA de 207 milliards) ou le groupe Bouygues (CA de près de 100 milliards) ?

CHIFFRE D'AFFAIRES (1997) DES PRINCIPAUX GROUPES AUDIOVISUELS OU DE PRESSE FRANÇAIS

	Audiovisuel	CA en MF	Presse écrite	CA en MF
1	Canal+	13 590	Hachette Filipacchi	12 365
2	TF 1	10 310	Havas Publications	3 689
3	France 3	5 507	Prisma Presse	3 263
4	France 2	5 392	Socpresse	3 204
5	M6	3 001	NMPP	2 775
6	Europe 1	2 911	Éditions Amaury	2 674
7	Radio France	2 378	Groupe Voix du Nord	2 500
8	Canal satellite	1 234	Comareg	2 246
9	NRJ	1 230	Bayard-Presse	2 213
10	RFO	1 225	La Vie catholique	1 642

[Source : *Stratégies*]

GROUPES MÉDIAS, EN EUROPE, PAR LE CHIFFRE D'AFFAIRES

Rang	Groupe	Pays	Chiffre d'affaires médias*	Chiffre d'affaires total*
1	Bertelsman	Allemagne	7 640	12 926
2	Havas	France	6 516	8 859
3	ARD	Allemagne	4 650	5 597
4	Lagardère	France	3 734	11 290
5	BBC	Royaume-Uni	3 732	3 824
6	Pearson	Royaume-Uni	3 293	3 755
7	Wolters Kluwer	Pays-Bas	2 668	2 668
8	CLT-UFA	Luxembourg	2 592	2 592
9	Carlton	Royaume-Uni	2 536	2 865
10	RAI	Italie	2 353	2 353

* en millions de dollars

[Source : CIT Publications Media Map 1998 in *European Media Business and Finance*. June 1998]

GROUPE MÉDIAS*, DANS LE MONDE, PAR LE CHIFFRE D'AFFAIRES

Rang	Groupe	Pays	Chiffre d'affaires**
1	Bertelsman	Allemagne	12 498
2	Walt Disney	États-Unis	12 117
3	Viacom	États-Unis	12 084
4	News Corporation	Australie	10 619
5	Time Warner	États-Unis	9 201
6	Sony	Japon	9 087
7	Havas	France	7 324
8	Time Warner Entertainment	États-Unis	7 010
9	ARD	Allemagne	6 450
10	Matra Hachette	France	6 466

* presse, programmes cinéma et radio-TV, musique, vidéo, livre, informatique, publicité.
** en millions de dollars en 1996.
[Source : Observatoire européen de l'audiovisuel]

CLASSEMENT PAR CHIFFRE D'AFFAIRES AUDIOVISUEL
DES DOUZE PREMIERS GROUPES MONDIAUX – 1992-1998

Rang	Entreprise	Pays	1992	1993	1994	1995	1996	1997	1998	1997 / 1996
1	Walt Disney (1)	États-Unis	4 197	5 089	6 591	8 150	14 237	17 459	17 444	22,6 %
2	Viacom	États-Unis	1 454	2 028	5 171	8 772	9 818	9 997	12 023	10,7 %
3	Sony	Japon	6 659	7 320	7 945	8 619	9 87	9 872	–	8,6 %
4	Time Warner (2)	États-Unis	9 975	3 334	3 986	4 196	5 84	7 892	8 977	59,8 %
5	Time Warner Entertainment	États-Unis	–	5 755	5 997	6 718	7 498	7 531	–	0,4 %
6	News Corporation (3)	Australie	3 115	3 534	4 190	4 881	6 200	7 328	–	18,2 %
7	ARD	Allemagne	5 587	5 611	5 824	6 601	6 450	6 295	–	-2,4 %
8	PolyGram	Pays-Bas	3 763	3 993	4 525	5 479	5 628	5 686	5 311	1,0 %
9	Seagram/Universal Studios (3)	Canada	–	4 606	4 744	4 876	5 417	5 455	–	0,7 %
10	General Electric/NBC	États-Unis	3 363	3 102	3 361	3 919	5 232	5 153	–	-1,5 %
11	NHK	Japon	4 437	5 254	5 744	6 043	5 617	5 091	–	-9,4 %
12	CBS Corporation	États-Unis	–	–	–	931	3 952	5 061	–	28,1 %

(1) Au 30 septembre, y compris les droits dérivés.
(2) À partir de 1993, les comptes de Time Warner Entertainment sont déconsolidés de ceux de Time Warner.
(3) Au 30 juin de l'année n-1.

Ainsi donc les médias, source principale d'information, mais aussi de culture, de loisir et de distraction, occupent une place que l'on peut juger peu importante dans le champ économique. Elle est loin d'être à la mesure de l'impact politique exercé et des passions suscitées. Cependant les analyses prospectives tendent à montrer que cette place pourrait croître dans un proche avenir, non du fait de l'écrit, mais bien plutôt de l'audiovisuel, avec le développement des bouquets numériques et quand seront mises en œuvre de nouvelles normes techniques de diffusion de l'image et du son. Il conviendra alors de changer les équipements de production et de réception. La fameuse « convergence » imposera la production d'œuvres originales nécessaires à l'alimentation des divers canaux de diffusion qui ne pourront se contenter de multiples rediffusions de produits anciens.

LES VINGT PREMIERS GROUPES MULTIMÉDIA DANS LE MONDE
(CHIFFRE D'AFFAIRES 1997 EN MILLIONS DE $)

Rang	Entreprise	Pays	CA Médias	Ventilation du CA « Médias » par activités					
				Programmes cinéma et radio-TV	Musique et vidéo	Presse/ Magazines	Livres	Informatique	Publicité
1	Walt Disney	États-Unis	17 459	–	–	–	–		
2	News Corporation	Australie	13 566	59,4		34,6	6,0		
3	Viacom	États-Unis	13 206	49,8	32,4 (1)	18,7			
4	Time Warner	États-Unis	12 412	35,7	29,7	34,6			
5	Bertelsman	Allemagne	11 840	38,1		25,0	36,9		
6	Sony	Japon	9 872	50,7	49,3				
7	Time Warner Entertainment	États-Unis	7 531	100,0					
8	Havas	France	6 517	42,2 (2)		28,8			28,9
9	Matra Hachette	France	6 448	7,7		72,8	12,2	7,3	
10	ARD (3)	Allemagne	6 295	> 90 %					
11	Polygram	Pays-Bas	5 686	16,2	83,6				
12	Seagram	Canada	5 455	71,9	28,0				
13	General Electric/NBC	États-Unis	5 153	100,0					
14	NHK (3)	Japon	5 091	> 90 %					
15	Cox Enterprises	États-Unis	4 936	–		–			
16	Gannett	États-Unis	4 286	16,4		83,6			
17	Thorn EMI	GB	4 090		100,0				
18	CBS Corporation	États-Unis	3 888	> 95 %					
19	BBC (3)	GB	3 357	> 90 %	9,7				
20	Times Mirror	États-Unis	3 319			74,3	25,7		

(1) Y compris parc à thèmes.
(2) Y compris IP.
(3) Activités TV et radio.
[Source : Observatoire européen de l'audiovisuel, *Annuaire statistique*, 1999]

❏ Barrières à l'entrée et freins au développement

Alors même que des technologies nouvelles facilitent les possibilités de création (PAO pour l'écrit, matériels légers, et bon marché, pour les petites stations FM, numérique pour la diffusion du son et de l'image, etc.), il demeure que les coûts d'entrée sur le marché demeurent élevés.

Ceci est dû en premier lieu au poids des investissements initiaux nécessaires si l'on entend contrôler plus qu'un segment limité du processus de production et de diffusion et que l'on vise une audience nationale. Il convient alors d'acheter des matériels de composition et éventuellement d'impression pour la presse, des matériels de tournage et d'installer des studios pour l'audiovisuel, de mettre en place des infrastructures de diffusion.

Ceci est dû aussi et surtout, aux effets de la concurrence. En effet, de nos jours, l'abondance des produits issus d'entreprises souvent concurrentes exige en premier lieu la mise en œuvre de techniques de marketing sophistiquées pour mieux cibler le marché. Pour lancer des concepts nouveaux, la concurrence accrue impose de détecter des « niches », des segments de marché souvent très spécialisés qui, certes, permettent de séduire une clientèle et des annonceurs précis, mais qui, de segmentation en segmentation, deviennent de plus en plus étroites. À la production et la diffusion de masse chères aux grandes industries se substituent les petites séries et les petites audiences ciblées.

Les chances de rentabilisation des investissements ne sont alors possibles qu'en transférant les concepts à l'échelle mondiale. On assiste ainsi à la multiplication des médias spécialisés, qu'il s'agisse de presse ou d'audiovisuel (« format » de radio, télévision thématique) dont on cherche à exploiter la formule dans de nombreux pays.

En même temps que l'accroissement de l'offre rend la conquête des marchés plus difficile et plus chère., la multiplication des intervenants les met en concurrence entre eux, face au petit nombre de détenteurs d'informations, de programmes ou d'activités susceptibles de fournir les contenus. On constate ainsi le renchérissement des droits de diffusion de certains films ou de retransmission exclusive d'événements sportifs ou culturels.

Une fois le produit créé, il convient de le faire connaître. Ici encore la présence de concurrents souvent bien implantés nécessite des campagnes publicitaires de lancement de plus en plus coûteuses, qu'il s'agisse d'une publication, d'une radio ou d'une chaîne de TV. Aussi convient-il de disposer de plusieurs centaines de millions de francs aujourd'hui pour lancer un média nouveau, surtout si on le veut généraliste et à audience nationale. Les retours sur l'investissement sont aléatoires et surtout lointains. Les prévisions les plus optimistes tablent sur trois à quatre ans pour rentabiliser l'investissement initial d'une publication, et huit à dix ans pour une grande chaîne de télévision.

La pénétration de l'audiovisuel se heurte aussi à un seuil caractéristique de toute activité liée à des biens de consommation courante. On sait qu'un produit lancé sur le marché dépend en premier lieu des revenus des consommateurs. Seuls quelques acheteurs fortunés acquièrent un bien nouveau, souvent cher du fait des petites séries initiales. Ils permettent le démarrage de grandes séries dont le prix de vente à l'unité va pouvoir diminuer pour attirer des couches moyennes. Alors la diffusion du bien se fera de façon rapide d'abord, puis ralentie à partir d'un certain taux d'équipement, pour plafonner enfin en raison de phénomène de saturation que l'on ne pourra reculer qu'en apportant des modifications substantielles au bien ou en créant un bien nouveau.

Ce schéma de diffusion, qui suit une courbe en S caractéristique du cycle de vie de nombreux produits industriels, est celui de l'équipement audiovisuel : récepteurs de radio (avec usage des postes portatifs, des autoradios, des baladeurs) et récepteurs de télévision (avec passage du noir à la couleur, changement de définition des images et du format des écrans), magnétoscopes, équipements périphériques. Il impose une surveillance constante du marché pour entretenir les ventes de matériels et pour développer des pratiques nouvelles : écoute hors du domicile, conservation et reproduction des émissions, mais aussi pour lutter contre le fractionnement des audiences et l'usage du « zapping », qui diminuent la taille des publics et donc le montant potentiel des recettes publicitaires. Il conditionne aussi le rythme de développement de certains usages : ainsi les débuts du câble en France ont-ils été d'autant plus difficiles que les prix d'abonnement initiaux semblaient élevés alors que se multipliaient les chaînes hertziennes.

LA SPÉCIFICITÉ ÉCONOMIQUE DES PRODUITS MÉDIATIQUES

S'ils offrent des traits communs à toute activité moderne, les médias possèdent cependant des caractéristiques propres qui découlent en premier lieu de la spécificité des produits et qui influent sur l'économie du secteur.

❑ Le caractère périssable du contenu des médias

Si chacun des médias a sa spécificité, la presse, la radio et la télévision possèdent au moins un trait commun, similitude première, et sans aucun doute fondamentale : le caractère éminemment périssable des produits qu'elles diffusent.

Dans la majorité des cas, le contenu des médias perd très vite de sa valeur et il n'est pas exagéré d'affirmer aujourd'hui que l'information est non seulement un produit périssable mais sans doute le plus périssable de tous dans la mesure où il ne peut conserver sa valeur marchande alors même qu'il peut être conservé physiquement (collection de journaux, enregistrement d'émission). Certes la durée de vie des contenus médiatique est variable, avec un ordre décroissant qui va de la « nouvelle », liée à l'actualité immédiate, tel le « flash d'information », jusqu'à l'« œuvre » c'est-à-dire la fiction scénarisée. Ainsi certaines dramatiques ou téléfilms s'apparentent à de véritables films cinématographiques et supportent la rediffusion dans le temps et l'espace. Ils conservent donc une valeur marchande que ne détruit pas le premier passage sur les écrans.

Les médias génèrent ainsi une véritable « production de flot » (caractérisée par l'obsolescence, c'est-à-dire la perte de valeur quasi instantanée des produits, la continuité et l'ampleur de la diffusion) qui s'oppose classiquement à la « marchandise culturelle » formée de produits édités, conçus pour durer plus longtemps, tels le livre, le disque ou le film. Cependant ces deux types de produit peuvent coexister à la télévision où l'on panache, d'une part, les « programmes de stock », peu ou pas liés à l'actualité et dont la diffusion peut être répétitive : téléfilm, dramatique, série, documentaire, œuvre d'animation, véritables marchandises susceptibles de générer des recettes en cas de vente des droits de diffusion Et, d'autre part, les « programmes de flux » : information, sport, variétés, jeux, débats de plateau qui perdent toute valeur une fois diffusés.

De cette durée de vie souvent très réduite résultent des conséquences en chaîne qui conditionnent toute l'économie des médias.

❏ Une production de prototypes

De fait, les produits médiatiques sont tous des prototypes, c'est-à-dire des modèles uniques que l'on peut dupliquer (tirages de nombreux exemplaires d'un même numéro de journal ou mise sur cassette d'une émission), et diffuser vers de nombreux récepteurs, certes, mais, si la maquette d'un journal ou la grille de programme d'une radio ou d'une télévision reste identique sur une période donnée, le contenu n'est jamais intégralement le même. Or, on sait que la conception d'un prototype est toujours onéreuse comparée à la phase de reproduction qui permet des économies d'échelle et la baisse du coût moyen utilitaire. C'est en effet sur la phase de gestation du prototype que l'on va concentrer certains efforts et des dépenses qui sont les mêmes, quel que soit le nombre d'exemplaires produits ou le nombre d'auditeurs touchés.

Quand ce produit ne peut être valorisé que sur une période extrêmement brève (à la différence de certains prototypes industriels), sa rentabilité est encore plus aléatoire. Aussi est-ce moins sur un « produit » que sur un « concept » que les médias vont axer leur publicité. On cherchera à attirer et à fidéliser sur un style, une formule, une grille, un personnage récurrent, plus que sur un article, voir un numéro ou une émission.

C'est surtout lorsque les médias axent leurs contenus sur l'actualité que la concurrence les contraint à aller au plus vite, tant au stade de la recherche que de la reproduction des informations. Presse, radio, et télévision multiplieront les sources de renseignements par la présence ou l'envoi de correspondants, ce qui accroît le personnel employé et engendre des frais de déplacement ; par des abonnements à des agences ; par l'utilisation de moyens de transmission de plus en plus performants et souvent de plus en plus onéreux. Cette recherche sera d'autant plus coûteuse que l'on visera l'exclusivité.

Une fois l'information obtenue, sa mise en forme nécessite un matériel dont les perfectionnements successifs ont pour but principal d'économiser du temps (le second étant d'économiser de la main d'œuvre). Dans le domaine de la presse, les procédés de composition et d'impression constamment améliorés font gagner un temps précieux, le perfectionnement ultime étant une certaine forme de direct, à l'image de ce qui existe dans l'audiovisuel, lorsque le journaliste transmet directement son texte sur le programme d'impression. Mais ces perfectionnements techniques rendent très vite les matériels obsolètes et engendrent des investissements incessants et coûteux.

❏ Une distribution rapide et onéreuse

La perte de valeur très rapide de nombreux produits médiatiques et tout particulièrement ceux qui sont liés à l'actualité immédiate, interdit d'en différer la diffusion.

Qu'il y ait simultanéité entre le récit d'un événement qui se déroule et sa diffusion (reportage en direct) ou décalage dans le temps (presse écrite ou émission en différé), toute diffusion exige l'organisation d'un réseau souvent sophistiqué et toujours cher pour être efficace et sûr. Tandis que la radio et la télévision multiplient émetteurs et réémetteurs hertziens, développent des systèmes câblés ou utilisent des satellites (dont il convient de sécuriser le fonctionnement en prévoyant des satellites de secours), la presse cherche à réduire son temps de distribution en améliorant les moyens de transport utilisés, en multipliant ses points de vente, en multipliant ses centres d'impression pour les rapprocher des centres de diffusion, voire même pour les éditer maintenant via Internet au domicile des consommateurs.

❏ Des relations professionnelles particulières

C'est encore la perte de valeur très rapide de certains contenus et l'impossibilité de miser sur des stocks qui expliquent en partie l'instauration de certaines relations professionnelles dans les entreprises médiatiques.

L'importance des pertes financières subies en raison de retards ou d'incapacités de diffusion, dus notamment à des grèves, ont poussé les producteurs et singulièrement ceux de la presse quotidienne d'information à accepter pendant longtemps des conditions de travail particulières, très favorables aux salariés.

C'est ainsi que les patrons de presse ont accepté, sous la pression de syndicats puissants et parfois en situation de monopole, comme en France, d'accorder aux personnels des imprimeries et de la distribution, conscients de leur rôle, des avantages sociaux exorbitants du droit commun : salaires très élevés, durée de travail courte, monopole d'embauche, effectifs en surnombre. Cette situation a été en partie transposée dans l'audiovisuel public où les techniciens ont aussi obtenu souvent des avantages de même type. Mais la modernisation des moyens de production de la presse et la crise des quotidiens ont progressivement permis de revenir sur ces avantages, souvent au prix de très longs et de très durs conflits, tel celui du *Parisien Libéré* en France (vingt-neuf mois de grève au milieu des années 1970) ou les conflits répétés dans la presse londonienne entre 1970 et 1986.

Une autre particularité tient au fait que les médias ont souvent recours à du personnel intermittent qui correspond aux nécessités changeantes de chacun des prototypes. Tandis que les journaux font appel à des pigistes et à des signatures extérieures jugées prestigieuses, l'audiovisuel, comme le cinéma, a recours à des intervenants, techniciens ou artistes et interprètes, dont il n'utilise les services que de façon occasionnelle. Cette précarité de l'emploi est, elle aussi, source de renchérissement des coûts dans la mesure où ces intervenants la compensent par des exigences en termes de rémunération. Si cette rémunération est justifiée parfois par l'audience que leur notoriété (et leur talent) génère, elle n'est parfois que le fruit d'une attitude de défense.

LES SPÉCIFICITÉS DE LA DEMANDE ET DU MARCHÉ

Aux spécificités des produits s'ajoutent les spécificités de la demande et du marché qui influent, elles aussi, sur l'économie générale du secteur.

❏ Un marché limité

Si, comme ailleurs, la pénétration du marché dépend des revenus des usagers potentiels et réels, elle bute aussi sur des seuils plus originaux, bien que communs parfois à d'autres activités culturelles.

C'est en premier lieu l'analphabétisme, et à un moindre degré, l'illettrisme, c'est-à-dire l'incapacité de maîtriser la lecture. Ces obstacles jouent évidemment au seul détriment de l'écrit et empêchent ou limitent la diffusion de la presse non seulement dans les pays sous-développés mais aussi dans les pays développés où la lecture est en perte de vitesse. Les consommateurs sont aussi marqués par leur type et leur degré de culture. Le contenu de certains médias s'avère souvent rebutant ; et des productions au coût parfois élevé trouvent difficilement une audience susceptible de les rentabiliser. *A contrario* certains modèles culturels franchissent facilement les barrières des « classes » et des frontières sans que l'on s'explique toujours pourquoi. C'est ainsi que certains genres de films ou de séries américaines sont consommés dans le monde entier, tout comme certaines musiques anglo-saxonnes alors que d'autres sont refusés parce que jugés trop marqués culturellement. Enfin l'obstacle linguistique ne saurait être sous-estimé : il limite les exportations de l'écrit et contraint l'audiovisuel à de coûteuses opérations de doublage ou de sous-titrage. Tandis que l'anglais bénéficie d'un avantage certain, le français souffre de l'étroitesse de son bassin de diffusion.

❏ Une valorisation difficile

La valeur des produits médiatiques est souvent très mal perçue par le public et cela pour des raisons de nature différente.

L'habitude de considérer certains médias comme des services publics chargés de diffuser l'information de façon démocratique et donc accessible à tous, conduit les entrepreneurs privés, et surtout publics, à minorer volontairement le prix de ces médias pour en faciliter la pénétration sur le marché afin de permettre la diffusion de la pensée. Dans un but moins honorable, un prix artificiellement bas, voire même la gratuité, permettent la diffusion de la propagande.

De surcroît, les médias ne font pas toujours l'objet d'un réel échange. Outre la presse, les radios et les télévisions auxquelles l'usager peut avoir accès « gratuitement » grâce à des financements indirects, certains médias sont offerts en contrepartie d'un prix forfaitaire. C'est le cas de l'audiovisuel public pour lequel la redevance à payer est plus assimilée à un impôt donnant un droit d'usage qu'à un paiement à la consommation. Le prix de l'image consommée échappe ainsi au consommateur.

Ainsi se perpétue une diffusion dont le prix de vente, s'il existe, n'a pas toujours une relation claire avec les coûts, et la difficulté d'établir ou de rétablir un véritable prix de marché. Il est cependant à remarquer que le développement récent des télévisions à péage et des programmes avec paiement à la consommation (*pay per view*), modifie cet état de fait et permet de créer un lien entre ce qui est offert et ce qui est consommé.

❏ Un double marché pour un « produit joint »

Obligées ou désireuses de diffuser à un coût souvent inférieur au prix de revient, les entreprises médiatiques ont eu assez tôt l'idée originale de se tourner vers un second marché : celui des petites annonces et de la publicité de marque. Ce deuxième marché peut, dans certains cas, dépasser par son importance le premier formé par les usagers directs des médias : lecteurs, auditeurs, téléspectateurs. Certains médias tirent plus de recettes de la publicité que de la vente ou des diverses autres formes d'abonnement. Il peut même s'y substituer complètement.

Le second marché a ses règles et ses contraintes : le mode de fixation du prix de vente de l'espace publicitaire est fonction de plusieurs critères liés principalement à la taille et au profil socio-économique de l'audience. Aussi, de façon générale, le second marché est tributaire du premier : la relation médias / usagers / annonceurs est triangulaire mais ces derniers n'investissent dans un média que si celui-ci peut se prévaloir d'un minimum garanti d'acheteurs ou d'usagers (audience ou lectorat).

L'existence de la publicité est aussi un important facteur de concentration horizontale ou multi-médias. En effet, une entreprise médiatique a tout intérêt à multiplier ses audiences et à accroître leur taille pour valoriser son espace publicitaire, augmenter ses recettes et compenser les pertes d'un média par les recettes d'un autre. Le marché publicitaire est l'objet d'une très vive concurrence entre les médias. Il suscite un système sophistiqué (et coûteux) de mesure d'audience et l'appel à des intermédiaires de plus en plus nombreux pour en assurer la valorisation.

La recherche systématique de publicité influe aussi sur le contenu des médias qui cherchent à attirer les annonceurs en proposant des atouts formels, et parfois coûteux (papier de qualité, couleur), en créant des émissions, des rubriques ou des suppléments spécialisés, mais aussi en évacuant ou en tempérant ce qui pourrait nuire à l'image de l'annonceur ou faire baisser l'audience.

En fin de compte les entreprises médiatiques ont la particularité de proposer un « produit joint ». Celui ci incorpore d'une part un contenu crée ou programmé par elles, susceptible d'intéresser des usagers qui paient éventuellement pour consommer, et d'autre part un espace publicitaire susceptible d'intéresser des annonceurs qui paieront pour y insérer leur propre message.

LES STRATÉGIES MISES EN JEU

Face aux difficultés auxquelles elles sont confrontées, les entreprises médiatiques utilisent des stratégies communes à d'autres secteurs, telles la diversification, la concentration et l'internationalisation, ou des solutions plus originales, tel l'appel à des formes particulières d'intervention de l'État ou de mécènes, justifiées par la spécificité de leurs produits ou de leur marché.

❏ La diversification

Comme toute activité économique, les entreprises médiatiques ont pour souci d'équilibrer les chances et les risques inhérents aux divers segments de leur marché. Cette compensation sera d'autant meilleure que la diversification sera importante.

➤ DIVERSIFICATION HORIZONTALE

La première diversification est celle qui consiste à développer des produits de même type ou de types voisins. Ainsi les entreprises de presse multiplient les titres d'un même genre et d'une même périodicité pour constituer, par exemple, des « chaînes » de quotidiens. Ou, au contraire, elles varient les genres et les périodicités. Économiquement, l'intérêt est double. D'une part, il est ainsi possible de mieux amortir les équipements de production, d'acheter à meilleur compte des matières premières, de mieux utiliser les personnels employés dans les rédactions (mise en commun de certains articles), dans les services administratifs ou de fabrication et de réaliser ainsi des économies d'échelle. D'autre part il est plus facile de négocier la vente de l'espace publicitaire de plusieurs publications liées ensemble par un « couplage », et enfin de compenser les performances des divers titres. Cette diversification peut concerner aussi le développement de journaux gratuits liés à des éditeurs de journaux payants soucieux de conserver leurs annonceurs.

Radios et télévisions pourront procéder de la même façon à la différence que la diversification joue davantage sur le marché de la publicité que sur la mise en commun de matériels ou de personnels. Le contrôle de plusieurs stations de radio ou de télévision, mises en « réseaux », qui utilisent le même programme permet de mieux amortir leurs coûts de création et d'offrir une audience accrue aux annonceurs. Sur un mode voisin, le système de « syndication », très développé aux États-Unis, ou de « franchise » permettent de donner à plusieurs diffuseurs indépendants le même programme en contrepartie d'espaces publicitaires ou éventuellement d'un prix forfaitaire.

➤ DIVERSIFICATION VERTICALE

Mais la logique de la diversification pousse aussi les entreprises vers la diversification au sein d'une « filière ». Il s'agit d'une logique très rationnelle qui conduit à remonter vers l'amont ou à descendre vers l'aval quel que soit son point de départ. Il a été question plus haut de l'environnement des entreprises médiatiques et de l'interconnexion entre les divers intervenants : il sera donc normal pour un imprimeur de vouloir éditer un journal (exemple du groupe Bertelsmann), pour un éditeur de vouloir le distribuer (exemple du groupe Hachette et des NMPP). De même, un fabricant de matériel pourra souhaiter se lancer dans la production et la diffusion de programmes (exemple de Sony) alors même qu'un diffuseur trouvera naturel de se lancer dans la production de contenu (cas de très nombreuses télévisions) ou de matériels (Canal+ et ses décodeurs). Enfin les uns et les autres pourront envisager de prendre pied dans les entreprises de commercialisation de l'espace publicitaire, tandis que certaines agences apprécieront de contrôler des médias (Havas).

➤ DIVERSIFICATION MULTIMÉDIAS

Il s'agit dans ce cas d'associer non seulement des journaux, des radios et des télévisions, cas classique des principaux grands groupes de communication, mais aussi d'opérer des glissements vers des voisinages naturels. Ceux de l'écrit rapprochent la presse et l'édition de livres ou de cassettes et de CD-Rom (cas de nombreux groupes français, comme Hachette), la presse et la télématique, et depuis peu la presse et Internet. Ceux de l'audiovisuel ont depuis longtemps rapproché la télévision et le cinéma.

On peut aussi décliner un livre en série télévisée et en film, vendre la musique du film en disque et faire la promotion du tout grâce à la presse et à l'audiovisuel. Cette diversification est souvent le moyen de donner une certaine pérennité et donc une valeur à des produits éphémères. Il en va ainsi de l'édition sur cassette de certaines émissions de radio ou de télévision ; ou plus souvent de la constitution de sociétés spécialisées dans la gestion des droits. Au bout du compte on aboutit à des ensembles multimédias, fruits d'enchaînements successifs, dont chaque maillon peut sembler logique mais dont le tout ne constitue pas toujours une entité performante en raison des échecs de certains segments : pensez aux difficultés des groupes Hersant et Hachette dans la diffusion audiovisuelle. Aussi certains prônent-ils aujourd'hui plus un recentrage vers le « métier » d'origine avec éventuellement une diversification dans la même filière, celle de la presse et de l'écrit par exemple, plutôt que la diversification tous azimuts.

❏ La concentration

Elle est inséparable de la diversification dont elle est la traduction financière. Elle épouse plusieurs formes comme dans toute activité économique.

Il peut s'agir de prise de participation minoritaire ou majoritaire, de fusion, d'absorption. Dans tous les cas, la concentration se traduit par un renforcement des entreprises qui initient le processus, renforcement qui peut conduire à l'émergence de quelques entreprises dominantes, les oligopoles, lesquels peuvent tendre, et parvenir dans certains cas, à des situations de monopole principalement géographique (contrôle d'un ou plusieurs médias sur une zone donnée). Ces processus de pouvoir sont renforcés par le fait qu'il est des concentrations qui, sans s'attaquer directement à certaines entreprises, les affaiblissent et les conduisent à la faillite et à la mort, et réduisent ainsi le nombre d'opérateurs. On assiste à un double mouvement qui cumule la croissance interne et externe de certains et la disparition des autres. Ces processus de concentration découlent directement de toutes les stratégies de diversification décrites plus haut. Ils donnent naissance depuis longtemps déjà à des groupes.

La concentration répond en fait à deux objectifs principaux. Lorsqu'elle est verticale, elle s'inscrit dans une recherche d'économies d'échelle puisqu'elle évite des intermédiaires trop nombreux. Ainsi dans la presse l'intégration verticale, peut aller du contrôle de forêts (pour la pâte à papier) jusqu'à celui des magasins de vente de journaux ou aux sociétés de portage à domicile. Dans l'audiovisuel, elle ira de la fabrication et de la vente de matériel d'enregistrement et de diffusion du son et de l'image jusqu'à la diffusion de ces images en passant par leur production. En revanche la concentration horizontale, qui procède par contrôle de plusieurs titres de presse et ou de chaînes de radio ou de télévision, tout comme la concentration multimédias, correspond plus au souci d'augmenter les recettes de vente et de publicité et de diversifier les risques.

Enfin le monde des médias est caractérisé depuis ces dernières années par la concentration conglomérale qui s'explique en partie par la spécificité des médias. On observe en effet l'intrusion croissante, dans le capital des médias, d'opérateurs extérieurs qui investissent dans le champ média-tique. C'est le cas par exemple d'entrepreneurs de travaux publics ou de sociétés immobilières (comme Bouygues en France et Berlusconi en Italie), de sociétés de gestion des eaux et de déchets urbains (cas de la Lyonnaise des Eaux et de Vivendi), d'entreprises de matériel électronique (Lagardère) ou d'investisseurs purement financiers. Alors qu'on peut trouver normal que ces derniers prennent des risques spéculatifs dans ce secteur, il est plus curieux d'y rencontrer des industriels. Cette intrusion s'explique par certaines proximités de travaux, câblage des villes et canalisation de l'eau qui se poursuit ensuite par une remontée de filière : des tuyaux (les câbles) au contenu (les programmes). Elle répond aussi à la vieille habitude de certains industriels de vouloir contrôler les médias pour en tirer un pouvoir : ainsi s'explique par exemple les liens anciens entre de nombreux médias et l'industrie italienne (Agnelli, Feruzzi, De Benedetti).

Certes, de nombreuses réglementations visent à limiter, voir interdire, la concentration au nom de la démocratie et de la nécessaire pluralité des sources, mais leur application s'avère particulièrement difficile et l'esprit des lois est souvent mis à mal. On peut cependant observer ces dernières années une véritable déconcentration dans le cas de l'audiovisuel notamment en France ou la fin du mono-pole a permis l'éclosion de nombreuses radios et de télévisions. En France, malgré tout, qu'il s'agisse de l'hertzien, du câble ou du satellite, on retrouve toujours comme opérateurs principaux soit de grands groupes médiatiques tel Havas pour Canal+ (jusqu'à sa reprise en 1997 par Vivendi), la CLT avec Suez-Lyonnaise des Eaux pour M6, ou les mêmes intervenants, France Télécom, Lyonnaise câble, Canal+, pour le câble le câble et le satellite.

❑ L'internationalisation

Elle s'inscrit dans la logique de la diversification et de la concentration puisqu'elle permet parfois de rentabiliser des investissements et d'accroître des parts de marché. Cette internationalisation prend des formes différentes.

➤ INTERNATIONALISATION DES ÉCHANGES

Elle concerne surtout les produits physiques et principalement les matières premières comme le papier (avec une forte dépendance à l'égard des pays scandinaves et du Canada) puis les matériels, qu'il s'agisse de l'informatique ou des matériels audiovisuels (avec une forte dépendance à l'égard de l'Asie du Sud-Est). Elle concerne moins certains produits médiatiques proprement dits, comme la presse, freinée par les barrières linguistiques. Les exportations de presse sont de plus limitées par le poids des journaux qui renchérit leur transport et le temps nécessaire qui fait perdre leur fraîcheur aux nouvelles.

➤ INTERNATIONALISATION DES DROITS ET DES CONCEPTS

Plus facile sera l'exportation de droits de diffusion qui permet d'exporter des programmes audio-visuels et pour laquelle on constate la suprématie des États-Unis et dans une moindre mesure celle du Japon pour les programmes d'animation. L'exportation de concepts, plus récente, permet de trans-planter à la fois des genres de presse précis : éditions internationales de *Elle* ou de *Marie Claire*, et les nombreuses adaptations réussies en France du groupe Prisma Presse, filiale de Bertelsmann, mais aussi certaines émissions (jeux télévisés ou *reality-show*).

➤ INTERNATIONALISATION DES CAPITAUX

Enfin le dernier type d'internationalisation est celui des capitaux qui pousse les entreprises média-tiques à investir à l'étranger soit en prenant des participations dans des sociétés existantes, soit en les créant de toutes pièces, soit en négociant des accords sur certains segments d'activité (comme la détention partagée de catalogue de droits). Les exemples sont nombreux et désormais pratiquement tous les grands groupes ont des activités à l'étranger : le plus connu en France est Hachette, qui est le premier groupe mondial de presse magazine, en Allemagne Bertelsmann, en Australie Murdoch. Aux États-Unis, certains « majors » du cinéma ont été, ou sont encore, contrôlées par des compagnies étrangères : News Corp. (c'est-à-dire Murdoch) pour la Fox, Sony pour Columbia et Seagrams (Canadien) pour Universal.

Il en va ici comme de la concentration puisque des réglementations tentent parfois de contrecarrer la volonté des investisseurs. En Europe, l'on peut constater que les textes facilitent les mouvements de capitaux ou de produits européens alors qu'on cherche, avec plus ou moins de succès, à limiter les intrusions extra européennes en invoquant plus la défense culturelle que les nécessités purement économiques. Pour ce qui est des programmes audiovisuels, des quotas imposent aux télévisions européennes de consacrer une part majoritaire de leur programme de fiction à des œuvres euro-péennes. Des réglementations encore plus strictes s'appliquent à la télévision française. De telles contraintes, qui ont pour but de favoriser la production et la langue nationales, se traduisent, de façon perverse, par un renchérissement des coûts de programmation, car elles obligent à produire des œuvres souvent très chères et limitent le recours à des programmes étrangers (le plus souvent étatsuniens) largement amortis sur leur marché d'origine et donc bon marché.

❏ L'organisation de systèmes d'aides

C'est donc à la fois pour tenter de s'opposer à la concentration et pour permettre la naissance ou la survie d'activités médiatiques nationales que les médias ont coutume depuis longtemps déjà de faire appel à des aides diverses. Il a été déjà fait allusion à l'intrusion de mécènes qui permettent à des entreprises de fonctionner alors même qu'elles sont en déficit. Mais si certains investisseurs acceptent volontairement de perdre de l'argent dans l'espoir de retours ultérieurs sur investissements et si d'autres ont juste pour souci celui de voir diffuser leur propagande, il existe aussi des systèmes d'aides institutionnalisés et qui résultent le plus souvent de l'interventions de l'État. Celles-ci peuvent adopter deux grandes formes qui comportent ensuite des modalités diverses.

➤ AIDES DIRECTES ET INDIRECTES

Ce sont, en premier lieu, les aides qui mettent en jeu les finances de l'État ou des entreprises publiques qui lui sont rattachées.

On fait alors une distinction importante entre les aides dites « directes » qui consistent en prêt, subvention ou dotation en capital, et les aides « indirectes » qui consistent a accorder des exonérations ou des tarifs de faveur qui minorent les recettes du Trésor public, de la Poste, des télécommunications et des transports publics. Les premières sont généralement plus difficiles à accorder, tandis que les secondes, moins « visibles », et beaucoup plus difficiles à évaluer, sont plus répandues notamment pour ce qui est de la presse. Ces aides peuvent se situer à tous les stades de la vie d'une entreprise et des produits qu'elle génère : conception, fabrication, diffusion. Elles posent un redoutable problème de choix : qui, quand, et comment aider ?

➤ ÉPARGNE FORCÉE

D'autres formes d'aide, qui nécessitent l'intervention de l'État législateur, sont celles qui consistent à imposer et organiser des systèmes d'épargne forcée pour orienter certaines sommes vers certains médias ou certains segments d'activité. Il existe ainsi en France un important fonds de soutien à la production des images, de cinéma ou de télévision (le COSIP), qui est alimenté par une taxe prélevée auprès des exploitants de cinéma et des diffuseurs de programmes télévisés au profit principalement des producteurs d'images (films et productions audiovisuelles). Dans certains cas, une partie des recettes de publicité reçues par les médias « riches » est dérivée vers les médias « pauvres » : c'est par ce biais qu'est alimenté en France un fonds destiné aux radios associatives. De même il a été décidé qu'à partir de 1999 un fonds spécial destiné à aider la modernisation de la presse quotidienne serait financé par une taxe prélevée sur le « hors médias » imprimé (prospectus, gratuits, catalogues).

Dans tous les cas, avec des modalités et une ampleur qui varient selon les pays, selon les médias, et selon le moment, ces systèmes souvent coûteux visent moins à maintenir des emplois qu'à promouvoir un certain idéal de pluralisme des idées et des diffuseurs ainsi que la défense de la culture et de la langue nationales.

❏ Conclusion

Si les médias apparaissaient à leur naissance comme des produits artisanaux, réalisés en petite série et fruits de créateurs isolés, des innovations ont permis le passage à la grande série ou à des « productions de flot ». Et l'on assiste maintenant au développement de modes de diffusion nouveaux, liés à l'ordinateur et au téléphone, qui font exploser le monde des médias. La convergence des technologies des télécommunication, de l'informatique et de l'audiovisuel, ouvre de vastes horizons nouveaux. La numérisation, c'est-à-dire la traduction de toute information (données, voix, images) dans la même unité de base, permet notamment la constitution de réseaux universels de transport de données. Ainsi les marchés et les industries des télécommunications, de l'informatique et de l'audiovisuel, qui s'étaient structurés de manière indépendante, voient leurs frontières s'estomper. Les technologies et le savoir faire qui les caractérisent exigent de lourds investissements, accentuant le caractère industriel des médias et l'intensité de capital qu'ils réclament ; et ils laissent présager un renforcement des grands groupes existants et surtout la constitution de nouvelles alliances à l'échelle mondiale. Dans le même temps les coûts élevés de la création écrite ou audiovisuelle conduisent à rechercher des débouchés accrus tant sur les marchés intérieurs qu'extérieurs tout en multipliant leurs modes de valorisation (utilisation d'un même produit de base par l'écrit, le cinéma, la télévision, les cassettes, l'ordinateur).

Aux modifications de l'offre correspondent des évolutions de la demande modelées par les variations du pouvoir d'achat, l'obligation d'acquérir des matériels nouveaux, qu'il s'agisse d'informatique domestique ou de récepteurs du son et de l'image, des aspirations culturelles et du temps de loisir. Ainsi les réactions du consommateur aux variations de l'offre sollicitent de plus en plus l'attention des économistes plus habitués à gérer la pénurie de l'offre. Le champ de l'économie des médias ne cesse donc pas de s'élargir et d'offrir des sujets d'étude et de réflexion.

Bibliographie

ALBARAN Alan B, *Media Economics : Understanding Markets, Industries and Concepts*, Ames, Iowa State UP, 1996.

ALBARAN Alan B. et Sylvia CHAN-OLMSTED (dir.), *Global Media Economics : Commercialization, Concentration and Integration of World Media Markets*, Ames, Iowa State UP, 1998.

ALBERT Pierre, *La Presse française*, Paris, Documentation française, 1998.

ALEXANDER Alison et al. (dir.), *Media Economics : Theory and Practice*, Hillsdale (NJ), Erlbaum, 1993.

BONNELL René, *La Vingt-Cinquième Image : une économie de l'audiovisuel*, Paris, Gallimard, 1998.

CHARON Jean-Marie, *La Presse en France de 1945 à nos jours,* Paris, Seuil, 1991.
— *La Presse magazine*, Paris, La Découverte, Repères n°264, 1999.

CHEVAL Jean-Jacques, *La Radio en France : formation, état et enjeux*, Rennes, Apogée, 1997.

FLICHY Patrice, *Les Industries de l'imaginaire : pour une analyse économique des médias,* Paris, PUG / INA, 2e éd., 1991.

JEZEQUIEL Jean-Pierre, *La Production de fiction en Europe*, Paris, Documentation française, 1993.

LE FLOCH Patrick, *Économie de la presse quotidienne régionale : déterminants et conséquences de la concentration*, Paris, L'Harmattan, 1997.

PICARD Robert G. et Jeffrey H. BRODY, *The Newspaper,* Needham (MA), Allyn & Bacon, 1996.

TOUSSAINT-DESMOULINS Nadine, *L'Économie des médias*, Paris, PUF, « Que sais-je ? », 4e éd., 1996.

Voir aussi pour la presse : les tableaux statistiques de la presse publiés chaque année par le SJTI (Service juridique et technique de l'Information) à la Documentation française.

Voir aussi pour l'audiovisuel : les rapports annuels du CSA, ainsi que « Les indicateurs statistiques de l'audiovisuel, du cinéma » et « Les indicateurs statistiques de la radio » du SJTI, édités par La documentation française. Et « Les chiffres clés de la télévision et du cinéma » du CSA / CNC / INA chez le même éditeur.

La gestion des médias

Les entreprises médiatiques, confrontées aux risques du marché, sont dans leur ensemble des entreprises comme les autres. Elles cherchent à équilibrer leurs dépenses et leurs recettes, et visent de préférence à dépasser cette situation pour dégager un profit destiné à des investissements et à la distribution de dividendes. Cependant on remarque qu'elles présentent parfois des anomalies.

On assiste en effet souvent à la survie, sur une longue période, d'entreprises constamment déficitaires. Il s'agit alors d'un fonctionnement qui échappe à la logique économique du marché. Parce qu'elles s'estiment chargées d'une « mission de service public », ou parce qu'elles tiennent à diffuser à n'importe quel prix (voir gratuitement) une propagande, certaines entreprises médiatiques, publiques ou privées, se considèrent comme des entreprises d'exception, avec pour objectif d'offrir un contenu économiquement accessible à tous. Alors que les ressources naturelles des médias proviennent de leurs usagers ou des annonceurs, un fonctionnement à perte les oblige à exiger des traitements de faveur, que ce soient des aides venant de l'État ou des ressources, parfois occultes, provenant de mécènes divers : partis politiques, associations, groupes de pression, industriels, etc.

Ainsi la gestion des médias, si elle vise le plus souvent au profit, n'est cependant pas toujours axée sur ce seul objectif et présente des cas de figure très divers. Seront simplement évoqués ici quelques points essentiels communs aux différents types de médias, en faisant la distinction pour les dépenses entre deux phases : la naissance d'abord, qui exige des investissements initiaux et donc un budget d'équipement ; la vie courante ensuite, qui engendre des dépenses de fonctionnement répétitives. Puis seront analysés les divers types de financement et leur impact sur la gestion. En dépit de certaines similitudes la distinction sera chaque fois faite entre presse écrite et audiovisuelle.

LA NAISSANCE : INVESTISSEMENTS INITIAUX ET BUDGETS D'ÉQUIPEMENT

Ces investissements, souvent très élevés, varient selon le type et la taille des médias. De façon générale, ils sont d'autant plus élevés que l'entreprise vise la grande taille et surtout qu'elle ambitionne de contrôler l'ensemble du processus de production et de diffusion, depuis la collecte des informations ou la conception des contenus, jusqu'à leur mise à disposition auprès des consommateurs potentiels. Aussi est-il impossible de fournir des budgets types.

Quoiqu'il en soit, les investissements initiaux pèsent sur l'avenir de l'entreprise du fait des amortissements qu'ils induisent, des provisions pour renouvellement qu'ils entraînent, et des frais financiers qu'ils génèrent en cas d'emprunt. Ceci explique que les entreprises privées hésitent souvent à démarrer sur une vaste échelle, sauf s'il s'agit de groupes puissants, tandis que les entreprises publiques, pourront plus facilement se lancer dans de grands projets, comme des réseaux nationaux, voire internationaux. Ainsi dans de nombreux pays les premières télévisions nationales hertziennes ont été le fait de sociétés à capitaux uniquement ou majoritairement publics (BBC-TV en Grande-Bretagne, Télévision française, RAI en Italie). Mais aujourd'hui encore l'ampleur des coûts initiaux, notamment en télévision, impose souvent des opérations menées à plusieurs, soit par l'association de capitalistes privés, soit par le recours à une association capitaux privés / prêts et subventions publics.

Enfin, ce sont souvent des entreprises de grandes taille qui se lancent sur des créneaux nouveaux, alors même que certaines idées ou inventions sont le fait d'individus ou de petites entreprises. Les petites entreprises indépendantes sont condamnées à créer des petites publications spécialisées, surtout géographiquement, ou des petites radios locales, rarement des télévisions, qui d'ailleurs ne sont pas assurées de survivre.

❑ La presse écrite

➤ ÉTUDES DE MARCHÉS ET CAMPAGNES DE LANCEMENT

La première dépense qui s'apparente à un investissement concerne les études de marchés. Il s'agit de détecter le « concept rédactionnel », c'est-à-dire les divers types de contenu, et la maquette générale du journal, susceptibles de séduire des lecteurs potentiels. On analyse le contenu des éventuels concurrents et leurs lecteurs. Ces dernières années, on tente de cerner le prix que les acheteurs sont prêts à mettre pour acquérir le titre nouveau. On cherche enfin et surtout à savoir si des annonceurs seront intéressés par la publication. Le groupe allemand Bertelsmann et sa filiale française Prisma Presse ont démontré leur maîtrise de ce genre d'études.

À cette première phase d'études, il faut ajouter le coût d'une équipe rédactionnelle qui travaille souvent plusieurs mois avant le façonnage du numéro zéro et qu'il convient d'embaucher, de rémunérer et d'indemniser en cas d'échec et de licenciement.

Enfin comme la concurrence est très vive entre les divers titres de presse, et que les lecteurs sont sollicités par l'audiovisuel, l'entrée sur le marché exige des campagnes promotionnelles de plus en plus importantes et coûteuses. Elles atteignent plusieurs dizaines de millions de francs si l'on veut contacter une audience nationale.

➤ L'IMPRIMERIE

Nombre de titres bénéficient désormais des progrès de l'informatique et de la baisse de ses prix, et c'est souvent avec de petits matériels peu coûteux que peuvent être composées des publications dont la présentation graphique est très convenable. Cependant les quotidiens, harcelés par le temps, peuvent difficilement faire l'économie d'une imprimerie performante dans la mesure où ils veulent s'affranchir des aléas de la sous-traitance. Or une imprimerie complète représente un investissement très lourd. On peut citer les deux exemples d'imprimeries nouvelles créées en France par deux quotidiens différents ; celui du journal *Le Monde* qui, en association avec le groupe Hachette, a créé une nouvelle imprimerie à Ivry d'un coût de 400 millions de francs en 1989, et celui du groupe Hersant qui a créé à Roissy une nouvelle imprimerie pour une somme avoisinant 900 millions de francs. On comprend que la création de quotidiens soit beaucoup plus rare que celle de périodiques qui profitent d'imprimeries préexistantes, souvent mises en compétition.

❑ L'audiovisuel : radio et télévision

➤ LES ÉTUDES DE MARCHÉ ET LA DÉTERMINATION DU « FORMAT »

Nombre de radios et/ou de télévisions sont nées sans études préalables. Ce n'est qu'avec l'exacerbation de la concurrence, à partir des années 1980, que des investisseurs ont mené des études sur les chances de réussite de certains « formats » de radio ou de télévision : musical, sportif, économique, thématique divers. Ces études sont plutôt de type psychologique avec analyse des goûts des auditeurs et téléspectateurs, et ne font pas l'objet de test en vraie grandeur comme c'est le cas pour les numéro zéro de la presse. Cependant, comme pour cette dernière, la mise au point de la grille exige l'embauche d'une équipe souvent importante et des immobilisations de capitaux élevées pour ce qui est des portefeuilles de droits de diffusion de certains contenus télévisuels notamment.

➤ LES MATÉRIELS DE PRODUCTION

On doit ici distinguer entre radio et télévision.

La première, surtout si elle est à vocation locale et sans grande ambition de programmation, demeure un média bon marché, témoins les multiples radios locales privées qui sont nées en France dans les années 1980. Qu'il s'agisse des studios ou de leurs équipements, dont l'encombrement est parfois si limité qu'il peut tenir dans une seule pièce, il est possible de lancer une radio de quartier avec quelques centaines de milliers de francs. Cependant à mesure que croissent les ambitions, les dépenses augmentent. Ainsi les dernières stations décentralisées du service public français ont-elles nécessité plusieurs millions de francs.

Il en va différemment de la télévision.

Les investissements peuvent également être limités si l'objectif est une télévision locale, sans véritable production originale. Mais en règle générale le démarrage de la première télévision d'un pays repose sur un projet national, au moins pour les télévisions classiques, hertziennes. Le devis est impossible à fournir. Il est fonction essentiellement de la taille et du nombre des studios, de leurs équipements dont la qualité et le prix vont croissant (le prix d'une caméra peut varier de quelques centaines de milliers de francs à trois millions) à mesure que l'on se rapproche des studios de cinéma.

➤ LES MATÉRIELS DE DIFFUSION

Les coûts sont fonction du procédé choisi : hertzien, satellitaire, câblé. Mais à chaque fois entrent en ligne de compte l'ampleur de la zone à couvrir, sa topographie, la densité et le type d'habitat. Quel que soit le procédé adopté, la création *ex nihilo* d'un réseau national représente des investissements qui se chiffrent par milliards. En hertzien, les dépenses croissent à mesure que la zone à couvrir est vaste et accidentée. Pour le satellite, qui peut arroser d'emblée une vaste zone, le lancement d'un seul système satellite (avec satellite de secours), dont la durée de vie est limitée dans le temps, coûte environ 4 milliards de francs. Enfin le câblage partiel de la France a déjà englouti plus de 25 milliards de francs.

LES COÛTS DE FONCTIONNEMENT

Le fonctionnement d'une entreprise médiatique suit plusieurs étapes : celles qui sont liées à la conception et à la fabrication du contenu, puis celles liées à sa diffusion et à sa commercialisation. Ces diverses étapes engendrent différents types de dépenses. Dans tous les cas la mise en commun de personnels et de matériels utilisés par plusieurs supports ou médias permet une meilleure rentabilisation et justifie la concentration économique des entreprises.

❑ La presse

Les journaux sont des produits fabriqués en série ; aussi s'attache-t-on à repérer, non seulement les coûts totaux engendrés par la publication d'un titre donné, mais aussi le coût moyen à l'exemplaire produit. Cette approche est privilégiée par les gestionnaires afin de déterminer le prix de vente unitaire.

On sait que toute entreprise associe deux types de coûts. Les premiers sont les coûts fixes : ils ne varient pas quelles que soient les quantités produites. Il s'agit des salaires des personnels permanents payés au temps, des frais financiers, des assurances, des provisions diverses, des dépenses d'entretien. Les seconds sont les coûts variables : ils évoluent avec les quantités produites et vendues, souvent de façon proportionnelle. Il en va ainsi notamment des matières premières, de certains frais d'imprimerie en cas de sous-traitance, des frais d'expédition et des commissions de vente et de publicité. Aussi l'accroissement des quantité produites a pour conséquence de faire baisser le coût moyen unitaire puisque les coûts fixes se diffusent sur un plus grand nombre d'unités. Ainsi se justifie la recherche des grandes séries qui permettent de réaliser des économies d'échelle.

A contrario, toute baisse du tirage, et donc de la production, renchérit le coût moyen à l'exemplaire et risque de déséquilibrer le résultat de l'entreprise si elle ne parvient pas à maintenir ses ventes ou à augmenter son prix de vente ou ses autres recettes, ce qui est généralement impossible en cas de chute des ventes. Or les frais fixes occupent une place importante dans le budget d'une publication, et singulièrement d'un quotidien disposant de son imprimerie. Ainsi s'explique la prospérité d'un titre qui voit ses ventes progresser et les difficultés de celui dont les ventes diminuent.

➤ LES COÛTS RÉDACTIONNELS ET ADMINISTRATIFS

Les premiers dépendent du nombre et de la notoriété des journalistes, des correspondants et des pigistes utilisés ainsi que du poids des abonnements à des agences ou banques de données. La majorité de ces coûts sont fixes (salaires des journalistes) et sont donc d'autant mieux rentabilisés que le tirage est élevé. Cependant, on constate que la rédaction occupe une place relativement peu importante, environ 25 % des effectifs des entreprises de presse, et plutôt 20 % des effectifs d'un quotidien et à peine 20 % de ses dépenses, du fait du poids de l'imprimerie. Elle peut être bien inférieure à cette moyenne quand la publication fait appel à des correspondants ou des pigistes peu rémunérés, ce qui est en France le cas de très nombreuses publications dont les équipes de permanents sont réduites à l'extrême. Cela permet d'alléger les frais fixes et les problèmes posés par les licenciements en cas de crise. Quant aux abonnements aux agences (dont le montant est souvent fonction de la taille du journal mesurée en terme de diffusion), il permet d'offrir un contenu diversifié à bon compte (2 à 3 % des dépenses d'un quotidien).

Les seconds correspondent à l'administration de l'entreprise. On remarque ces dernières années la croissance tant des effectifs (environ 35 % du total dans un quotidien) que des sommes qui leur sont consacrées (environ 30 % des dépenses d'un quotidien). Cela tient au rôle accru des services administratifs qui doivent non seulement gérer le personnel et la comptabilité de l'entreprise, mais aussi commercialiser ses produits sur ses deux marchés : celui de la vente et celui de la publicité. Il convient alors de développer des politiques de marketing qui valorisent le produit de façon à accroître ses ventes et ses ressources publicitaires. Au fil du temps, ce sont les commerciaux qui sont considérés comme le plus aptes à rentabiliser l'entreprise, tandis que les journalistes et les techniciens de la fabrication sont surtout considérés comme des services uniquement dépensiers. Aux frais de personnels proprement dits (frais fixes) et aux matériels informatiques qu'ils utilisent, on doit ajouter les dépenses liées à certaines opérations, parfois espacées, mais de plus en plus utilisées : études d'audience, campagnes de promotion et de relance, opération de relations publiques qui visent à renforcer la notoriété du produit.

➤ LES COÛTS DE FABRICATION TECHNIQUE

La presse associe dans sa fabrication des matières premières, essentiellement le papier et accessoirement l'encre, et de la main d'œuvre, dont les coûts sont le plus souvent variables.

Les dépenses de papier sont, à qualité, prix et format donnés, fonction des quantités produites. Les dépenses totales varient proportionnellement au tirage et à la pagination, tandis que les dépenses à l'exemplaire restent fixes quel que soit le tirage, mais varient avec la pagination. Aussi la stratégie des entreprises consiste à moduler la pagination en fonction des recettes escomptées. Comme le prix de vente d'un exemplaire ne varie pas avec son nombre de pages, c'est en fait le nombre de pages publicitaires et de petites annonces qui commande la pagination. En cas de grande difficulté, on peut aussi réduire la qualité du papier (mais cela déplaît aux annonceurs) ou le format.

Le prix du papier est fonction de l'approvisionnement du marché, qui dépend d'un petit nombre de pays producteurs essentiellement scandinaves et nord-américains eux mêmes soumis à de nombreux paramètres (évolution du marché mondial, cours du dollar, prix de l'énergie). Depuis 1990, le prix subit des fluctuations fortes et rapprochées : après une baisse continue jusqu'en 1994. Les prix ont flambé en 1995 et début 1996, pour retomber en 1998 à un niveau proche de 1991. Ainsi les dépenses consacrées au papier représentent-elles en moyenne 11 % environ des dépenses de la presse française. Ce pourcentage est plus élevé pour les magazines de luxe qui emploient du papier glacé lourd et cher. Les achats groupés de papier, et donc ceux des entreprises à titres multiples ou à fort tirage, permettent de négocier des prix avantageux.

Plus importantes et bien plus délicates à gérer sont les dépenses liées au personnel de l'imprimerie de presse (par opposition aux imprimeries de labeur qui travaillent pour la presse non quotidienne). Cette gestion est particulièrement difficile dans la mesure où ces personnels ont, dans tous les pays occidentaux, réussi au fil des ans à obtenir, grâce à une très forte syndicalisation, des avantages très importants. Salaires élevés et paiement à la tâche, conditions de travail favorables (durée inférieure à 35 heures par semaine, nombreux congés), normes de production faibles, et surtout garantie d'emploi. Ainsi les gains de productivité étaient-ils, jusqu'au début des années 1970, très faibles, notamment dans la presse quotidienne, comparés aux capacités offertes par les matériels informatisés. Par suite, tout accroissement de production entraînait une hausse souvent plus que proportionnelle des dépenses.

Mais depuis une vingtaine d'années des négociations, parfois très houleuses et accompagnées de conflits violents, ont permis d'introduire du matériel moderne, de diminuer les effectifs et de les mensualiser, d'avoir recours à des personnels moins qualifiés, parfois moins syndiqués et souvent moins rémunérés. Ceci n'est pas négligeable quand on sait que ces personnels représentent environ 40 % des effectifs d'un quotidien et 25 % de ses dépenses Cependant la crainte des grèves limite encore en France les possibilités de modernisation et donc les avantages qui peuvent en découler.

➤ LES COÛTS DE DISTRIBUTION

Plusieurs procédés de vente sont possibles. Comme ils sont souvent tous utilisés à des degrés divers pour un même titre, cela complique et renchérit la gestion des ventes.

La vente au numéro, procédé le plus utilisé en France, exige d'irriguer un réseau commercial très ramifié si l'on souhaite une diffusion nationale. Elle est source d'invendus importants en raison des foucades des acheteurs infidèles au titre et au lieu d'achat, mais elle permet l'achat d'impulsion. Elle entraîne des coûts d'acheminement élevés, qu'ils soient le fait de l'entreprise ou de messageries, et soustrait aux recettes les remises accordées aux commerciaux : grossistes et détaillants. Les remises sont calculées à partir du prix de vente facial des journaux. En France, les Nouvelles Messageries de la Presse Parisienne (NMPP), qui assurent la majorité des ventes au numéro prélèvent environ 9 % pour le transporteur, 10 % pour le grossiste et 17 % pour le diffuseur. En règle générale, ce procédé coûte très cher : environ 35 % du prix marqué sur les exemplaires vendus. C'est donc un manque à gagner important, que les entreprises cherchent à limiter en développant les autres procédés de vente.

Le second est celui de l'abonnement qui offre notamment l'avantage d'éviter les invendus, de limiter le tirage, et surtout de fournir une avance de trésorerie accordée par l'abonné à l'entreprise éditrice. L'abonnement peut être acheminé soit par la poste, soit par portage à domicile.

Dans le premier cas la presse bénéficie généralement de tarifs préférentiels peu élevés accordés par la Poste, mais elle doit mener de difficiles et onéreuses campagnes de prospection des abonnés. Pour cela il faut louer des fichiers, envoyer des courriers, proposer des réductions sur le prix de vente, des cadeaux de plus en plus onéreux, et donc consacrer des sommes importantes, et du personnel, à ces opérations dont la rentabilité est souvent lointaine : le premier abonnement ne rembourse pas la dépense occasionnée.

Le portage à domicile exige aussi un effort de démarchage pour convaincre le client et surtout la mise en place d'un service de portage d'autant plus difficile et onéreux à organiser que l'aire de diffusion est large, l'habitat dispersé et que, comme en France, la législation interdit le travail des enfants et ne favorise pas le travail à temps partiel.

En fin de compte, les coûts de diffusion représentent de 10 a 25 % des dépenses d'un journal, l'écart étant fonction de l'aire de diffusion, du pourcentage d'abonnés et du nombre d'invendus.

➤ FRAIS DIVERS

Enfin l'entreprise de presse doit gérer tout une série de frais divers : remboursement des intérêts et du capital emprunté, amortissement des matériels, assurances diverses, frais de représentation Ces dépenses sont le plus souvent des frais fixes et d'autant plus lourdes à assumer que les ventes stagnent ou régressent. Elles sont au contraire d'autant plus faciles à supporter que l'entreprise est intégrée dans un groupe prospère.

❑ L'audiovisuel

La structure des dépenses des entreprises audiovisuelles peut, dans ses grandes lignes, être comparée à celle de la presse. Elle associe des dépenses liées à la conception du contenu de la grille de programme, des dépenses d'administration et des dépenses techniques de fabrication et de diffusion.

Cependant l'audiovisuel ne génère pas des produits unitaires fabriqués en grande série et dont les coûts varient en fonction de la demande quantitative. Un programme se présente comme une succession de séquences de types divers (musique, parole, fiction, reportage, magazine, retransmission sportive) dont aucune n'est reproduite à l'image des divers exemplaires d'un journal. Sur une aire de réception donnée, les coûts de conception, de fabrication et de diffusion d'une émission donnée sont les mêmes qu'il y ait un ou des milliers d'auditeurs ou de téléspectateurs. Autrement dit, le coût du téléspectateur marginal est nul, alors que l'impression et l'envoi d'un exemplaire supplémentaire est toujours onéreux. Ainsi à contenu identique, une « grande » et une « petite » radio ou télévision, dont la taille est mesurée en terme d'audience, auront exactement les mêmes coûts et non les mêmes recettes. C'est donc l'ampleur des recettes réelles ou escomptées qui va influer considérablement sur la structure de la grille puis sur le budget des radios et surtout des télévisions.

➤ CONSTRUCTION ET COÛT D'ENSEMBLE DE LA GRILLE DE PROGRAMMES

La grille de programme donne le « ton », la « couleur » de la radio ou de la télévision : généraliste ou thématique, nationale ou locale. Elle a pour fonction d'attirer, puis de fidéliser l'audience, tout particulièrement s'il s'agit d'une radiotélévision commerciale. Pour ce faire les programmes offerts varient non seulement d'un genre de radiotélévision à l'autre, mais aussi d'une tranche horaire à l'autre. La grille doit à la fois tenir compte des goûts supposés de l'audience et des potentialités publicitaires induites, mais aussi du budget des diffuseurs.

Une grille additionne des contenus dont la provenance peut être très variée : si certaines émissions peuvent être « fabriquées » par le diffuseur, comme les émissions d'information originale, d'autres, très nombreuses, peuvent provenir de producteurs extérieurs, nationaux ou internationaux, de l'industrie du disque ou du cinéma. Ceci influe directement sur le budget d'équipement et de fonctionnement de l'entreprise et sur le montant de ses effectifs. On aura d'autant moins de personnel, de matériel et de frais fixes, que l'on fera appel à l'extérieur.

Deux stratégies principales de gestion s'opposent.

La première est qualifiée de « stratégie de recettes ». C'est celle des grandes radios et surtout des grandes télévisions, qui, assurées souvent d'une large audience par leur antériorité ou leur succès, anticipent des recettes importantes, et consacrent un budget de l'ordre de plusieurs milliards de francs à leur grille. Pour accroître ou conserver cette audience, elles misent sur des créations originales qu'elles financent, en tout ou en partie, sur des journaux d'information riches et sur des exclusivités. Elles font appel à des animateurs célèbres et largement rémunérés.

La seconde est dite stratégie de coûts. C'est celle que pratiquent les « petites » radios ou télévisions. Elles construisent leur grille en fonction des recettes disponibles. Leur budget est souvent très inférieur au milliard de francs, il peut même n'être que de quelques dizaines de millions. Elles consacrent la majorité, voire la totalité, de leur programmation à des programmes de « seconde main » : fictions, documentaires, films déjà diffusés par d'autres télévisions, disques pour la radio. Elles ne proposent qu'un minimum, voire pas d'émissions d'information, sauf des bulletins « clé en main » fournis par des agences spécialisées. Elles usent et abusent des émissions de plateau du type *talk show* intimiste et des rediffusions Elles ont recours à des présentateurs inconnus. Parfois même elles procèdent à une simple diffusion qui exclut toute intervention de présentateurs.

➤ LES COÛTS D'ÉMISSION PAR GENRE

Ces stratégies se comprennent d'autant mieux que l'on connaît plus précisément les coûts respectifs des divers genres d'émission. Traditionnellement on oppose émissions de création originale, autres émissions et achats de droits.

En France, où la définition est très restrictive, les créations sont essentiellement les « œuvres audiovisuelles » (OAV), c'est-à-dire : les fictions, les documentaires, certains magazines (pour la partie réalisée hors plateau), et l'animation. Les OAV, qu'elles soient fabriquées par les télévision en interne (c'est-à-dire dans leurs studios et avec leur personnel technique permanent), ou commandées à des sociétés de production indépendantes, sont toujours onéreuses. La conception puis la réalisation d'une OAV exige en effet plusieurs mois de travail et des équipes importantes. Elles font appel, comme le cinéma, à toute une série de métiers : scénariste, dialoguiste, réalisateur, décorateur, musiciens, interprètes, techniciens multiples, avant, pendant et après le tournage proprement dit. La majorité de ces intervenants est payée au cachet et exige, du fait de leur notoriété, ou de la précarité de leur emploi des rémunérations très élevées.

Cependant, à l'instar de ce qui se fait aux États-Unis, des techniques quasi industrielles sont utilisées pour accélérer la fabrication des séries. Des découpages minutieux permettent de filmer rapidement tout ce qui a lieu dans le même décor, les dialogues sont simplifiés et le nombre de personnages réduit (par exemple, dans les comédies de situation), tout comme les lieux de tournage. Les coûts horaires sont minorés aussi par le recours systématique à des acteurs débutants ou inconnus.

Il n'en demeure pas moins que le coût moyen horaire de la fiction originale française se situe en 1998 aux alentours de 5 millions de francs, avec une amplitude moyenne qui va de 1 million de francs pour la fiction légère à plus de 10 millions de francs pour la fiction lourde : les grandes dramatiques sur lesquelles les grandes chaînes généralistes misent de plus en plus pour asseoir leur audience.

Les magazines et les documentaires sont moins chers du fait d'un tournage moins long, de l'intervention restreinte d'interprètes. Mais les enquêtes et déplacements, la recherche et les achats d'archives, la qualité de certaines images font que ces émissions ont un coût moyen horaire d'environ un million de francs.

Enfin l'animation est très chère. Elle nécessite un travail long et minutieux, même si l'emploi accru de l'informatique accélère la création et permet une délocalisation dans des pays où le coût de la main d'œuvre est faible (Asie). En France, une heure (sans images de synthèse) revenait en 1998 en moyenne à 4,14 millions de francs.

Le coût élevé de la création a eu deux types de conséquences essentielles. La première est que, comme pour le cinéma, la majorité des OAV sont désormais des coproductions qui associent des télévisions de plusieurs pays et des producteurs indépendants dont c'est le seul métier. La seconde est que des systèmes d'aide, eux aussi nationaux ou internationaux, ont été mis en place pour aider au montage financier de ces productions.

Les journaux d'information ont d'un coût très variable, fonction du nombre de journalistes, des reportages, et de la notoriété des présentateurs, dont les salaires ont souvent défrayé la chronique mais que certains estiment justifiés étant donné l'audience qu'ils génèrent.

Les jeux, qui sont parmi les émissions les moins chères (parfois 100 000 francs de l'heure) impliquent cependant des versements de droits à leur inventeur, tandis que les variétés et les émissions de plateaux ont des coûts très variables en raison des animateurs, des invités et de leur rémunération, et des lieux de tournage utilisés. Toutes ces émissions peuvent être réalisées généralement avec les moyens humains et techniques des diffuseurs, ce qui entraîne des coûts fixes. Aussi nombre de télévisions préfèrent passer commande à des société extérieures, parfois créées à l'initiatives d'animateurs célèbres devenus producteurs et/ou réalisateurs, qui négocient chèrement leur notoriété.

Le tournage ou l'enregistrement d'événements sportifs ou culturels (concert, représentation théâtrale) supposent, outre des frais techniques, le versement de droits aux organisateurs, auteurs et interprètes Aussi les radiotélévisions procèdent parfois par échange : elles participent à l'organisation de la manifestation et reçoivent en contrepartie le droit de la diffuser. L'engouement pour certains sports et leur audience internationale ont, au fil du temps, fait monter les enchères. C'est à coup de milliards que des télévisions, qui souvent négocient en pool d'achat, obtiennent les droits d'exclusivité de certains matchs ou jeux. Désormais le sport vit plus de la télévision que de ses spectateurs dans les tribunes, tandis que certaines chaînes, souvent internationales, vivent exclusivement du sport.

L'ampleur de ces dépenses toujours croissantes, face aux ressources limitées, justifie le recours soit à la rediffusion, dont on ne peut abuser, soit au « second marché ». C'est celui des programmes déjà exploités par des télévisions nationales ou non. C'est aussi le recours aux films de cinéma, ou au disque pour la radio. On procède alors à des achats de droit de passage pour une durée plus ou moins longue.

Fictions télévisuelles et films seront achetés, souvent lors de marchés internationaux, à des prix extrêmement variables qui sont fonction de toute une série de paramètres. La qualité et le coût initial du produit acheté, tempéré par son ancienneté et son degré d'amortissement, l'audience qu'il a pu générer, le degré d'exclusivité exigé par l'acheteur, la taille de cet acheteur exprimée en audience moyenne ou en chiffre d'affaire. C'est pourquoi des pools d'acheteurs se sont créés, qui unissent des télévisions non concurrentes. Sur le marché international les Américains sont les rois de la fiction. Ils proposent des programmes déjà amortis, ou presque, sur leur marché intérieur, à des prix défiant toute concurrence (200 000 francs l'heure), tandis que les Japonais sont les spécialistes du dessin animé, concurrencés depuis peu par la France.

Les « bouquets » de programme du câble et du satellite sont constitués par des achats faits auprès de producteurs spécialisés mais aussi de véritables « concepteurs » de chaînes thématiques (documentaires, musicales, enfantines) qui vendent le droit de diffuser ces chaînes aux diffuseurs sur la base d'un certain prix (en général quelques francs par mois et par abonné). L'achat de programme devient alors un coût variable pour le diffuseur, à la différence de ce qui se produit en cas de production originale où les coûts sont fixes, c'est-à-dire indépendants de la taille de l'audience.

➤ CONTRAINTES ET QUOTAS

Devant le coût élevé des créations, les gestionnaires ont pour réflexe de les limiter et d'accentuer la diffusion de fictions étrangères et de films souvent peu chers au regard de l'audience qu'ils génèrent. C'est pourquoi des législations européennes et surtout françaises réglementent le recours aux OAV et aux films. Elles imposent des quotas de production et de diffusion en fonction de la nationalité des OAV (en France on favorise les OAV européennes et celles d'expression originale française). Elles obligent les chaînes à consacrer une part de leur budget à la création d'OAV et une fraction de leur temps d'antenne à sa diffusion. D'autre part, l'industrie cinématographique française contraint les chaînes à limiter la diffusion des films, réglemente leurs heures et jours de passage, dicte des quotas de nationalité. Elle leur impose de financer la production par un système complexe de coproduction et de versements obligatoires à un fonds de soutien à l'industrie cinématographique tout en renchérissant les droits de diffusion des films existants.

➤ COÛTS ADMINISTRATIFS

À la différence de la presse, il n'est pas question de gérer des ventes de produits unitaires, sauf dans les cas assez rares de vente de produits dérivés (cassettes enregistrées des émissions). De même, pendant longtemps, les diffuseurs ne se chargeaient pas de collecter les recettes en provenance des usagers. Il a fallu que se créent des systèmes d'abonnement aux télévisions privées pour que se mettent en place des services chargés de leur gestion et des campagnes de promotion visant à susciter l'abonnement. En France, Canal+ d'abord, avec succès, puis des télévisions câblées, avec moins de résultats, ont développé dans ce but des services spécialisés souvent très importants. C'est aussi le cas maintenant des « bouquets » satellitaires lancés à grand renfort de promotion et d'offres alléchantes.

➤ COÛTS DE DIFFUSION

Ils dépendent du mode de diffusion adopté et de l'ampleur des investissements qu'ils entraînent. En règle générale ce sont des organismes spécialisés qui se chargent de la mise en place et de la maintenance des équipements. Ainsi en France, Télédiffusion de France (TDF) assure la diffusion hertzienne et satellitaire des grandes télévisions et radios en contrepartie d'une rétribution en fonction des services rendus, tandis que certaines petites radios ou télévisions disposent de leurs propres équipements. Ces coûts représentent environ 10 à 15 % du budget total annuel des sociétés nationales de radiotélévision française (plus pour celle à vocation internationales).

LES RESSOURCES ET MOYENS D'ÉQUILIBRE

Indépendamment des capitaux nécessaires à leur entrée sur le marché, les entreprises médiatiques doivent trouver les moyens de financer leurs charges de fonctionnement. La presse, la radio et la télévision ont adopté des solutions voisines qui influent sur leur forme et leur fond, et sur la structure même du secteur.

Les moyens d'équilibre sont essentiellement au nombre de trois :
— les ressources provenant du marché des acheteurs ; elles correspondent à la vente d'un produit (le journal) ou au droit d'usage d'un service (les émissions de radio ou de télévision) ;
— les ressources provenant du marché de la publicité de marque, commerciale ou institutionnelle, et des petites annonces ;
— les aides ou avantages divers accordés ou initiés par des entreprises, des groupements ou plus généralement par l'État. Chacune a son intérêt et ses limites.

❑ Les ressources de vente aux usagers

Les ressources provenant de la vente aux usagers posent un redoutable problème aux gestionnaires des médias. Si le prix obéissait aux seules lois économiques, les médias à faible tirage ou faible audience ne pourraient se vendre que très cher, étant donné la structure de leurs coûts. Ceci les rendraient inaccessibles aux consommateurs à faible pouvoir d'achat. C'est pourquoi le prix de vente ne reflète pas la réalité des coûts de production et de diffusion. Il lui est inférieur.

➤ LA PRESSE ET LES PROBLÈMES DU PRIX DE VENTE

Outre le fait que le prix de vente d'un journal ne suffit pas a compenser les coûts qu'engendrent sa production et sa diffusion, on remarque qu'il présente encore d'autres particularités.

La première est qu'en général, pour une publication donnée, il ne varie à court terme, ni avec son tirage, ni avec sa pagination, alors que ces deux facteurs pèsent, comme on l'a vu, sur le coût de production. On a constaté aussi que pendant longtemps la concurrence par le prix était assez rare, certains assurant que l'acte d'achat est davantage fonction du contenu que du prix. Aujourd'hui, en raison de l'exacerbation de la concurrence, on fait appel à la concurrence par les prix. C'est le cas notamment de la presse télévisuelle, de la presse féminine, et de la presse quotidienne nationale française ou britannique. La guerre des prix se fait aussi, depuis longtemps, sur les offres d'abonnement.

Le prix de la presse, notamment quotidienne, est très variable d'un pays à l'autre pour un même genre de publication. Cela tient en grande partie à l'ampleur des tirages (les quotidiens britanniques ont des ventes bien plus élevées que ceux de France), à la proportion importante des abonnés, et surtout à la place qu'occupent les recettes publicitaires dans l'ensemble du budget d'un journal. Ainsi la presse quotidienne française, désavantagée sur tous ces plans, est-elle caractérisée par ses prix élevés qui expliquent, en partie, la baisse ou la stagnation des ventes. La sensibilité au prix préoccupe beaucoup les gestionnaires et pousse depuis le début des années 1990 à des stratégies de baisse du prix, et plus encore au ralentissement de la hausse, alors qu'une tendance à la hausse forte était très perceptible jusqu'en 1990.

➤ REDEVANCE, ABONNEMENT ET PAIEMENT À LA CONSOMMATION

On ne saurait parler dans ce cas de recettes de vente au sens strict du terme. Tandis que l'achat d'un journal correspond à une appropriation privée d'un bien physique, la contribution versée par un usager audiovisuel s'apparente à un droit d'usage, le plus souvent forfaitaire, d'un service. Deux modes de financement principaux existent : la redevance et le péage, que ce soit par abonnement ou par paiement à la consommation.

La redevance est une somme versée, le plus souvent annuellement, par le détenteur d'un récepteur de radio ou de télévision et destinée aux organismes de l'audiovisuel public. Son montant est assimilé à une taxe. En France, elle est votée par le Parlement. La redevance n'est pas fonction de l'usage, qu'il s'agisse du temps passé à écouter ou à regarder, ni de l'émission « consommée ». Elle doit être versée même si le propriétaire du récepteur ne regarde jamais ni n'écoute les chaînes publiques. En règle générale le montant de la redevance est fixé assez bas de façon à être accessible à tous. On remarque que certains pays en voie de développement n'ont institué aucune redevance, et que dans les pays développés la redevance radio a été souvent supprimée, son coût de perception étant souvent supérieur à ce qu'elle rapportait.

Le montant de la redevance est toujours peu élevé comparé à l'abonnement annuel à un seul quotidien. C'est tout particulièrement le cas de la France où la redevance est faible comparée à celle des pays voisins du Nord de l'Europe. Pendant longtemps l'« effet parc », c'est-à-dire l'accroissement du nombre de foyers équipés, puis le passage de la redevance noir et blanc à la redevance couleur, plus chère, ont suffi à faire augmenter rapidement le montant total de la redevance perçue. Aujourd'hui ce double processus est achevé. Au contraire, la fraude, les exonérations largement accordées, la concurrence des télévisions commerciales « gratuites » pour l'usager, et la réticence devant toute hausse fiscale, posent un grave problème aux gestionnaires de l'audiovisuel public.

Des procédés techniques, liés au cryptage de la télévision, ont permis, depuis le début des années 1980, d'introduire le péage. Dans ce cas le consommateur est mis à contribution de façon volontaire, soit pour souscrire un abonnement à une chaîne ou un service de son choix, soit en payant pour une émission de son choix (*pay per view*) Ce dernier système paraît beaucoup plus conforme à la logique économique. Il permet de facturer, à la différence de la redevance, des sommes corrélées avec le coût du service offert. On peut ainsi vendre — cher — des émissions dont les droits de diffusion sont élevés et surtout appliquer un tarif d'autant plus élevé que le nombre de consommateurs est faible. Si le paiement à la consommation est encore peu développé, l'abonnement est de plus en plus répandu : il concerne non seulement certaines chaînes hertziennes cryptées (Canal+) mais surtout presque toutes les télévisions câblées et nombre de chaînes par satellite.

❑ Le marché publicitaire et les petites annonces

On a vu que les recettes provenant directement des usagers ne suffisent pas à équilibrer les budgets des médias qui se sont tournés de longue date vers un second marché : celui de la publicité. Ces recettes posent aussi, en dépit de leurs avantages des problèmes de gestion importants qui sont assez similaires d'un type de média à l'autre.

➤ PRIX DE VENTE DE L'ESPACE ET SÉLECTIVITÉ

Ce prix est généralement fonction de deux critères fondamentaux : la « taille » de l'audience (l'audience dépasse la notion d'acheteur elle englobe tous ceux qui lisent, écoutent, ou regardent un média) et son *profil socio-économique* (âge, sexe, profession, mode de vie, et surtout niveau de revenus). Par suite, la publicité est très sélective. Elle va vers les médias à large audience surtout s'il s'agit d'annonces portant sur des produits de grande consommation. Cette propension favorise les grandes télévisions nationales et les publications à forte diffusion. La publicité va aussi vers les médias à faible audience mais à public ciblé et à revenus élevés (cadres urbains, pratiquants de certains loisirs, usagers de certains biens ou services), ce qui favorise la presse spécialisée, les news, les magazines féminins, et dans une moindre mesure certaines radios ou télévisions thématiques à condition que leur audience soit mesurable.

D'autres paramètres sont également pris en compte pour fixer les tarifs publicitaires. On peut citer l'emplacement, selon la page et la rubrique rédactionnelle pour ce qui est de la presse, selon l'heure ou le moment d'insertion dans un couloir publicitaire en télévision (les spots de début et de fin se vendent plus cher). Il est clair aussi que les « bons » clients (gros budgets, budgets en croissance) bénéficient de tarifs préférentiels.

➤ IRRÉGULARITÉ ET LIMITES DES INVESTISSEMENTS PUBLICITAIRES

La publicité est irrégulière. Elle varie en fonction des heures d'écoute (peu ou pas de publicité la nuit) pour les radios et les télévisions, des jours de la semaine, des mois de l'année, et bien sûr de la conjoncture économique, pour l'ensemble des médias. Les variations saisonnières qui sont notamment très sensibles pour la presse (forts investissements au printemps et à la rentrée des classes, effondrement en été et après les fêtes de fin d'année) posent donc des problèmes délicats de gestion de trésorerie et influent sur la pagination.

Enfin l'investissement publicitaire est limité : tous les secteurs de l'économie n'ont pas les moyens ou le besoin de recourir à des campagnes publicitaires d'envergure ; et les petites et moyennes entreprises ne peuvent supporter les tarifs élevés des grands médias. Enfin les médias sont en concurrence pour se partager les investissements. Cette concurrence est double, elle existe entre les médias, et au sein d'un média, entre les divers supports.

Aussi les annonceurs peuvent-ils, au gré de leur stratégie publicitaire, favoriser tel média et déstabiliser tel autre. En choisissant ceux qui ont une vaste audience, la publicité conforte la position des « riches » qui peuvent exiger des tarifs bien plus élevés que les « pauvres » pour une même surface ou pour un même temps. Tout ce qui vient d'être dit vaut aussi pour les petites annonces qui sont une part importante des recettes publicitaires, principalement des quotidiens nationaux et locaux. Ceci explique que l'on impute à la publicité la responsabilité de la concentration horizontale ou multimédia qui vise à accroître la diffusion d'un groupe de journaux ou l'audience de radios ou télévisions mises en réseau, afin de vendre plus facilement et plus cher les espaces publicitaires.

➤ L'IMPACT SUR LE CONTENANT ET LE CONTENU

L'appel à la publicité pèse sur la forme des médias : le nombre de pages, les types de papier, l'usage de la couleur, et les durées de programmation sont fonction de l'apport publicitaire. Mais il influe encore plus sur le contenu des médias. On hésitera à critiquer un annonceur important de peur de perdre son budget. Dans la presse, on créera des rubriques spécialisées, des suppléments, voire des publications complètes pour attirer des annonceurs et des petites annonces (rubriques immobilières, automobiles, tourisme). De même l'organisation de la grille d'une radio ou d'une télévision tendra à concentrer les émissions grand public aux heures de grandes écoute pour vendre les espaces publicitaires plus cher, tandis que les émissions à faible audience, en particulier culturelles ou très spécialisées seront reléguées tard dans la nuit, voire supprimées. Enfin pour contourner les nombreuses réglementations visant à limiter le recours à la publicité on utilisera des formes plus voilées : le publi-rédactionnel (publicité qui adopte le style, le graphisme et le mode d'illustration d'un article), ou le parrainage télévisuel (simple citation du nom et du logo de l'annonceur).

❏ Les aides

On connaît mal les apports souvent importants, des entreprises, collectivités, groupes de pression, partis, qui apportent des capitaux plus ou moins discrètement à des organes chargés de véhiculer un message souvent orienté et qui peut s'apparenter à de la propagande. On n'insistera pas non plus ici sur les apports en capital et prises en charge de déficits que les actionnaires, publics ou privés, de certains médias, assument en cas de mauvais fonctionnement de l'entreprise qu'ils contrôlent. On évoquera seulement les systèmes organisés et communs à plusieurs médias mis en place pour aider leur fabrication et parfois leur diffusion.

Ces aides sont tantôt *indirectes :* elles évitent ou minorent des dépenses ; tantôt *directes* : on accorde des fonds soit sous forme de prêts qu'il faudra rembourser, soit sous forme de subventions. Elles sont le plus souvent initiées par la puissance publique, qui, contrairement à ce qu'on pense ne les finance pas toujours.

➤ LES AIDES À LA PRESSE

Elles sont de type très divers, leur nombre et leur ampleur varient beaucoup d'un pays à l'autre, mais sont surtout caractéristiques de l'Europe occidentale.

Généralement elles sont accordées par l'État dans le but de favoriser la création, le développement ou la survie de certains types de presse ou de contenu. Ce sont les quotidiens d'information politique qui en bénéficient le plus.

La création peut être aidée par l'octroi de subventions ou de prêts à bon marché (ce qui n'est pas le cas en France). On diminuera le prix du papier ou de certains matériels en réduisant les droits de douane. Comme en France, on limitera les divers impôts, qu'ils soient locaux ou sur le chiffre d'affaire (TVA) ou sur les bénéfices, on accordera des tarifs postaux très privilégiés, enfin on versera des subventions spécifiques pour aider plus particulièrement les petits quotidiens et les petits hebdomadaires d'information générale ou locale. On peut aussi créer des fonds destinés à faciliter l'exportation, ou à favoriser certaines opérations. Ainsi en France l'État aide la modernisation des entreprises de presse quotidienne, le développement du portage à domicile et la création d'activités multimédias. Dans certains pays scandinaves, l'État accorde des subventions aux partis politiques pour qu'ils entretiennent des organes de presse. La France se caractérise par le montant élevé de ces aides qui dans leur grande majorité sont indirectes et qui représentent l'équivalent de 10 à 12 % du chiffre d'affaires de la presse.

➤ LES AIDES À L'AUDIOVISUEL

Ces aides concernent surtout la télévision en raison des difficultés qu'elle traverse, notamment en France.

On a déjà vu que les États prenaient souvent en charge, grâce à des institutions diverses — société de télécommunication ou société nationale de télévision — la mise en place des infrastructures. Les États épongent ensuite, soit par capitalisations successives, soit par subventions, les déficits des télévisions nationales (comme en France et en Italie).

Plus récemment, des systèmes nouveaux ont été mis en place qui concernent la production des images. À l'instar de ce qui existe depuis longtemps pour le cinéma, certains États, et notamment la France ont mis en place des systèmes d'épargne forcée qui prélèvent des sommes auprès des diffuseurs pour les accorder, sous certaines conditions, aux producteurs. C'est le rôle du COSIP (compte de soutien aux industries de programme) dont une partie des fonds visent à faciliter le financement d'œuvres ambitieuses et chères (les OAV) et aussi dans certains cas, à favoriser certaines coproductions avec des pays européens, ou dont la culture est jugée intéressante (Afrique par exemple, ou Québec dans le cas français). Ce système a aussi pour but de développer et fortifier le tissu d'entreprises de production indépendantes. Il existe également en France un Fonds de soutien à l'expression radiophonique qui accorde des aides à l'installation et au fonctionnement des radios associatives dont les recettes de publicité sont inférieures à 25 % de leur chiffre d'affaires.

❑ Conclusion

Comme pour toute activité industrielle la gestion des entreprises médiatiques soulève de nombreuses difficultés et demeure tributaire de la taille du marché auquel elle s'adresse.

Cependant une différence importante sépare les médias d'autres secteurs dans la mesure où très souvent ce marché est double. Si chacun des marchés génère des recettes différentes (recettes de ventes et de publicité), mais liées, il impose le recours à des méthodes de commercialisation spécifiques. Pour ce qui est des contenus, la variété des produits incorporés et des modes de diffusion, oblige les gestionnaires à faire appel à des intervenants multiples ce qui engendre des négociations souvent complexes : relations de salariat mais aussi interventions ponctuelles ou achats unitaires et payés au forfait. Les entrepreneurs mettent en œuvre des stratégies parfois contradictoires. Tandis que les grandes entreprises et les groupes souhaitent le plus de liberté possible et le droit de se diversifier, les plus faibles réclament protection et aides accrues. Enfin, comme ailleurs encore, les consommateurs restent maîtres du jeu, soit qu'ils acceptent de payer directement l'information à son prix, soit qu'ils préfèrent des médias financés par la publicité et par l'État.

Bibliographie

GAZZANIGA Jean-Louis et Pierre SPITERI (dir.), *Gestion et médias*, Presses de l'université des sciences sociales de Toulouse, 1998.

KUPERBERG Pierre, *La création de l'entreprise audiovisuelle*, Paris, Dixit, 1997.

LACY Stephen et al., *Media Management : A Casebook Approach*, Hillsdale (NJ), Erlbaum 1993.

PRINGLE Peter K. et al., *Electronic Media Management*, Londres, Sage, 3e éd. 1994.

REDMOND James et Robert TRAGER, *Balancing on the Wire. The Art of Managing Media Organizations*, Boulder, CourseWise, 1998.

Voir aussi pour la presse : les publications de l'Association mondiale des journaux (AMJ), qui reproduit les travaux et recherches de ses adhérents.

Voir aussi pour la télévision : les rapports annuels du Conseil supérieur de l'audiovisuel (CSA), consacrés à chacune des grandes chaînes hertziennes françaises.

Jean-Pierre Marhuenda

Chapitre 10

La publicité et les médias

Une relation privilégiée unit les médias de diffusion et la publicité. Ce lien est fort ancien puisque certaines feuilles du XVIe et XVIIe siècle comportaient déjà des annonces ; des publications leur étaient même entièrement consacrées, notamment en Grande-Bretagne puis aux États-Unis et en France après 1750. Progressivement la publicité est devenue un contenu familier de la majorité des titres de presse tandis que les investissements publicitaires s'affirmaient comme un complément souvent indispensable pour les recettes des journaux. La radio et la télévision commerciales poussent encore plus loin cette logique puisque les recettes publicitaires doivent, pour l'essentiel, assurer la rentabilité des chaînes et des stations.

La présence, aussi sensible, d'une activité commerciale et persuasive dans des moyens d'information et de diffusion culturelle suscite bien des critiques et des interrogations. Que recouvre donc l'activité publicitaire et comment est-elle organisée ? Quelle est sa finalité et comment utilise-t-elle les médias ? Peut-on évaluer son influence réelle et son évolution ?

La publicité est une communication de masse effectuée pour le compte d'un *annonceur,* qui achète de l'espace, notamment dans les médias, pour diffuser ses propres messages promotionnels. Ces derniers sont généralement élaborés par une agence conseil en publicité ou en communication. La publicité a pour objectif de faire connaître et de mettre en valeur un produit ou une marque, un service ou une activité, une institution ou une « grande cause » (humanitaire, par exemple), un groupe ou un individu. Elle prend souvent la forme concrète d'une annonce, mais elle peut aussi utiliser des moyens dits « hors média » : publicité sur les lieux de vente, promotion, foire, exposition, publicité directe par courrier (*mailing*) ou par téléphone (*phoning*), édition publicitaire. Nous nous limiterons essentiellement à la publicité dans les grands médias qui font l'objet de ce manuel.

LES ACTEURS ET LE FONCTIONNEMENT DE LA PUBLICITÉ

La publicité fait intervenir trois types d'acteurs principaux : les annonceurs qui financent les actions publicitaires pour promouvoir leur activité, les médias qui vendent leur espace comme « support » des campagnes publicitaires, les agences de publicité et de communication qui conçoivent et réalisent ces campagnes. Des intermédiaires sont venus s'adjoindre à ces intervenants. Ainsi les médias peuvent confier la promotion et la vente de leur espace à des régies de publicité, tandis que des « centrales d'achat » acquièrent, en gros et à l'avance, des espaces publicitaires dans plusieurs supports pour les revendre ensuite aux agences de publicité qui les achètent pour le compte de leurs clients annonceurs.

Les ANNONCEURS sont les entreprises qui veulent faire connaître et valoriser leurs produits ou leurs services sur le marché auprès des consommateurs potentiels. Il peut s'agir aussi d'organismes publics ou privés qui souhaitent promouvoir leur activité et leur « image ».

Les annonceurs consacrent une part très inégale de leur budget à la publicité et aux dépenses de promotion. À titre d'exemple, en 1992 on comptait en France environ 20 000 annonceurs, mais les 100 premiers totalisaient près du tiers des investissements publicitaires.

D'une manière générale les principaux annonceurs sont des producteurs ou des distributeurs de biens et de services de grande consommation. En France, on trouve parmi eux de grosses firmes du secteur « entretien ménager » (Colgate, Procter & Gamble), des constructeurs automobiles (Peugeot, Renault), les grands du secteur agroalimentaire et des biens d'équipement domestique. Ces entreprises privilégient la télévision (à moins qu'une réglementation ne le leur interdise comme c'est le cas pour la grande distribution en France), leur choix se portant en deuxième position sur la presse.

LISTE DES 20 PLUS GROS ANNONCEURS EN FRANCE (1995)

Annonceurs	Budget publicitaire en 1995 (MF)	Répartition du budget publicitaire par média (en %)				
		Presse	Radio	T.V.	Affichage	Cinéma
PSA	1 760	22.7	27.2	42.4	7.3	0.5
Nestlé Entreprises	1 558	13.2	6.5	61.5	15.7	3.1
L'Oréal	1 510	27.8	4.3	65.8	1.8	0.3
Danone	1 409	15.2	5.9	68.9	9.7	0.4
Renault	1 039	33.9	21.6	26.7	17.3	0.6
Unilever	872	11.6	1.3	80.7	6.2	0.2
Philips	858	17.6	18.3	59.2	3.8	1.0
Procter & Gamble	804	2.4	0.6	94.4	2.4	0.4
Auchan	739	38.4	20.7	6.4	31.5	3.1
Groupe Fiat	676	33.9	28.3	29.7	8.1	
France Télécom	657	40.5	13.2	28	16.3	2.1
Volkswagen	580	34.5	21.2	30.5	13.8	
Havas	573	52.2	17.3	7.5	22.9	0.3
Philip Morris	546	8.4	1.3	81.7	6.8	1.8
Lagardère	536	54.9	23.1	11.6	10.3	0.2
LVMH	515	74.0	4.1	8.5	13.4	0.2
Ford	499	29.3	21.2	30.3	19.4	
Mars	496	4.6	0.6	89.7	4.8	
General Motors	495	26.9	14.5	48.1	10.1	0.4
Carrefour	491	44.6	30.3	0.6	24.6	
Total (en %)	28	18.2	30.3	37.7	26.8	33.1

[Source : Secodip]

L'accroissement des investissements publicitaires va de pair avec le développement de l'économie de marché. Les États-Unis occupent la première place, loin devant les autres pays riches. Ils font plus de la moitié des dépenses publicitaires mondiales ; le Japon, la Grande-Bretagne et l'Allemagne viennent loin derrière, la France en cinquième position.

Cette relative faiblesse des investissements publicitaires français est plus sensible encore si l'on considère les investissements publicitaires par rapport au PNB du pays. La suprématie américaine se confirme en ce domaine ; mais des pays comme les Pays-Bas, la Grande-Bretagne, la Suisse, le Japon, devancent la France.

En 1997, les actions « hors média », utilisant un canal différent des médias de diffusion, représentent en France plus de 60 % des investissements publicitaires et promotionnels (soit un peu plus que la moyenne européenne).

Les MÉDIAS vendent donc une partie de leur espace qui est destinée à recevoir des messages publicitaires. Ils le font d'autant plus volontiers que les recettes qu'ils perçoivent ainsi sont indispensables à leur survie. Ils traitent souvent directement la publicité provenant d'annonceurs locaux, mais les publicités relevant de campagnes nationales sont confiées à une régie publicitaire.

Une régie se charge de promouvoir l'espace publicitaire d'un ou plusieurs supports et de le vendre aux agences de publicité. Elle peut faire partie de l'entreprise médiatique et fonctionner à la manière d'un service commercial prenant en charge tout ou partie de la publicité destinée au média ; mais elle peut aussi gérer l'espace de plusieurs supports mis en commun, que ces supports appartiennent ou non à un même groupe. Ainsi Publi Print est la régie des publications du groupe Hersant, Régions Communications est une régie commune à de nombreux régionaux de l'Ouest, du Sud-Ouest et du Centre de la France. Certaines régies peuvent même être liées à des grandes agences de publicité comme Havas Régie, composante du groupe Havas ou Régie Presse liée à Publicis.

Les AGENCES D E PUBLICITÉ se sont imposées comme relais quasiment indispensables entre l'annonceur et ses supports. Elles sont de création relativement récente car les précurseurs du XIXe siècle (Volney B. Palmer aux États-Unis, Charles Havas et Charles Duveyrier en France) étaient plutôt des collecteurs de publicité pour le compte des journaux de l'époque. Parmi les plus anciennes citons la N.W. Ayer (1869) ou encore la James Walter Thomson (1878) devenue depuis la plus célèbre du monde de la publicité. En France les premières agences conseils préfigurant les agences que nous connaissons aujourd'hui sont apparues en 1926.

L'agence doit donc effectuer pour le compte de ses clients : les études préalables qui peuvent compléter les études de marché déjà effectuées par l'annonceur ; la conception et la réalisation des messages publicitaires, à moins qu'elle ne sous-traite la production à des agences spécialisées ; et enfin le choix des supports les plus adéquats pour entrer en contact avec les cibles définies.

La structure interne des agences reproduit cette division fonctionnelle du travail. Les COMMER-CIAUX (directeurs de clientèles, chefs de publicité) ont la responsabilité des relations avec le client annonceur et doivent faire respecter ses impératifs budgétaires et ses choix en matière de marketing au sein de l'agence, et surtout auprès des créatifs (directeur de création, directeur artistique, concepteur rédacteur, chef de studio) l'autre composante essentielle de l'activité publicitaire. Ces professionnels ont en charge la conception des textes et des visuels de la campagne réalisée. Les plus grandes agences possèdent leurs propres services de fabrication et de production (édition, composition, studio photo) et s'assurent la collaboration de créateurs, de réalisateurs extérieurs. Les petites structures sous traitent le plus souvent la production, l'exécution matérielle des conceptions de leurs créatifs. Des administratifs assurent la gestion quotidienne de l'agence.

Le département ÉTUDES prend en charge les analyses et les enquêtes spécifiques qui peuvent compléter les données fournies par les études de marché réalisées par le client, aider le travail des créatifs en fournissant des informations sur l'évolution des attentes et des comportements des consommateurs et, plus largement, sur les modes et les tendances socioculturelles dans lesquelles s'inscrit la communication publicitaire. Il peut également effectuer les pré-tests relatifs aux messages d'une nouvelle campagne. Ces études et ces analyses peuvent être sous traitées auprès d'organismes extérieurs spécialisés (comme par exemple Yankelovich Clancy Shulman aux États-Unis, le CCA ou la COFREMCA en France).

Le SERVICE MÉDIAS doit sélectionner les supports les mieux adaptés aux objectifs de la campagne comme aux caractéristiques des cibles visées. Il doit préciser, par exemple, quels titres de la presse écrite (quotidienne ou magazine), quelles plages horaires de quelles stations de radio, quels écrans publicitaires de quelles chaînes de télévision donnent le meilleur accès aux publics sélectionnés. L'établissement du programme de diffusion (« média planning »), la combinaison des supports retenus, les formats des messages, le calendrier de leur passage sont également du ressort du responsable média en agence. L'achat d'espace auprès du support ou de sa régie de publicité vient conclure cette succession d'opérations ; c'est d'ailleurs le poste le plus coûteux d'une campagne, il représente jusqu'à 80 % du budget d'ensemble. Il n'est donc pas étonnant que ce négoce ait suscité la formation d'organismes commerciaux spécialisés dans l'achat et la vente « en gros » des espaces payants médiatiques : les CENTRALES D'ACHAT.

En achetant de manière groupée l'espace publicitaire de multiples supports, ces centrales obtiennent des tarifs plus avantageux ; elles retiennent des commissions plus faibles (5 à 6 % du budget d'achat d'espace contre 15 % en moyenne pour les agences). En France, quelques grandes centrales (Carat Espace qui, en 1996, réalisait un chiffre d'affaires supérieur à 12 milliards de francs, Mediapolis lié à Havas Advertising) ont fini par contrôler 70 % du marché de l'achat d'espace. Les médias sont souvent démunis face à une telle concentration ; les agences conseil se sont élevées contre ce qu'elles considéraient comme une position dominante excessive et une confusion des rôles faussant le marché. Pour leur part, les annonceurs ignoraient le montant réel des rabais consentis par les médias sur leurs tarifs officiels. C'est pour clarifier cette procédure complexe et souvent opaque pour l'annonceur qu'est intervenue la loi du 29 janvier 1993 dite « loi Sapin ». Le texte de la loi stipule l'obligation de porter sur le texte même du contrat toutes les conditions préférentielles obtenues pour l'achat d'espace. Les diverses ristournes et avantages déduits sont donc désormais connus de l'annonceur comme du support.

Le monde des agences de publicité comporte aussi bien des milliers de petites structures regroupant quelques professionnels que d'énormes ensembles comme Young & Rubicam dont l'effectif total dépasse 11 000 personnes réparties dans près de deux cents « bureaux » à travers le monde. En fait s'il y a toujours place sur les marchés nationaux pour des agences spécialisées dans la prestation de services bien déterminés, l'activité publicitaire est internationalement assez concentrée.

LES 15 PREMIERS GROUPES DE PUBLICITÉ DANS LE MONDE EN 1996

Rang	Groupe	MB en M$	CA en M$
1	WPP Group	3 419.9	24 740.5
2	Omnicom	3 035.5	23 385.1
3	InterpublicGroup of Cos.	2 751.2	20 045.1
4	Dentsu	1 929.9	14 074.9
5	Young & Rubicam	1 356.4	11 981.0
6	Cordiant	1 169.3	9 739.9
7	Grey Advertising	987.8	6 629.4
8	Havas Advertisign	974.3	7 295.1
9	Hakuhodo	897.7	6 677.0
10	True North Communications	889.5	7 040.9
11	Leo Burnett Co.	866.5	5 821.1
12	McManus Group	754.2	6 830.3
13	Publicis Communication	676.8	4 617.7
14	Bozell, Jacobs, Kenyon & Eckhardt	473.1	3 675.0
15	GGT / BDDP	398.1	3 149.1

Les groupes d'envergure mondiale sont peu nombreux. Les plus puissants sont anglo-saxons ou japonais. Ces groupes proposent à leurs clients une gamme complète de services. Ils ont réussi à s'implanter sur la majeure partie des marchés nationaux, y gagnant souvent les premières places. Mais pas en France où deux grands groupes publicitaires (Havas et Publicis) se sont constitués. En associant les activités de conseil, de régie publicitaire et d'achat d'espace, ils ont occupé assez rapidement les premières places sur le marché national avant de s'internationaliser à leur tour. Leur développement et leur très forte implantation auprès des médias en particulier, ont freiné l'insertion des agences anglo-saxonnes sur le marché français.

Racheté par la CGE en 1998, Havas Advertising est désormais une composante du pôle Communication du nouveau groupe Vivendi qui comporte aussi Canal+. Havas Advertising reste le premier groupe français de publicité avec une marge brute de 1,945 milliard de francs. Le groupe Publicis (1,2 milliard de MB) vient en deuxième position : il est également présent dans tous les secteurs de l'activité publicitaire. Ces deux groupes comptent parmi les plus puissants d'Europe mais les autres agences françaises les plus connues restent de taille moyenne.

LE PROCESSUS PUBLICITAIRE

❏ Une démarche créative finalisée

La publicité doit mettre en valeur la singularité pratique, économique ou psychologique du produit proposé. Elle s'appuie donc sur une démarche créative originale qui doit tenir compte des caractéristiques de l'objet promu et des informations fournies par le service « études ». Le tout en respectant les contraintes budgétaires définies par le client. Il s'agit donc de canaliser les « créatifs », ou au moins de leur donner des points de repère sans brider leur imagination. Ce cadre général est souvent constitué par ce que les publicitaires appellent la « copy stratégie[1] » ; on y formule la cible choisie, la « promesse » (l'avantage du produit ou du service proposé), sa justification ou « preuve », le ton sur lequel on s'exprimera.

Cela dit, certains professionnels de la publicité, et parmi eux de grands créatifs, remettent en cause l'utilité de la « copy stratégie » qu'ils jugent inutilement formaliste et faussement rigoureuse. Une fonction associant plus étroitement l'étude du marché, de la concurrence, du contexte économique social ou culturel avec la définition d'opportunités en matière de création et de communication s'est développée dans les agences anglo-saxonnes puis françaises, il s'agit du « planning stratégique ».

❏ Une sélection des médias et des supports

Les publicitaires cherchent avant tout à se faire entendre des consommateurs potentiels des biens et des services qu'ils doivent promouvoir. Le choix doit se faire d'abord entre les divers médias disponibles (presse écrite, télévision, radio, affichage, cinéma) avant de déterminer de manière plus précise quels supports spécifiques transmettront les messages publicitaires.

En dehors du coût de l'insertion publicitaire, les critères de sélection retenus sont donc, d'une part, la capacité des médias et des supports à transmettre de manière satisfaisante les messages élaborés et à leur apporter une plus-value qualitative (prestige, crédibilité, environnement esthétique par exemple). Et, d'autre part, l'audience utile du support, c'est-à-dire la part de son audience qui correspond à la cible visée. La taille de l'audience n'est donc pas seule à retenir l'attention des « média planneurs » ; sa composition sociodémographique (âge, sexe), socio-économique (profession, niveau de revenu) et socioculturelle doit également être prise en compte, ainsi que son homogénéité ou son hétérogénéité relative. Les responsables du « média planning » ont ainsi développé des modèles mathématiques sophistiqués permettant d'optimiser leurs sélections en fonction, d'une part, de l'affinité entre cible, public et support et, d'autre part, du coût de l'insertion publicitaire dans les supports retenus.

Des organismes de contrôle fournissent les données statistiques permettant de comparer les caractéristiques et les performances de ces divers supports. Ces organismes regroupent des représentants des annonceurs, des représentants d'agences conseils en publicité et communication, des représentants des médias.

---

1. Cette expression est le décalque de l'américain *copy strategy*. Le terme de « stratégie de création » qui pourrait s'y substituer prête à discussion.

En France, l'association Diffusion Contrôle (OJD) contrôle le tirage, la diffusion payée et gratuite des publications[1]. Par ailleurs, le CESP (Centre d'Étude des Supports de Publicité dont la première enquête remonte à 1957) contrôle, depuis 1993, les enquêtes sur la presse commanditées par les associations professionnelles. On peut également calculer le taux de circulation d'une publication écrite en faisant le rapport entre l'audience du titre et sa diffusion. En presse écrite, les tarifs publicitaires dépendent, d'une part, du format de l'annonce, de l'emplacement dans la publication, de l'utilisation de la couleur et, d'autre part, de l'audience contrôlée du titre. La qualité socio-économique et socio-culturelle du lectorat est également un facteur important. En 1994, les tarifs pour une page en quadrichromie en « format utile » dans la presse féminine française variaient de 229 500 francs dans *Femme Actuelle* ou de 126 000 francs dans *Elle* à 43 000 francs dans *Maxi*, et pour les mensuels, les prix allaient de 180 000 francs pour *Prima* ou de 169 000 francs pour *Marie Claire* à 75 500 francs pour *Biba*.

Pour mesurer l'audience de la radio et de la télévision on recourt surtout aux sondages téléphoniques et à l'enregistrement automatique sur audimètre[2] de la durée d'écoute de la télévision, des canaux choisis, des changements intervenant durant l'écoute.

À la télévision, les prix ne varient pas seulement en fonction de la durée du spot (généralement de 3 à 90 secondes) mais aussi selon l'heure de diffusion. À titre d'exemple voici, pour un spot de 30 secondes, une sélection des tarifs correspondant à des créneaux horaires différents sur la télévision française.

TARIF MOYEN POUR UN SPOT DE 30 SECONDES (JANVIER-JUIN 1997) EN FF

	de 3h à 18h59 *day time*	de 19h à 20h29 *access prime time*	de 20h30 à 22h29 *prime time*	Après 22h30 *night time*
TF1		163 140	385 776	93 568
F2	66 892	78 032	162 772	25 771
F3	17 748	94 573	81 709	21 144
M6	23 893	84 884	138 920	30 861

Les prix sont très élevés lorsque les écrans publicitaires sont diffusés juste avant ou même pendant les programmes de grande écoute.

Les prix de base peuvent être dégressifs, selon le volume des budgets publicitaires apportés par l'annonceur. Des abattements sont consentis pour les publicités collectives ou pour celles du gouvernement. À l'inverse, moyennant un surcoût, un annonceur peut sélectionner des emplacements préférentiels ou négocier un passage multiple de son annonce au sein d'un même écran. Bien entendu les publicitaires suivent de près les variations d'audience des émissions en fonction des horaires de programmation. Ils ont également multiplié les études pour mieux évaluer l'efficacité des messages publicitaires successifs concentrés sur les mêmes créneaux horaires, ou encore pour apprécier les effets du zapping ; les téléspectateurs utilisant une télécommande sont nombreux, en effet, à changer de programme en cours d'émission, et tout particulièrement lors des interruptions publicitaires.

❑ Répartition de la publicité dans les grands médias

La télévision devient le support privilégié des campagnes « grand public » ; toutefois, à l'exception du Japon, elle ne recueille pas encore la majorité des investissements publicitaires effectués par les annonceurs dans les grands médias. Même aux États-Unis où elle représente un fort pourcentage de ces dépenses (supérieur à 38 %) elle vient après la presse écrite (49 % en 1992).

---

1. Sur les dispositifs mesurant la diffusion ou l'audience, voir le chapitre 11 sur « Audiences et pratiques », p. 177.
2. Voir chapitre 11, p. 177.

PART DE LA TÉLÉVISION DANS LES INVESTISSEMENTS PUBLICITAIRES « GRANDS MÉDIAS* » (EN %)

	1988	1990	1992	1994
États-Unis	32,7	33,6	38,3	38.8
Grande-Bretagne	30,9	30,5	36	35.7
Japon	36,9	36,7	40,1	42.4
France	24,5	24,9	29,4	31.9

[Source IREP – AACC]
* à l'exclusion des dépenses « hors média ».

À sa capacité de toucher de très larges audiences, la publicité télévisée ajoute l'utilisation de l'image animée et de l'illustration sonore, autant d'éléments susceptibles de faire d'une annonce télévisée un court moment de plaisir ludique ou même, quelquefois, esthétique.

Le parrainage d'émission se développe également : en France, en 1994, Rhône Poulenc parrainait *Ushuaïa*, et Darty faisait de même avec la météo. De la même manière qu'une marque peut associer son nom à un grand événement sportif et culturel et bénéficier ainsi de sa médiatisation, elle peut participer au financement direct d'un programme moyennant citation de son nom. L'agence peut même financer directement la production d'une émission en y insérant les spots achetés par ses clients annonceurs comme dans le cas du *bartering* (troc de programmes contre des espaces publicitaires).

La multiplication des chaînes thématiques et l'émergence de la télévision numérique provoquent une fragmentation des audiences au bénéfice des chaînes payantes et spécifiques et entament la puissance des chaînes hertziennes généralistes. Pour le moment cette évolution n'affecte que légèrement le potentiel publicitaire du média. En France en 1997, 5 % environ des dépenses publicitaires télévisées se portent sur ces canaux. À terme pourtant, les publicitaires et les annonceurs risquent de rechercher un ciblage plus précis des programmes du petit écran.

De même si les dépenses publicitaires sur Internet restent encore très limitées (40 MF pour 13 000 annonceurs en France pour 1997) les qualités du Web (ouverture internationale, possibilité de toucher des cibles précises, interactivité possible) devraient susciter un intérêt croissant pour la publicité en ligne[1].

La radio peut recevoir les messages de catégories d'annonceurs dont les produits ou les services sont soumis à des restrictions (voire à des interdictions) en matière de publicité télévisée (par exemple la grande distribution en France). La radio reste aussi un bon média publicitaire pour toucher des publics jeunes et des cibles locales ; en France 70 % de la publicité passant sur les stations regroupées en réseaux (NRJ, Fun, Skyrock) est d'origine locale.

L'affichage réussit à conserver une place non négligeable pour toucher des publics dans les zones à forte concentration urbaine. Il peut aussi, bénéficier d'une limitation des espaces publicitaires à la télévision, comme ce fut longtemps le cas en France.

Toutefois, dans la plupart des pays économiquement développés, le premier média publicitaire reste encore la presse écrite, tous types de publications confondus, même si sa part de marché relative varie considérablement selon les contextes nationaux.. En Europe, à l'exception de la France ou de l'Italie où elle a sensiblement régressé, la presse écrite collecte souvent les deux tiers, ou plus, des investissements publicitaires dans les grands médias contre la moitié environ aux États-Unis et moins de 40 % au Japon. La France se caractérise par une relative faiblesse de la publicité dans la presse quotidienne alors que les magazines sont mieux lotis.

D'une manière générale la presse écrite reste concurrentielle lorsque les messages publicitaires visent des publics locaux ou régionaux (presse régionale), des publics dits « haut de gamme » et, plus largement, des publics spécifiques.

La publicité dans la presse écrite se présente selon deux aspects différents : il peut s'agir d'annonces publicitaires proprement dites (ou placards publicitaires) s'inscrivant dans le cadre d'une

---

1. Des enquêtes comme « Cybermonitor » de Médiamétrie ou « Webmeasure » de la SOFRES analysent la fréquentation et la consultation des sites Internet.

campagne réalisée pour un annonceur ; mais, il peut s'agir aussi de « petites annonces », ou annonces classées, portant sur les transactions immobilières, les offres et demandes d'emploi, les marchés de l'occasion ou toute autre forme d'échanges entre particuliers. Ces annonces peuvent être regroupées dans des cahiers spécifiques ou encore dans des suppléments thématiques séparés. Elles représentent une part importante des ressources publicitaires des journaux, en particulier des quotidiens régionaux : 27 % en France en 1992.

Les JOURNAUX GRATUITS, hebdomadaires ou mensuels, entièrement financés par les annonces classées et les publicités de commerçants ou d'artisans locaux (quelquefois du quartier), constituent un support en expansion. En 1992, le Service juridique et technique de l'information recensait environ 400 titres en France, diffusant 36 millions d'exemplaires par semaine et représentant un chiffre d'affaire de 4 milliards de francs. Les principaux groupes de gratuits sont d'ailleurs contrôlés par les grands groupes de communication et de publicité (Havas), ou encore par les quotidiens régionaux directement menacés par ce nouveau support local.

❑ La réglementation de la publicité

La publicité a souvent prêté le flanc aux critiques. On fustige ses excès et ses débordements notamment en matière de « promesse » et d'argumentation. Aussi fait-elle l'objet d'une réglementation dont la rigueur et l'extension peuvent grandement varier d'un pays à l'autre. Même aux États-Unis, pays où règne le libéralisme économique, l'activité publicitaire est soumise à des restrictions d'autant plus complexes qu'elles peuvent être issues de textes fédéraux, de textes propres à chaque État, ou même de décisions strictement locales[1]. Dans les pays de la communauté économique européenne, les produits pharmaceutiques, le tabac, les boissons alcoolisées par exemple sont soumis à des limitations plus ou moins sévères.

En France, la publicité donne lieu à une réglementation assez stricte. Afin d'éviter l'extension de règlements de plus en plus contraignants, les professionnels de la publicité se sont dotés d'instruments d'autodiscipline. Le BVP, Bureau de vérification de la publicité, créé en 1953, est une association regroupant des publicitaires, des annonceurs, des représentants des médias et de l'Institut National de la Consommation pour promouvoir une « publicité loyale véridique et saine », et pour vérifier que les annonces sont conformes aux textes officiels régissant la publicité. Entre autres, les annonces destinées à la télévision sont systématiquement soumises pour avis au BVP, le contrôle du CSA n'intervient qu'après diffusion du message.

L'INFLUENCE DE LA PUBLICITÉ

« L'influence » de la publicité sur les ventes ou, plus généralement, sur les comportements est un point toujours discuté. Il est difficile d'évaluer de manière précise les « effets » qualitatifs et quantitatifs d'une campagne publicitaire sur les cibles visées ; il est plus facile d'en constater les conséquences directes sur la forme et les contenus des médias qui lui vendent leur espace.

---

1. La justice américaine fait d'ailleurs la distinction entre la publicité d'opinion (qu'elle émane d'un individu, d'un groupe, d'une association ou d'un parti politique), à laquelle s'applique le Premier amendement de la constitution (liberté d'expression) et, d'autre part, la publicité commerciale à laquelle cet amendement ne s'applique qu'avec de grandes restrictions.

❑ L'influence sur les consommateurs

Pour convaincre les publics auxquels ils s'adressent, les publicitaires ont imaginé différentes « stratégies » qui s'appuient sur des modèles empruntés à la psychologie de l'influence et du comportement ainsi qu'à la théorie de la communication.

Afin d'en tester l'efficacité, on procède donc régulièrement à l'évaluation du taux de reconnaissance d'un message, de sa mémorisation, de la notoriété de la marque et des attitudes, positives ou négatives, à son égard. Mais si ces indicateurs attestent d'une « bonne réception » de la campagne, ils ne répondent pas pour autant aux questions fondamentales : le souvenir d'un message est-il gage de son efficacité ? Les publicitaires soulignent souvent que leurs campagnes suscitent des réactions, parfois passionnées, ce qui prouve que le public les perçoit et y réagit de manière impliquée. Mais la distraction, qui peut perturber l'apprentissage d'un message, peut aussi abaisser le seuil critique du sujet et faciliter ainsi la familiarisation des spectateurs avec le nom d'une marque : c'est souvent le résultat recherché par des actions de parrainage qui associent le nom d'une marque ou d'un annonceur à un événement spectaculaire et plaisant. Par ailleurs, est-il nécessaire qu'une publicité plaise aux publics pour être efficace ? De multiples annonces pour des lessives ou des « couches culottes » n'ont suscité qu'irritation et sarcasmes sans pour autant faire baisser les ventes des marques concernées, bien au contraire ! Au fond, les conditions d'efficacité des messages publicitaires sont aussi complexes et variées que pour toute autre communication[1].

❑ Les effets sur les contenus des médias

Le développement de la publicité dans les médias a aussi des conséquences sur leur forme et leur contenu.

Dans la presse écrite l'accroissement des investissements publicitaires se traduit par une augmentation de la pagination et une amélioration de la qualité de présentation. La publicité pousse à l'utilisation de la couleur et d'un papier de meilleure qualité. Les titres les plus riches en publicité sont aussi ceux qui disposent de la plus grande surface rédactionnelle car les ressources publicitaires permettent d'ajouter des pages d'information supplémentaires. Les quotidiens nationaux français qui comportent, en moyenne, moins de surface publicitaire que leurs homologues européens sont aussi les moins riches en pages rédactionnelles. La pagination publicitaire des magazines français destinés au grand public est plus importante ; elle oscille le plus souvent entre 30 % et 50 % de la surface totale. Cette interdépendance conduit souvent à faire dépendre le volume rédactionnel non de la densité de l'actualité mais plutôt du volume de publicité disponible ; or ce dernier varie selon les saisons ainsi que selon les jours de la semaine.

D'une manière plus générale, les besoins des annonceurs en pages spécialisées susceptibles d'attirer des « lecteurs utiles » et sensibles aux messages publicitaires ont contribué à la création de pages magazines spécifiques (dans les quotidiens ou dans les hebdomadaires) et plus encore à l'édition de suppléments thématiques. Articles spécialisés, publicités ciblées et petites annonces spécifiques (relatives par exemple au marché de l'emploi ou de l'immobilier) sont ainsi regroupés sur un même support, souvent plus coloré, de format et de qualité « magazine » ; selon les responsables de la rédaction, de tels suppléments sont conçus et confectionnés en collaboration étroite avec le service du marketing, voire le service de publicité, du journal.

Bien sûr, le rapport entre messages publicitaires et contenus rédactionnels ne cesse de faire l'objet d'un débat d'autant plus épineux que l'influence de l'un sur l'autre paraît tout à la fois inévitable et bien difficile à cerner et à démontrer de manière irréfutable.

La publicité fuyant les publications trop nettement politisées, les journaux qui souhaitent développer leurs ressources publicitaires sont conduits à atténuer certains types de discours. Ceux dont le contenu rédactionnel recoupe largement les thèmes développés par les messages publicitaires,

---

1. Voir le chapitre 12 sur « Les effets des médias », p. 191.

comme c'est le cas pour les magazines féminins, sont régulièrement exposés aux risques d'inter-férences critiques entre les deux types de messages. Pour certaines presses spécialisées dans le domaine technique et professionnel ou dans le domaine des loisirs par exemple, on a même le senti-ment que les titres ont pour fonction première d'être des supports publicitaires, diffusant une infor-mation promotionnelle.

Le développement des chaînes de télévision commerciale et de leurs ressources publicitaires a banalisé le recours systématique aux mesures d'audience pour confirmer ou sanctionner les programmes diffusés. La programmation télévisuelle applique désormais des principes issus du marketing ; le coût d'une émission est modulé selon l'audience espérée et selon la « rentabilité » attendue des écrans commerciaux correspondant à sa plage de diffusion.

L'habitude prise par un nombre croissant de téléspectateurs de changer de chaîne au moment des publicités inquiète les annonceurs, tant aux États-Unis qu'en Europe. Dans certains pays on en est venu à insérer les publicités dans les émissions afin d'éviter cette fuite des spectateurs.

DE LA PUBLICITÉ À LA COMMUNICATION D'ENTREPRISE

Au cours de son évolution, la publicité a vu se diversifier les annonceurs qui ont recours à ses techniques de diffusion et de promotion : hommes et partis politiques (pour la communication poli-tique), grandes associations (communication sociale et humanitaire pour les grandes causes), collecti-vités territoriales (communication des institutions locales ou régionales). D'une manière générale de très nombreuses organisations, privées ou publiques, surtout lorsqu'elles sont confrontées à des situa-tions concurrentielles ainsi qu'à des changements importants dans leur statut et leur fonctionnement, ont utilisé la publicité pour accroître leur notoriété, mieux faire connaître leurs activités, promouvoir leurs projets et leurs réalisations.

Le recours à la publicité s'inscrit dans des politiques de communication qui doivent apporter plus globalement leur contribution à la politique générale de l'entreprise en développant et en améliorant ses relations avec les divers publics qui peuvent interagir avec elle : actionnaires et milieux financiers, fournisseurs, pouvoirs publics et décideurs, guides d'opinion et journalistes, personnel, consom-mateurs et grand public. Parallèlement à la communication commerciale dont le budget reste souvent prédominant, d'autres types de communication comme la communication financière, la communica-tion interne auprès du personnel, la communication externe institutionnelle sont regroupées dans des directions de la communication, chargées de leur mise en œuvre et de leur coordination avec l'appui de prestataires de services extérieurs, agences conseil en communication généraliste ou spécialisée. On s'appuie pour cela sur toute une gamme de moyens comme l'identité visuelle (logos, codes graphiques), l'édition institutionnelle, les films et la vidéo d'entreprise, la publicité institutionnelle, le mécénat et autres formes de parrainage.

Certaines de ses techniques visent plus directement à entretenir de « bonnes relations » avec les médias. Soumises à l'opinion de leurs « publics » et de leurs partenaires, les organisations se préoc-cupent donc activement de leur « image » auprès de leurs différents interlocuteurs. Ainsi les entre-prises, mais aussi d'autres organismes, ont besoin des médias, de leur fonction informative et amplifi-catrice pour faire connaître et mettre en valeur leurs décisions, leurs choix stratégiques, leurs résultats, leurs performances et leurs innovations ; mais elles sont également obligées de compter avec eux lors des mauvaises « nouvelles », des événements à risques et des crises qui peuvent les frapper. Dans un cas comme dans l'autre, il s'agit d'essayer d'établir avec les journalistes et les médias des relations de complémentarité plutôt que de conflit. Les « relations presse » et les « relations publiques » ont justement cette finalité.

On considère habituellement l'Américain Ivy Lee comme l'inventeur des *public relations* modernes. Dès le début de ce siècle, il compta parmi ses clients John D. Rockfeller ou la Pennsylvania Railroad, mise en cause lors d'un déraillement. Sous la forme qu'on leur connaît aujourd'hui, les « relations presse » et « relations publiques » se sont développées en Europe après la Seconde Guerre mondiale. Leur rôle consiste à délivrer l'information susceptible d'intéresser les journalistes dans les conditions les plus utiles ou les plus valorisantes pour l'entreprise qui l'émet ou, en tout cas, sous la forme qui porte le moins atteinte à son image. Communiqués, dossiers de presse, conférences de presse, interventions médiatiques des dirigeants, en sont des outils habituels. D'autres, comme les « voyages de presse », prêtent plus souvent à discussion en raison de la relation ambiguë suscitée entre l'entreprise qui invite et les journalistes qui ont accepté cette invitation. Mais on peut aussi organiser des événements extérieurs (forum, colloque, défilé de mode, présentation publique de produits, inauguration et autres fêtes) destinés à rassembler les publics utiles dont des journalistes, et à retenir aussi l'attention des médias. On a bien souvent critiqué cette dépendance des journalistes à l'égard de sources d'information aussi averties et influentes ; la situation peut même devenir préoccupante dans certaines presses spécialisées et professionnelles largement dépendantes des ressources publicitaires et de l'information spécifique, souvent promotionnelle, que leur destinent les annonceurs du secteur d'activité concerné. Mais il faut bien constater aussi que les attachés et les services de presse deviennent quasiment indispensables tant l'actualité économique et l'information relative aux entreprises ou aux grandes organisations sont complexes et proliférantes. Il s'agit donc plutôt de définir jusqu'où un journaliste peut accepter les sollicitations d'un chargé de communication et jusqu'où ce dernier peut aller en termes de promotion de son organisme. Les tentatives de déontologie, pour être régulièrement réaffirmées, ne font toujours pas l'unanimité[1].

La publicité est donc présente sous diverses formes dans les médias : annonces et publicités rédactionnelles, publicité de produit ou publicité institutionnelle, publicité d'opinion[2], parrainage. Elle reste la marque la plus visible de l'interdépendance entre les médias et les acteurs de la vie économique, mais elle est loin d'être la seule. Avec la généralisation des politiques de communication c'est l'ensemble des activités informatives des médias qui devient l'enjeu de stratégies économiques ou politiques.

---

1. Par exemple le « Code d'Athènes » adopté en 1965 par le Centre européen de relations publiques (CERP).
2. On parle de publicité d'opinion (*advocacy advertising*) lorsqu'une entreprise, un groupe, une organisation achète de l'espace pour exprimer son point de vue, sur une question controversée (à caractère économique, politique, juridique, etc.).

Bibliographie

BROCHAND Bernard et Jacques LENDREVIE, *Le Publicitor*, Paris, Dalloz, 4e éd. 1993.

CATHELAT Bernard et Robert EBGUY, *Styles de pub. Soixante manières de communiquer*, Paris, Editions d'organisation, 1987.

CHARVIN François et Jean-Pierre MARHUENDA, *Communications et Entreprises*, Paris, Eyrolles, 1991.

DERIEUX Emmanuel, *Droit de la communication*, Paris, LGDJ, 3e éd. 1999.

GREFFE Pierre, *La Publicité et la Loi*, Paris, Litec, 1979.

IREP, *Mesurer l'efficacité de la publicité*, Paris, Editions d'Organisation, 1986.
— *Le Marché publicitaire français*, Paris, IREP, publication annuelle.

JOANNIS Henri, *Le Processus de création publicitaire*, Paris, Dunod, 1991.

KAPFERER Jean-Noël, *Les Chemins de la persuasion*, Paris, Gauthier Villars, 1990.
— *L'Enfant et la Publicité*, Paris, Dunod, 1986.
— *Les Marques, capital de l'entreprise*, Paris, Éditions d'Organisation, 1993.

LAGNEAU Gérard, *La Sociologie de la publicité*, Paris, Laffont, 1972.

LE MOËNNE Christian (dir.), *Communications d'entreprises et d'organisations*, Presses universitaires de Rennes, 1998.

OGILVY David, *Les Confessions d'un publicitaire*, Paris, Dunod, 1977.

PIQUET Sylvère, *La Publicité, nerf de la communication*, Paris, Editions d'Organisation, 1985.

RAVENNE C., *La Publicité*, Paris, Hachette, La nouvelle encyclopédie, 1965.

SFEZ Lucien (dir.), *Dictionnaire critique de la communication*, divers articles consacrés à la publicité, tome II, Paris, PUF, 1993.

VIALE Thierry, *La Communication d'entreprise*, Paris, L'Harmattan, 1997.

WESTPHALEN Marie-Thérèse, *La Communication externe d'entreprise*, Paris, Dunod, 1997.

SOCIÉTÉ ET MÉDIAS

Jean-Pierre Marhuenda

Chapitre 11

Audiences et pratiques

Il peut paraître évident, pour un média, de chercher à connaître le nombre de ses lecteurs ou de ses auditeurs ainsi que leurs caractéristiques en termes d'âge, de sexe, de niveau d'études ou de statut socioprofessionnel. Mieux définir les publics auxquels on s'adresse devrait garantir une meilleure communication. Ainsi les organismes de service public gérant la télévision ont mis en œuvre des systèmes d'enquêtes destinées à mieux connaître l'audience et ses préférences ; en France, ce système d'information est devenu permanent en 1967 avant de céder la place à de nouveaux dispositifs en 1984.

Pour leur part, les médias commerciaux ont utilisé la mesure de leur audience et l'analyse de sa composition socioéconomique pour établir leurs tarifs publicitaires et se promouvoir auprès des annonceurs. Plus récemment l'étude quantitative et qualitative des pratiques de lecture ou d'écoute est devenue l'instrument d'une réflexion de marketing précédant la conception de nouveaux supports ou l'adaptation des supports existants aux évolutions du marché.

Plus que jamais l'étude d'audience et l'analyse des publics acquièrent un caractère stratégique pour les médias. Ces derniers ne sont pas à l'abri, pour autant, d'une évolution des habitudes de consommation ou de la versatilité des publics.

LA LECTURE DE LA PRESSE ÉCRITE

Des enquêtes nationales sur « les pratiques culturelles des Français » ou sur leurs « pratiques d'information et de communication » permettent d'évaluer les grandes tendances en matière de lecture de la presse écrite ou d'utilisation des autres médias.

Ainsi, en 1997, 13 % des Français lisaient régulièrement un hebdomadaire d'information générale, 28 % un magazine féminin, 58 % un magazine de télévision. De telles données restent très globales. Aussi, pour suivre la situation de leurs titres, les entreprises de presse s'appuient plutôt sur les chiffres de leur diffusion, sur l'étude de leur audience et sur les observations issues d'enquêtes spécifiques sur le comportement et les réactions de leur propre lectorat.

❏ De la mesure de l'audience à l'analyse du lectorat et des pratiques de lecture

Les journaux peuvent connaître leur diffusion réelle ainsi que leur audience effective. En France, comme dans la plupart des pays d'Europe, des organismes paritaires regroupant des éditeurs, des publicitaires et des annonceurs, font effectuer des contrôles de diffusion. C'est le cas de Diffusion Contrôle (nouvelle dénomination de l'OJD) en France, de l'ABC (Audit Bureau of Circulation) en Grande-Bretagne, d'IVW en Allemagne, d'AJD (Accertamento de Difusione) en Italie. Ces contrôles permettent de vérifier le volume du tirage (nombre d'exemplaires imprimés), celui de la diffusion réelle (payante et gratuite) et celui des abonnements.

Les *études d'audience* évaluent l'effectif global du lectorat d'une publication ainsi que sa composition interne. Elles recourent à des enquêtes sur échantillon dont la taille varie : 10 000 personnes en Belgique, 18 000 en France, 56 000 en Italie. En France ces résultats ont longtemps été fournis par le Centre d'étude des supports de publicité (CESP) ; depuis 1993, le CESP n'intervient que pour garantir la qualité des enquêtes effectuées sous la responsabilité du Syndicat de la presse quotidienne nationale pour les quotidiens nationaux (étude EUROPQN), du Syndicat de la presse quotidienne régionale pour les régionaux, et de l'AEPM pour les magazines. Ispipress en Italie, AGMA en Allemagne, la NRS (National Readership Survey) en Grande-Bretagne jouent un rôle équivalent dans d'autres contextes nationaux.

Dans la plupart des pays il suffit de déclarer avoir lu ou feuilleté une publication pour être considéré comme lecteur. Le Portugal est, en Europe, l'un des rares pays qui ne comptabilisent que les personnes se déclarant « lectrices » d'un titre défini. Le Danemark, la Norvège et les Pays Bas sont les seuls pays, avec la Suisse, à avoir adopté l'enquête téléphonique. Ailleurs l'entretien en face à face demeure la technique la plus fréquente, éventuellement associé à l'usage de l'ordinateur (Système CAPI en Belgique et, depuis 1992, en Grande-Bretagne ; système CATI en France, depuis 1993). Notons toutefois que certains pays comme la Suède ou le Japon restent fidèles au questionnaire postal auto administré. Ces études enregistrent d'abord des contacts avec un support plutôt que la confirmation d'une lecture effective. La notoriété et l'image d'un titre peuvent influencer son audience déclarée ; sa périodicité plus ou moins espacée et en conséquence le temps de circulation de chaque numéro qui en découle peut également avantager l'estimation de l'audience des périodiques par rapport à celle des quotidiens. On a donc intérêt à comparer ces résultats globaux au « lectorat régulier » attestant en principe d'une lecture plus habituelle et plus fidèle d'un titre.

Le nombre de publications étudiées (journaux et magazines) varie également d'un pays à l'autre : 22 titres en Irlande, 140 en France, 172 en Italie, 276 en Grande-Bretagne. Les organismes d'études tendent à le limiter pour garantir la fiabilité des résultats recueillis. Certains groupes de presse font réaliser leurs propres enquêtes d'audience qui ne sont pas nécessairement comparables aux données nationales. L'âge à partir duquel on prend en compte le comportement de lecture peut aller de 6 ans dans certaines enquêtes portugaises à 15 ans en Belgique ou au Royaume Uni. Certains pays fixent un âge maximum au-delà duquel on n'enregistre plus les déclarations de lecture, 70 ans en Suède, 74 ans en Suisse. Enfin, les critères de description utilisés dans ces enquêtes restent très généraux : les lecteurs et les lectrices de certains hebdomadaires d'information ou de divers mensuels féminins risquent fort de ne présenter que des différences de détail ; on note d'ailleurs entre eux un fort taux de duplication de lecture[1].

Tous ces travaux renseignent sur la composition du lectorat, mais s'intéressent aussi aux modalités de lecture.

Des études « budget-temps », comme celle du CESP, essaient de repérer dans l'emploi du temps des individus, les moments consacrés à l'utilisation des médias et en particulier à la lecture de la presse ; elles s'efforcent aussi d'évaluer la durée de ces contacts et d'en apprécier la qualité ; s'agit-il d'une activité « primaire » (principale) ou « secondaire » ? S'agit-il d'un simple feuilletage ou de plusieurs reprises en main d'un même exemplaire ? Combien de temps consacre-t-on en moyenne à la

---

1. Part d'audience commune à deux titres différents.

lecture d'une publication ? Elles fournissent des données plus précises sur la nature des pratiques de lecture, mais n'indiquent pas pour autant les préférences des lecteurs parmi les diverses informations qui leur sont proposées, ni l'opinion qu'ils ont de leur journal ou encore quelles motivations les incitent à la lecture.

Les *études spécifiques* développées par certaines publications visent à combler ces lacunes. Certains titres ont dressé des typologies de leurs lecteurs selon la régularité de leur consultation, la fidélité et l'intérêt exprimés à l'égard du journal, la valorisation de ses informations. Elles font intervenir des critères psychologiques et socioculturels. Les études dites « Vu / Lu » invitent un échantillon de lecteurs à préciser les titres, les photos, les articles remarqués, parcourus ou lus de manière plus détaillée.

D'autres titres, surtout des magazines, mettent en place des dispositifs de consultation régulière de leurs lecteurs, destinés à recueillir leurs réactions sur chaque numéro.

En fait, de plus en plus de publications (y compris parmi les quotidiens) font appel aux études de lectorat, à l'analyse des besoins des lecteurs, aux divers tests et études de marché lors de chaque grande transformation du journal : changement de maquette, de format, redéfinition du contenu rédactionnel. Ces études restent toutefois moins répandues en France qu'en d'autres pays.

❑ Les quotidiens confrontés à une évolution des rythmes de lecture

Cette évolution se définit moins comme une baisse générale de la lecture que par une série de changements dans les rythmes et dans les modes de consultation des journaux, dans les motifs de lecture (ou de non lecture) et dans les centres d'intérêt qui animent les utilisateurs de la presse écrite.

ÉVOLUTION DE LA LECTURE DES QUOTIDIENS EN FRANCE (EN %)

Lisent un quotidien	1967 [1]	1973 [2]	1981 [2]	1988 [2]	1994 [3]	1997 [3]
Tous les jours ou presque	60	55	46	43	42	35,2
Une / plusieurs fois / semaine	19	16	19	26		
3 à 5 fois par semaine					15	14,4

(1) Enquête INSEE – Loisirs
(2) Enquête Ministère de la Culture sur les pratiques culturelles.
(3) Enquête IPSOS Médias PQRN.

Le temps moyen consacré à la lecture de la presse n'a que très légèrement diminué ; selon les études « budget-temps[1] », il est d'environ trente-sept minutes par jour (un quart d'heure environ pour les quotidiens, le reste pour les magazines). Cela peut paraître faible par comparaison avec les trois heures et demi consacrées quotidiennement à la télévision ou même les deux heures attribuées à la radio, mais ces deux derniers médias peuvent faire l'objet d'une écoute « secondaire » et plus ou moins attentive.

Les rythmes de lecture et les modes de consultation ont sensiblement évolué ; la lecture est plus occasionnelle, plus épisodique, elle se focalise sur certains centres d'intérêts (qui peuvent correspondre pour les quotidiens à l'édition d'un jour particulier dans la semaine). Il n'y a pas nécessairement moins de lecteurs mais moins d'exemplaires sont achetés. D'une certaine manière, des pratiques de lecture qui se sont développées avec les magazines gagnent aujourd'hui l'ensemble des publications.

La diminution de la « lecture quotidienne » des quotidiens est une tendance générale qui se confirme depuis plus de vingt ans en France et touche les différentes catégories de population (sauf les agriculteurs) et se manifeste plus nettement encore chez les jeunes lecteurs[2].

---

1. Enquête Budget-temps Multimédia CESP 1992.
2. Voir *Les Pratiques de loisirs vingt ans après : 1967 - 1988*, INSEE, « Résultats », n° 13.

PROPORTION DE LECTEURS RÉGULIERS SELON L'ÂGE

	1967	1988		1997
15-24 ans	50 %	25 %	15-19 ans	16
25-39 ans	56	35	20-24 ans	26
40-59 ans	66	46	25-34 ans	23
Plus de 60 ans	64	56	35-44 ans	30
			45-54 ans	46
			55-64 ans	51

En France, la pénétration globale[1] de la « *presse quotidienne nationale* » atteint un peu plus de 16 % ; seules la région parisienne et les grandes villes sont notablement touchées par les journaux édités à Paris. En banlieue parisienne un tiers des foyers seulement est concerné par la lecture d'un quotidien et le lectorat occasionnel prédomine. L'audience des quotidiens nationaux est en moyenne plus jeune que celle des régionaux ; elle comporte sensiblement plus d'hommes que de femmes et plus de lecteurs issus des catégories sociales moyennes ou supérieures et plus diplômés que la moyenne nationale. Elle ne constitue pas pour autant une population homogène. On y trouve tout à la fois des lecteurs assidus, réguliers attachés à un titre pour des raisons d'intérêt personnel, culturel ou professionnel ; mais aussi des lecteurs qui lisent un ou plusieurs titres certains jours de la semaine correspondant par exemple à l'édition de pages ou de cahiers spécialisés (sur l'économie, la culture ou le sport).

D'autre part, les divers titres de presse agrègent leurs lecteurs selon des critères différents. La presse nationale ne compte pratiquement plus de grand quotidien populaire depuis le repositionnement du *Parisien* en régional de l'Île-de-France et la crise prolongée que connaît *France-Soir* (deux cent cinquante mille exemplaires aujourd'hui contre neuf cent mille en 1970). Rien de comparable en France aux quatre millions quatre cent mille exemplaires du *Bild Zeitung* allemand, aux quatre millions du *Sun* ou aux deux millions six cent mille du *Daily Mirror* britanniques. Notons toutefois que ces géants connaissent tous une baisse d'audience.

D'autres journaux, parmi les plus connus (*Le Monde, Le Figaro, Libération*), consacrent une large place à l'actualité politique, économique, sociale et culturelle et s'adressent surtout aux lecteurs habitant Paris et les des grandes villes, plus aisés et plus diplômés que la moyenne de la population française. Le lectorat de cette catégorie de presse est mieux stabilisé ou même progresse légèrement en France, comme dans d'autres pays d'Europe d'ailleurs. Ainsi les quotidiens britanniques de qualité (*The Times, The Independent, The Guardian*) ont plutôt vu leur audience progresser au cours des dix dernières années. En Allemagne la hausse de ce lectorat plus sélectif se confirme également : le *Frankfurter Allgemeine Zeitung* progresse dans les milieux aisés et diplômés tandis que la *Suddeutsche Zeitung* a élargi considérablement son audience, régionale à l'origine, pour devenir un titre « supra-régional ». Enfin, dans des contextes différents, *La Repubblica* en Italie et *El Pais* en Espagne, quotidiens nationaux nés en 1976, ont su gagner un lectorat plus jeune que celui de leurs concurrents, avant d'élargir leur audience durant les années 1980 en développant des éditions du week-end, des suppléments magazines ou même des éditions dominicales gagnant ainsi des lecteurs plus occasionnels.

Le gain de jeunes lecteurs, plutôt attirés par la lecture de magazines ou l'écoute de la radio et de la télévision, est devenu un objectif permanent des quotidiens. Il est tout aussi important pour ces titres d'intéresser davantage les lectrices qui préfèrent massivement la lecture des magazines.

Certains quotidiens sont plus spécialisés, leur lectorat régulier se constitue autour d'un intérêt professionnel pour le titre ; c'est le cas des *Échos* s'adressant d'abord aux cadres et aux milieux financiers mais qui a bénéficié de l'intérêt croissant pour l'information économique et financière et pour l'activité boursière française.

---

1. Il s'agit de la « Lecture d'un numéro moyen ».

D'autres titres attirent un lectorat intéressé par un thème, large mais spécifique comme le sport (quatre titres sur ce thème en Italie et cinq en Espagne) ; *L'Équipe* est lu par un lectorat surtout masculin et plutôt jeune.

Les *quotidiens régionaux français* ont longtemps mieux résisté que les nationaux à l'érosion du lectorat mais leur diffusion et leur pénétration baissent à leur tour.

POURCENTAGE DE PERSONNES LISANT TOUS LES JOURS
AU MOINS UN QUOTIDIEN RÉGIONAL EN FRANCE[1]

1976	1980	1985	1988	1993	1994	1997
50	48,6	46,4	44,6	40,5	42	40

Ces tendances globales recouvrent de grandes disparités régionales : un tiers des foyers sont touchés par les quotidiens régionaux dans le bassin parisien, plus des deux tiers en Bretagne ou en Alsace.

Les lecteurs sont plus nombreux que les lectrices mais l'écart est plus faible que dans le cas des nationaux. En France la plupart des grands régionaux paraissent le matin et sont achetés entre six heures et dix heures : les lecteurs fidèles le lisent selon un parcours bien établi où les informations locales viennent souvent en tête. Toutefois les éditions du week-end ou du lundi (résultats sportifs) sont plus lues que celles des autres jours de la semaine. Tout ce qui peut affecter le « rituel » du régional ne tarde pas à remettre en cause son équilibre. La consultation du régional s'accroît avec l'âge ; ce vieillissement relatif du public est d'ailleurs un des problèmes les plus préoccupants pour ce type de presse. Certains titres ont développé des éditions dominicales plus attrayantes à l'attention des lecteurs plus jeunes et plus occasionnels.

Les quotidiens n'ont pas hésité à emprunter aux magazines leur approche plus thématique de l'information et de l'actualité, ainsi d'ailleurs que leur qualité d'édition, leur utilisation de la couleur et de la photographie. Mais les magazines doivent également évoluer pour s'adapter aux pratiques de lecteurs habitués à une offre surabondante de titres.

❑ Le lectorat des magazines : une segmentation plus prononcée et de nouvelles modalités de lecture

Le lectorat de la presse magazine française est plus étendu encore que celui des quotidiens. Quatre Français sur cinq consultent régulièrement (un numéro sur deux) au moins un magazine, et la plupart d'entre eux en lisent plusieurs au moins occasionnellement.

LECTURE DE MAGAZINES EN FRANCE

	1976[1]	1992[2]	1997
Lisent ou consultent des magazines	83,5 %	92,5 %	95,3 %
Nombre moyen de magazines consultés	4 %	5,6 %	6,5 %

(1) Études CESP
(2) Étude AEPM

La lecture des magazines est en progression et le nombre moyen de périodiques consultés s'accroît également. Les Français comptent parmi les plus grands lecteurs de magazines (1 400 exemplaires pour 1 000 habitants contre 700 pour 1 000 chez les Britanniques). Ils peuvent se comparer aux Allemands alors que les Britanniques se reportent davantage sur les éditions dominicales de leurs journaux. Aux grands magazines généralistes ou destinés à de larges catégories de publics sont venus

---

1. Données CESP Lecture Dernière période. Depuis 1993, elles relèvent d'une enquête utilisant une méthodologie légèrement différente (IPSOS PQRN).

s'adjoindre au cours des années 1970, des titres plus spécialisés dans la vulgarisation scientifique, les voyages, les sports et les loisirs.

La lecture des magazines est une pratique tellement répandue qu'elle a un faible pouvoir de différenciation sociale. Le lectorat des périodiques n'en comporte pas moins des traits distinctifs surtout si on le rapproche de celui de la presse quotidienne. Il comporte tout d'abord plus de femmes que d'hommes. L'audience très importante de la presse féminine en est, bien sûr, une des principales raisons mais les lectrices sont également majoritaires dans l'audience des publications consacrées à la maison et à la décoration ou encore dans celle des journaux de télévision. D'autre part, plus on est jeune, diplômé, de condition aisée et habitant des grandes villes, plus on a de chances de cumuler la lecture de plusieurs titres généralistes et spécialisés.

Certains périodiques recrutent leurs lecteurs au sein des mêmes catégories sociales : les hebdomadaires d'actualité politique et sociale (*L'Express, Le Point, Le Nouvel Observateur, L'Événement*) touchent surtout des cadres supérieurs, des professions libérales et intellectuelles, des professions intermédiaires habitant Paris et les grandes villes. Les diplômés du supérieur les consultent nettement plus que les personnes dépourvues de diplôme. Les jeunes actifs (hommes et femmes) sont largement représentés dans leur lectorat. Ces titres se partagent donc un lectorat relativement homogène, aussi observe-t-on entre eux un fort pourcentage d'audience commune.

Le public des revues littéraires ou artistiques, ainsi pour une part que celui des titres scientifiques et économiques, est également plutôt aisé et souvent plus jeune encore que celui des hebdomadaires d'actualité[1].

Le lectorat des journaux féminins et familiaux est issu de milieux sociaux plus diversifiés, en particulier celui des titres pratiques et grand public. Toutefois l'audience des titres « haut de gamme » (*Marie Claire, Elle, Cosmopolitan* ou *Vogue*) comporte un fort taux de lectrices issues de milieux aisés. La duplication de lecture entre ces titres est également notable. Le contenu des féminins est en effet très lié aux activités des lectrices, à leur âge, à leur « style de vie » ; il est aussi l'un de ceux qui doit constamment refléter les modes et les évolutions.

Les titres de la presse du cœur connaissent les mêmes recouvrements d'audience mais circulent dans une population plus modeste et moins diplômée dont l'effectif global tend à baisser.

C'est l'audience des hebdomadaires consacrés aux programmes de télévision qui, en France comme ailleurs, est la plus élevée et la plus composite. Toutes les catégories sociales sont présentes dans le lectorat de ces publications qui ont grandi et évolué avec le développement de la télévision et qui ont souvent pris le relais des magazines familiaux.

Les publics des titres de la presse de loisir (sports, voyages, bricolage) sont plutôt à dominante masculine ; ils sont en progression mais de plus en plus segmentés tant les titres sont nombreux.

L'audience des publications consacrées à un sujet spécifique s'est rapidement accrue, alors que les titres plus généralistes (hebdomadaires d'actualité, *VSD, Paris Match*) interviennent sur un marché très concurrentiel où sont venus les rejoindre les suppléments magazine des quotidiens et où il devient difficile de maintenir son lectorat.

On dit souvent que la presse magazine est un média mosaïque qui reflète la diversité des centres d'intérêt, des problèmes et des préoccupations de nos sociétés. Ses contenus, souvent redondants doivent suivre les évolutions sociales et culturelles. Aussi les magazines s'efforcent-ils de développer une plus grande proximité psychologique avec le public à qui sont proposés conseils, informations et solutions pratiques aux questions les plus diverses exprimées dans les termes que pourraient utiliser les lecteurs et sur le ton de la connivence et de la familiarité.

Cela n'empêche pas les déplacements de lectorat d'une catégorie de titres vers une autre plus spécialisée ou plus récente. Les nouveaux publics sont rares et se constituent autour de centres d'intérêt présents dans d'autres publications plus générales, mais sous des formes moins pratiques et moins spécifiques (rubriques, cahiers, pages « emploi », etc.) ; ou bien encore ces centres d'intérêt, classiques, sont adaptés pour toucher des publics plus jeunes (c'est le cas par exemple pour la vulgarisation scientifique) ou moins élitistes (c'est le cas pour certains titres de la presse économique).

---

1. Voir l'enquête sur « Les pratiques culturelles des Français », 1988.

Enfin des publications visent désormais des catégories jusqu'alors non constituées en publics spécifiques (la presse pour lycéens et jeunes étudiants en constitue un bon exemple).

Bref, si la lecture des magazines demeure la plus répandue, c'est au prix d'une segmentation plus forte des contenus et des publics.

L'AUDIOVISUEL ET SES PUBLICS

L'audience de la radio et celle de la télévision sont également difficiles à saisir et à définir avec précision mais pour des raisons différentes de celles observées pour la presse écrite.

La multiplication des possibilités de recevoir les émissions radiophoniques rend d'autant plus difficile aujourd'hui une connaissance fiable de l'écoute ; par ailleurs, la relation avec ce média est à la fois familière et souvent peu attentive. La difficulté d'en mesurer l'audience de manière précise, les risques d'erreur dans l'identification des stations écoutées font qu'en définitive le public de la radio est moins étudié que celui de la télévision, mais de manière tout aussi diverse selon le pays.

Pour la télévision, les organismes d'étude ont su développer des dispositifs d'enregistrement passif et instantané de l'écoute qui évitent les erreurs de mémoire mais ces systèmes permettent surtout d'évaluer le volume de l'audience et ses variations ; ils ne fournissent que des indications très globales sur sa composition et pratiquement rien sur la qualité de cette écoute, ni sur les préférences et sur l'évaluation globale des différents programmes proposés. En ce domaine aussi, l'étude de l'audience vise d'abord à renseigner et à rassurer les annonceurs et les publicitaires, après avoir servi d'aide à la programmation lorsque le service public était prédominant.

Enfin, les écarts notables entre les méthodologies mises en œuvre dans les divers pays ne facilitent pas les comparaisons internationales.

❏ La mesure de l'audience

Les instituts spécialisés ont recours à trois grands dispositifs de mesure : les enquêtes par sondage (en face à face ou par téléphone), les enquêtes postales sur panel et les audimètres.

Les *enquêtes par sondage* sont désormais d'un usage classique. On interroge un échantillon représentatif de la population sur laquelle porte l'étude (par exemple les personnes âgées de 15 ans et plus qui sont susceptibles de regarder la télévision et d'écouter la radio) ; les résultats sont ensuite prudemment généralisés. Les interviews peuvent être réalisées en face à face, c'est le cas le plus fréquent, ou par téléphone comme on le fait en Suède où plus de 90 % des foyers sont depuis longtemps équipés, mais aussi en France, par exemple, pour l'étude d'audience Médiamétrie 75 000.

En Europe, la Grande-Bretagne (la BBC et l'ITC), les Pays-Bas, la Belgique, l'Italie, la France utilisent cette méthode, quelquefois associée à d'autres, pour étudier l'audience des médias audiovisuels. En France, les 75 000 entretiens de l'enquête Médiamétrie répartis sur toute l'année, portent sur l'écoute de la radio et de la télévision ; ils fournissent des résultats sur les habitudes d'écoute globales et par tranches horaires, sur l'écoute de la veille, quart d'heure par quart d'heure, sur l'audience cumulée, c'est-à-dire sur le nombre total de personnes ayant écouté une fois au moins en cours de journée une station de radio. Mais ils recueillent également des informations sur l'équipement télévisuel et péritélévisuel des Français. Ces enquêtes sont répétées chaque année mais elles fournissent essentiellement des données instantanées. La collecte de résultats suivis permettant de connaître les fluctuations d'audience nécessite la mise en œuvre de panels.

Les *panels* sont des échantillons permanents d'individus volontaires pour répondre à des consultations régulières par téléphone ou pour remplir un carnet d'écoute, ou encore pour se soumettre aux mesures de l'audimètre.

Les *carnets d'écoute* sont des formulaires sur lesquels les différents membres des familles constituant le panel reportent les moments d'écoute, les émissions suivies, etc. Ils sont souvent renvoyés par voie postale (c'est le cas en Finlande, aux Pays-Bas). D'autres organismes choisissent de les faire remplir au cours d'entretiens à domicile (la BBC et ITV ou la RAI). D'autres encore ont recours au téléphone.

Le panel permet de connaître les habitudes d'écoute et l'assiduité des auditeurs et des téléspectateurs ; il permet aussi de suivre les fluctuations de l'audience selon les jours et selon les programmes proposés. Son utilisation suscite toutefois des réserves. La contrainte que représentent les consultations ou les envois répétés, le volontariat sur lequel repose la constitution de l'échantillon risquent de biaiser les résultats.

Les *audimètres* sont des boîtiers électroniques reliés au téléviseur qui enregistrent les heures, les durées exactes de fonctionnement du récepteur ainsi que les canaux choisis. Les appareils enregistreurs peuvent être reliés directement au bureau d'étude et peuvent ainsi fournir des scores d'audience instantanée. En France l'audimètre n'a été introduit qu'en 1981 ; d'abord comme système de mesure de l'audience par foyer. À partir de 1988, pour combler les limites d'un tel système, rapide, automatique et permanent mais ne fournissant qu'une approximation de l'audience, on a associé à l'audimètre la technique du bouton poussoir. Chaque membre du foyer panéliste dispose d'un bouton qu'il actionne dès qu'il est présent dans la pièce où le récepteur est allumé. Il peut aussi donner une note de satisfaction au programme qu'il regarde. Toutefois on complète souvent l'audimètre par une enquête téléphonique ou en face à face comme en Espagne ou en Grande-Bretagne (où l'on fait remplir simultanément des carnets d'écoute individuels).

Le recours à des instruments de mesure différents n'est pas sans conséquence sur les résultats obtenus. La Belgique francophone a connu jusqu'en 1989 la coexistence de deux systèmes : celui de la RTBF utilisant le carnet d'écoute et celui de RTL-TV utilisant l'audimétrie ; selon les données prises en compte la chaîne publique ou la chaîne privée venait en tête de l'audience !

En France, la société Médiamétrie est la seule à gérer un système d'audimétrie, depuis l'interruption de son concurrent Sofres-Nielsen en 1993. En 1997, le panel audimétrique Mediamat regroupait 2 300 foyers, soit 5 549 individus âgés de quatre ans et plus. Cet échantillon permanent est représentatif de l'ensemble des ménages français équipés de téléviseurs ; un point Mediamat (1 % de l'échantillon) équivaut à 523 600 spectateurs. Ce panel permet de mesurer en continu l'audience des émissions, celles des écrans publicitaires, l'audience par quart d'heure, l'audience par minute, la durée d'écoute par individu[1]. L'écoute télévisuelle est donc placée sous observation continue et transmise aux chaînes dans les plus brefs délais. Pourtant, quels que soient les avantages de l'audimétrie, ce procédé s'avère coûteux (ce qui limite la taille des échantillons) et reste approximatif sur l'enregistrement de conduites individuelles. Aussi recherche-t-on des dispositifs de détection passive plus perfectionnés encore.

Pour le moment en tout cas, les audimètres, aussi perfectionnés soient-ils, ne fournissent pas d'indication précise sur des phénomènes plus qualitatifs comme l'évaluation des émissions par les téléspectateurs, la perception des qualités, des caractéristiques de chaque chaîne. Ces éléments ne peuvent être saisis que par des moyens complémentaires et selon des méthodes plus classiques. Les services d'études qui étaient rattachés aux organismes publics français de radiotélévision étendaient leurs observations à ces domaines d'analyse ; ce n'est plus le cas aujourd'hui alors que les organismes américains, britanniques ou italiens ont maintenu cette pratique.

La manière d'associer des techniques de base, analogues sur le fond, diffère d'un pays à l'autre et la définition même de ce que l'on appelle « écoute de la télévision » varie selon les contextes : la seule présence dans une pièce où un récepteur est allumé suffit, en France et en Grande-Bretagne, à définir une personne comme téléspectateur ; ailleurs il faut la plupart du temps déclarer expressément que l'on regarde la télévision pour être comptabilisé. L'âge à partir duquel on prend en compte l'écoute de la télévision est également variable selon les pays : quatre ans en France et en Grande-Bretagne, dix en Espagne.

---

1. L'utilisation du magnétoscope est prise en compte. En outre, une enquête « Audicabsat » effectuée auprès de 2 107 personnes âgées de plus de 15 ans et de 638 enfants âgés de 4 à 14 ans évalue l'audience et la pénétration des chaînes du câble et du satellite ainsi que les performances des télévisions généralistes dans les foyers équipés.

La conception de programmes télévisés et de campagnes publicitaires destinés à une diffusion internationale suscite le besoin de disposer de données comparables sur l'audience ; il serait donc utile d'en harmoniser les méthodes d'étude.

❏ La radio : une activité « secondaire »

La radio est certainement le média dont l'usage s'est le plus banalisé. Le taux d'équipement des foyers dépasse 90 % dans les pays les plus riches (99 % au Canada ou aux États-Unis, 98 % en France) et 60 % en Afrique[1]. L'écoute de la radio est typiquement une activité secondaire que l'on pratique en accompagnement, voire en fond sonore d'une autre activité ; on écoute la radio tôt le matin, en se préparant et en déjeunant, en travaillant chez soi ou durant les temps de transport ; certains enfin, ont la possibilité de l'écouter sur le lieu de travail. Il s'agit donc d'une pratique étroitement imbriquée aux diverses activités quotidiennes. La radio a cessé d'être un média faisant l'objet de pratiques familiales (la télévision s'est substituée à elle dans cette fonction) pour devenir un média d'écoute individuelle. Depuis, les moyens techniques de réception se sont multipliés et largement diffusés dans la population ; en France plus de 85 % des personnes possèdent une radio portable, 64 % un radio-réveil, 66 % un autoradio et plus de 20 % un baladeur-récepteur[2].

Les rares études internationales montrent quelques grandes tendances communes à la plupart des pays. L'écoute de la radio se concentre à peu près partout sur la matinée puis baisse progressivement durant la journée, surtout lorsque la télévision est largement diffusée. L'audience radiophonique compte plus d'hommes que de femmes et plus de jeunes que de personnes âgées. Ce média reste plus utilisé dans les milieux sociaux aisés, en particulier pour ses émissions d'information. Des spécificités nationales viennent nuancer ces tendances générales : en Suisse par exemple le public féminin est prédominant[3].

En tout, près de 70 % des Français écoutent la radio pratiquement tous les jours, à comparer aux 75 % qui font de même en Allemagne ; c'est plus que les Italiens (60 %) mais nettement moins que les Britanniques[4] (87 %).

La durée moyenne d'écoute est sensible, bien sûr, aux différences des rythmes et des modes de vie d'un pays à l'autre, mais elle dépend aussi de l'offre télévisuelle concurrente : si cette dernière reste relativement limitée, l'écoute de la radio rejoint ou même dépasse celle de la télévision. En revanche, si l'offre télévisuelle est proliférante, dès le début de la matinée, l'écoute de la télévision prend le dessus sur celle de la radio. La durée moyenne d'écoute des publics français vient bien après celle des Suisses (174 minutes par jour), des Néerlandais (169 minutes), des Allemands et des Britanniques, mais elle est nettement plus élevée que celle des Italiens et des Espagnols. Pourtant radio et télévision ne sont pas mécaniquement concurrentes. Les personnes écoutant beaucoup la radio, tous programmes confondus, sont le plus souvent aussi des téléspectateurs assidus et inversement, les faibles téléspectateurs sont souvent de faibles auditeurs. En fait, le temps d'écoute de la radio reste à peu près stable mais se concentre sur la matinée.

La *composition de l'audience* de la radio est très proche de celle de la population française dans son ensemble. Les hommes sont plus volontiers auditeurs : plus de 70 % d'entre eux écoutent la radio tous les jours contre 65 % parmi les femmes. L'évolution marquante des années 1980 est le rajeunissement de cette audience. Les 15-25 ans constituent désormais un des publics les plus assidus de la radio ; même s'ils ne sont pas nécessairement très gros consommateurs (en durée d'écoute), leur écoute est régulière et concerne surtout les diverses radios FM qui se sont développées durant les années 1980 (réseaux FUN, NRJ, Skyrock). Les trois-quarts de l'audience déclarée d'un réseau comme NRJ sont constitués de jeunes auditeurs.

1. Rapport sur la Communication dans le Monde (UNESCO, 1990).
2. Enquête du CESP Multimédia 1990.
3. Enquête de Carat International, données de 1992.
4. *Idem* : à titre de comparaison, dans les villes africaines cette proportion est estimée à plus de 90 % contre 56 % en milieu rural.

Ce rajeunissement de l'audience accompagnant la floraison de nouvelles radios locales s'est souvent traduit par une redistribution de l'écoute en faveur des stations à dominante musicale et thématique, au détriment d'ailleurs des programmes du service public. Ainsi en France, les stations de Radio France n'attirent que 22 % environ de l'audience totale contre près de 40 % pour les radios locales privées. Les meilleurs résultats du service public s'obtiennent sur les programmes d'information le matin, auprès des milieux sociaux aisés et diplômés ainsi qu'auprès des auditeurs plus âgés. Des tendances analogues sont sensibles en Italie (où la RAI ne touche plus que 38 % de l'audience) et en Espagne. En revanche la situation s'inverse en Allemagne, la majorité de l'audience reste fidèle aux programmes généraux. La BBC a également bien résisté en Grande-Bretagne, elle attire plus de 65 % de l'audience totale de la radio ; mais 35 % de cette audience se portait sur les programmes musicaux.

En France, le profil de l'audience radio n'est pas strictement populaire ; les cadres et les professions intellectuelles ainsi que les professions intermédiaires sont parmi les plus nombreux à l'utiliser mais le temps consacré à l'écoute est souvent plus faible que celui de la moyenne des auditeurs.

❑ La télévision : audiences et publics d'un média dominant

La télévision est devenue, en France comme dans la plupart des pays riches mais aussi en Amérique Latine, le média de masse le plus puissant, touchant toutes les catégories de population y compris celles qui se montraient réticentes il y a quelques années encore ; les jeunes de 15 à 25 ans, les étudiants, les milieux les plus diplômés. Son audience a progressivement supplanté celle de la radio au fur et à mesure qu'augmentait le taux d'équipement des foyers. En France, l'équipement en récepteurs (plus de 94 % des foyers) est comparable à celui de nos voisins européens (97 % en Allemagne ou au Royaume Uni) ou encore à celui que l'on peut observer au Canada (96 %) aux États-Unis ou au Japon[1] (98 %). La généralisation de l'usage de la télécommande et du magnétoscope, le développement des chaînes câblées et satellitaires s'accompagnent d'une évolution des modes de consommation[2]. En France, en 1997, on comptait 88 % de téléspectateurs quotidiens, toutes chaînes confondues ; 16 % avaient suivi, au moins une fois dans la journée une ou plusieurs chaînes diffusées sur le câble ou par satellite.

La durée d'écoute quotidienne moyenne a bien sûr sensiblement augmenté. Les gros consommateurs de télévision ne se trouvent plus seulement aux États-Unis ; ces derniers (238 minutes d'écoute quotidienne moyenne) sont précédés par le Mexique (239 minutes). En Europe, la Russie (224 minutes) vient en tête devant la Turquie (222 minutes) et la Hongrie (221 minutes). La France n'arrive qu'en 13e position[3] (180 minutes en 1997). La proportion de réfractaires, non équipés de récepteurs ou ne regardant la télévision que très épisodiquement, a baissé. L'accroissement de l'écoute quotidienne est la plus forte dans les catégories qui se montraient plus réservées à l'égard de cette pratique[4]. Pourtant l'écoute des télévisions généralistes semble stagner aujourd'hui. En 1997, davantage de pays ont vu leur durée d'écoute baisser plutôt que progresser (y compris quelquefois dans des pays qui ne sont pas proches de la saturation). La France a enregistré cette baisse entre 1996 et 1997 tandis que dans le même temps l'écoute des chaînes thématiques augmentait de 20 %. L'accroissement de l'audience de ces chaînes se fait donc au détriment des chaînes hertziennes. La fragmentation de l'audience se poursuit et les plus grosses baisses touchent des chaînes dominantes qui ont du mal à maintenir leur impact dans un marché fragmenté. Cela ne se traduit pas nécessairement par de grands changements dans la composition des audiences, ni même dans les types de programmes les plus fréquemment choisis. La télévision occupe plus de la moitié du « budget temps » consacré par les Français aux médias, contre deux heures à la radio et moins de quarante minutes à la

---

1. Selon les résultats de l'enquête de Médiamétrie 75 000, pour 1993.
2. En 1990, selon la dernière enquête CESP multimédia, plus de 62 % des foyers étaient déjà équipés de télécommande et plus de 32 % disposaient d'un magnétoscope.
3. Données Médiamétrie.
4. Voir « Les pratiques culturelles des Français ».

lecture de la presse[1]. Selon la même enquête, l'écoute de la télévision est une activité principale pour plus de 62 % des spectateurs, tandis que 38 % la regardent en mangeant ou en pratiquant une autre activité lorsqu'elle est allumée (lecture, conversation ou autre loisir). Les moments où cette écoute dite « secondaire » est la plus élevée correspondent aux débuts d'après midi et surtout le soir, durant les heures de grande audience. On notera en revanche que les téléspectateurs « tardifs » (après 22h30) regardent de manière plus exclusive les programmes choisis.

Par ailleurs, la durée d'écoute quotidienne fluctue selon les saisons : plus forte durant l'automne et l'hiver, plus faible en été. La télévision reste un média d'usage domestique, tout ce qui peut éloigner les gens de chez eux (sorties, vacances, voyages) se traduit par une baisse de l'audience. L'écoute vient s'insérer dans les rythmes de l'activité quotidienne et de la vie domestique. Elle reflète les contextes nationaux, les caractéristiques culturelles de la population concernée ; les heures de grande audience (*prime time*) peuvent être sensiblement décalées selon la répartition de la journée de travail, l'heure de retour au foyer des divers membres de la famille, la présence ou l'absence au foyer au cours d'une pause de la mi-journée, les horaires auxquels sont pris les repas. Le volume de l'audience aux différentes heures de la journée dépend donc conjointement du degré de disponibilité domestique des individus et de l'accessibilité quotidienne des programmes selon leur horaire de diffusion.

Le programme sélectionné en contexte familial résulte souvent de négociations internes, en particulier aux heures de grande écoute. Il faut donc insister sur le caractère fluctuant d'une partie de cette audience. La comparaison des « audiences totales » et des audiences cumulées de diverses émissions[2] montre un accroissement sensible des téléspectateurs mobiles, zappant d'un programme à l'autre, et dont on peut dire qu'ils regardent plus « de la télévision », au besoin par fragments, qu'un type d'émission déterminé. Cela dit, de nombreux téléspectateurs continuent aujourd'hui de rester fidèles à des programmes sélectionnés à l'avance.

La structure globale de l'audience télévisuelle (tous canaux confondus) reste assez proche de la structure sociodémographique de la population française. Toutefois certaines catégories sont surreprésentées. En France comme dans la plupart des pays équipés de manière comparable, il s'agit de personnes qui sont plus souvent présentes au foyer, c'est-à-dire les femmes, surtout les ménagères, les plus de 50 ans, les retraités, les inactifs.

Les programmateurs savent donc qu'une émission diffusée aux heures de grande écoute touchera un « public » légèrement plus vieux, plus féminin que la moyenne nationale, moins diplômé que la plupart des publics des autres médias. Mais les programmes diffusés l'après-midi ou même plus tardivement dans la soirée ont toutes les chances de toucher aussi (souvent même majoritairement) cette frange de téléspectateurs assidus, même s'ils ne constituent pas la cible privilégiée de ces émissions. En outre l'écoute de la télévision semble venir occuper l'essentiel du temps domestique disponible.

Cette vision homogénéisante des pratiques relatives à la télévision est pourtant discutable. Des différences persistent mais elles portent, souvent de manière nuancée, sur tout l'éventail des modes d'utilisation ; non seulement sur la durée de l'écoute mais aussi sur les moments domestiques où vient se loger cette écoute, ou encore sur le caractère individuel ou familial du choix des programmes. Une bonne moitié des téléspectateurs allument leur récepteur sans idée préconçue du programme qu'ils vont regarder, un quart d'entre eux décident de ce choix à l'avance[3]. L'utilisation fréquente de la télécommande est de plus en plus répandue ainsi que le recours au magnétoscope pour l'écoute différée d'émissions enregistrées.

Le temps consacré à l'écoute de la télévision garde un caractère discriminant. Les plus assidus des téléspectateurs consacrent jusqu'à huit heures par jour au petit écran alors que l'écoute est inférieure à trente minutes chez les 10 % qui le regardent le moins. Certes, les écarts ne sont pas toujours aussi spectaculaires mais on enregistre des variations sensibles par exemple entre les moins de 50 ans et les plus de 50 ans.

---

1. Enquête Budget Temps multimédia du CESP 1992.
2. L'audience totale désigne le nombre des personnes ayant vu la totalité d'une émission ; l'audience cumulée, plus « généreuse » additionne l'ensemble des téléspectateurs qui ont regardé, ne serait-ce qu'un bref moment, l'émission étudiée
3. Voir « Les pratiques culturelles des Français ».

TÉLÉVISION – LA DURÉE D'ÉCOUTE QUOTIDIENNE MOYENNE – 1996
(durée d'écoute par individu en minutes)

	100	120	140	160	180	200	220	240	260	280	300	304	
FOYER													304
4 ans et +													179
15 ans et +													192
Hommes													180
Femmes													202
Garçons 4-14 ans													109
Filles 4-14 ans													109
Hommes 15-24 ans													122
Femmes 15-24 ans													134
Hommes 25-34 ans													157
Femmes 25-34 ans													179
Hommes 35-49 ans													160
Femmes 35-49 ans													170
Hommes 50 ans et +													235
Femmes 50 ans et +													258
Actifs													160
Inactifs													235
Hommes actifs													157
Femmes actives													164
Hommes inactifs													216
Femmes inactives													233

Quatre facteurs sont déterminants : l'âge, le sexe, qui peut correspondre à une présence prolongée au foyer (pour les ménagères) ou, au contraire, à un temps libre plus restreint (pour les femmes qui cumulent métier et tâches domestiques) ; le niveau d'instruction qui, lorsqu'il est élevé, va souvent de pair avec une gamme plus étendue de sources d'information et une dévalorisation *a priori* de l'intérêt de la télévision ; la catégorie socioprofessionnelle enfin, car les membres des catégories supérieures cumulent souvent moindre disponibilité domestique et gamme élargie d'activités culturelles.

Mais des études sur le temps d'écoute comparé des diverses catégories de téléspectateurs rappellent que ces critères sociodémographiques ne suffisent pas à expliquer les écarts observés entre les téléspectateurs les plus boulimiques et ceux dont l'écoute reste beaucoup plus limitée[1]. Certains jeunes actifs regardent beaucoup la télévision tandis que des téléspectateurs âgés, relevant de la catégorie des « inactifs » se montrent très sélectifs. De fortes différenciations individuelles subsistent et il faut se garder de toute généralisation hâtive.

En revanche, les genres d'émission suivis sont peu différenciateurs. Les téléspectateurs qui regardent peu la télévision ne sont pas nécessairement les plus sélectifs dans leurs choix. Certes, ils sont un peu plus nombreux à regarder des émissions culturelles, des magazines ou des documentaires mais, pour l'essentiel, ils consacrent simplement moins de temps aux mêmes catégories de programmes que ceux qui sont suivis par un public plus assidu : les films surtout, un peu moins les fictions télévisées. Le divertissement reste donc prédominant. Les téléspectateurs consacrent un peu moins de temps que les téléspectatrices aux fictions télévisées et sensiblement plus au sport. Pour leur part les personnes issues de catégories socioprofessionnelles supérieures consacrent un peu plus de leur écoute aux magazines et documentaires, aux émissions sportives et d'information (autres que les journaux télévisés[2]).

Enfin il faut distinguer les habitudes d'écoute des enfants (6-11ans) de celles des adolescents ou des jeunes adultes ; les premiers regardent moins longtemps tous les types d'émissions à l'exception des dessins animés et de la publicité. Les pré-adolescents sont de gros consommateurs de fictions télévisées, de sport et, à un moindre degré de jeux télévisés. Les jeunes adultes regardent globalement moins la télévision mais les films et le sport occupent une part importante de leur écoute.

D'une manière générale, l'élargissement de la télévision « offerte » (près de 50 000 heures de programmes annuelles sur les chaînes françaises) s'est fait surtout au bénéfice des programmes de fiction et de divertissement. Cela n'empêche pas les téléspectateurs de consacrer proportionnellement plus de temps aux émissions d'information que la part relative affectée à ce type de contenu dans l'offre des chaînes.

Soulignons d'ailleurs que les comparaisons internationales font ressortir une grande convergence dans la sélection qu'opèrent les téléspectateurs parmi les différentes catégories de programmes proposés. Quelle que soit l'importance relative des divers genres d'émissions dans les programmes diffusés (« offerts » en quelque sorte), le divertissement (et surtout la fiction) représente environ la moitié du temps d'écoute, l'information à peu près 20 % du temps de réception et les émissions culturelles[3] de 5 à 6 %.

Ces tendances traduisent une assez grande analogie dans les comportements d'écoute des téléspectateurs ainsi que dans ce qu'ils semblent attendre de leur relation au petit écran. Il est possible que, progressivement, la multiplication des chaînes thématiques consacrées, par exemple, à l'information en continu, aux documents ou aux programmes culturels, contribue à diversifier les usages de la télévision ; ces contenus attirent plus volontiers des téléspectateurs issus de catégories sociales aisées, modérés dans leur consommation. Mais, pour le moment, la « télévision généraliste » ne distingue pas une écoute « d'élite », qui serait celle d'une minorité cultivée, et une écoute de « masse », envahissante, qui se consacrerait au pur divertissement.

Bien sûr, les « genres » de programmes ainsi définis restent très larges, ils peuvent recouvrir des émissions très différentes les unes des autres, et surtout, de qualité et d'exigence très inégales. En ce sens, tous les films, toutes les émissions d'information ne se valent pas et raisonner sur des « genres » de programmes écrase quelque peu ces différences de jugement. Mais ces dernières ne se traduisent pas clairement dans les comportements observés. C'est plutôt parmi les consommateurs assidus du petit écran que l'on trouve le choix le plus large et le plus diversifié d'émissions suivies, car à l'opposé du cas précédent la télévision doit ici répondre à des attentes nombreuses et variées.

---

1. Voir. Michel SOUCHON : « Le public de la télévision, des comportements différents », INA et Médiamétrie, mai 1991.
2. Voir Sylviane SAINCY : « La télévision en genre et en nombre », Paris, SJTI/ INA/ Documentation française, 1992.
3. Voir Michel SOUCHON : « Trois semaines de télévision : une comparaison internationale », Paris, UNESCO, 1981.

À terme, la programmation thématique offerte contribuera sans doute à segmenter plus finement les audiences, ne serait-ce que sous la pression de publicitaires soucieux d'atteindre une cible socio-culturelle mieux connue.

Par ailleurs, Internet pourra être reçu sur les téléviseurs, cette évolution qui conduirait le récepteur de télévision à fonctionner comme un terminal multimédia devrait également accentuer encore le processus de sélectivité des programmes proposés.

❑ L'usage des médias : entre homogénéisation et différenciation

Les médias ont pris une place grandissante dans la vie quotidienne de tous. Prises séparément, la lecture de la presse, l'écoute de la radio ou de la télévision sont devenues peu différenciatrices ; les audiences sont vastes, hétérogènes et tous les milieux sociaux sont touchés. Mais c'est dans la façon dont les individus cumulent ces pratiques, les hiérarchisent et les relient ou non avec leurs activités professionnelles, civiques et culturelles, au sens large du terme, qu'elles peuvent se voir attribuées des fonctions et des valeurs sensiblement différentes selon les groupes sociaux.

Bibliographie

BALLE Francis, *Médias et sociétés,* Paris, Montchrestien, 8e éd., 1997, 801p.

BAHU-LEYSER D., D. CHALVON et J. DURAND, *Audiences et Médias,* Paris, Eyrolles, 1990.

CAZENEUVE Jean, *Sociologie de la radiotélévision*, Paris, PUF, « Que sais-je ? », 1986.

CHARON Jean-Marie (dir.), *L'État des médias*, Paris, La Découverte / MédiasPouvoirs / CFPJ, 1991, 461 p.

DEFLEUR Melvin et Sylvia BALL-ROKEACH, *Theories of Mass Communication*, New York, Longman, 5e éd., 1989.

DEFLEUR Melvin et Everette E. DENNIS, *Understanding Mass Communication*, Boston, Houghton-Mifflin, 5e éd., 1994.

MEHL Dominique, *La Fenêtre et le miroir*, Paris, Payot, 1992.

MINISTÈRE DE LA CULTURE ET DE LA COMMUNICATION, *Les Pratiques culturelles des Français. Description sociodémographique* :
  • *Évolution 1973-1981*, Paris, Dalloz, 1982.
  • *Évolution 1981-1988*, Paris, La Découverte, Documentation française, 1989.
  • *Enquête 1997*, Paris, Documentation française, 1997.

SAINCY Sylviane, *La Télévision en genre et en nombre*, Paris, SJTI-INA, Documentation française, 1991.

SOUCHON Michel, *Trois semaines de télévision, une comparaison internationale*, Paris, UNESCO, décembre 1982, 86 p.

WEBER James J. et Patricia F. PHALEN, *The Mass Audience : Rediscovering the Dominant Model*, Mahwah (NJ), Lawrence Erlbaum, 1997.

Enquêtes annuelles du CESP (1981 à 1992).

Enquête CESP multimédias, 1990.

Enquête CESP Budget temps multimédia, 1992.

Les effets des médias

L'évaluation de l'influence des médias sur les individus vivant en société constitue sans nul doute un objet de préoccupation majeur des chercheurs en sciences de la communication depuis plusieurs décennies. Psychologues, psychosociologues, sociologues, voire anthropologues ou linguistes se sont tour à tour penchés sur ce problème d'autant plus brûlant qu'il touche de près notre existence quotidienne et qu'il nous concerne donc tous, à des degrés plus ou moins variables.

Il recouvre en effet une grande variété de questions : la lecture régulière des journaux favorise-t-elle la participation des citoyens au débat public ? Les interventions répétées des hommes politiques à la télévision provoquent-elles des changements d'opinion ou d'intention de vote chez les électeurs ? La vision d'images dramatiques comme celles d'enfants mourant de faim en Somalie, ou de populations expulsées du Kosovo, incite-t-elle les téléspectateurs, non seulement à réagir, mais aussi à agir et à s'engager en faveur des associations humanitaires ? Les enfants regardant beaucoup de scènes de violence sur le petit écran sont-ils davantage enclins que d'autres à adopter un comportement agressif ? Autant d'interrogations, parmi d'autres, qui prouvent combien l'étude des effets (réels ou supposés) des médias s'avère aujourd'hui plus que jamais indispensable. Nos connaissances, en la matière, commencent à être abondantes, bien que les réponses apportées par les spécialistes à ce sujet puissent parfois manquer de netteté, tant les avis demeurent partagés.

UNE NOTION FLOUE ET COMPLEXE

❏ Trois périodes

Le débat autour des effets des médias a connu trois phases successives. Une première, située autour des années 1920 et 1930, au cours de laquelle on a cru notamment à la toute-puissance de la radio et du cinéma. Une deuxième, entre la fin des années 1930 et le début des années 1960, où l'on a mis l'accent sur les effets limités des médias. Et une troisième qui débute vers le milieu des années 1960 avec un retour sur le devant de la scène des théories qui concluent aux effets puissants des médias. Les différents diagnostics ont toujours été étroitement liés au contexte politique et culturel du moment et ont été, pour une bonne part, émis par des chercheurs d'origine américaine.

➤ DE LA TOUTE-PUISSANCE DES MÉDIAS

À la fin de la Première Guerre mondiale, la croyance en la manipulation des foules par les moyens de communication de masse fait en quelque sorte partie des idées communément établies de l'époque. On raisonne essentiellement au moyen d'une explication en termes de réflexe conditionné :

l'individu, soumis à un stimulus (ici un message diffusé par la radio ou par un film) réagit, plus ou moins instinctivement, et toujours de la même façon. Plusieurs études, réalisées aux États-Unis entre 1929 et 1932, à propos de l'influence des films sur les enfants, montrèrent par exemple qu'ils pouvaient provoquer des émotions intenses (crainte, peur, passion), modifier le sommeil, et engendrer chez ces derniers des comportements d'imitation des héros vus à l'écran. La panique provoquée en 1938 par l'écoute de la radio diffusant « La guerre des mondes », une émission d'Orson Welles qui décrivait l'invasion des États-Unis par les martiens, conforta les chercheurs dans l'idée que les médias sont à l'origine d'effets immédiats, directs et uniformes. Le modèle de ce qu'on a appelé « la piqûre hypodermique » était alors dominant.

➤ DES EFFETS LIMITÉS DES MÉDIAS

Ce sont les travaux menés, à partir de 1940, par des sociologues tels que Paul Lazarsfeld et ses collaborateurs au moment de campagnes électorales dans la presse ou à la radio qui, les premiers, relativisèrent les théories antérieures. Ils ont ouvert la voie à toute une série d'études empiriques (s'appuyant sur des enquêtes par sondages auprès des lecteurs ou des auditeurs) qui ont souligné l'influence indirecte et limitée des médias. Le récepteur des messages adopte un comportement plus actif qu'on ne le présupposait auparavant. Les médias ne sont, en réalité, qu'un élément parmi d'autres qui interviennent dans les choix et les attitudes des individus : ils s'inscrivent dans un système complexe d'influences dans lequel les relations interpersonnelles sont tout aussi importantes que le contenu des messages émis par les médias.

➤ LE RETOUR AUX EFFETS PUISSANTS

L'attention portée aux effets de la culture de masse dans la société de consommation des années 1960 en France et ailleurs, mais aussi la place prise par la télévision dans le débat politique depuis quelques décennies ont conduit récemment certains sociologues à réviser l'idée d'un « effet minimal » des médias. En raison de la médiatisation des campagnes électorales et du poids croissant des interventions des hommes politiques sur le petit écran, on en conclut souvent que les médias audiovisuels déterminent désormais notre mode de pensée. On s'intéresse également au rôle de ces derniers sur l'opinion publique et à l'impact des nouvelles technologies de communication sur la circulation des idées. Certains travaux de chercheurs allemands et anglo-saxons suggèrent que les médias détiennent une part de responsabilité non négligeable, voire décisive, dans la constitution du débat public et dans la diffusion des idées.

Les interprétations, on le voit, semblent très contrastées, pour ne pas dire contradictoires. En réalité, cette contradiction n'est pas aussi insurmontable qu'il y paraît de prime abord : elle nécessite, pour être nuancée, une définition rigoureuse de la notion « d'effets ».

❑ Des difficultés de définition et de méthode

Pour clarifier le débat, il convient d'abord de distinguer les effets à court terme et les effets à long terme. Il est aujourd'hui généralement admis que les médias ne provoquent pas de changements majeurs sur les individus à court terme et de nombreuses études accumulées depuis des décennies sur ce thème dans différents pays en apportent la preuve. Il est en revanche reconnu que l'addition de ces effets limités sur une longue période peut être à l'origine d'effets puissants. Ainsi, par exemple, l'attitude des médias américains au moment de la guerre du Vietnam, rendant compte des mouvements d'opposition (livres, presse *underground*, manifestations), a progressivement créé au sein de l'opinion publique une prise de conscience du bourbier dans lequel s'était engagé le pays. De même, les commentaires, les enquêtes, diffusés par la presse écrite ou par la télévision au sujet du Watergate, qui reflétaient les prises de position des tribunaux, du Congrès et de certains groupes de pression, ont finalement contraint le président Nixon à démissionner. À partir du moment où les informations se répètent, s'inscrivent dans une certaine cohérence, et que la plupart des médias vont dans le même sens, les effets minimaux cumulés peuvent engendrer des transformations de grande ampleur. En d'autres termes, il n'y a pas opposition, mais complémentarité entre les deux types d'interprétation proposés : les effets des médias sont limités dans certaines circonstances (durée restreinte) et puissants dans d'autres circonstances (longue durée).

Une deuxième précision mérite d'être apportée. Selon les différents niveaux (les individus, les groupes, la culture, la société dans son ensemble) que l'on distingue, le résultat n'est pas le même.

Les messages transmis par les médias ne touchent que faiblement *les individus* pris isolément ou du moins n'entraînent pas, à quelques exceptions près, de bouleversement considérable. Un téléspectateur assistant à une confrontation entre deux hommes politiques sur le petit écran ne modifiera guère son intention de vote à l'issue de ce débat sauf, le cas échéant, s'il appartient à la frange des indécis. Les « conversions » ou les changements d'attitude s'avèrent peu fréquents en la matière.

L'accaparement du débat politique par les journalistes et les sondeurs est toutefois susceptible d'avoir des incidences sur la manière dont l'opinion publique se comporte : il s'agit alors d'un phénomène collectif, de groupe et non plus individuel, qui se situe à une tout autre échelle. Les manifestations de lycéens, d'étudiants ou d'agriculteurs ont pris en France, ces dernières années, une tournure particulière depuis que la télévision leur donne de l'écho. Les stratégies des manifestants obéissent désormais à la « logique médiatique » : mise en scène, interviews des porte-parole au journal de 20 heures, etc. Les médias ont insensiblement transformé les formes de mobilisation traditionnelle.

Pour prendre un autre exemple, l'introduction dans les foyers de la micro-informatique et de nouveaux outils technologiques (le magnétoscope ou le Minitel), a conduit à une diversification des pratiques et créé de nouveaux comportements culturels. L'usager s'initie avec plus ou moins de succès au mode d'emploi de ces instruments, acquiert d'autres savoir-faire et intègre les principes de programmation. L'explosion des technologies de communication modernes modifie notre rapport à l'espace et au temps : c'est l'ensemble de *la vie en société* qui s'en trouve affecté. Selon que l'on raisonne en termes d'individus, de groupes sociaux ou de société en général, les effets des médias ne peuvent donc être identiques.

Les quelques exemples que l'on vient d'évoquer montrent d'ailleurs que la notion d'effets doit également, troisième correctif, être appréhendée en fonction des multiples « catégories » auxquelles elle ressortit. Parle-t-on d'effets d'ordre cognitif, d'ordre émotionnel, d'ordre comportemental ? À chaque fois, le registre d'analyse est différent : dans le premier cas, on étudiera les effets des médias sur nos savoirs et nos connaissances ; dans le deuxième, sur notre sensibilité (plaisir, peur, désir) ; dans le troisième, sur notre manière d'agir et de nous conduire.

La complexité du problème lié à la notion d'« effet » est illustrée par les polémiques incessantes au sujet de la programmation de séries ou de feuilletons violents à la télévision. On peut tout aussi bien avancer que ces films produisent des effets puissants (conduites agressives) que limités (ils ne touchent que les individus psychologiquement et socialement prédisposés). Les arguments des uns et des autres ne sauraient être correctement évalués tant que l'on n'aura pas précisé le sens des mots que l'on emploie.

Après avoir montré les difficultés de *définition* de la notion d' « effets », il convient à présent d'évoquer les problèmes que celle-ci soulève lorsqu'il s'agit d'évaluer l'influence des médias sur le terrain, c'est-à-dire dans le cadre d'enquêtes et de sondages. On passe alors de considérations abstraites à des questions de *méthode*.

Il est parfois très malaisé *d'isoler l'influence d'un média par rapport aux autres*. Chacun d'entre nous est soumis au bombardement d'informations provenant des journaux, des livres, de la télévision, de la radio : peut-on connaître très clairement la provenance des messages dont parlent les personnes interrogées lors d'entretiens avec les chercheurs ? La délimitation des effets respectifs de chaque support semble souvent délicate.

En outre, la réception des messages *s'inscrit toujours dans un contexte personnel particulier* : lit-on le journal tout seul sans en parler à autrui ? Ou discute-t-on des informations avec son conjoint, ses voisins, ses collègues de travail ? Où finit l'influence des médias et où commence celle d'autrui, de la culture, de la société ? Il est, par exemple, très difficile de saisir la part prise par les médias par rapport à la famille et à l'école dans la socialisation des enfants, c'est-à-dire la manière dont ces dernières intériorisent les normes, les valeurs et les croyances propres à chaque société. Les effets des médias sont-ils plus importants que ceux de l'éducation reçue ou des connaissances apprises à l'école ? Bien malin qui pourrait trancher avec certitude ce nœud de questions. On ne saurait sous-estimer ces obstacles d'ordre pratique lorsqu'on évoque les effets des médias.

LES EFFETS INDIRECTS ET LIMITÉS

Toute typologie est, d'une certaine manière, réductrice. L'extrême diversité des approches rend les tentatives de classification des effets des médias particulièrement malaisées. On peut néanmoins ordonner les différentes analyses autour des deux grands axes précédemment distingués : celui des effets indirects et limités des médias, celui des effets directs et puissants. À chaque fois, on n'évoquera que les théories les plus marquantes, sans avoir la prétention d'être exhaustif.

❑ Les études empiriques sur les « campagnes »

Les travaux sur les « campagnes » portent principalement sur deux thèmes. D'abord les études de l'efficacité des médias (en particulier audiovisuels) lors des campagnes électorales, afin d'évaluer leur influence sur le choix de tel ou tel candidat par les électeurs. Ensuite les analyses de l'impact des « campagnes » publicitaires ou autres, qui concernent cette fois les conditions de choix d'un « produit » donné (achats ménagers, mode vestimentaire, etc.). Dans les deux cas, le processus semble être lié à la manière dont les journaux, la radio ou la télévision diffusent les informations et les mettent en valeur.

Ce sont les sociologues américains appartenant au « courant empirique », c'est-à-dire utilisant avant tout les techniques d'enquête sur le terrain (l'observation, les entretiens et les sondages) qui ont imprimé durablement leur marque sur ce secteur de recherche, surtout durant les années 1940 et 1950. Leurs travaux ont fait date et apparaissent rétrospectivement comme des études fondatrices dont les conclusions, aujourd'hui encore, influencent les chercheurs en sciences de la communication. Le chef de file de ces spécialistes fut indéniablement Paul F. Lazarsfeld qui a conduit de nombreuses enquêtes sur l'attitude des électeurs face aux médias lors des campagnes électorales aux États-Unis (*The People's Choice,* publié en 1944 avec Bernard Berelson et Hazed Gaudet), ou sur le comportement des consommateurs face aux médias (*Personal Influence* en 1955 avec Elihu Katz). Contrairement à ce que l'on avait cru, les effets des médias ne se réduisent pas au modèle unidirectionnel de l'influence du type stimulus-réponse, mais s'inscrivent dans un processus bien plus complexe.

➤ QUELLES SONT LES PRINCIPALES LEÇONS QUI SE DÉGAGENT DE CES ÉTUDES ?

– Premièrement, l'attention que nous portons à une information dépend pour beaucoup de la relation personnelle ou sociale que nous entretenons avec celle-ci. Si nous nous sentons concernés par cette information, nous avons tendance à nous y intéresser davantage : c'est le principe de *l'exposition sélective* aux médias.
– Deuxièmement, nous n'écoutons que les messages qui vont dans notre sens et nous évitons ceux qui vont à l'encontre de nos convictions personnelles : c'est le principe du *renforcement des opinions préexistantes.*
– Troisièmement, nous réinterprétons les messages à notre façon et nous nous en souvenons de manière plus ou moins imparfaite. Nous ne sommes donc pas des individus passifs comme le pensaient les partisans des thèses de la manipulation des récepteurs, mais des individus actifs. C'est ce qu'on dénomme *la perception et la mémorisation sélectives.*

— Quatrièmement, et ce constat est décisif, nous avons besoin, pour nous forger une opinion précise à la suite de la lecture ou de l'écoute de certaines informations, de connaître l'avis d'autrui (parents, amis, voisins, collègues). L'influence des médias n'est jamais directe, mais indirecte : elle passe par un réseau de *relations interpersonnelles*. Le récepteur s'appuie notamment sur l'avis de *leaders d'opinion* qui servent d'intermédiaires entre les médias et lui. Ces leaders d'opinion sont des personnes davantage exposées aux médias, mais qui possèdent généralement le même statut social : leur crédibilité est forte.

Le processus d'influence des médias s'établit par conséquent à deux niveaux (*two-step flow of communication*) : d'abord un courant vertical de l'émetteur vers les leaders d'opinion ; puis un courant horizontal allant de ces leaders vers le public lui-même. Les effets des médias sont en fin de compte limités puisque les informations diffusées par les moyens de communication de masse sont soumises à un système de filtrage plus ou moins efficace.

Ces hypothèses ont été confirmées par d'autres recherches ultérieures mais aussi nuancées. On estime, à l'heure actuelle, que le rôle des leaders d'opinion n'est pas toujours aussi important qu'on veut bien le croire et que le processus de communication à deux étapes s'apparente en réalité à un processus à niveaux multiples (*multi-step flow*) par le biais des nombreuses conversations sur le contenu des médias que nous pouvons avoir. Les effets ne sont pas directement produits par le message, mais transitent par les significations que les récepteurs en dégagent.

❏ Les études fonctionnalistes (*Uses and Gratifications*)

Les tenants de la perspective « fonctionnaliste », qui a connu son âge d'or entre 1945 et 1960 environ, prolongent et approfondissent l'idée de l'attitude active des récepteurs. On ne se contente plus d'enquêtes strictement quantitatives sur les usages des médias, mais on met au point des entretiens qualitatifs afin d'interroger les individus sur leurs attentes face aux médias. On cherche désormais à déterminer pourquoi on lit tel magazine plutôt que tel autre, ou pourquoi on choisit d'écouter tel programme de radio plutôt que tel autre. Il s'agit, selon la formule célèbre, non plus de savoir « *ce que les médias font aux gens* », mais ce que « *les gens font des médias* » : la perspective traditionnelle est bien inversée.

Ces travaux mettent l'accent sur les *facteurs psychologiques* d'explication. Chacun d'entre nous opère une sélection en fonction d'intérêts, de besoins, de valeurs qui lui sont propres et qui le prédisposent, par exemple, à regarder plutôt une émission de variétés qu'un programme musical, un reportage sportif plutôt qu'un documentaire. Le récepteur anticipe, d'une certaine façon, ses choix et tente de satisfaire ses désirs ou ses attentes : d'où l'appellation communément utilisée de théorie des « usages et des satisfactions » (*uses and gratifications*). Les enquêtes sur le terrain s'attachent alors à comprendre les motivations et les besoins des récepteurs et à évaluer dans quelle mesure ceux-ci sont satisfaits ou non par ce qu'ils ont lu, vu, ou entendu. Dans cette optique, les médias remplissent certaines *fonctions* (de distraction, de surveillance de l'environnement, de transmission culturelle) ou *dysfonctions* (repli sur soi, apathie, passivité) qu'il convient de mettre au jour.

L'idée propre aux chercheurs fonctionnalistes selon laquelle il faut raisonner en termes d'attente des récepteurs est une hypothèse qui a été illustrée par de nombreuses recherches menées aux États-Unis par Bernard Berelson, Charles Wright, Jay Blumler et quelques autres. Ces travaux ont toutefois donné lieu à des conclusions répétitives qui ont toutes souligné que le récepteur est plus important, à la limite, que le message. Ils ont finalement suscité de nombreuses réserves parce qu'ils postulent une sorte d'universalité des besoins, fondée sur une psychologie des individus qui ne prend pas en compte le contexte culturel ou social dans lequel ils vivent. Un feuilleton tel que *Hélène et les garçons* ne serait certainement pas perçu de la même façon dans certains pays d'Afrique Noire ou du Proche-Orient tout simplement parce que les valeurs prônées (rôle de la femme, image de l'adolescence, représentation du système éducatif) dans ces sociétés ne sont pas les mêmes qu'en France. C'est la raison pour laquelle cette théorie est aujourd'hui abandonnée par la plupart des chercheurs.

❏ Les recherches sur la diffusion (ou théorie de l'adoption)

Une autre façon d'étudier les médias consiste à s'interroger sur la manière dont les moyens de communication de masse influencent *la diffusion et l'adoption de certaines innovations* (nouveaux outils technologiques, nouvelles idées, nouvelles modes). On s'est par exemple demandé si les médias pouvaient favoriser, par le biais d'émissions particulières, l'adoption par les agriculteurs de nouveaux produits et de nouvelles machines, ou encore s'ils avaient une incidence, par le biais d'articles de magazines, sur l'achat par les femmes de nouveaux vêtements. Jouent-ils un rôle éminent ou au contraire accessoire dans ce processus ? Tel est l'enjeu de la question. Gabriel Tarde, sociologue français du siècle dernier, avait déjà en 1890 attiré l'attention sur ce phénomène, dans son livre *Les Lois de l'imitation* en expliquant que l'imitation était à la base de nouvelles formes sociales. Depuis lors, de nombreux travaux se sont accumulés sur le sujet.

Les recherches sur la diffusion nous précisent en fin de compte « quand penser », c'est-à-dire quand vient notre tour d'adopter telle ou telle innovation. Le représentant le plus connu de ce courant d'analyse est Everett M. Rogers qui, en 1962, a publié un ouvrage important sur la diffusion sociale des innovations techniques (*The Diffusion of Innovations*). Distinguant quatre paliers dans la diffusion d'un produit (l'information, la persuasion, la décision, la confirmation), il souligne que le rôle des médias se borne à favoriser l'information sur ce produit et la prise de conscience de l'existence de ce produit par les récepteurs. Ceux-ci se tournent ensuite vers leurs réseaux de relations inter-personnelles pour quêter des conseils avisés au sein de leur entourage. Le processus d'adoption des innovations rejoint donc le modèle des effets limités des médias. Dans les sociétés modernes, les médias peuvent cependant provoquer de réels changements de comportement à la condition qu'il y ait accumulation, répétition des messages sur la longue durée.

❏ Les études sur la socialisation

La plupart des enquêtes qui portent sur les effets indirects et limités des médias se concentrent surtout sur les individus et les petits groupes, sur les phénomènes psychologiques et cognitifs en liaison avec l'environnement immédiat des récepteurs. Elles débouchent donc tout naturellement sur l'analyse de la socialisation des individus et du poids de la famille, de l'école par rapport aux médias. Ne peut-on estimer que ces derniers interviennent de plus en plus fortement dans ce processus, qu'ils proposent des modèles de comportement, des schémas de pensée ? Telle est l'interrogation que soulèvent de multiples travaux, aussi bien en France qu'à l'étranger, sur l'influence, par exemple, de la publicité ou de la violence télévisée, sur les enfants et les adolescents.

La réponse est particulièrement délicate : les médias interfèrent avec l'environnement socio-culturel dans lequel baignent les récepteurs sans que l'on puisse toujours faire la distinction entre l'influence des médias proprement dits et celle de la société en général. Il apparaît néanmoins que la télévision, à la suite de la diffusion d'images répétitives et stéréotypées, pousse certains enfants à s'identifier aux héros des feuilletons ou aux protagonistes de l'actualité. Les médias ont, semble-t-il, *un pouvoir d'incitation réel, mais assez faible* : les conditions dans lesquelles le message est reçu sont aussi importantes que le contenu des programmes lui-même.

Un enfant grand consommateur de télévision, dont les parents ne sont guère présents au foyer, aura beaucoup plus tendance à être influencé par ce qu'il regarde qu'un enfant dont les parents surveillent attentivement son choix de programmes et qui discutent avec lui régulièrement de ce qu'il a vu. Mireille Chalvon, Pierre Corset et Michel Souchon ont ainsi montré (*L'Enfant devant la télévision des années 1990*) que la personnalité des individus et le contexte dans lequel ils évoluent sont deux paramètres décisifs pour la compréhension du phénomène. Il convient, par conséquent d'éviter toute interprétation trop tranchée : les médias sont des instruments de socialisation à côté d'autres agents (les parents, les amis, les professeurs, etc.) qui ne peuvent avoir un effet puissant que dans certaines conditions bien précises. Peut-on, par exemple, comparer la situation des enfants face à la télévision aux États-Unis et en France, alors que les premiers vivent souvent dans une société « défamilisée » et que les seconds évoluent dans une société où la famille demeure malgré tout un modèle de référence ?

Il semble en réalité que la télévision, si elle ne crée pas les situations de violence ou de criminalité, ait toutefois tendance à les amplifier. Et probablement, l'exposition persistante et durable aux scénarios de la violence dans les médias favorise-t-elle le sentiment d'insécurité et d'inquiétude, voire l'essor de tendances agressives. Les travaux américains menés sous l'égide de George Gerbner et de ses collaborateurs (*Television's Mean World : Violence Profile 1986*) vont en tout cas dans ce sens.

❏ Les études de réception

Depuis quelques années, se développent dans différents pays, des études qui font intervenir un nouveau modèle d'interprétation des effets des médias, que l'on résume parfois sous le nom de « *modèle texte / lecteur* ». Elles traduisent un infléchissement de la recherche vers la prise en compte simultanée de l'émetteur et du récepteur des messages. Elles consistent d'un côté à repérer, par une analyse du « texte », les modes d'*encodage* auxquels il a été soumis et de l'autre, les modalités de *décodage* que le « lecteur » met en œuvre. Mêlant approche sémiologique et sociologique, ces études démontrent que la réception n'est pas l'absorption passive de significations préconstruites, et que la latitude d'interprétation est forte. Il y a bien une *dynamique de la réception* caractérisée par l'existence de communautés d'interprétation, selon les pays, les cultures et les sociétés.

La preuve en a été apportée par Elihu Katz et Tamar Liebes (*The Export of Meaning*, 1990), qui ont analysé la réception du feuilleton *Dallas* aux États-Unis et en Israël (au sein de la communauté arabe, de juifs marocains, de juifs russes et des kibboutz). Chacune de ces communautés opère une lecture particulière de *Dallas*, tantôt situant les personnages par rapport à leurs rôles familiaux, tantôt anticipant les événements à venir, tantôt faisant référence à l'idéologie hollywoodienne. Ce qui est doté d'effets, ce n'est pas seulement le message conçu, produit ou diffusé, mais surtout le message effectivement reçu en fonction des ressources culturelles de chaque récepteur.

Les médias ne possèdent donc pas le pouvoir qu'on leur attribue puisque le téléspectateur résiste en quelque sorte en interprétant l'information qu'il reçoit. Dit d'une autre manière, on assiste à une interaction entre un « texte télévisuel » et les téléspectateurs, à une négociation ininterrompue entre le producteur et le récepteur des messages. Ces travaux font aujourd'hui de nombreux émules, en particulier en France où l'on tente de saisir ce que le téléspectateur des émissions de variétés, de *reality shows* ou de jeux retient effectivement.

LES EFFETS DIRECTS ET PUISSANTS

Les conclusions auxquelles aboutissent la plupart des recherches autour des effets limités ne sont jamais totalement assurées. Elles laissent, en fait, entrevoir l'émergence d'effets puissants lorsqu'on raisonne sur la longue durée. Les travaux sur la diffusion et la socialisation, mais aussi les théories récentes de réception dont on vient de parler, peuvent également être lus comme des illustrations de l'influence forte des médias, pour peu que l'on prenne en compte l'accumulation des effets minimaux ou le poids des contraintes technologiques et industrielles. C'est dire combien le débat demeure subtil et complexe. Il n'en reste pas moins vrai que certains courants de pensée ont depuis longtemps insisté sur l'efficacité des messages diffusés par les moyens de communication de masse.

❑ Les études sur les effets idéologiques

Les premiers à avoir théorisé la toute puissance des médias sont les philosophes allemands réunis sous le nom d'École de Francfort, également appelée « courant critique », par opposition au « courant empirique » anglo-saxon. Ces chercheurs qui ont pour nom Theodor Adorno, Max Horkheimer, Walter Benjamin, Herbert Marcuse ont, dès les années 1930-1940, souligné l'influence de l'environnement sociopolitique et socioéconomique des médias.

S'inspirant d'une grille de lecture marxiste de la société, ils ont considéré que *les industries culturelles* (*La Dialectique de la raison*, 1947), c'est-à-dire la production de biens culturels en série et à grande échelle, favorisent la standardisation des produits (films, livres, chansons, etc.) et la manipulation des individus baignant dans la culture de masse. Le progrès technique, fondé sur le culte de la rationalité et de la rentabilité, enferme l'homme dans un cadre de pensée qui n'est que l'expression de l'*idéologie dominante,* celle du système capitaliste (Marcuse, *L'Homme unidimensionnel,* 1964). En d'autres termes, les moyens de communication de masse renforcent l'ordre établi et légitiment les rapports sociaux existants : ils ont bien un effet puissant sur le comportement des récepteurs.

Diffusé en France dans les années 1970-1980 par des sociologues tels que Patrice Flichy, Armand Mattelart, Bernard Miège, Paul Beaud, ce type d'analyse a permis de mettre au jour le poids des groupes de communication et les stratégies des grands acteurs industriels dans la diffusion des messages. Les usages des médias sont avant tout déterminés par l'état des rapports sociaux de sorte que le récepteur ne dispose que d'une faible marge de manœuvre.

Les polémiques récentes sur la « défaite de la pensée » et sur les effets néfastes de la culture médiatique démontrent que le sujet est plus que jamais d'actualité. Mais ce modèle d'explication a peu à peu évolué dans le sens d'une réévaluation du rôle du récepteur ou plus exactement d'une problématique qui essaie de comprendre à la fois les déterminations qui influent à la source des messages (encodage) et les effets du contexte sur le travail de réception (décodage).

C'est le cas, non seulement en France, mais aussi en Grande-Bretagne où les représentants du *courant culturaliste (cultural studies),* de l'université de Birmingham, pourtant très proches des analyses marxistes, ont eux aussi quelque peu nuancé leurs interprétations antérieures. Stuart Hall reconnaît, par exemple, le rôle actif des récepteurs dans le décryptage des messages et dans la construction des significations culturelles, mais il persiste néanmoins à penser que cette liberté relative reste déterminée par le pouvoir des industries culturelles. La résistance du téléspectateur a des limites parce que les médias imposent malgré tout un certain mode de pensée.

❑ Les théories du « déterminisme technologique »

L'un des pères fondateurs de cette approche n'est autre que Marshall McLuhan dont les thèses ont provoqué quelques remous dans la communauté des spécialistes en communication. Ce chercheur canadien a eu le grand mérite de porter une réelle attention au canal de transmission des messages, c'est-à-dire au média lui-même plutôt qu'aux émetteurs et qu'au contenu. Ses principaux ouvrages, en particulier *La Galaxie Gutenberg* (1962), *Pour comprendre les médias* (1964), établissent que les caractéristiques technologiques du média utilisé déterminent la réception et la compréhension des messages. Chaque étape de l'histoire de l'humanité a ainsi été marquée par la domination d'un média (la tradition orale, l'imprimé, l'électronique), de sorte que nos sociétés modernes sont en proie à une profonde révolution, celle d'une « retribalisation » sous l'effet des médias électroniques qui étendent leur emprise sur l'ensemble de la planète (d'où l'image du « village global »).

Dans cette perspective, la capacité de sélection et de défense des individus apparaît très amoindrie puisque les médias sont conçus comme des extensions de nos fonctions physiques et mentales. La fameuse formule « le message, c'est le média », laisse clairement entendre qu'ils fixent nos modes de pensée et qu'ils agissent en étroite relation avec nos cinq sens. Selon que le média fait davantage appel à l'ouïe, à la vue et au toucher, nous ne réagissons pas de la même manière et nous n'intériorisons pas le message de façon identique. La télévision, par exemple, favoriserait l'union de la vie sensorielle et de l'imagination et est sensée nous émouvoir en profondeur, alors que l'imprimé, au contraire, n'encouragerait guère la participation du lecteur et son implication dans ce qu'il lit.

Les analyses en termes d'effets technologiques puissants suscitent de nos jours un regain d'intérêt avec le développement de ce qu'on a appelé, un peu commodément, les nouveaux médias. Les innovations techniques contemporaines comme le câble, le satellite, le micro-ordinateur ou le Minitel ne créent-elles pas précisément d'autres usages des médias, liés à certaines procédures de programmation (logique séquentielle, mise en mémoire, etc.) ? Notre existence quotidienne s'en trouve affectée, aussi bien à domicile que sur notre lieu de travail. Mais le poids de la technique doit toujours être mis en relation avec l'environnement social dans lequel se meuvent les utilisateurs de ces nouveaux médias. Les réflexions actuelles d'un Régis Debray (*Cours de médiologie générale*[1]), instituant une nouvelle discipline, la *médiologie,* autrement dit l'étude des médiations matérielles à travers lesquelles circule l'information, témoignent du renouveau de la recherche en la matière et s'inscrivent, en partie, dans cette tradition.

❑ La théorie de « la spirale du silence »

Les recherches conduites par Élisabeth Noëlle-Neumann en Allemagne durant les années 1970, et centrées sur la formation de l'opinion publique, confortent la thèse des effets directs et puissants. À la suite de plusieurs enquêtes sociologiques, elle conclut que les médias peuvent appauvrir le débat démocratique en devenant des distributeurs d'opinions légitimes et en limitant le sens critique des individus. Ceux-ci, lorsqu'ils ne se sentent pas soutenus dans l'expression de leurs opinions par leur environnement proche, ont tendance à perdre confiance en eux et à se taire. Or, comme les médias constituent aujourd'hui la principale source de référence ou de soutien en matière d'opinion, les individus se déterminent de plus en plus par rapport aux informations et aux commentaires qu'ils diffusent. Ceux qui se sentent en position majoritaire, et donc soutenus par les médias, ont tendance à s'exprimer davantage, tandis que ceux qui se perçoivent comme des représentants d'une opinion minoritaire se retirent progressivement de la discussion et entrent de ce fait dans la *spirale du silence.* Les médias encourageraient, par conséquent, le consensus ambiant, voire la soumission à l'ordre établi au lieu d'inciter à la combativité et à l'engagement. Cette vision très pessimiste de la réalité sociale contemporaine est cependant loin de faire l'unanimité.

❑ Les études sur la fonction d'agenda

Élaborée en 1972 par deux chercheurs américains, Maxwell McCombs et Donald Shaw, à la suite d'une observation minutieuse des campagnes électorales, la thèse de la fonction d'agenda des médias (*agenda setting function)* soutient qu'il existe une corrélation forte entre l'ordre d'importance donné par les médias à certaines informations et celui attribué à ces mêmes informations par le public.

En étudiant les thèmes traités par la télévision et la presse écrite d'une part, et les opinions des électeurs sur les sujets qui leur semblaient importants d'autre part, lors des élections présidentielles américaines de 1968, les deux spécialistes se sont aperçus que les médias définissaient, en fin de compte, *le calendrier des événements*, voire la hiérarchie des sujets dont on parle. Il nous disent non pas ce qu'il faut penser, mais *ce à quoi il faut penser* : ils attirent en quelque sorte notre attention sur certains problèmes à l'ordre du jour. Les électeurs indécis, en particulier, s'exposent davantage aux médias que les autres : sans doute sont-ils, par la même occasion, plus sensibles aux commentaires émis par les journalistes. Complétée par une enquête de Ray Funkhouser sur, en particulier, la couverture de la guerre du Vietnam par la presse écrite américaine, cette théorie connaît un vif succès. Elle remet en cause la liberté de choix des récepteurs et apporte de l'eau au moulin aux tenants des effets puissants des médias. Les professionnels des médias pêchent d'ailleurs souvent par omission :

---

1. Paris, Gallimard, 1991.

en négligeant de parler de certains massacres, comme par exemple au Burundi en 1973, ils ont fait preuve de leur influence, ici négative, dans le monde contemporain.

Cette théorie est cependant contestée par certains chercheurs. Quelques travaux menés lors des élections législatives de mars 1986 et de l'élection présidentielle de 1988 en France, montrent ainsi qu'il peut exister un décalage entre les thèmes traités par les médias (la cohabitation en 1986) et les sujets de préoccupation des Français (l'emploi, en 1986). Ce qui tendrait à prouver que la sélection des controverses politiques par les médias se heurte parfois à la résistance ou au filtrage de l'opinion elle-même. Force est toutefois d'admettre qu'à propos, par exemple, des problèmes de l'environnement ou du sida, les médias ont largement orienté le débat public ces dernières années.

On le voit, les interprétations proposées au sujet de l'influence des médias sont extrêmement nombreuses. Une certaine convergence de vues s'est toutefois instaurée : les effets des médias sont bien plus complexes et nuancés qu'une vision sommaire du problème ne l'a longtemps fait croire. Il est aujourd'hui évident que les médias occupent une place centrale dans la société contemporaine : de la Norvège à l'Afrique du Sud, de l'Argentine à la Russie, les journaux, la radio, la télévision font partie intégrante du paysage politique, économique, culturel. Mais la diversité de ces contextes à chaque fois particuliers ne facilite guère l'élaboration d'une théorie définitive et unifiée. L'incertitude demeure, quoi qu'on en dise, quant à ce que sont exactement les effets des médias sur les individus et sur la société.

Bibliographie

➤ LIVRES

ATTALAH Paul, *Théories de la communication ; Tome 1 : Sens, sujets, savoirs ; Tome 2 : histoire, contexte, pouvoir*, Presse de l'université de Québec, 1994, 1996.

BALLE F. et J.-G. PADIOLEAU, *Sociologie de l'information*, Paris, Larousse, Collection « Textes fondamentaux », 1973.

BEAUD Paul, *La Société de connivence*, Paris, Aubier, 1984.

BIANCHI Jean, *Les Médias côté public*, Paris, Centurion, 1992 [uses and gratifications].

BOURE Robert et Isabelle PAILLIART (dir.), « Les Théories de la communication », Paris, *CinémAction* n° 63, mars 1992.

CORNER John et al (dir.), *International Media Research : A Critical Survey*, Londres, Routledge, 1998.

DERVILLE Grégory, *Le Pouvoir des médias*, Presses universitaires de Grenoble, 1997.

LAZAR Judith, *Sociologie de la communication de masse*, Paris, Armand Colin, 1991.

MATTELART Armand et Michèle, *Histoire des théories de la communication*, Paris, La Découverte, 1995.

MCQUAIL Denis, *Mass Communication Theory*, Londres, Sage, 3e éd., 1994.

MIÈGE Bernard, *La Pensée communicationnelle*, Presses universitaires de Grenoble, 1995.

MISSIKA Jean-Louis et D. WOLTON, *La Folle du logis*, Paris, Gallimard, 1983.

➤ ARTICLES

BREGMAN Dorine, « La fonction d'agenda : une problématique en devenir », *Hermès* n° 4, 1989.

DAYAN Daniel, « Les mystères de la réception », *Le Débat* n° 71, septembre-octobre 1992.

KATZ Elihu, « À propos des médias et de leurs effets » in *Technologies et symboliques de la communication*, dir. par L. Sfez et G. Coutlee, Presses universitaires de Grenoble, 1990.

NOELLE-NEUMANN Élisabeth, « La Spirale du silence », *Hermès* n° 4, 1989.

RIEFFEL Rémy, « Les Médias et leurs effets », *Les Cahiers français* n° 258, octobre-décembre 1992.

➤ REVUES

Hermès, « À la recherche du public, réception, télévision, médias », p. 11-12, 1993.

Réseaux, « Les "Cultural Studies" », n° 80, novembre-décembre 1996.

Chapitre 13

Médias et vie politique

Le phénomène qui a le plus retenu l'attention des observateurs depuis l'après-guerre est sans nul doute l'utilisation croissante des médias par les hommes politiques et l'émergence de nouvelles techniques de persuasion fondées sur les stratégies de marketing électoral. La France, comme d'autres pays occidentaux, est aujourd'hui en proie à la « médiatisation » de la vie politique, vécue par certains comme une amélioration du dialogue entre gouvernants et gouvernés ; par d'autres comme une régression du débat démocratique. L'enjeu est en effet de taille : les médias, et plus particulièrement la télévision, permettent-ils au citoyen d'être mieux informé et donc de parfaire son jugement ? Ou, au contraire, ne risquent-ils pas, en privilégiant la forme sur le fond, le spectacle sur l'argumentation, d'appauvrir la discussion et de réduire la vie politique au jeu des prestations télévisées ? Répondre à cette interrogation, c'est d'abord tenter de comprendre les changements intervenus dans l'art de gouverner tout au long du XXᵉ siècle pour mieux saisir ensuite les modalités de fonctionnement de la vie politique contemporaine.

LES MÉDIAS ENTRE DÉMOCRATIE ET TOTALITARISME

❏ Le XXᵉ siècle : un tournant décisif

Inutile de remonter à l'Antiquité pour constater que les hommes politiques ont toujours essayé de convaincre et de persuader le peuple à l'aide de techniques ou de procédés spécialement adaptés à cette fin. Or, le XXᵉ siècle se caractérise par un essor considérable des moyens de communication de masse qui va bouleverser le paysage antérieur. Si, à l'origine, la presse écrite, la radio et la télévision peuvent être conçues comme des instruments de *progrès*, c'est-à-dire d'une meilleure circulation de l'information au sein de la société, force est cependant de reconnaître que cette mission initiale a été bien souvent détournée de ses objectifs. La première moitié du XXᵉ siècle par exemple, est une époque au cours de laquelle les médias ont été souvent utilisés comme des moyens de *propagande* et de *manipulation* des individus. C'est d'ailleurs à la prise de conscience de ce phénomène que les sciences sociales de la communication doivent leur naissance.

L'un des premiers à avoir mis l'accent sur le rôle positif des médias et plus particulièrement de la presse écrite dans la constitution du débat démocratique n'est autre que Gabriel Tarde dans son livre *L'Opinion et la Foule* (1901). Grâce au développement des moyens de communication et de transport, mais aussi au succès de la presse populaire à grand tirage, expliquait-il, les idées et les goûts se diffusent plus rapidement sur l'ensemble du territoire national. Alors qu'auparavant, les nouvelles ne touchaient que des populations locales et mettaient beaucoup de temps à parvenir aux quatre coins de l'hexagone, aujourd'hui elles se répandent plus facilement et entraînent une unification des sujets de conversation.

Autrement dit, la presse est un facteur de constitution de l'opinion publique : elle opère un travail de fusion des opinions personnelles, locales, morcelées, en opinions sociales et nationales. À la différence de la *foule*, qui agit de manière impulsive et désordonnée, l'*opinion* (et donc le public) est plus réfléchie et plus inventive. La presse contribue ainsi à l'« intellectualisation » du monde social et apparaît de la sorte comme un élément vital au bon fonctionnement de la démocratie. Nul doute que, depuis lors, avec l'extension des autres médias électroniques, le citoyen ait bénéficié de cet apport décisif des moyens de communication de masse à la vie politique.

Il n'en reste pas moins vrai que de nombreux événements historiques ont partiellement démenti cette vision optimiste de la réalité. Le XXe siècle est en effet une époque privilégiée où l'on découvre le lien entre les vertus de la persuasion et la maîtrise des supports techniques de communication. La guerre de 1914-1918 est l'occasion, par exemple, pour les Alliés de mettre au point des campagnes de propagande visant à déstabiliser l'armée allemande. La révolution russe de 1917 voit, de son côté, apparaître des experts dans l'art de la manipulation au moyen de techniques d'information. : Lénine a su mettre à profit l'emploi de ces supports pour promouvoir la révolution bolchevique.

Un auteur, aujourd'hui quelque peu oublié, avait d'ailleurs depuis longtemps théorisé les principes de la manipulation des foules. Il s'agit de Gustave Le Bon qui, dans *La Psychologie des foules* (1895) notait que la foule est par définition crédule et qu'elle a besoin d'un meneur pour la diriger. Ce dernier, grâce à son charisme, c'est-à-dire ici son pouvoir de fascination et de suggestibilité, parvient à rendre les masses dociles en usant de certains moyens d'action (l'affirmation sans preuves, la répétition, le prestige, etc.) proches des techniques de propagande.

L'arrivée au pouvoir en 1933 de Hitler en Allemagne va indéniablement renforcer la vision pessimiste de l'influence des médias sur les individus. Toutes les ressources de la propagande moderne seront dès lors mises au service des moyens de communication de masse, en particulier la radio. Le sociologue allemand, Serge Tchakhotine tire d'ailleurs la sonnette d'alarme en 1939 dans son ouvrage *Le Viol des foules par la propagande politique*, aussitôt interdit par les nazis. Héritier, d'une certaine manière, de Gustave Le Bon, il considère, selon le modèle du réflexe conditionné proposé par Pavlov, que la foule pense par instinct. En faisant appel aussi bien aux pulsions qui visent la conservation de l'individu (pulsion combative, pulsion alimentaire) que celles qui assurent la conservation de l'espèce (pulsion sexuelle, pulsion maternelle ou parentale), la propagande nazie crée un état de fatigue mentale propice à l'assujettissement de la volonté. S'appuyant en outre sur l'emploi de certains symboles (croix gammée, hymnes, slogans), elle provoque un véritable viol psychologique des individus. C'est bien la preuve que les médias peuvent avoir des effets puissants sur une masse sans défense, notamment en régime totalitaire.

La question du pouvoir de persuasion politique des médias est ainsi devenue le centre de toutes les études s'intéressant au rapport entre vie publique et moyens de communication de masse. De nouveaux travaux, entrepris par Paul Lazarsfeld et ses collaborateurs dans les années 1940-1950, ont ensuite relativisé le poids de la radio (et des médias en général) dans les campagnes électorales. La période de l'après-guerre est en fait marquée par une confrontation incessante entre les tenants de la version « manipulatoire » des médias et les tenants de l'interprétation « minimaliste » de leur influence (on se reportera, sur ce point, au chapitre 12 sur « Les effets des médias », p. 191). Il faut attendre les décennies 1960-1970 pour voir s'ouvrir une ère nouvelle dans cette querelle. L'utilisation massive des techniques de marketing, de sondages d'opinion et surtout du petit écran par les hommes politiques va transformer radicalement les conditions du débat démocratique. Le sentiment prévaut désormais que les idées politiques doivent s'inscrire obligatoirement dans le « moule médiatique » pour avoir quelque chance d'être entendues.

❏ De la persuasion « douce » à la persuasion « dure »

Avant de décrire et de comprendre ce nouveau mode de communication politique, il convient d'abord de se placer en amont du processus et de distinguer les différents niveaux de l'argumentation politique, c'est-à-dire les multiples objectifs et procédés de persuasion mis en œuvre par les hommes politiques pour susciter l'adhésion. En d'autres termes, de définir tour à tour la communication politique orientée dans le sens de l'idéal démocratique, de la propagande et de la désinformation. La délimitation de ces trois domaines renvoie en même temps aux rapports complexes entre médias, démocratie et totalitarisme qui fondent pour une grande part la recherche en matière de sciences de la communication.

L'information politique diffusée dans le cadre d'une démocratie obéit en principe au modèle de l'*argumentation orientée*, pour reprendre la terminologie de Philippe Breton et Serge Proulx dans *L'Explosion de la communication*. Du fait que l'idéal de l'objectivité, de l'honnêteté et de la rigueur est difficilement atteignable, ce mode de « persuasion douce » constitue un moindre mal par rapport aux manipulations possibles du message politique. Il s'attache à mettre l'accent sur certaines qualités supposées du candidat et à estomper ses défauts ou ses faiblesses, à l'aide de l'arsenal traditionnel de la publicité et du marketing politique. Les médias sont alors censés servir de relais aux hommes politiques qui ont, comme l'on dit, formaté leur discours en fonction du média « télévision ».

C'est en 1965 que pour la première fois en France un homme politique, Jean Lecanuet, a bénéficié des recommandations de conseillers en communication lors des élections présidentielles. Et c'est en 1974 et surtout 1981 que les ténors des campagnes présidentielles ont cherché à tirer au mieux profit de la personnalisation de leur programme grâce au petit écran. Nous vivons désormais dans une société où les techniques de séduction de l'électeur par le biais des médias sont devenues très sophistiquées : il s'agit toujours d'orienter l'argumentation dans un sens favorable au candidat, sans pour autant déformer le message.

La propagande, de son côté, est fondée sur une *argumentation manipulée* puisque le message que l'on souhaite transmettre est sciemment déformé en vue d'un objectif précis. Les techniques de persuasion employées par un homme politique, un gouvernement, un parti, voire une administration, pour modifier le comportement du public à leur égard, visent de ce fait à assimiler les médias, non seulement à des courroies de transmission, mais aussi à des instruments de contrainte. Ces médias présentent alors l'information politique de telle manière que le récepteur puisse l'accepter sans discussion.

Jean-Marie Domenach a fort bien décrit dans *La Propagande politique* (1950) les caractéristiques externes et internes de la propagande. Du point de vue *externe*, elle doit s'adresser simultanément à l'individu et à la masse, utiliser tous les moyens techniques disponibles (presse, radio, télévision, affiches, tracts, cinéma), être continue et durable pour provoquer une adhésion et une action du récepteur. Du point de vue *interne*, elle doit notamment répondre aux principes de la simplification (l'ennemi unique), du grossissement (exagération des traits), et de l'orchestration (répétition des messages). On aurait tort de croire que cette utilisation des médias à des fins de propagande est l'apanage des régimes totalitaires. La guerre du Golfe en 1991 a amplement démontré que les démocraties occidentales sont également passées maîtres dans l'art de manipuler les individus. L'armée américaine (mais aussi française) a réussi à conditionner l'opinion en présentant les troupes irakiennes comme la quatrième armée du monde, en dramatisant à outrance les décisions et en dissimulant la réalité des dégâts occasionnés par certaines interventions aériennes. Il est vrai que la frontière entre propagande et désinformation est délicate à tracer dans ce cas précis.

La désinformation repose en fait sur une *argumentation détournée, volontairement travestie et fausse*. Là où la propagande peut parfois tromper avec des informations exactes mais partielles, la désinformation; ment systématiquement avec des informations délibérément inexactes. Cette version tronquée et truquée des événements doit cependant conserver un caractère de crédibilité pour pouvoir exercer une influence sur le jugement et les réactions d'autrui. Les médias occidentaux en ont été les jouets en 1989 durant la révolution roumaine. Les images du charnier de Timisoara transmises sur la plupart des chaînes de télévision ont, pendant quelques jours, accrédité l'idée du massacre alors qu'il ne s'agissait que d'une mise en scène macabre, répercutée par les journalistes occidentaux, sans véritable vérification des faits. Preuve était donnée que la désinformation fait circuler comme vérités des « leurres » et qu'elle demeure encore extrêmement efficace en dépit (ou à cause) des progrès technologiques réalisés en matière de diffusion des informations.

Comme on le voit, le partage entre persuasion « douce » et persuasion « dure » ou encore entre utilisation des médias en démocratie ou bien en régime totalitaire, n'est pas aussi simple qu'il y paraît au premier abord. La vie politique moderne se résume très souvent à une combinaison plus ou moins subtile des différents modes d'argumentation et des diverses techniques de persuasion que l'on vient d'évoquer. Essayons, à présent, de comprendre en quoi consiste cette « nouvelle » communication politique.

LA « NOUVELLE » COMMUNICATION POLITIQUE

❏ Le « modèle marketing »

Précisons d'emblée que la vie politique ne se résume pas à l'art de communiquer : on ne saurait oublier que le travail des gouvernants repose également sur un ensemble de décisions et d'actions qui ne doivent rien *a priori* aux techniques de communication. Les débats et réflexions au sein des partis politiques, tout comme les délibérations du Conseil des Ministres ne se réduisent pas à de simples discussions formelles, destinées uniquement à attirer l'attention des journalistes. La médiatisation de la vie politique devient cependant de plus en plus évidente : elle est le signe que les relations entre les hommes politiques et les médias ont beaucoup évolué ces derniers temps.

Nul n'ignore qu'en France, les médias audiovisuels ont été, pendant fort longtemps, contrôlés avec soin par le pouvoir. Se retranchant derrière le paravent du secret, les hommes politiques ont souvent traité, dans les décennies 1960 et 1970, les journalistes de la radio et de la télévision comme de simples faire-valoir. L'interventionnisme érigé en principe de gouvernement a conduit aussi bien le général de Gaulle que ses successeurs à exercer des pressions constantes sur les hauts responsables de l'information. Perçue comme « la voix de la France », selon l'expression de Georges Pompidou, la télévision en particulier fut étroitement surveillée : seule l'information officielle avait droit de cité. Il fallut attendre « l'expérience Desgraupes » (1969-1972) du nom du directeur de l'information non conformiste, nommé par Jacques Chaban-Delmas, puis le démantèlement de l'ORTF (1974) et surtout la création d'instances de régulation telles que la Haute Autorité (1982), la CNCL (1986), le CSA (1989) pour que les relations entre la classe politique et les journalistes se transforment peu à peu.

En France, la fin des années 1970 et les années 1980 révèlent indéniablement un profond changement d'attitude. Les journalistes sont désormais considérés comme de véritables interlocuteurs avec qui les gouvernants débattent volontiers des problèmes de l'heure. La vie politique française, sans aucun doute influencée par le modèle venu des États-Unis, où les médias sont apparus comme un quatrième pouvoir à la suite de l'affaire du Watergate (1972-1974), s'adapte rapidement au nouveau contexte. En témoigne, par exemple, le renouvellement des émissions politiques elles-mêmes. À la radio, on crée des confrontations entre un homme politique et une élite de journalistes (*Le Club de la presse* d'Europe 1 en 1976 ; *Le grand jury RTL-Le Monde* en 1981) en s'inspirant de l'émission américaine *Meet the Press*. À la télévision, on adopte le principe de la discussion à bâtons rompus (*L'Heure de vérité*, *7 sur 7*) en essayant de renouveler la mise en scène et de promouvoir un style de débat moins compassé. Le président de la République lui-même, François Mitterrand, accepte en 1985 de participer à une émission « branchée » avec Yves Mourousi (*Ça nous intéresse, Monsieur le Président*) sur la suggestion de ses conseillers en communication. Bref, les stratégies de communication reposent dorénavant sur la bonne maîtrise des représentations c'est-à-dire, en fin de compte, de l'image des hommes politiques véhiculée par les médias.

Certains spécialistes qui analysent depuis fort longtemps ces changements considèrent en effet que la communication politique, notamment au moment des campagnes électorales, se résume désormais à un jeu complexe entre trois acteurs (les candidats, les médias et le public) dans le cadre duquel il s'agit de contrôler au mieux les représentations et surtout les interprétations qui en sont données. Expliquons-nous.

- Les candidats cherchent, à l'aide de sondages, à saisir les demandes et les attentes des citoyens, mais également à évaluer l'image qu'ils livrent d'eux-mêmes, pour éventuellement l'améliorer ou la rectifier. Ils étudient, en outre, l'offre électorale de leurs concurrents c'est-à-dire le contenu de leur programme, la manière dont ceux-ci gèrent leur image et se positionnent dans les médias. On peut donc affirmer, dans cette perspective, que les candidats *interprètent* sans cesse le contexte politique dans lequel ils baignent et *construisent* stratégiquement leur communication.

- Les médias, de leur côté, filtrent et sélectionnent l'ensemble des informations qui leur parviennent : les journalistes sont donc eux aussi contraints d'interpréter les arguments, les petites phrases et les images des hommes politiques tout en se servant des sondages d'opinion qui sont censés refléter les jugements et les attentes des citoyens. Ils offrent dès lors à leurs lecteurs ou auditeurs une vision particulière de la vie politique présente qui est le résultat, là aussi, d'un travail de déchiffrement des mots et des images qui circulent.

- Le public enfin, autrement dit les électeurs, est assailli par une énorme quantité de messages émanant à la fois des candidats (professions de foi, affiches, discours, photos, etc.) et des médias (informations télévisées, éditoriaux à la radio, articles de journaux, etc.) qu'il lui faut trier et interpréter s'il veut pouvoir se repérer dans la jungle des événements et le maquis des prises de position.

Tout se passe donc comme si la campagne électorale était devenue aujourd'hui, en raison notamment de l'influence de la médiatisation, *un moment d'affrontement entre les définitions et les interprétations de la situation* que propose chacun des trois acteurs en présence. Et c'est à qui maîtrisera le plus efficacement le jeu des représentations

La communication politique peut par conséquent être dite « nouvelle » parce qu'elle a intégré dans ses objectifs les principes et les techniques du marketing. À côté du « modèle dialogique » qui met l'accent sur l'échange de paroles et sur la rationalité des arguments en vue de l'intérêt général et du « modèle propagandiste » qui hiérarchise les rôles (une élite face à la masse) et qui fait appel à la croyance et aux émotions de l'auditoire, le « modèle marketing », selon la terminologie de Gilles Achache, repose avant tout sur un ensemble de techniques instrumentales inspirées des méthodes commerciales utilisées par les entreprises. On essaie désormais de « vendre » un homme politique comme on « vend » un produit c'est-à-dire avec le souci de séduire le consommateur électeur. Le « marché » auquel le candidat va s'adresser, sera segmenté en un certain nombre de « cibles » (les indécis, les militants, les opposants, etc.) qu'il convient d'attirer par une publicité adéquate (une image valorisante et quelques slogans marquants). On tente donc, par ce biais, de répondre à des besoins sans se préoccuper nécessairement des valeurs à défendre et de l'intérêt commun. Or, dans une société de consommation et de communication comme la nôtre où les individus sont de plus en plus isolés les uns des autres, ces techniques ont de grandes chances d'obtenir de l'écho et de l'influence : c'est la raison pour laquelle le « modèle marketing » tend à se développer.

Bien évidemment, ces trois modèles ne sont pas exclusifs les uns des autres : ils peuvent parfois coexister au cours d'une même campagne électorale. Lors des élections présidentielles de 1988, Jacques Chirac a, par exemple, utilisé le « modèle marketing » pour sa stratégie d'affichage. Ses conseillers ont d'abord insisté sur ses dispositions psychologiques (« Ardeur », « Courage », « Volonté »), puis sur ses capacités à comprendre et agir (« Il écoute », « Il construit », « Il rassemble »), et enfin sur sa volonté d'accéder au pouvoir (« Ensemble nous irons plus loin »). Cette campagne d'affichage a été conçue sur le principe de la publicité, en trois « vagues » successives et visait avant tout à donner une image cohérente du candidat. Raymond Barre, pour sa part, a davantage opté pour le « modèle dialogique » en refusant les techniques de séduction et en prônant les vertus de l'argumentation : parler le langage de la raison, c'était privilégier, de son point de vue, la réflexion sur les apparences. On le voit, la « nouvelle » communication politique, si elle semble bien être devenue le modèle dominant, ne s'est pas imposée totalement et en toutes circonstances.

❏ L'utilisation de nouvelles techniques

On vient de le suggérer : la communication des hommes politiques s'appuie de plus en plus sur des techniques sophistiquées et sur des professionnels de la persuasion. On estime généralement que le déclic a eu lieu aux États-Unis en 1952 lors de la campagne présidentielle d'Eisenhower qui fut le premier à se servir des spots publicitaires en politique : depuis lors, le mouvement n'a cessé de s'accélérer. Les experts qui conseillent les candidats et qui sont tantôt des spécialistes de sondages, tantôt des publicitaires, sont en effet devenus légion et disposent aujourd'hui d'un arsenal de procédés qui ne laissent guère indifférents les élus, qu'ils soient ministres, parlementaires, conseillers régionaux ou généraux, ou encore maires en charge d'une grande ville. Sans pouvoir être exhaustif, on recensera ici les techniques les plus utilisées.

La « nouvelle » communication politique joue d'abord sur la personnalisation du candidat : on crée une image dynamique de l'homme politique, on souligne les traits attachants de sa personnalité, on fait appel à l'émotion. L'exemple le plus frappant de ce procédé est celui qui a été appliqué lors du fameux débat entre Richard Nixon et John Kennedy en 1960. Le premier avait la réputation, avant la campagne présidentielle à la télévision, d'être un redoutable débatteur et avait déjà derrière lui une longue carrière politique. Le second, en revanche, apparaissait comme un novice en la matière et comme un dilettante, issu d'un milieu très riche, à qui on ne donnait guère de chances de gagner. Or, les quatre débats télévisés entre les deux hommes ont montré que John Kennedy avait réussi à être perçu comme un homme politique compétent, enthousiaste et convaincant. Beaucoup ont vu dans son succès, la preuve que son excellente maîtrise de la télévision et donc de son image, avait été un des éléments décisifs de son élection : la forme comptait dorénavant autant que le fond.

Les hommes politiques français n'ont pas manqué de suivre les traces de cet illustre aîné comme, par exemple, Michel Noir qui a élaboré une stratégie de communication particulièrement subtile pour se faire connaître au cours des années 1980. Spécialiste de marketing lui-même, élu député à 33 ans, il tente ensuite de conquérir Lyon en soignant son image locale de jeune premier. Il pratique avec soin les coups médiatiques pour attirer l'attention sur sa personne : questions écrites à l'Assemblée nationale sur des thèmes porteurs (« Quel est le coût de l'opération Bison futé ? ») ; lettre bimensuelle « Cœur de Lyon » distribuée gratuitement aux personnes âgées ; photos le représentant au volant d'une voiture de formule 1, ou en train de jouer du violoncelle, etc. Autant de procédés qui accentuent la personnalisation de la campagne électorale et qui témoignent d'un profond changement de comportement des hommes politiques auparavant voués aux discours dans des préaux d'école.

La personnalisation s'accompagne d'une mise en scène et d'une théâtralisation des débats politiques. Le décor du studio de télévision, la place des caméras, les angles de prise de vue, le costume et la cravate du candidat : rien n'est désormais laissé au hasard. On en veut pour preuve les exigences émises par François Mitterrand pour affronter au second tour de l'élection présidentielle de 1981, Valéry Giscard d'Estaing. Le leader socialiste, avant d'accepter le débat avec son adversaire, avait en effet posé neuf conditions parmi lesquelles le choix du réalisateur et des journalistes, la forme du mobilier, le nombre de caméras, la distance entre les deux adversaires, etc., qui illustrent l'importance qu'a prise ce média dans l'esprit des hommes politiques. La télévision a souvent supplanté la presse écrite et la radio comme instrument de communication privilégié lors des campagnes électorales.

La théâtralisation se lit également dans l'émission *L'Heure de vérité* qui fut, pendant très longtemps, le passage obligé de toute intervention médiatique. Musique martiale, gradins en demi-cercle, écrans de télévision encastrés dans le décor, signature du Livre d'or, etc. Il s'agit, à chaque fois, de monter en épingle le nom de l'invité pour obtenir une « reprise médiatique » dans les journaux du lendemain ou dans les flashes d'informations à la radio. La participation des hommes politiques aux émissions télévisées est d'ailleurs souvent précédée d'un « media-training » c'est-à-dire de séances d'entraînement où un journaliste prépare l'homme politique à répondre aux questions qui risquent d'être posées lors de l'émission elle-même et à se comporter avec aisance devant une caméra.

Cet apprentissage concerne également la manière de parler et de s'exprimer, autrement dit la rhétorique politique. Ce n'est pas le raisonnement à lui seul qui fonde le discours politique, mais la comparaison, l'analogie ou la métaphore. On conseille en outre aux candidats d'utiliser le registre de l'émotionnel et de se servir de mots simples afin de se faire comprendre du plus grand nombre. Les mots trop techniques, les phrases longues et alambiquées sont à proscrire alors que les mots courts, les petites phrases-chocs sont à exploiter. On a ainsi pu montrer, grâce à des analyses lexicologiques réalisées par ordinateurs lors de l'élection présidentielle de 1981, quelle était la richesse de vocabulaire et la vitesse d'élocution des neuf candidats en présence au premier tour, et souligner de la sorte la stratégie adoptée par certains pour réduire volontairement le stock des mots utilisés. On recherche avant tout la crédibilité et la vraisemblance au détriment de la vérité. Cette logique de la séduction qui favorise la voix, la gestuelle et la spontanéité calculée montre que le discours politique adopte de plus en plus les normes propres au média lui-même en jouant sur les symboles et les représentations.

L'ensemble de ces techniques est enfin relayé par la publication régulière de sondages d'opinion qui révèlent les cotes de popularité des hommes politiques. La vie politique est en quelque sorte rythmée par ces baromètres hebdomadaires ou mensuels qui pèsent indéniablement sur les prises de décision, même si celles-ci ne se réduisent pas aux résultats des sondages. On décortique ainsi jusqu'à plus soif les intentions de vote des électeurs, la hausse ou la baisse de tel candidat dans l'opinion pour réajuster éventuellement les programmes et les discours. Il n'y a plus guère d'émissions politiques ou de débats où l'on n'argue pas du résultat d'un sondage pour illustrer son propos. Le recours à ces techniques donne en tout cas à l'homme politique le sentiment qu'il est capable de s'adapter en permanence à l'opinion en « temps réel », et au journaliste l'impression qu'il dispose d'arguments scientifiques pour être d'une certaine façon sur un pied d'égalité face à l'homme politique. Il faut toutefois noter qu'en France, la publication des sondages est interdite durant la dernière semaine qui précède l'élection.

L'intrusion croissante des médias dans la vie politique façonne donc, qu'on le veuille ou non, le jeu politique et entraîne des répercussions, selon certains, positives ; selon d'autres, négatives, sur ce qu'on appelle l'espace public. La question est en effet de savoir quels sont les bienfaits et les méfaits de cette « nouvelle » communication politique sur les gouvernants et les gouvernés.

LES EFFETS DE LA MÉDIATISATION SUR LA VIE POLITIQUE

L'influence de la « nouvelle » communication politique se fait sentir à trois niveaux : en premier lieu sur les *gouvernants* eux-mêmes et l'ensemble du personnel politique qui doit tenir compte des changements intervenus depuis quelques décennies dans l'art de communiquer ; en deuxième lieu sur les *gouvernés*, à savoir les citoyens-électeurs de plus en plus sensibles à la médiatisation de la vie politique et en troisième lieu, sur l'*espace public* entendu ici comme le lieu d'expression et d'échange de tout ce qui a trait à la chose publique et où interviennent aussi bien les hommes politiques, les citoyens, que les journalistes. C'est en examinant successivement ces trois niveaux de fonctionnement de nos démocraties qu'on peut être à même d'évaluer le poids des médias dans la vie politique d'aujourd'hui.

❑ Sur les gouvernants

Outre l'émergence de nouveaux acteurs tels que les conseillers en communication et les experts en sondages, qui a contribué à modifier le métier politique, la révolution médiatique a également entraîné de nouvelles pratiques chez nos gouvernants dont la nouvelle génération a parfaitement assimilé l'art de se servir des médias et de la télévision notamment.

C'est d'abord le travail des gouvernants qui a subi des transformations profondes. Savoir gouverner, c'est désormais, non seulement délibérer, décider et agir en fonction des facteurs politiques, économiques et sociaux habituels, et inscrire son action dans le temps pour poser ce que les spécialistes appellent des « actes lourds » (c'est-à-dire des actes politiques dont la résonance est forte et durable tout au long de leur carrière), mais aussi avoir le souci de rendre visible au maximum son action en consacrant une bonne partie de son temps à la communication. Les nouvelles contraintes auxquelles l'homme politique est désormais soumis, ont été analysées par Michel Rocard dans son livre *Le Cœur à l'ouvrage*. Elles sont, selon lui, au nombre de quatre : la *transparence* d'abord, c'est-à-dire l'obligation de ne pas dissimuler car les médias exigent d'adopter un langage qui paraît sincère ; l'*instantanéité* ensuite, c'est-à-dire la nécessité de réagir à chaud aux événements et d'émettre un avis immédiat sans toujours disposer du recul suffisant ; la *redondance*, c'est-à-dire le devoir d'intervenir sur plusieurs médias à la fois sur le même sujet, et enfin la *symbolisation*, c'est-à-dire la recherche de l'émotion afin de dramatiser le discours à l'aide d'effets d'annonce ou de petites phrases.

Or ces différentes contraintes présentent un certain nombre de risques non négligeables comme, par exemple, celui de la schématisation outrancière des déclarations, ou du souci exclusif du « scoop » et du « coup médiatique ». Elles accroissent, en outre, la difficulté pour l'homme politique de prendre des mesures impopulaires (puisqu'il est de plus en plus dépendant des sondages et des commentaires) et l'encouragent parfois à s'en tenir à des décisions spectaculaires au détriment des impératifs de gestion moins visibles. La médiatisation du travail politique est, on le voit, à double tranchant et c'est à l'homme politique lui-même de trouver le juste équilibre entre l'effacement et la théâtralisation.

Le rôle joué par les médias dans la vie politique conduit également à modifier les conditions de recrutement des hommes politiques. Traditionnellement, ceux-ci étaient voués, au sein de leur parti, à gravir patiemment les échelons en exerçant diverses responsabilités, et à déployer leur talent oratoire dans les meetings. À l'heure actuelle, les médias, et en particulier la télévision, exercent une fonction de filtre en suivant des critères de sélection tout autres (soigner son image, bien passer sur le petit écran, jouer sur le vocabulaire et l'émotion, etc.) qui mettent l'accent sur les effets de notoriété avant tout. Autrement dit, ils peuvent, dans certains cas, accélérer l'entrée dans le jeu politique par le biais du vedettariat et réduire le poids des organisations et des appareils partisans.

N'assiste-t-on pas, dès lors, à la mise en place d'une sélection des hommes politiques à deux vitesses et à un décalage de plus en plus net entre la légitimité élective et la légitimité cathodique ? La première, fondée sur l'élection au suffrage universel ne semble plus suffisante face à la seconde, qui s'appuie sur l'art de paraître et sur la bonne maîtrise des interventions dans les médias. Les hommes politiques qui « passent » bien à la télévision éclipseraient ainsi ceux qui n'y ont pas accès ou qui s'y défendent mal au risque de favoriser les discours démagogiques : plus on est télégénique, plus on devient représentatif. C'est donc le système démocratique dans son ensemble qui serait ainsi remis en cause et par voie de conséquence le lien entre élections, médias et démocratie.

❑ Sur les gouvernés

Plus évident encore l'impact de la médiatisation sur les citoyens de nos sociétés démocratiques. De nombreuses études démontrent d'abord que l'on assiste, grâce à la diffusion des informations ayant trait à la vie politique aussi bien dans la presse, la radio qu'à la télévision, à un accroissement du niveau des connaissances du public en matière politique. Un fort degré d'exposition aux médias favorise sans conteste l'exactitude de la perception des prises de position des différents candidats qui s'affrontent lors d'une élection et peut donc éventuellement stimuler le débat démocratique. De ce point de vue, l'utilisation massive des médias apparaît comme un bienfait puisque, comme le souligne Roland Cayrol, la télévision, devenue première source d'information, est le plus « interclassiste,, le plus intergénérationnel, le plus universel des moyens de campagne, celui qui permet de s'adresser en même temps à des publics les plus divers, de partisans comme d'adversaires et d'indécis ».

Dans le même ordre d'idées, la « nouvelle » communication politique favorise, si l'on en croit certains sociologues tels que Dominique Wolton, la vérification permanente de la légitimité des hommes politiques et l'élargissement de l'agora. Par le biais des débats télévisés, des enquêtes et des sondages, les techniques de communication modernes contribuent à mettre en place une démocratie directe qui équivaut à une sorte de suffrage instantané puisque le citoyen-téléspectateur peut désormais se faire une opinion sur les événements du moment en tournant régulièrement le bouton de son téléviseur. La communication politique, nouvelle manière, permet donc d'identifier plus facilement les problèmes nouveaux de l'heure et de débattre sur la place publique, aux yeux de tous, des solutions qu'il convient d'adopter. Elle évite ainsi le refermement du débat politique sur lui-même et offre au peuple-souverain l'occasion de manifester son opposition ou sa désapprobation.

Le danger néanmoins existe dans ce cas, de ne plus pouvoir distinguer période de campagne électorale et période de calme relatif puisque les médias, par la publication des sondages et des courbes de popularité, bombardent en permanence le public d'informations nouvelles. Les périodes de « surchauffe symbolique », comme disent les spécialistes, semblent par conséquent de plus en plus nombreuses.

L'importance des médias en politique a également été mise en évidence dans le domaine de l'explication du vote. On sait, depuis fort longtemps, que les changements d'opinion s'effectuent le plus souvent à la marge et que ce déplacement des voix touche essentiellement les électeurs indécis. L'évolution récente de la vie politique a indéniablement contribué à limiter lors du vote le poids des *variables dites classiques* (affiliation à un parti ou à un syndicat, caractéristiques sociodémographiques, économiques ou culturelles des électeurs) au profit des *variables dites de communication* que sont les images et les programmes des candidats perçus par les citoyens au travers des interventions dans les médias. Cela ne signifie évidemment pas que ces derniers sont désormais tout puissants, mais qu'ils sont devenus un des maillons essentiels du processus de construction de la réalité politique. À ce titre, ils participent désormais pleinement au fonctionnement de l'espace public.

❏ Sur l'espace public

L'une des conséquences majeures des phénomènes évoqués jusqu'à présent, est sans nul doute le poids grandissant des médias dans l'élaboration de l'agenda politique. Dans la mesure où ils jouent le rôle de filtres et qu'ils pèsent sur la sélection des hommes politiques susceptibles d'intervenir dans le débat public, ils définissent d'une certaine manière les enjeux prioritaires et les événements dignes de retenir l'attention du public. La personnalisation, la dramatisation, la spectacularisation, sont autant d'éléments qui interfèrent avec la constitution du calendrier des décisions à prendre. Les médias exercent incontestablement un rôle de légitimation de cet ordre du jour en le rendant plus visible aux yeux du grand public : ils ne sont plus simplement un *miroir* de l'actualité, mais un *acteur* à part entière de la vie politique moderne. Les journalistes eux-mêmes prennent désormais part aux événements, à l'image du présentateur de télévision américain, Walter Cronkite (CBS) qui a provoqué la rencontre entre Sadate et Begin donnant lieu ensuite aux accords de Camp David en 1978.

Sans doute faut-il, à ce sujet, distinguer l'influence de la télévision de celle de la radio et de la presse écrite. On a pu mesurer, lors de l'élection présidentielle de 1988 en France, le poids non négligeable des émissions politiques à la radio. François Mitterrand, lui-même, a préféré intervenir sur ces dernières plutôt que sur le petit écran et dans le même temps s'adresser aux électeurs à travers l'écrit (« Lettre aux Français »). Selon les époques et selon la conjoncture, les hommes politiques définissent donc différemment leur stratégie, utilisant tantôt la télévision, tantôt de multiples supports de presse écrite (nationale, régionale, quotidienne ou hebdomadaire), ou encore mélangeant les genres en accordant des entretiens aussi bien à la télévision, la radio, qu'aux journaux.

La constitution de l'agenda politique est tributaire des modes d'intervention des hommes politiques et du « format » des émissions politiques elles-mêmes. Participer à un journal télévisé ou à un débat avec des journalistes, organiser une conférence de presse ou donner une simple interview, n'engendrent probablement pas le même type d'effets sur le public. C'est la raison pour laquelle les grands responsables politiques tentent de diversifier au maximum les genres afin de toucher le plus grand nombre de personnes sans lasser les électeurs. On peut d'ailleurs émettre l'hypothèse que les journalistes eux-mêmes se soumettent à ce principe d'alternance : quelques-uns se spécialisent dans les analyses et les commentaires (éditorial) ; certains participent à des émissions entre journalistes politiques (le débat) ; d'autres enfin se contentent d'effectuer des enquêtes et des reportages (l'investigation). La multiplicité des cas de figure observables est la preuve que la vie politique française a considérablement évolué dans sa forme et dans son contenu sous la pression des médias.

Les analyses des chercheurs s'orientent donc aujourd'hui vers une évaluation des interactions entre essentiellement trois acteurs du jeu politique : les hommes politiques, les journalistes et les sondeurs. Cette relation triangulaire particulièrement complexe est, selon les uns, dominé par les médiateurs professionnels (spécialistes des sondages et journalistes) qui auraient en quelque sorte détrôné les hommes politiques en devenant les seuls juges de l'excellence en matière politique. Dans cette perspective, les sondeurs et les politologues, par leurs commentaires incessants des études d'opinion et les journalistes, par leurs supputations des chances de tel ou tel candidat, modifient le contenu même de l'activité politique en déplaçant cette dernière vers le terrain de la publicité politique. Selon d'autres, la domination des médiateurs ne serait jamais systématique et varierait selon la conjoncture nationale et internationale du moment. Le rapport de forces entre les trois acteurs serait donc, par définition, mouvant et instable : les médias sont apparemment dominants puisqu'ils assurent la circulation des discours et des informations, mais leur légitimité s'avère en réalité plus fragile puisqu'ils ne sont pas, comme les hommes politiques et les sondages, liés à un principe de représentativité. Ce qui signifie que les hommes politiques disposent d'une réelle marge de manœuvre et qu'ils ne sont pas les simples jouets du système médiatique. On en veut pour preuve le succès de Richard Nixon, pourtant détesté par les journalistes, en 1968 et 1972, ou le rôle joué en 1994 par Édouard Balladur et Jacques Delors qui ne doivent pas leur stature actuelle au seul verdict des sondages et des médias.

Quelle que soit l'hypothèse que l'on retienne, il apparaît évident que le lien entre médias et vie politique est aujourd'hui beaucoup plus visible qu'auparavant. La communication politique au sens où elle s'exerce à l'heure actuelle tantôt enrichit le débat, tantôt l'appauvrit. Elle doit, si l'on souhaite sauvegarder les vertus de la démocratie, cesser d'être considérée comme une fin en soi puisqu'une politique digne de ce nom ne se résume pas à une bonne stratégie de communication et être conçue comme un simple moyen au service d'idéaux et de valeurs à défendre.

Bibliographie

➤ LIVRES

ALBOUY Serge, *Marketing et communication politique*, Paris, L'Harmattan, 1994.

CAYROL Roland, *La Nouvelle communication politique*, Paris, Larousse, 1986.

CHAMPAGNE Patrick, *Faire l'opinion*, Paris, Éditions de Minuit, 1990.

COTTERET Jean-Marie, *Gouverner, c'est paraître*, Paris, PUF, 1991.

DEBRAY Régis, *L'État séducteur*, Paris, Gallimard, 1993.

DOMENACH Jean-Marie, *La Propagande politique*, Paris, PUF, « Que sais-je ? » n° 448, 1950.

GERSTLE Jacques, *La Communication politique*, Paris, PUF, « Que sais-je ? » n° 2652, 2e éd., 1993.

KAID Lynda-L. et al. (dir.), *Mediated Politics in Two Cultures : Presidential Campaigns in the US and France*, New York, Praeger, 1991.

WOLTON Dominique, *Penser la communication*, Paris, Flammarion, 1997.

➤ ARTICLES

ACHACHE Gilles, « Le Marketing politique », *Hermès* n° 4, 1989.

CAZENAVE H., « Médias et vie politique », *Les Cahiers Français*, n° 258, octobre-décembre, 1992.

COTTERET Jean-Marie et Claude ÉMERI, « Communication politique » in *Dictionnaire critique de la communication*, dir. par L. Sfez, Paris, PUF, 1992.

NEVEU Érik, « La Communication politique, petit refus de contribution au dictionnaire des idées reçues », *CinémAction* n° 63, mars 1992.

WOLTON Dominique, « Les Médias, maillon faible de la communication politique », *Hermès* n° 4, 1989.

Emmanuel Derieux

Chapitre 14

Droit des médias

Le droit et les médias (supports d'information et de communication) ne sont pas simplement nécessaires, ils sont, tous ensemble, constitutifs et caractéristiques de toute société organisée. On mesure alors, par combinaison des deux, l'importance et le rôle du droit des médias. Il est l'expression de choix fondamentaux quant à la nature véritable de l'organisation sociale. Il contribue à leur réalisation. L'existence et la mise en œuvre du droit des médias, loin de restreindre la liberté d'expression, en sont bien souvent, au contraire, la condition et la garantie. Les pouvoirs et régimes politiques autoritaires ne s'embarrassent pas de règles de droit pour contrôler l'information.

Sont ici considérés comme des médias tous les modes de diffusion publique de messages de quelque nature qu'ils soient, par la voie de la presse, de la radio, de la télévision et jusqu'à Internet. C'est le fait de publication ou de mise à disposition d'un public indéterminé qui constitue le critère essentiel. Le droit des médias régit l'exercice de ces activités. Il tient notamment compte, pour cela, de l'état des techniques, de leurs usages, des contraintes économiques et des attentes du public. Il porte notamment sur le statut des entreprises et des personnels, le régime de responsabilité ou statut du contenu, le droit d'auteur et les droits voisins.

Le droit des médias était, jusqu'à ces dernières années, de nature essentiellement nationale, fruit et reflet de la diversité des formes d'organisation politique, des cultures et des traditions juridiques. Il ne peut plus désormais être envisagé dans ce seul cadre ou conserver cette seule dimension. L'information et les programmes circulent aujourd'hui au travers des frontières, et cela était déjà vrai bien avant l'apparition ou l'utilisation d'Internet. Un minimum d'harmonisation des législations nationales apparaît dès lors indispensable, à défaut d'un véritable droit international des médias, constitutif et caractéristique d'une réelle société ou organisation internationale. Mais celle-ci est encore inexistante ou bien limitée, à l'échelle universelle ou même régionale, européenne, par exemple.

Après avoir tenté de dégager certains des principes et caractéristiques du droit des médias, on en considérera, à grands traits, les articulations et contenu essentiels, à partir de la situation française notamment.

PRINCIPES ET CARACTÉRISTIQUES DU DROIT DES MÉDIAS

Le droit des médias se définit davantage par son objet que par la spécificité de l'origine et de la nature de ses règles. Il apparaît, dans son contenu, comme un élément constitutif et caractéristique essentiel d'un système politique.

❏ Sources et objet du droit des médias

Puisque c'est essentiellement par son objet que le droit des médias se définit et se caractérise, il convient, tout d'abord, de déterminer celui-ci. Il est, en effet, encore bien difficile d'y voir une réelle spécificité juridique qui en ferait une branche autonome du droit, comme peuvent l'être, par exemple, le droit du travail, le droit pénal ou le droit fiscal.

➤ OBJET DU DROIT DES MÉDIAS

Si, au-delà d'une simple énumération (presse, radio, télévision, cinéma, publicité, affichage, Internet et multimédia, etc.), on cherche à identifier, à déterminer ou à délimiter l'objet ou champ d'application du droit des médias, le critère le plus pertinent est incontestablement celui de « publication », aussi imprécis ou peu sûr que soit celui-ci.

Quels que soient les techniques ou les supports de communication utilisés, c'est la publication, publicité ou mise à disposition du public qui constitue l'élément ou critère déterminant. La communication publique, à laquelle s'applique le droit des médias, se distingue des échanges, correspondances ou conversations de caractère personnel ou privé. L'information ou communication publique, objet du droit des médias, se caractérise par le nombre et le caractère indéterminé des destinataires du message, par la nature ouverte ou largement accessible de son mode et lieu de diffusion ou de réception, plus encore que par son contenu.

On notera cependant que, en fonction des sources ou éléments de réglementation, la notion de publication n'y est peut-être pas toujours entendue exactement de la même façon. C'est là, parmi d'autres, une des raisons qui empêchent, sans doute, de considérer qu'existe encore un véritable droit des médias.

➤ SOURCES DU DROIT DES MÉDIAS

Le droit des médias est certes partiellement constitué de règles spécifiques (statut des entreprises de presse ou de communication audiovisuelle, statut des journalistes, régime de responsabilité). Il est surtout fait de l'adaptation, ou même simplement de l'application, à ce secteur d'activités, des règles du droit commun, empruntées aux diverses branches classiques du droit (public et privé).

Le droit des médias apparaît actuellement comme une discipline carrefour, lieu de rencontre de règles multiples et variées, empruntées aux diverses branches et disciplines juridiques. Son objet (les médias, leurs agents, leurs usages et leur contenu) semble en être le seul élément ou facteur d'unité.

Plus que le particularisme de la nature sinon du contenu des règles applicables, c'est, aujourd'hui encore, leur champ d'application ou objet qui explique et justifie la spécialisation en la matière, en attendant l'élaboration d'un véritable droit des médias, sinon autonome, au moins plus cohérent.

Les sources du droit des médias continuent d'être très dispersées. En l'absence d'un véritable Code de la communication ou des médias qui rassemblerait tous les textes, il faut aller chercher les dispositions applicables dans l'ensemble des branches et disciplines juridiques (droit civil, droit commercial, droit du travail, droit pénal, etc.). Elles sont, de ce fait, bien souvent mal adaptées, tant à la spécificité de leur objet, que les unes par rapport aux autres.

Même dans les systèmes dits de « droit écrit » (comme l'est, en principe, le droit français), la jurisprudence (ensemble des décisions rendues par les tribunaux) et la doctrine (analyses et commentaires des spécialistes) jouent un rôle essentiel dans l'interprétation et l'application des règles. Il s'agit de tenter de remédier ainsi à l'inexistence ou, tout au moins, à l'inadaptation des règles du droit commun. On n'est pas, alors, très éloigné des systèmes dits de *common law* ou de « droit coutumier », notamment anglo-saxons. C'est peut-être là un des éléments de rapprochement et d'harmonisation potentiels des droits nationaux, dans le domaine du droit des médias et peut-être, par lui, beaucoup plus largement, en dépit et à cause de sa très étroite relation avec la nature du système politique.

❏ Droit des médias et système politique

L'encadrement juridique des médias dépend très étroitement de la nature des régimes politiques. Il en est aussi un des éléments constitutifs. L'histoire et la géopolitique le montrent.

Empruntant aux méthodes et catégories de la science politique, on peut, s'agissant du droit des médias, schématiquement, distinguer trois grands types de régimes (ou systèmes institutionnels ou politiques) : les systèmes autoritaires ; les systèmes pluralistes ou libéraux ; la théorie du droit à l'information ou à la communication (qui, moins encore que les autres, ne peut être considérée comme constituant un véritable système).

➤ LES SYSTÈMES AUTORITAIRES

Les systèmes autoritaires se caractérisent par un contrôle permanent et très étroit des médias par le pouvoir politique. Il n'est pas de systèmes politiques autoritaires qui ne soumettent les médias à leur contrôle et à leur influence. Ils ne pourraient d'ailleurs, sans cela, être ce qu'ils sont ni subsister.

Le caractère autoritaire d'un système apparaît à la toute puissance d'un chef, d'un parti, d'un clan, qui règne, en maître absolu, sur toutes choses y compris les médias. Ceux-ci sont asservis au pouvoir politique qui en fait des instruments de propagande et, par là, de gouvernement.

Les entreprises médiatiques (presse, radio, télévision), qu'elles soient, selon les régimes, publiques ou privées, y sont en nombre limité, sinon en situation de monopole, pour faciliter leur contrôle. Leur création est soumise à l'accord ou autorisation sinon à la seule initiative des dirigeants politiques. Des hommes de confiance sont placés à leur tête. Il s'agit d'une presse très concentrée ou centralisée ; d'organisations officielles ou para-officielles ; du parti, du mouvement ou du syndicat unique.

L'accès à la profession de journaliste est étroitement contrôlé et réservé aux fidèles du régime. Leur promotion tient plus à des considérations politiques qu'à la preuve d'aptitudes professionnelles ou de capacités à exercer des responsabilités. Leur soutien au pouvoir en place et leur esprit partisan constituent leur principale qualité. Tout manquement à cette tâche, toute velléité d'indépendance, l'expression de la moindre critique sont très sanctionnés et entraînent, au moins, la perte de l'emploi et l'exclusion immédiate de la profession. Le journaliste, qui a ici, le plus souvent, le statut de fonctionnaire, est d'abord un militant, un partisan. Une organisation professionnelle unique a le monopole de la formation et du recrutement. Elle jouit du pouvoir disciplinaire pour sanctionner des fautes qui sont essentiellement de nature politique. Elle peut donc exclure un de ses membres, lui interdisant ainsi de continuer à exercer son métier.

Un contrôle préventif, étroit et permanent, des hommes et du contenu des messages et des programmes est mis en place. La diffusion des nouvelles est soumise à un régime de censure. Rien ne peut être publié sans l'accord des représentants du pouvoir politique. Entre informations interdites et communiqués officiels obligatoires, il n'y a pas beaucoup de possibilités ni de place pour une véritables information ni un vrai contenu journalistique. Il s'agit d'« informer » les masses de ce que les dirigeants politiques souhaitent que celles-ci connaissent, de défendre l'action des gouvernants et de répandre l'idéologie. L'information se transforme en propagande. Elle fait place à la « désinformation ».

Ce qui caractérise sans doute les systèmes autoritaires, c'est le peu de place ou d'importance accordé au droit. Si quelques règles et principes ont été énoncés, ils ne sont que formels. Cette volonté de contrôle politique et partisan ne peut évidemment être exprimée dans des textes officiels. C'est du bon vouloir des dirigeants politiques que dépend, en fait, le statut des médias. Dans ce domaine comme dans tous les autres, la règle de droit viendrait limiter la toute-puissance des hommes au pouvoir. Les systèmes autoritaires de communication n'accordent, en réalité, aucune place ni importance au droit des médias.

➤ LES SYSTÈMES PLURALISTES

Les systèmes pluralistes ou libéraux, des démocraties de type occidental, reposent sur le principe de liberté : faculté d'agir sans y être contraint ni en être empêché, abusivement et inutilement ou par quelqu'un qui n'en aurait pas officiellement reçu mission. Le droit en est l'expression et la garantie. Le système politique tout entier est fondé sur la diversité des points de vue, sur la confrontation des idées et des opinions, l'existence d'une opposition, le contrôle des gouvernants par les gouvernés, qui seraient impossibles sans liberté d'expression et de communication, au travers des médias.

Devant se concilier avec d'autres droits et libertés de même valeur (protection des droits des individus et de certains intérêts collectifs), cette liberté d'expression ou de communication comporte cependant de nécessaires limites. Juridiquement déterminées, ces limites sont connues de tous et les mêmes pour tous. C'est au juge, indépendant du pouvoir politique, qu'il appartient, dans un contrôle *a posteriori*, de constater et sanctionner les abus de la liberté.

L'article 11 de la Déclaration des droits de l'homme et du citoyen, du 26 août 1789, est sûrement une des formulations ou consécrations les plus heureuses et les plus réussies de ce principe de liberté : « La libre communication des pensées et des opinions est un des droits les plus précieux de l'homme ; tout citoyen peut donc parler, écrire et imprimer librement, sauf à répondre de l'abus de cette liberté dans les cas déterminés par la loi. »

Dans ce type de système politique et juridique, pour être pleinement respectueux du principe de liberté, le droit des médias ne doit pratiquement comporter que des dispositions relatives au contenu de l'information et des messages, pour déterminer et sanctionner les « abus » de la liberté. Les principes de la liberté d'entreprise et du laissez-faire prévalent. Transposée ou appliquée aux activités de communication, la conception libérale classique exclut tout régime particulier concernant les entreprises et les professionnels (notamment journalistes) des médias. L'adoption d'un statut spécifique, visant à garantir ou renforcer la liberté, s'écarte, pour donner à cette liberté plus de réalité, des principes et éléments constitutifs d'un système libéral.

Le principe de la liberté d'expression et de communication s'applique aussi à la circulation internationale de l'information et des programmes, qu'ils proviennent de l'étranger ou qu'ils y soient destinés. Divers textes internationaux, relatifs aux droits et libertés (Déclaration universelle des Droits de l'homme et Pactes des Nations Unies, Convention européenne de sauvegarde des Droits de l'homme) mentionnent la liberté d'information et de communication parmi les droits essentiels. Dans le cadre européen, des accords spécifiques sont relatifs à la liberté de communication, notamment audiovisuelle (Convention du Conseil de l'Europe sur la télévision transfrontière, Directive communautaire dite « télévision sans frontières »).

L'extension ou application, au secteur de la culture et des médias, des principes de liberté du commerce international a suscité des réactions de défense et le désir d'instauration d'un régime protectionniste, au nom de la préservation d'une certaine identité culturelle (dans les relations Nord-Sud, d'abord, avec la recherche d'un « Nouvel ordre mondial de l'information et de la communication » ; dans le cadre européen, avec la mise en place d'un régime dit de « quotas » ; ou, à l'échelle planétaire, à l'occasion des négociations qui ont abouti à la création de l'Organisation mondiale du commerce (OMC) ou, plus récemment encore lors des discussions sur l'Accord multilatéral sur l'investissement (AMI).

Dans ce domaine, en effet, il est assez vite apparu, tant dans le cadre national qu'international, que le libéralisme économique n'assurait pas la liberté de communication et que certaines formes de réglementations et d'interventions publiques étaient nécessaires pour en corriger les effets et donner à la liberté proclamée un peu plus de réalité. C'est ainsi que se fait le passage du principe de liberté d'expression ou de communication à la théorie dite du « droit à l'information ».

➤ LE DROIT À L'INFORMATION

Moins que les autres encore, cette référence au droit à l'information ne peut prétendre constituer un véritable système institutionnel de communication, inspirant et ordonnant, avec cohérence, le droit des médias en vigueur dans un pays. Peut-être s'agit-il encore surtout d'une réflexion théorique. On en trouve cependant déjà, même sans le savoir ou sans le dire, quelques éléments de mise en œuvre.

Sans en rejeter les fondements ou principes essentiels, la théorie du droit à l'information vise à corriger certains des effets négatifs ou pervers du système libéral ou, tout au moins, de la théorie économique libérale appliquée aux médias. Il s'agit de donner, en la matière, aux libertés proclamées un peu plus de réalité.

La liberté d'expression ou de communication ne peut être le privilège exclusif des entreprises et des professionnels des médias, libres d'en jouir à leur seul profit ou avantage. Pour jouer véritablement son rôle dans un système démocratique, une telle liberté doit aussi être considérée comme un des droits du public. Dans cette perspective, le Conseil constitutionnel a, en France, considéré que les lecteurs sont « au nombre des destinataires essentiels de la liberté proclamée par l'article 11 de la Déclaration de 1789 » (Décision des 10 et 11 octobre 1984).

Avant même cette consécration constitutionnelle des droits du public, l'État avait été appelé à intervenir pour déterminer des limites à la concentration, menaçant le pluralisme de l'information, et, dans la même perspective, pour apporter son aide (avantages économiques et fiscaux) nécessaire à la survie économique de nombre d'entreprises de communication. Cette forme d'interventionnisme étatique ne peut se justifier que par la prise en compte des droits du public.

La notion de « service public » de la communication, audiovisuelle tout particulièrement, peut-elle avoir d'autre signification ou justification que le droit du public ? Neutralité ou impartialité idéologique, qualité et diversité des programmes, libre accès en sont quelques-uns des éléments constitutifs essentiels.

C'est bien ce droit du public qu'il s'agit de satisfaire par l'organisation d'une campagne électorale officielle, la garantie d'un droit d'accès aux documents administratifs, ou encore la conservation et la mise à disposition d'archives.

Empruntant, sans grand souci de rigueur ou de cohérence, aux divers systèmes institutionnels de communication schématiquement décrits, les règles applicables ne peuvent évidemment prétendre, en l'état, constituer un véritable droit des médias. Une réglementation détaillée, sinon précise, s'applique cependant déjà à ces activités. Ce sont ces règles que, pourtant, on qualifie déjà de droit des médias.

ARTICULATIONS ET CONTENU DU DROIT DES MÉDIAS

Avec plus ou moins de cohérence par rapport aux principes proclamés et éléments caractéristiques d'un système institutionnel, le droit des médias est constitué d'une multiplicité de règles, plus ou moins spécifiques, régissant ces activités. Conformément à une articulation devenue classique, on envisagera ici successivement, dans leurs grandes lignes : le statut des entreprises et les interventions administratives ; le statut professionnel des journalistes ; le statut du contenu ou régime de responsabilité ; et enfin les règles relatives au droit d'auteur et aux droits voisins.

❑ Statut des entreprises et interventions administratives

Les formes et conditions de création, d'organisation, de fonctionnement et de financement, ou statut des entreprises médiatiques, sont une des caractéristiques essentielles d'un système d'information et de communication. Selon les régimes, l'État laisse, à cet égard, une assez grande liberté d'initiative ou, au contraire, réglemente et contrôle très étroitement cette faculté. Au nom même de la liberté, l'intervention publique peut aussi, assez paradoxalement, être requise pour donner à celle-ci plus de réalité (dispositif anticoncentration, régime d'aides). Par ailleurs, les formes et degrés d'intervention publique varient selon les secteurs d'activité (presse, radio, télévision). Il est, dès lors, bien difficile d'y apercevoir ou d'en dégager la logique d'un système.

Dans ce qu'il peut avoir de spécifique par rapport aux règles du droit commun (droit des sociétés, droit des contrats, droit des relations commerciales), le statut des entreprises médiatiques tente de tenir compte de la fonction politique et sociale essentielle de l'information et des contraintes et exigences particulières que cela implique.

Au nom de cette spécificité, des correctifs, empruntés à la théorie du droit à l'information, ont (en droit français, par exemple) été apportés à la conception libérale classique du laissez-faire et de la libre initiative. Cela se manifeste notamment dans le statut des entreprises de presse, éditrices de publications périodiques écrites ; dans celui des agences et des messageries ; et encore, assurément plus fortement, dans celui de la radiotélévision.

➤ STATUT DES ENTREPRISES DE PRESSE

Dans les systèmes pluralistes et libéraux de communication, les entreprises de presse, éditrices de publications périodiques écrites, bénéficient, en principe, d'un régime de libre initiative privée. Elles sont globalement soumises aux règles du droit commun. Il n'y a donc pas alors, en réalité, de statut des entreprises de presse. Toutefois, pour corriger les effets (jugés dangereux pour le pluralisme et la liberté d'information) du libéralisme économique appliqué à ces entreprises et activités, des règles, obligations et garanties spécifiques, constitutives d'un statut des entreprises de presse, peuvent être adoptées. C'est notamment, sinon très particulièrement, le cas en droit français.

Les premiers éléments d'un statut spécifique des entreprises de presse datent, en France, d'une ordonnance du 26 août 1944. Une loi du 23 octobre 1984 en avait repris et renforcé le dispositif. Puis, celui-ci fut allégé par la loi du 1er août 1986 qui est aujourd'hui le texte en vigueur. À des degrés variables, donc, on y retrouve cependant les mêmes inspirations ou préoccupations de garantie de transparence, d'indépendance et de pluralisme.

Le désir de transparence est exprimé par les dispositions qui imposent : le caractère nominatif des actions ; l'interdiction du prête-nom ; la publication, dans les colonnes mêmes du journal, du nom du propriétaire et des principaux associés, du directeur de la publication et des responsables de la rédaction ; l'information des lecteurs quant à toute cession ou promesse de cession des droits sociaux, tout transfert ou promesse de transfert de la propriété ou de l'exploitation d'un titre.

Les obligations de transparence visent à garantir le respect de l'objectif d'indépendance. Il en est notamment ainsi de la règle qui soumet toute cession d'actions à l'agrément du conseil d'administration ; de la limitation des prises de participations étrangères ; de l'interdiction de recourir à certains modes de financement.

C'est ce même souci d'indépendance qu'exprime, au nom du pluralisme, le dispositif anticoncentration. S'agissant de la presse quotidienne d'information politique et générale, il interdit à une personne ou à un groupe de contrôler plus de 30 % de la diffusion nationale des publications de ce type.

Même respectées, ces interdictions et limites ne suffisent pas, à elles seules, à garantir complètement le pluralisme et la liberté de l'information. Réalisant cela, nombre des États démocratiques occidentaux abandonnent, sur ce point, les principes de la doctrine libérale et mettent en œuvre, selon des mécanismes et à des niveaux variés, les éléments d'un régime — compliqué et peut-être pas toujours justifié — d'aide de l'État à la presse : tarifs réduits, exonérations fiscales, subventions, etc.

➤ STATUT DES AGENCES ET DES MESSAGERIES

Ces mêmes exigences de transparence, d'indépendance et de pluralisme, sont reprises — pas toujours de façon très cohérente et rigoureuse — dans les dispositions (du droit français) relatives au statut des agences de presse et des messageries de presse.

Pour garantir à toute publication périodique la possibilité de se faire distribuer aux meilleures conditions et sans risque de discrimination, le droit français impose (de façon très originale et probablement même unique) la forme coopérative à toute entreprise de groupage et de distribution de journaux. La possibilité, laissée par la loi, à ces sociétés coopératives, de confier « certaines opérations matérielles » (en réalité, la totalité) à des sociétés commerciales ordinaires rend sans doute la construction un peu théorique !

➤ STATUT DE LA RADIOTÉLÉVISION

C'est incontestablement dans le domaine de la radiotélévision qu'apparaissent, dans tous les pays, les éléments les plus marqués d'un statut spécifique des entreprises médiatiques. Au-delà des contraintes techniques et économiques, la volonté, qu'ont les responsables politiques, de garder le contrôle d'un des médias a longtemps expliqué, sinon justifié, cette spécificité. Une très grande variété de systèmes et combinaisons de systèmes est envisageable entre un régime de monopole d'État, plus ou moins absolu, et l'instauration d'une concurrence — qui, pour des motifs techniques (caractère limité des fréquences hertziennes disponibles, s'agissant de ce moyen tout au moins) notamment, ne peut être encore généralisée — entre entreprises commerciales privées. L'histoire et le statut actuel de la radiotélévision, en France comme dans un certain nombre d'autres pays, fournissent de multiples exemples de ces divers régimes.

Depuis la loi du 29 juillet 1982, « la communication audiovisuelle est libre » en France. Le principe de liberté, ainsi posé, signifiait l'abrogation du monopole (auquel avaient déjà été apportées quelques dérogations) d'État de la radiodiffusion, l'ouverture aux entreprises commerciales privées et la mise en place d'un système concurrentiel. Cette libéralisation du système, accrue par la loi du 30 septembre 1986, n'est cependant pas absolue. Les activités de radiotélévision restent très étroitement réglementées et contrôlées. Il s'agit d'une liberté surveillée ou sous tutelle.

Une des principales innovations du régime actuel de la communication audiovisuelle, en droit français, depuis 1982, est, à l'image des institutions américaine (FCC) ou canadienne (CRTC) notamment, la création d'une autorité indépendante chargée d'assumer, au nom de l'État, la tutelle des activités de communication : Haute autorité de la communication audiovisuelle (1982), Commission nationale de la communication et des libertés (1986), Conseil supérieur de l'audiovisuel (1989). S'il est encore loin d'avoir été totalement supprimé, le pouvoir d'intervention du Gouvernement dans le secteur de la communication audiovisuelle en a cependant été réduit d'autant.

Dans le cadre des dispositions législatives et réglementaires, le Conseil supérieur de l'audiovisuel détermine certaines des règles qui s'imposent aux entreprises de radio et de télévision publiques et privées. Il fixe, par la voie contractuelle, les obligations spécifiques complémentaires des entreprises privées de radio ou de télévision auxquelles il accorde les autorisations d'exploitation. Il contrôle le respect des obligations et en sanctionne la violation (sanctions pécuniaires ; suspension, réduction, retrait de l'autorisation). Il nomme certains des membres des conseils d'administration parmi lesquels les présidents des sociétés du secteur public de la radiotélévision.

Outre l'existence de cette institution de tutelle, l'organisation actuelle de la radiotélévision, en France, se caractérise désormais par l'existence d'un double secteur : public et privé. Si ce n'est quant aux conditions de création et au régime de propriété, les différences entre les deux secteurs n'apparaissent cependant pas toujours très marquées quand on envisage leur mode de fonctionnement ou leurs obligations de programmes. À quelques nuances près, les mêmes contraintes ou obligations s'imposent tant aux entreprises publiques que privées, de télévision hertzienne nationale tout au moins, en matière : de composition des programmes ; de pluralisme de l'information ; de diffusion (nombre, jours et heures) des films cinématographiques ; de quotas d'œuvres cinématographiques et audiovisuelles d'expression originale française ou d'origine européenne ; de conditions (durée, identification, coupures) d'insertion de messages publicitaires ou de parrainage…

À l'égard des entreprises privées de radio et de télévision, dont la création est soumise à l'autorisation du Conseil supérieur de l'audiovisuel, les dispositions de la loi du 30 septembre 1986 déterminent diverses obligations (transparence, indépendance) transposées du statut des entreprises de presse. Un dispositif anticoncentration fort complexe (un peu assoupli par la loi du 1er février 1994) détermine la part maximale de capital (49 %) qu'une personne peut détenir dans une société de radio ou de télévision, et des limites à la possibilité, pour un groupe, de contrôler plusieurs entreprises d'un même secteur ou, à l'échelle nationale ou locale, d'intervenir dans plusieurs secteurs différents (radiotélévision hertzienne, nationale ou locale, radiotélévision par câble, presse écrite). Le détail et la complexité du dispositif en rendent la présentation pratiquement impossible. On peut même se demander s'ils permettent un véritable contrôle de l'application et du respect de ces règles… et si cela n'a pas été voulu !

À quelques nuances ou différences près, en droit ou en fait, entre les secteurs public et privé, la situation générale des entreprises de radio et de télévision paraît encore assez largement réglementée et étroitement contrôlée. Il s'agit là d'un régime spécifique, distinct de celui des autres entreprises du secteur des médias, en apparence pas toujours conforme ou cohérent par rapport aux éléments constitutifs d'un système libéral d'information.

Officiellement, pourtant, il s'agit ainsi, en tenant compte de l'état des techniques, de garantir ou de renforcer la liberté d'information et de communication.

❏ Statut professionnel des journalistes

La condition faite aux journalistes est aussi un des éléments constitutifs et caractéristiques du régime en vigueur. La conception libérale classique conduit probablement, comme c'est le cas dans de nombreux pays, à ne pas considérer les journalistes différemment des autres catégories profession-nelles et, en conséquence, à les soumettre au droit commun du travail. Mettant peut-être ainsi partiel-lement en œuvre certains des éléments de la théorie du droit à l'information — à moins que, cédant à des groupes de pression, il ne se soit surtout agi d'accorder des privilèges à cette profession — le droit français des médias consacre aux journalistes quelques dispositions particulières.

L'analyse de ces éléments d'un statut spécifique des journalistes (pour le reste, régis par le droit commun du travail, à l'élaboration duquel il a d'ailleurs ainsi contribué) concerne notamment : la définition du journaliste ; la distinction entre journalistes salariés et journalistes pigistes ; et enfin, la rupture du contrat de travail.

➤ DÉFINITION DU JOURNALISTE

La définition du journaliste constitue l'élément premier de son statut spécifique. Le droit français ne fait pas preuve, de ce point de vue, de toute la rigueur ou clarté nécessaire. Les imprécisions de la définition légale n'ont été que partiellement corrigées par la jurisprudence.

Voulant assurer le libre accès à la profession de journaliste, le droit français rattache l'appartenance à cette profession au constat de l'exercice de cette activité professionnelle. L'article L. 761-2 du Code du travail pose que « le journaliste professionnel est celui qui a pour occupation principale, régulière et rétribuée, l'exercice de sa profession dans une ou plusieurs publications quotidiennes ou pério-diques ou dans une ou plusieurs agences de presse et qui en tire le principal de ses ressources ». Les termes de cette définition (reprise par quelques législations étrangères) apparaissent bien insuffisants et imprécis.

Rien n'est dit de ce en quoi consiste « sa profession » La jurisprudence a dû ajouter notamment qu'il devait s'agir d'un travail de type intellectuel, faisant appel à un effort personnel créatif, en relation avec l'actualité. L'utilisation de ces critères n'est pas toujours très simple et n'échappe pas à la contestation.

Le lieu d'exercice de l'activité de journaliste est un autre des critères essentiels. Les dispositions du Code du travail ne font expressément référence qu'aux seules publications quotidiennes ou pério-diques et aux agences de presse. De quel type de publications périodiques doit-il s'agir ? Il n'y a pas de définition générale des publications de presse. Comment distinguer celles-ci, employant des journa-listes, des journaux d'entreprises, supports promotionnels ou publicitaires ?

Il a fallu attendre la loi du 29 juillet 1982 pour qu'il soit expressément posé que « les journalistes exerçant leur profession dans une ou plusieurs entreprises de communication audiovisuelle ont la qualité de journaliste au même titre que leurs confrères de la presse écrite » (art. 93).

Parmi les éléments de la définition, il est fait référence à une « occupation principale, régulière et rétribuée » dont le journaliste doit tirer « le principal de ses ressources ». Qui pourrait prétendre exercer une quelconque activité professionnelle si ces critères ou conditions ne sont pas respectés ou vérifiés ? Occupation principale ne signifie pas unique ou exclusive. Doit-on, ou non, continuer à apprécier l'importance de la rémunération par rapport à un salaire minimum ?

Compte tenu de la diversité des fonctions assumées, des lieux et conditions de leur exercice, des techniques utilisées, des compétences requises, peut-être n'est-il pas justifié d'englober ainsi, dans une seule et même catégorie des journalistes professionnels, titulaires d'une même carte d'identité professionnelle, des travailleurs pourtant si différents ! Peut-être devrait-on définir diverses fonctions ou catégories professionnelles entre lesquelles des distinctions seraient ainsi faites.

➢ JOURNALISTES SALARIÉS ET JOURNALISTES PIGISTES

La prise en compte des conditions d'exercice de la profession de journaliste, et notamment de la nature des liens unissant le journaliste à l'entreprise à laquelle il apporte sa contribution, devrait normalement permettre de distinguer les journalistes salariés des journalistes indépendants ou pigistes (rémunérés à la « pige », à la tâche ou à l'article). De la différence de condition devrait dépendre, sinon (comme on a, à tort, tenté de le faire à une certaine époque) la reconnaissance de la qualité de journaliste, au moins le bénéfice de certaines protections et garanties (en matière de rémunération, d'indemnités et de rupture du contrat de travail notamment), contreparties du lien du subordination, constitutif du salariat.

Les tendances excessives ou abusives (du fait de certains employeurs) à vouloir limiter le nombre de ceux auxquels le statut de salarié était reconnu ont peut-être entraîné aujourd'hui (sous la pression des journalistes) l'abus inverse. Celui-ci consiste désormais à poser que « toute convention par laquelle une entreprise de presse s'assure, moyennant rémunération, le concours d'un journaliste professionnel [...] est présumée être un contrat de travail » (art. L. 761-2 CT.). La preuve contraire reste sans doute admissible, mais elle est bien difficile à établir.

La différence classique entre journalistes salariés et journalistes pigistes, caractéristique de deux modes différents d'exercice de la profession, a perdu désormais l'essentiel de sa portée et de son utilité. Il n'est pas sûr, pourtant, que cela ait contribué à renforcer la protection sociale des journalistes. On peut s'interroger sur l'incidence que cela peut avoir sur le niveau de l'emploi (et donc du chômage) dans la profession.

➢ RUPTURE DU CONTRAT DE TRAVAIL

L'élément le plus spécifique, aujourd'hui, du statut des journalistes, en droit français, concerne la rupture du contrat de travail (préavis et indemnités) et, plus précisément encore, une des formes de rupture du contrat par la mise en jeu de la « clause de conscience ». Il s'agit de tenter de garantir ainsi l'indépendance et la liberté du journaliste.

Par « clause de conscience », on entend cette faculté accordée au journaliste (salarié) de prendre lui-même l'initiative de rompre le contrat de travail qui le lie à son employeur, tout en ayant droit aux indemnités qui lui seraient dues pour fait de licenciement (sans faute de sa part), dans trois cas que la loi énumère : cession de la publication ; cessation de parution ; changement notable dans le caractère ou l'orientation du journal.

Dans aucune autre profession n'est ainsi accordé, aux salariés, un droit de démission avec indemnités, au nom de la protection de l'honneur et de la dignité des journalistes, supposés être personnellement plus directement et profondément engagés dans cette activité que dans toute autre.

En période de sous-emploi, les chances de réembauche rapide — surtout de quelqu'un qui fait preuve d'un tel désir ou souci d'indépendance à l'égard de son employeur — dans une autre publication sont limitées. La possibilité de mettre effectivement en jeu une telle faculté l'est donc aussi. Le risque encouru sera sans doute une preuve de la détermination du journaliste et de la justification de sa revendication.

L'appréciation du bien-fondé de la mise en jeu de la clause de conscience est, compte tenu des conditions et circonstances définies par la loi, et des conséquences qui s'y attachent (en matière d'indemnités dues), fréquemment l'objet de vives controverses entre l'employeur et le journaliste démissionnaire.

Que faut-il entendre par « cession du journal ou périodique » ? Relativement facile à déterminer lorsqu'il s'agissait, dans le passé, d'entreprises individuelles ou familiales, l'appréciation du fait constitutif de cession apparaît aujourd'hui bien plus délicate. De quelle part de capital transférée ou de quel changement de majorité doit-il s'agir pour que, à propos de sociétés éditrices, on puisse désormais considérer qu'il y a « cession » ? Le changement de directeur de la publication, par exemple, ne serait-il pas un critère d'appréciation plus simple et plus conforme aux intentions du législateur et aux motifs de consécration d'une telle faculté ?

Quel peut être le véritable intérêt de la référence à la « cessation de la publication » ? Il faudrait sans doute que le journaliste en ait été informé suffisamment à l'avance pour pouvoir anticiper la rupture du contrat de travail, ou qu'il ait fait l'objet d'une proposition de reclassement, qu'il refuse, dans une publication de la même société ou du même groupe.

L'appréciation des éléments constitutifs d'un « changement notable dans le caractère ou l'orientation du journal » apparaîtra plus délicate encore. Le journaliste démissionnaire n'a aucune garantie que les arguments avancés par lui seront acceptés par l'employeur ou approuvés par les juridictions. Une démission collective, d'une partie de la rédaction, sera sans doute une preuve plus éclatante de la réalité du changement et de l'atteinte ainsi portée à l'honneur ou à la considération des journalistes ou de l'impossibilité, pour eux, de continuer, pour ces raisons, à collaborer à ce journal. Dans tous les cas, la garantie apparaîtra assez négative puisqu'il ne s'agit, de toute façon, pour le journaliste, que de se soumettre ou de se démettre !

S'il est licencié ou s'il met en jeu la clause de conscience, le journaliste peut (en droit français) prétendre à des indemnités de licenciement. Celles-ci sont, en principe, équivalentes à un mois de salaire par année d'ancienneté dans l'entreprise, jusqu'à un maximum de quinze (mois de salaire, pour quinze ans d'ancienneté). Au-delà, une Commission arbitrale (représentants des employeurs et des journalistes) détermine cette indemnité. Cette Commission est également compétente, quelle que soit la durée de la collaboration du journaliste dans l'entreprise, pour apprécier la nature et la gravité des fautes reprochées et leur incidence (réduction ou suppression éventuelle) sur les indemnités de licenciement dues.

Accordant, à l'origine au moins, certains privilèges aux journalistes, pour mieux garantir leur liberté et, à travers eux, la liberté d'information et les droits du public en la matière, le statut professionnel des journalistes, dans ce qu'il comporte encore de spécifique, permet-il toujours de mettre en œuvre un tel objectif ? Seule, une définition plus précise de la profession de journaliste, le distinguant clairement de professions voisines (journalistes d'entreprises, chargé de communication, « relationnistes ») et la distinction de diverses catégories de journalistes (correspondant à des activités, compétences et responsabilités distinctes) permettraient une formulation nouvelle et un renforcement de ce statut professionnel, élément essentiel du droit des médias.

❑ Statut du contenu ou régime de responsabilité

Quels que soient les systèmes ou régimes politiques et juridiques, les préoccupations relatives au contenu de l'information diffusée inspirent et expliquent, si elles ne justifient pas toujours, l'ensemble des éléments constitutifs du droit des médias. De façon plus proche et plus directe cependant, le contenu même des journaux, messages et programmes, fait l'objet d'un contrôle ou statut particulier, relevant du régime de responsabilité.

Dans la conception libérale classique (à laquelle, globalement, se rattache le système français), le principe de liberté prévaut. La loi n'apporte de restriction ou de limite qu'à ce qui est considéré comme constitutif d'abus de liberté, parce que susceptible de causer un dommage à des particuliers ou de porter atteinte à certains intérêts collectifs. Se référant à ces règles et principes, le juge exerce son contrôle *a posteriori*. Il sanctionne les fautes commises, en assure la répression (responsabilité pénale) et condamne à réparation (responsabilité civile) des dommages causés.

Initialement, le régime de responsabilité (pénale) des infractions dites « de presse » (mais susceptibles d'être, aujourd'hui, commises par n'importe quel support ou moyen) a, en application de l'article 11 de la Déclaration des droits de l'homme et du citoyen, été défini, en droit français, par la loi du 29 juillet 1881. « Loi sur la liberté de la presse », celle-ci limite le nombre des infractions considérées. Au nom d'une conception étrange et peut-être contestable de la liberté de la presse, elle soumet la poursuite et la répression des infractions qu'elle définit à des règles de procédure très particulières (formalités, délai de prescription) qui assurent ainsi une certaine impunité de leurs auteurs. Rien d'étonnant à ce que, depuis, et en dépit de multiples modifications apportées à ce texte, nombre d'infractions, susceptibles d'être commises par ces mêmes moyens d'information ou de communication, aient été définies dans d'autres textes que cette loi de 1881 (à laquelle ils n'ont pas été intégrés) ou que les victimes tentent d'échapper aux pièges de la procédure, en se contentant d'engager, en application des règles et principes généraux du droit commun, une action civile en réparation (fondée sur l'article 1382 du Code civil), sans faire la moindre référence à la définition légale d'une quelconque infraction. Cette pratique nuit cependant bien fâcheusement à la cohérence et à l'unité du droit des médias.

Parmi les éléments spécifiques constitutifs du statut du contenu, on évoquera ici, à titre d'exemples ou d'illustrations, certains de ceux qui donnent lieu aux litiges les plus fréquents : droit de réponse, diffamation et injure, atteinte à la vie privée et au droit à l'image, violation du secret de l'enquête et de l'instruction et atteinte à la présomption d'innocence, outrage aux bonnes mœurs et mise en péril des mineurs, publicité.

➤ DROIT DE RÉPONSE

Les dispositions relatives au droit de réponse diffèrent selon qu'il s'agit de la presse écrite ou de la radiotélévision. La question de la transposition d'un tel droit à certaines techniques nouvelles, telles qu'Internet, reste posée. Elle n'est pas actuellement prévue par les textes. Quelque nécessaire qu'elle soit, sa mise en œuvre apparaît, en pratique, bien difficile.

Dans la presse écrite, le droit de réponse est désormais régi, en droit français, par les articles 13 et 13-1 de la loi du 29 juillet 1881. Il peut être défini comme la faculté accordée à toute personne nommée ou désignée dans une publication périodique écrite, de faire, dans ce même organe, connaître son point de vue sur cette mise en cause. Le journal l'ayant publiée est tenu d'ouvrir ses colonnes à la personne concernée et de lui accorder gratuitement un nombre de lignes en relation avec celui de la mise en cause à laquelle il est ainsi répondu.

Ceux qui sont favorables à un tel droit de réponse le considèrent comme un élément essentiel de la liberté d'expression et d'équilibre de l'information. Ceux qui y sont hostiles y voient une atteinte à la liberté d'expression des journalistes et au droit de propriété des journaux.

Lorsqu'il est — ce qui est encore plus rare que dans la presse écrite — consacré par les textes, le droit de réponse à la radiotélévision n'y est ouvert que de façon bien plus restrictive. La loi française (article 6 de la loi du 29 juillet 1982) réserve le droit de réponse aux personnes mises en cause dans des conditions susceptibles de porter atteinte à leur honneur ou à leur réputation. L'exercice de ce droit y est enfermé dans des conditions de délai et modalités beaucoup plus rigoureuses et contraignantes. À la radiotélévision, le droit de réponse paraît être un moyen, difficilement utilisable, de réaction à une diffamation.

➤ DIFFAMATION ET INJURE

La diffamation et l'injure sont parmi les infractions de presse le plus fréquemment commises. Bien proches l'une de l'autre, elles doivent cependant, en droit français, pour des raisons tenant aux règles de procédure (obligation de qualification exacte de l'infraction poursuivie) être distinguées.

La diffamation est définie, par la loi française, comme l'« allégation ou imputation d'un fait qui porte atteinte à l'honneur ou à la considération de la personne ou du corps auquel le fait est imputé » (loi du 29 juillet 1881, art. 29). Le même texte définit l'injure comme « toute expression outrageante, termes de mépris ou invective qui ne renferme l'imputation d'aucun fait ».

C'est la référence ou l'absence de référence à un fait qui différencie la diffamation et l'injure. Cela a aussi une incidence s'agissant des moyens de défense de la personne poursuivie pour diffamation puisque celle-ci sera, dans certains cas au moins, et selon une procédure compliquée (délais, modalités), admise à faire l'apport de la preuve de la vérité des faits diffamatoires, chose impossible en matière d'injure puisque, par définition, celle-ci « ne renferme l'imputation d'aucun fait ».

Les textes définissent diverses catégories de diffamations et d'injures, selon les personnes qui en sont l'objet : envers les particuliers, les cours et les tribunaux, les dépositaires ou agents de l'autorité publique, raciales ou racistes.

➤ VIE PRIVÉE ET DROIT À L'IMAGE

La révélation de faits concernant la vie privée et la publication non autorisée de l'image d'une personne constituent une autre catégorie de comportements par lesquels se trouve le plus fréquemment engagée la responsabilité des médias.

Ici encore doit être déterminée la frontière entre ce qui, relevant de la vie privée des personnes, doit être protégé contre toute révélation indiscrète et ce qui, ayant une incidence ou signification sociale, doit pouvoir être divulgué au nom du droit du public à l'information. Toute demande ou curiosité du public ne doit cependant pas nécessairement être satisfaite. La référence au droit à l'information ne peut servir à couvrir les préoccupations avant tout financières des entreprises, pas plus que celles, de même nature, des individus ne doivent être camouflées derrière une prétendue recherche de protection de leur honneur ou de leur personnalité.

L'article 9 du Code civil pose le principe selon lequel « chacun a droit au respect de sa vie privée ». Est ainsi précisé et conforté, en la matière, le régime général de responsabilité civile (article 1382 du Code civil) susceptible d'être invoqué aussi pour assurer le respect du droit à l'image ou des droits de la personnalité.

C'est en la matière notamment, en cas d'atteinte grave à l'intimité de la vie privée, qu'il peut être recouru à la procédure de référé, décriée parce qu'elle introduit un contrôle, certes judiciaire, mais néanmoins préalable ou préventif (interdiction, retrait, suspension) du contenu des médias.

Les articles 226-1 et suivants du Code pénal définissent diverses catégories d'infractions d' « atteinte à l'intimité de la vie privée d'autrui », du fait de la fixation et de la diffusion des paroles ou de l'image d'une personne se trouvant dans un lieu privé.

➤ SECRET DE L'ENQUÊTE ET DE L'INSTRUCTION
ET ATTEINTE À LA PRÉSOMPTION D'INNOCENCE

Les conditions dans lesquelles les médias peuvent être amenés à rendre compte de l'activité de la police et de la justice font l'objet d'une réglementation complexe qui tente de réaliser un certain équilibre entre la liberté d'expression et d'information, d'un côté, et le bon fonctionnement des institutions et les droits des personnes en cause, auxquels l'information est, tout à la fois, susceptible de contribuer comme de nuire, de l'autre.

Outre les infractions d'atteinte à l'autorité ou à l'indépendance de la justice, ou la réglementation relative à la façon dont il peut être rendu compte des procès en cours, les dispositions concernant le secret de l'enquête et de l'instruction et l'atteinte à la présomption d'innocence méritent ici une mention particulière.

Le principe, très controversé et fort peu rigoureusement respecté, du secret de l'enquête et de l'instruction est posé par l'article 11 du Code de procédure pénale. Il constitue une obligation pour ceux qui, de par leur profession, concourent à l'enquête ou à l'instruction. Cela ne concerne pas directement les journalistes qui peuvent, de leur côté, procéder à leur propre enquête et diffuser des informations sur les éléments qu'ils ont ainsi pu recueillir ou sur ce qu'ils ont pu observer. Leur responsabilité pourrait cependant se trouver engagée, au titre de la complicité ou du recel de violation du secret, s'ils exploitent des pièces ou documents couverts par le secret.

La loi du 4 janvier 1993 institue divers moyens (droit de réponse, insertion d'un communiqué) par lesquels, tout en assurant le principe de la liberté d'information, doivent être corrigées sinon empêchées les atteintes à cet autre principe, tout aussi fondamental, de la présomption d'innocence. Aux termes de l'article 9-1 du Code civil, il y a atteinte à la présomption d'innocence « lorsqu'une personne placée en garde à vue, mise en examen ou faisant l'objet d'une citation à comparaître en justice, d'un réquisitoire du procureur de la République ou d'une plainte avec constitution de partie civile, est, avant toute condamnation, présentée comme étant coupable de faits faisant l'objet de l'enquête ou de l'instruction judiciaire ».

➤ Outrage aux bonnes mœurs et mise en péril de mineurs

Au titre des infractions d'outrage aux bonnes mœurs et de mise en péril des mineurs, les articles 227-23 et 227-24 du nouveau Code pénal déterminent comme constitutifs d'infractions : « le fait, en vue de sa diffusion, de fixer, d'enregistrer ou de transmettre l'image d'un mineur lorsque cette image présente un caractère pornographique » et de « diffuser une telle image, par quelque moyen que ce soit », d'une part ; et « le fait soit de fabriquer, de transporter, de diffuser par quelque moyen que ce soit et quel qu'en soit le support, un message à caractère violent ou pornographique ou de nature à porter gravement atteinte à la dignité humaine, soit de faire commerce d'un tel message ».

➤ Publicité

Le contenu des messages publicitaires a lui-même fait l'objet d'une réglementation nouvelle et abondante. Qu'il s'agisse, dans la presse écrite ou à la radiotélévision, des produits (alcool, tabac, médicaments, armes à feu) pour lesquels la publicité est interdite ou étroitement réglementée ou du recours à certains procédés ou arguments publicitaires (publicité mensongère, publicité comparative).

Est également posée la question de savoir si, au nom de sa propre liberté et de sa responsabilité, un média peut, ou non, refuser l'insertion d'un message publicitaire.

❑ Droit d'auteur et droits voisins

Le droit d'auteur et les droits dits « voisins » du droit d'auteur constituent une autre branche essentielle du droit des médias. Il s'agit ainsi de protéger les diverses créations et prestations contre l'usage que d'autres pourraient être tentés d'en faire, sans autorisation, au détriment des intérêts des auteurs et autres titulaires de droits. Bien que proches dans leurs principes et leur contenu, ces deux catégories de droits (d'auteur et voisins) doivent cependant être distinguées l'une de l'autre.

➤ Droit d'auteur

Dans le cadre minimum posé notamment par les deux grandes conventions internationales (de Berne en 1886, et de Genève en 1952) sur le droit d'auteur, les législations nationales assurent la protection de ce droit en faisant prévaloir, selon les principes essentiels auxquels elles se réfèrent, les droits individuels et personnels de l'auteur-créateur ou, au contraire, dans les systèmes dits de *copyright,* l'aspect patrimonial de la création et les intérêts du producteur ou des utilisateurs.

Le droit d'auteur français (déterminé désormais par le Code de la propriété intellectuelle – CPI, après codification, en 1992, des dispositions de la loi du 11 mars 1957 modifiée et complétée par celle du 3 juillet 1985) se rattache globalement à la conception personnaliste ou individualiste du droit d'auteur, même si le contexte technique et économique et l'évolution des usages semblent y avoir introduit quelques aménagements et éléments de l'autre théorie.

Pour en dégager ici quelques aspects essentiels, l'étude du droit d'auteur comporte nécessairement l'identification des œuvres et auteurs protégés, puis l'analyse des éléments et attributs du droit moral, d'une part, et patrimonial, d'autre part.

Pour qu'il y ait œuvre, protégée par le droit d'auteur, il est nécessaire qu'il y ait création de forme originale, expression de la personnalité de l'auteur. Les idées, en elles-mêmes, ne sont pas protégées par le droit d'auteur et peuvent être librement reprises (sous réserve, cependant, d'emprunts systématiques et abusifs constitutifs de concurrence déloyale ou d'action parasitaire). La différence ou distinction entre les idées, informations ou éléments de contenu, non protégés par le droit d'auteur, et la forme ou concrétisation, bénéficiant de cette protection, ne sera pas toujours aisée.

La protection du droit d'auteur est accordée « à toutes les œuvres de l'esprit, quels qu'en soient le genre, la forme d'expression, le mérite ou la destination » (CPI, art. L. 112-1). Aucune appréciation ne doit être portée quant à l'intérêt, l'utilité, la qualité, la valeur esthétique ou artistique de l'œuvre. Un article de presse, un reportage radiophonique ou télévisuel, une photographie, une illustration graphique sont protégés dès lors qu'il y a création de forme originale. Leur utilisation est, en principe, soumise à autorisation et à rémunération du titulaire de droits.

Les systèmes ou régimes divergent quant à la détermination de l'auteur. En droit français, est auteur celui dont l'œuvre porte la marque de la personnalité. L'existence ou la conclusion d'un contrat de louage d'ouvrage (contrat de commande) ou de service (contrat de travail) n'emporte, en principe, aucune dérogation à la jouissance du droit. Il peut cependant, de ce fait, y avoir cession ou transfert (automatique ou présumé) de la titularité des droits. Lorsque, dans le cadre du contrat de commande ou de travail, l'auteur (apparent) a reçu ordres et directives précises sur les formes et conditions de sa création, la nature et le contenu de l'œuvre à créer, objet de retouches multiples et successives, il peut être difficile d'y voir encore le reflet de sa personnalité.

La qualification de l'œuvre et la détermination des auteurs ou titulaires de droits se compliquent encore pour toutes les œuvres qui ne sont pas le fruit d'une création autonome et individuelle mais qui, cas de plus en plus fréquent, font appel à des contributions multiples : œuvres de collaboration, collectives ou composites. Un délicat partage des droits peut être établi entre les diverses contributions, prises individuellement, et l'ensemble qu'elles constituent.

La conception ou tradition dite « euro-continentale » ou « romano-germanique » du droit d'auteur, à laquelle se rattache le droit français, par opposition au système anglo-américain du *copyright,* accorde une place essentielle au droit moral d'auteur. L'œuvre étant le reflet de la personnalité de l'auteur, à travers l'œuvre, c'est l'auteur qu'il s'agit ainsi de protéger. Divers éléments ou attributs de droit moral lui sont ainsi reconnus.

Le droit de divulgation est le droit reconnu, en principe, à l'auteur et à l'auteur seul (de son vivant, tout au moins) de décider de rendre son œuvre publique au moment où il la considère suffisamment achevée pour être soumise à l'appréciation du public. L'existence d'un contrat de commande ou de travail, les exigences de l'actualité, la participation à une œuvre plurale (de collaboration ou collective) peuvent cependant, en pratique et en droit, atténuer le caractère absolu d'un tel droit.

Le droit au nom ou à la paternité est la faculté accordée à l'auteur, et à lui seul, de signer l'œuvre de son nom. C'est, pour lui, un droit et non une obligation. L'œuvre peut être publiée sous un pseudonyme ou de façon anonyme. Les pratiques professionnelles, dans la presse notamment, ne semblent pas toujours respectueuses de ce droit, mais cela peut être dû, pour une part, à la difficulté d'identifier le ou les auteurs, compte tenu des contributions et interventions multiples ou successives.

L'œuvre étant le reflet de la personnalité de son créateur, elle doit être respectée pour que, par elle ou à travers elle, il ne soit pas porté atteinte à la personne de l'auteur. Au titre de son droit au respect, l'auteur se voit, en principe, reconnaître le droit de s'opposer à toute modification, transformation ou altération de son œuvre. La réalité pratique est cependant quelque peu différente, notamment dans la presse et l'audiovisuel, pour tenir compte des contraintes de l'exploitation, des limites d'espace et de temps et des nécessités d'harmonisation de la forme et du style, au risque que l'auteur n'y reconnaisse plus son œuvre ou ne s'en considère plus comme l'auteur.

Le dernier élément ou attribut du droit moral d'auteur concerne le droit de retrait ou de repentir. Celui-ci permet, théoriquement au moins, à l'auteur de revenir sur sa décision de céder les droits d'exploitation de son œuvre, pour des raisons qui doivent être exclusivement liées à des préoccupations d'ordre moral.

Cédant les droits d'exploitation de son œuvre, l'auteur en attend normalement une rémunération, qualifiée de « droits d'auteur », au titre de son droit patrimonial. À la différence du droit moral (qui est perpétuel, inaliénable et imprescriptible), le droit patrimonial est limité dans le temps. Il dure, en principe, la vie de l'auteur et pendant les soixante-dix ans qui suivent sa mort ou la date de la première publication, selon le type d'œuvre. Passé ce délai, l'œuvre « tombe dans le domaine public ». Elle peut, alors, être librement exploitée, par tous, sans obligation de paiement.

Si, en principe, la rémunération doit être proportionnelle (un certain pourcentage) au résultat de l'exploitation de l'œuvre, elle peut aussi être fixée forfaitairement. Dans le cas des entreprises de communication (presse, radio, télévision), il est d'usage de considérer que le salaire couvre la première exploitation. La possibilité, pour le journaliste ou pour l'entreprise, d'exploiter séparément ou à nouveau la contribution dépend, dans le cadre des dispositions légales, des accords contractuels, individuels ou collectifs, fixant l'étendue des droits cédés.

Devant la multiplicité des formes d'utilisation possibles, ont été constituées, tant dans l'intérêt des auteurs et titulaires de droits que des exploitants, des sociétés d'auteurs, dites « sociétés de gestion collective », qui gèrent les droits (patrimoniaux) d'auteurs, en assurent la perception auprès des utilisateurs et la répartition entre les auteurs ou leurs ayants droit.

Empruntant à certaines législations étrangères, le droit français a également mis en place, pour certaines formes d'utilisation, un régime dit de « licence légale », comportant, pour les utilisateurs, une autorisation de principe d'exploitation, sous réserve du paiement d'une rémunération dont le taux est fixé de façon générale et uniforme et ne donne donc lieu à aucune négociation.

L'auteur, ou celui auquel il a cédé ses droits, se trouve cependant privé de la possibilité de prétendre à une quelconque forme de rémunération pour les utilisations correspondant à l'une des exceptions au droit patrimonial : représentations privées ; analyses et courtes citations ; revues de presse ; parodie, pastiche et caricature.

➤ DROITS VOISINS

Conformément à une convention internationale dite « de Rome » (1961), le droit français, comme diverses autres législations, consacre désormais également des droits dits « voisins du droit d'auteur ». Ceux-ci sont ainsi appelés parce qu'ils entretiennent de nécessaires relations de voisinage avec le droit d'auteur et parce qu'ils empruntent très largement à ce droit.

Il s'agit de droits reconnus aux artistes-interprètes, aux producteurs de phonogrammes et de vidéogrammes, et aux organismes de radiotélévision. Les artistes-interprètes marquent bien leurs prestations de leur personnalité. Leur reconnaître des droits voisins apparaît donc justifié. Pour les autres titulaires de droits voisins, ce sont surtout des investissements et activités d'entreprise qu'il s'agit ainsi de rémunérer. Le régime des droits voisins y paraît donc moins bien adopté.

Divers dans ses sources, ses éléments, son objet et son contenu, le droit des médias paraît encore bien incomplet et imparfait. Une pleine cohérence et harmonie ne semble pas établie entre ses différents chapitres et éléments constitutifs, ni même ou surtout entre ceux-ci et certains principes fondamentaux (liberté d'expression, droit à l'information) dont ils sont ou devraient pourtant être l'expression, la concrétisation ou la mise en œuvre.

Les limites et insuffisances de ce droit sont plus flagrantes encore lorsque, considérant que l'information et la communication n'ont plus aujourd'hui de frontières, on compare les différences des législations nationales. Les écarts constatés ne peuvent laisser espérer une harmonisation rapide dont un droit international des médias serait, tout à la fois, la cause et la conséquence.

L'importance (politique, économique, sociale, culturelle) de ce secteur d'activités oblige cependant à persévérer dans cette recherche, le droit des médias étant la condition et la garantie de la liberté et du respect des droits du public.

Bibliographie

➤ LIVRES

AUVRET Patrick, *Les Journalistes : statuts, responsabilités*, Paris, Delmas, 1994

BILGER Philippe et Bernard PREVOST, *Le Droit de la presse*, Paris, PUF, « Que sais-je ? », n° 2469, 2e éd., 1990.

BIOLAY Jean-Jacques, *Droit de la communication audiovisuelle*, Paris, Delmas, 1989.

BLIN Henri et al., *Droit de la presse*, Paris, Litec.

CHAMOUX Jean-Pierre, *Droit de la communication*, Paris, PUF, « Que sais-je ? », n° 2884, 1994.

COLOMBET Claude, *Propriété littéraire et artistique et droits voisins*, Paris, Dalloz, 1993.

DEBBASCH Charles, *Droit de l'audiovisuel*, Paris, Dalloz, 3e éd., 1993.

DERIEUX Emmanuel, *Droit de la communication*, Paris, LGDJ, 3e éd., 1999.
    — *Droit de la communication / recueil de textes : législation,* Paris, Victoires Éditions, 3e éd., 1996.
    — *Droit de la communication. Recueil de textes : jurisprudence,* Paris, Victoires Éditions, 3e éd., 1998.

DERIEUX Emmanuel et P. TRUDEL (dir.), *L'Intérêt public : principe de droit de la communication*, Paris, Victoires, 1996.

GAVALDA Ch. et al., *Droit de l'audiovisuel*, Paris, Lamy, 1989.

GAUTIER P.-Y., *Propriété littéraire et artistique*, Paris, PUF, 1999.

LUCAS A., *Propriété littéraire et artistique*, Paris, Dalloz, 1994.

MORANGE Jean, *La Liberté d'expression*, Paris, PUF, « Que sais-je ? », n° 2751, 1993.

SIRINELLI Pierre, *Propriété littéraire et artistique et droits voisins*, Paris, Dalloz, 1993.

➤ REVUES

LÉGIPRESSE, *Revue du droit de la communication*, Paris, Victoires Éditions (mensuelle).

➤ DROIT DES MÉDIAS ÉTRANGERS

AZURMENDI A., *Derecho de la informacion*, Pampelune, EUNSA.

BARENDT Éric, *Broadcasting Law : A Comparative Study*, New York, Oxford UP, 1993, [Allemagne, États-Unis, France, Grande-Bretagne, Italie].

BARRELET D., *Droit suisse des mass media*, Berne, Staemfli, 1998.

COLIVER S., *Press Law and Practice : A Comparative Study of Press Freedom in European and Other Democracies*, Londres, article 19.

ESCOBAR DE LA SERNA L., *Manual de derecho de la informacion*, Madrid, Dykinson.

LAHAV P. (dir.), *Press Law in Modern Democracies*, New York, Longman, 1984 [Allemagne, États-Unis, France, Grande-Bretagne, Israël, Japon, Suède].

JONGEN François, *La Police de l'audiovisuel : analyse comparée de la régulation de la radio et de la télévision en Europe*, Paris, LGDJ, 1994.

PEMBER Don R., *Mass Media Law*, Dubuque (IA), W.C. Brown, 6e éd., 1993.

ROBERTSON G. et al., *Media Law*, Londres, Sage, 1984.

SIMON Jean-Paul, *L'esprit des règles : réseaux et réglementation aux États-Unis*, Paris, L'Harmattan, 1991.

TRUDEL P. et F. ABRAN , *Droit de la radio et de la télévision*, Montréal, Thémis.

TRUDEL P. (dir.), *Droit du cyberespace*, Montréal, Thémis.

Critique des médias
et déontologie

Les médias sont loin d'être parfaits — et le public n'en est pas très satisfait. Comme ils jouent un rôle central dans la société moderne, il est nécessaire d'améliorer leurs services[1]. Comment ? D'abord, il semble utile d'établir un bref bilan des reproches qui leur sont faits ; ensuite seront envisagés les moyens d'une amélioration. Mais attention ! Tandis que sont passés en revue les critiques adressées aux médias, il faut garder à l'esprit que ceux-ci n'ont jamais été meilleurs qu'aujourd'hui.

LES REPROCHES

La presse, dès ses origines, s'est rendue coupable de pratiques abusives. Certaines publications violaient la morale établie ou provoquaient un désordre social ; ce qui déclenchait l'intervention de la police et des tribunaux ; ce qui engendrait une jurisprudence — qui elle, bien souvent, était codifiée dans des lois.

Pratiques abusives ? La définition qu'on en donne dépend de la culture d'une nation, de son stade d'évolution, de son régime politique. Elle n'est pas la même en pays communiste et en pays libéral, en pays archaïque et en pays postindustriel, en pays musulman et en pays bouddhiste.

Dans les démocraties occidentales, ce qu'on reproche avant tout aux médias (qu'ils se spécialisent dans l'information ou le divertissement), c'est de se faire les serviteurs du parti au pouvoir ou d'une élite culturelle, s'ils sont étatiques ; et, s'ils sont commerciaux, de sacrifier le service du public à l'obsession du profit.

❏ Secteur du divertissement

Les rumeurs courent et à intervalles éclate quelque scandale : publicité clandestine à la télévision, corruption de présentateur de disques ; copinage ou paiement sans lequel il est difficile à un saltimbanque de passer à l'antenne. Mais les reproches les plus graves sont d'un autre ordre.

On accuse les grands médias de médiocrité esthétique : ils font peu d'efforts pour promouvoir les formes élaborées de la création : musique dite classique, jazz ou arts plastiques. Parfois la médiocrité est même technique : les dessins animés japonais, par exemple, sont peu animés et fort mal dessinés.

---

1. Pour un développement des thèmes traités ici, voir C.-J. BERTRAND, *La Déontologie des médias*, Paris, PUF, « Que sais-je », 2ᵉ éd. 1999 ; et *L'Arsenal de la démovratie : médias, déontologie*, M*A*R*S, Paris, Économica, 1999.

On reproche à ces médias « grand public » leur vide intellectuel et, en particulier, le faible souci que montrent les médias commerciaux de se mettre au service de la pensée ou de l'éducation. Même la radiotélévision étatique fait peu, sauf exceptions comme la BBC et surtout comme la NHK japonaise. À l'extrême, certains programmes cultivent l'obscurantisme en présentant sérieusement astrologie, OVNI et phénomènes prétendument « paranormaux ».

On accuse aussi les grands médias d'afficher souvent une médiocrité morale. Les valeurs qu'ils présentent, dit-on, c'est l'égoïsme, la cupidité. Tout est affaire individuelle — et chacun recherche la gloire ou l'argent facile et les remèdes miracles. Le bonheur est associé à la consommation, aux signes extérieurs de richesse. L'humanité se divise en bons et en méchants ; les rapports humains se fondent sur la force, les conflits étant d'ordinaire résolus par la violence. Ainsi, divertissement médiatique et publicité manipulent l'usager en suscitant chez lui conjointement l'angoisse et le réconfort, l'insatisfaction et l'évasion — au bout du compte, la frustration et l'apathie.

À la télévision, les personnages ont tendance à être stéréotypés, non sans racisme et sexisme. Comme au cinéma, certains groupes humains sont sous-représentés : enfants, vieux, ouvriers, intellectuels. La vision du monde qui est donnée est simpliste et fausse, car tout à la fois on l'embellit (un inspecteur de police, par exemple, habitera un appartement de banquier) et on le rend plus vil et brutal que nature.

Pour certains, les Étatsuniens notamment, ce qui choque le plus c'est la « pornographie ». En fait, depuis les années 1960, bien des tabous ont été éliminés : la plupart des usagers tolèrent le X pourvu qu'il ne soit pas mis à la portée des enfants ; et on traite maintenant de sujets sexuels avec sérieux et talent. Mais il reste souvent le mépris implicite des femmes et parfois l'immixtion de violence.

La brutalité est dans tous les programmes, dans la fiction et les dessins animés comme dans les journaux télévisés. Aux États-Unis, malgré les protestations, elle augmente régulièrement — et de là elle s'exporte dans le monde entier. D'innombrables études indiquent pourtant des liens entre violence médiatique et violence réelle[1].

❑ Secteur de l'information

Il peut sembler artificiel de séparer journalisme et divertissement. Où situer le sport, par exemple ? N'est-ce pas dans le divertissement médiatique que le public trouve une grande part des informations qu'il possède sur le monde ? Certes, mais s'il y a des chevauchements, les deux domaines sont distincts : un des reproches fait de nos jours à la télévision, c'est justement de ne pas toujours séparer clairement réalité et fiction — qu'il s'agisse d'une dramatique sur l'assassinat de Kennedy à Dallas ou de reportages sur la Guerre du Golfe en 1991.

Certains griefs faits aux médias d'information datent des débuts de l'imprimerie (comme le goût pour l'événement incroyable et le crime horrifique) mais les technologies récentes ont rendu les abus bien plus faciles à commettre en permettant le direct (grâce aux minicaméras et satellites) et la manipulation des images (par ordinateur).

➤ REPROCHES TRADITIONNELS

Le public est enclin à accuser les journalistes, qui ne sont que des employés, et à oublier la firme qui les emploie. La distinction est importante. Par exemple : un journaliste qui accepte, pour un pot de vin, de mettre un article au panier se comporte de façon immorale. Mais que dire des médias qui omettent de publier des informations gênantes pour de grands annonceurs, comme les preuves de la toxicité du tabac, qui ont été occultées depuis les années 1930 jusqu'aux années 1960 ? « La liberté de la presse appartient à qui possède une presse », disait le critique A.-J. Liebling : la responsabilité aussi.

---

1. Voir Divina FRAU-MEIGS, *Les Écrans de la violence*, Paris, Économica, 1997.

Les propriétaires sont moins nombreux de nos jours à utiliser leur média pour promouvoir une carrière politique, une cause ou une idéologie[1]. On reproche surtout aux grands médias étatisés de se livrer à la propagande et à la désinformation. Beaucoup de propriétaires, notamment les actionnaires, considèrent le média qu'ils possèdent seulement comme une source de revenus — au même titre qu'une fabrique de pantoufles. Ils le confient donc à des gestionnaires avec la mission de maximiser les dividendes : certains peuvent être tentés par la manipulation, le mensonge, la dissimulation, la vénalité — surtout pour plaire, et ne pas déplaire, aux annonceurs.

Quant aux reproches adressés aux journalistes, ils sont formulés tant par des critiques avertis que par des usagers de base. L'animosité du public n'est pas toujours justifiée : il ignore les exigences matérielles de chaque média ; et de plus il manifeste parfois un sinistre besoin de bouc émissaire. Aussi la liste de griefs qui suit est-elle inspirée d'enquêtes réalisées par des experts en des pays divers.

On reproche aux journalistes leur incompétence, leur manque de connaissances ou de talent. La formation sur le tas n'est plus de mise, mais les salaires offerts n'assurent pas que les étudiants attirés seront toujours les meilleurs ; et ils rendent les salariés réceptifs à la corruption. À cela s'ajoutent paresse et négligence ; servilité devant les propriétaires et les grands décideurs ; soif de renommée menant à l'obsession du scoop ; arrogance, répugnance à reconnaître leurs erreurs, refus de la critique et de l'autocritique ; conservatisme souvent au sens où tout changement à l'usage établi, toute idée nouvelle font peur.

Quels sont, en conséquence, les actes qu'on reproche aux journalistes ? Le plagiat assez rarement, mais la vénalité plus souvent, par le biais de cadeaux, de voyages gratuits, d'activités extérieures surpayées. Autres reproches : le mépris de la vie privée des gens ; l'utilisation d'une fausse identité, le vol de documents ; l'intrusion dans l'instruction d'une affaire, dans le déroulement du procès, puis la remise en question des verdicts. Les rumeurs répandues ; les inexactitudes, inventions, reconstitutions, simulations et trucages ; le mensonge et la diffamation. Plus couramment, la distorsion de la réalité par le choix ou la présentation des informations ; le mélange des faits et des opinions ; les jugements simplistes sur des situations complexes. Parfois l'élitisme : le journaliste s'adresse uniquement aux décideurs et à ses pairs. Parfois aussi, la vulgarité : dans le souci de plaire à la couche la moins raffinée de la population, il filtre l'actualité à des fins de spectacle : vedettes, potins, adultères et perversités, conflits ouverts, terrorisme, sang et horreurs inutiles.

➤ REPROCHES MOINS COURANTS

À l'origine, les obstacles à l'obtention et à la diffusion d'information ont été techniques, puis ils ont été aussi politiques, puis économiques. Mais il existe un quatrième grand obstacle, au sein même du journalisme. Il consiste en de puissantes traditions, inadaptées à notre époque, qui sont la cause que le matériau est parfois mal choisi et mal présenté.

✤ Omissions

L'omission est sans conteste la pire faute des médias, car l'usager la repère difficilement. Elle peut être due au manque de temps ou au manque de ressources — mais elle peut aussi être due à la parcimonie des propriétaires ou à des lacunes chez les journalistes.

Dans la sélection de l'information, même les meilleurs médias cèdent aux préjugés de leurs dirigeants et des journalistes (pour la plupart mâles, jeunes, cultivés, relativement riches). En conséquence, l'actualité se compose trop souvent du type de nouvelles qu'apprécient la majorité, ou les hommes, ou la minorité des riches, ou la minorité au pouvoir — clients, sources, amis des gens de médias. Au contraire, l'information de qualité devrait inclure ce que chacun des groupes dans la population (les vieux, les pauvres, etc.) juge important pour son bien-être. Il est clair aux États-Unis que les thèmes de la violence conjugale et du harcèlement sexuel ont seulement fait la Une des médias après que les femmes sont devenues nombreuses dans les salles de rédaction.

---

1. Toutefois, aux États-Unis, au XXe siècle, une majorité des journaux a soutenu le candidat républicain (conservateur donc) 22 fois sur 24 (les exceptions : 1964 et 1992).

Il est une omission dangereuse : le manque d'informations internationales, coûteuses et peu recherchées par le grand public. Partout on se concentre sur le régional et le local. Rares sont encore les médias qui utilisent abondamment des articles et des émissions, des informations et des opinions venus des médias d'autres régions du globe[1].

❖ Divertissement et information confondus

Bien des actes que l'on reproche aux médias d'information (comme la stimulation brutale des émotions ou le mélange de fiction et de réalité) relèvent, en fait, de la fonction distrayante des médias. La presse s'y livre depuis les origines car le public apprécie. D'ailleurs, le divertissement médiatique, qui n'est en rien méprisable, peut rendre séduisantes des informations rébarbatives. Mais il doit être normalement séparé de l'information sérieuse et surtout il ne doit ni la marginaliser, ni la déformer.

Nombreuses sont les « nouvelles » qui, aux yeux de l'usager participent du divertissement, en ce sens qu'elles n'ont aucune importance pour lui mais qu'il les trouve intéressantes. Parmi elles : non seulement un mariage de vedette, mais aussi les résultats sportifs, une attaque de banque et, s'ils sont assez lointains, l'éruption d'un volcan ou un accident d'avion, voire certaines guerres.

❖ Nouvelles plutôt qu'information

Les médias se contentent souvent de façonner une absurde mosaïque d'événements évidents, sans origines et sans suites. L'usager sent le besoin de repères, de grilles de lecture. Un meilleur service serait rendu au public si les médias se souciaient moins de « nouvelles » et plus d'information, c'est-à-dire de processus longs. Ceci implique des recherches avant et un suivi après : c'est l'inverse du scoop.

De surcroît, comme une vieille tendance est de pratiquer le journalisme en meute, l'usager risque de retrouver partout la même mosaïque d'événements. Certains aspects de la réalité sont trop couverts, tandis que d'autres ne le sont pas du tout, car personne n'ose sortir des sentiers battus.

Enfin, les grands médias restent le plus souvent au niveau des apparences, plutôt que de rechercher l'existence de phénomènes invisibles, hors des feux de l'actualité ou sous la surface de la réalité. Il serait pourtant utile qu'on les révèle avant qu'ils n'émergent, parfois sous la forme de problèmes graves[2]. De même, les grands médias s'occupent trop peu de faire sortir des laboratoires, les découvertes et les pensées des savants en tout genre et de les traduire pour l'usager de base.

Les journalistes serviraient mieux en assumant le rôle, non seulement de messagers, mais aussi parfois d'explorateurs et d'initiateurs. Aiguiser l'appétit et diversifier les goûts semblent presque aussi importants que de fournir de la nourriture.

❖ Le verre à demi-vide

Un mythe regrettable veut que les bonnes nouvelles soient dépourvues d'intérêt. « On ne parle pas des trains qui arrivent à l'heure », telle est la rengaine. Certes, mais que penser de la reddition des nazis en 1945, de la visite de l'homme sur la lune, de la mort du dictateur Franco, ou de la première greffe du cœur ? Le verre est aussi à demi-plein, mais l'observateur a l'impression, hélas, que bien des journalistes recherchent un « orgasme » professionnel dans les échecs, les accidents, les massacres, les scandales ou les typhons. L'effet cumulatif de cette distorsion ne serait-il pas d'induire dans le public une constante insatisfaction, injustifiée et dangereuse ?

❖ Les pseudo-informations

Bien des « nouvelles » sont fabriquées par ceux qui en profitent. Il en est de cinq sortes. La plupart ont, aux yeux des gens de presse, l'avantage d'être préparées à l'avance et d'être conditionnées pour usage par les médias.

La plus facile à repérer, c'est la réclame déguisée en article et publiée avec un minimum de signalisation. La seconde, c'est le communiqué rédigé par les attachés de presse et recopié par un journaliste. La troisième, c'est l'article écrit par un journaliste après qu'on lui a offert un week-end exotique ou quelque autre faveur. Le quatrième type, c'est le rapport sur un pseudo-événement mis en scène pour attirer les médias : conférence de presse ou manifestation de rue, par exemple. Enfin, la

---

1. Comme en France l'hebdomadaire le *Courrier International* et en Australie la chaîne publique SBS.
2. Voir p. 41, le « journalisme d'exploration ».

cinquième consiste en événements créés par les médias eux-mêmes : harcèlement de célébrité par des paparazzi ou prétendu « journalisme d'enquête » sur les coucheries d'un homme politique.

❖ Les informations de taille et à heure fixes

Les médias sont nés sous la forme d'industries traditionnelles. Ils ont donc pris l'habitude de fabriquer un produit presque identique tous les jours, à la même heure. Cela les amène, selon l'actualité, à occulter des informations importantes ou à introduire du rembourrage. Grâce aux ordinateurs, des paquets de nouvelles peuvent désormais être taillés selon les besoins et les goûts, réguliers ou exceptionnels, de chaque citoyen. La taille du paquet peut varier selon le moment ; il peut être livré en des lieux divers par des canaux divers.

L'information continue s'est répandue aux États-Unis dans les années 1970, grâce aux stations de radio *All News* (modèles de France Info) — et dans les années 1980 pour la télévision, à commencer par CNN. Aujourd'hui, de plus en plus de gens vont sur Internet chercher à toute heure les informations qu'ils désirent sur tout sujet dans toute région de la planète.

❖ Information incompréhensible

Les gens sous-éduqués trouvent les médias d'information ennuyeux, particulièrement la presse écrite — surtout parce qu'ils ont du mal à comprendre des mots et des concepts que les médias utilisent. Même les citoyens intéressés ne reçoivent pas toujours des médias les données nécessaires pour comprendre les origines d'un événement, son contexte, son importance et ses conséquences possibles. Une des raisons de cette carence journalistique est l'ancienne habitude de s'adresser à une élite, de tenir pour acquise une vaste connaissance du monde — alors même qu'on parle au grand public. Une autre raison tient à ce que certains journalistes ne connaissent pas suffisamment le domaine dont ils traitent.

❖ L'intéressant et l'important

Pour que notre société fonctionne bien, il est nécessaire que la plupart de ses membres aient une perception correcte du vaste monde, *qu'ils y soient naturellement enclins ou non*. Il revient aux médias de stimuler l'attention de ceux qui n'y sont pas enclins. Il leur faut rendre l'important intéressant, en soulignant, par exemple, l'effet que des événements lointains pourraient avoir sur l'existence quotidienne de leur public.

À l'inverse, les médias doivent démontrer que certaines nouvelles, qui semblent n'être qu'intéressantes, peuvent être socialement importantes. Bien des faits divers peuvent servir d'accroche pour introduire de grandes questions.

❖ Débat public et campagnes de réforme

Les médias résistent parfois mal aux groupes de pression conservateurs ou à la pression de la majorité. D'une manière générale, ils ont peur des idées neuves, non-conformistes ou extrêmes : peu d'êtres humains les apprécient. Pourtant, un rôle des médias en démocratie est d'encourager à un débat public vigoureux sur les sujets d'intérêt général. Une manière de le faire a été inaugurée par *USA Today* (né en 1982) quand ce quotidien s'est mis à publier tous les jours des « libres opinions » opposées à ses éditoriaux, et sur la même page que ceux-ci.

Au lieu que les médias chantent les louanges de leur communauté ou restent prudemment neutres, certains pensent qu'ils devraient s'engager, sans aliéner leur indépendance. C'est une des fonctions des médias que d'écouter les citoyens, de leur donner la parole et de les encourager à participer à la vie sociale et politique. Eux-mêmes ils devraient découvrir et publier à la fois les problèmes d'une société et des solutions envisageables, ce qu'aux États-Unis on appelle le *civic* ou *public journalism*.

REMÈDES POSSIBLES

Originellement, la « liberté de la presse » a été conçue comme un droit appartenant à chaque citoyen. En régime libéral, cette liberté fut réelle tant qu'une faible somme d'argent suffisait pour publier un périodique. Puis les coûts augmentant, cette liberté est devenue négative : parmi plusieurs journaux, le citoyen pouvait écarter ceux qui ne correspondaient pas à ses goûts.

À la fin du XIXe siècle, les technologies nouvelles, qui permettaient la communication de masse, ont requis une structure industrielle, donc une organisation capitaliste, qui vise naturellement à maximiser ses revenus et tend donc au monopole. Aujourd'hui, dans la plupart des villes, le nombre des journaux locaux est réduit à un. Quant à la télévision, principal média, les investissements qu'elle nécessite sont énormes. Les chaînes, de plus en plus, appartiennent à quelques énormes conglomérats. En conséquence, la « liberté de la presse » n'est plus tant un droit du citoyen qu'un privilège de riches (ou de gouvernants).

Un problème fondamental se pose donc. Comment concilier deux libertés fondamentales : la liberté d'entreprise et la liberté individuelle d'expression et de presse ? Pour la plupart des citoyens, l'information est une arme dans leur lutte pour le bonheur ; et ils ne sauraient améliorer leur sort sans transformations de la société. Au contraire, les entrepreneurs de médias (et leurs soutiens financiers, les annonceurs), utilisent l'information pour exploiter ce qui pour eux est une ressource naturelle, le grand public. Ils sont naturellement enclins à maintenir un *statu quo* socioéconomique qui leur est profitable.

À cette opposition, il n'existe pas de solution simple, sauf celle qui consiste à éliminer l'un des deux antagonistes. Les dictatures de type fasciste suppriment la liberté d'expression sans toucher d'ordinaire à la propriété des médias. Les dictatures de type communiste suppriment la liberté d'entreprise. Le résultat est le même dans les deux cas : la presse mutilée devient un instrument pour abêtir.

Que faire alors pour éviter que quelques individus, placés à la tête d'entreprises médiatiques, ne détiennent une vaste puissance politique ? Ces dirigeants ont pour tâche première de faire fructifier le capital des actionnaires ; or, il leur revient de décider ce qui s'est produit dans le monde en décidant s'il en sera, ou non, rendu compte. Il est pernicieux que dans un pays tout secteur de l'économie tombe sous le contrôle d'un oligopole : il serait dramatique que ce soit le cas pour les communications.

Aussi, à partir des années 1920, une conception nouvelle a vu le jour. On s'est mis à définir la liberté de presse, non plus simplement comme la négation de la censure, mais comme l'affirmation d'une tâche à remplir : satisfaire le droit de chaque citoyen à être informé bien. Et satisfaire également le droit d'informer, c'est-à-dire d'avoir accès aux médias.

Les peuples latins sont enclins à s'en remettre aux législateurs et aux tribunaux pour freiner les abus des médias et leur prescrire des devoirs. Les Anglo-Saxons, eux, se méfient à juste titre de l'emprise étatique — mais, à l'inverse, ils en exagèrent la menace, oubliant que le gouvernement d'une démocratie représente la population. Entre les deux extrêmes, il faut trouver un point d'équilibre, empiriquement.

Une fonction qui, de l'avis quasi général, revient à l'État, c'est d'assurer que la concurrence survive. Il doit faire connaître l'identité des possesseurs de médias et limiter la concentration de propriété. Par ailleurs, tout le monde s'accorde à penser qu'il faut des lois et des règlements pour fixer des limites à ce que les dirigeants de médias peuvent faire pour gagner de l'argent, et pour garantir que les médias servent bien le public : lois antitrust, régulation de la publicité ou cahiers des charges pour chaînes de télévision. La loi impose certains devoirs aux informateurs dans tous les pays (comme de ne pas diffamer), ou dans quelques uns seulement (comme d'accorder le droit de réponse — en France). En contrepartie, des lois accordent aussi des droits aux journalistes de certains pays, comme le secret professionnel en Allemagne ou l'accès aux archives en Suède.

Cela dit, dans les démocraties, on préfère maintenir les interventions étatiques au minimum. Les raisons ne manquent pas. Toute loi peut être interprétée abusivement par les puissants. Il est des domaines (telle la vie privée) si mal définis qu'une loi forcément trop vague ou trop précise risque de nuire à l'intérêt public. Certaines attitudes sociales évoluent si vite que la loi risque de figer une norme qui sera bientôt désuète. Enfin, certains méfaits se situent en deçà du délit : la loi peut punir un acte commis par les médias mais que peut-elle contre une omission ? De toute façon, la machine judiciaire est lente, chère et rébarbative pour le commun des mortels. Il faut donc trouver d'autres moyens que lois et tribunaux pour éviter la dérive des médias.

❑ La déontologie : fondement, acteurs, règles et application

Fondamentalement, la faute de presse, et la manière qu'on choisit pour la prévenir, correspondent à la vision qu'on a de l'être humain. Celle-ci, dans les démocraties de type occidental, s'inspire de l'idéologie chrétienne : en schématisant, l'homme est fait à l'image de Dieu mais il a été souillé par le péché originel. Sa perversité entraîne que, dans l'intérêt de ses semblables, il doit être soumis à une *pression physique externe*. Mais sa noblesse fait qu'il est sensible à la valeur de nobles principes et donc à une *pression morale interne*. Son ambivalence amène à espérer que suffise une *pression morale externe* ; c'est-à-dire celle qu'exercent des règles d'éthique quand leur violation vous attire la réprobation de vos pairs — et d'autres citoyens.

En matière de presse, pendant des siècles, les deux premiers de ces trois modes de contrôle furent seuls utilisés. Le bon journaliste obéissait à sa conscience ; le mauvais risquait d'avoir maille à partir avec les gendarmes et les magistrats. À la fin du XXe siècle, il a semblé indispensable de faire appel à la troisième forme de discipline afin de conserver une presse libre. Même dans les démocraties, les gouvernants restent à l'affût de prétextes pour limiter la liberté de presse. Quant à la conscience individuelle, elle suffit moins que jamais depuis que les médias ont tourné à la grosse industrie.

À partir des années 1960, l'intérêt des journalistes étatsuniens pour la déontologie s'est accru et, après la guerre du Golfe en 1991, il est apparu que bien des journalistes, en France et dans tous les pays d'Europe occidentale, étaient eux aussi gagnés par un souci de moralité professionnelle.

❑ Les codes

Pour commencer, il est indispensable de formuler des principes et des règles de conduite. On peut s'inspirer d'Aristote, de Locke, de Kant ou de Stuart Mill — mais c'est surtout par un débat constant qu'on doit établir un consensus. À ce débat, doivent prendre part les membres des associations professionnelles, mais aussi ceux qui, hors de la profession, s'efforcent d'améliorer la communication sociale. Ensuite, on rédige un code — parce que c'est plus clair et plus pratique.

Le premier code de presse remonte, semble-t-il, à 1896 : celui de journalistes polonais de Galicie. Les codes se sont multipliés depuis 1945, et particulièrement depuis les années 1960, de l'Australie à l'Islande, d'Israël au Japon. Tous les pays d'Europe possèdent un ou plusieurs codes.

Dans la plupart des pays, le code a été élaboré par le syndicat des journalistes (Finlande, Portugal) ou celui des éditeurs (Danemark, Italie) ; parfois par une association des éditeurs et des journalistes (Belgique, Grèce) ou par le Conseil de presse (Allemagne) mis en place par une telle association — ou encore le code est emprunté à une organisation internationale (Pays-Bas).

Certaines des règles codifiées concernent les seuls journalistes : manifester sa solidarité envers les confrères, ne pas se laisser suborner, ne pas plagier. D'autres règles concernent les dirigeants : ne pas omettre ou exagérer certaines informations — en vue, par exemple, de servir des intérêts politiques, de séduire des annonceurs ou les usagers. La plupart des règles s'appliquent aux deux catégories. Le plus souvent, en effet, le journaliste ne peut se permettre de sacrifier son emploi en refusant des ordres ; et dans les petits organes, il arrive que le propriétaire soit le principal rédacteur.

DÉCLARATION DES DEVOIRS DES JOURNALISTES

(Texte adopté par le congrès de la Fédération Internationale des Journalistes à Bordeaux en 1954)

La présente déclaration précise les devoirs essentiels des journalistes dans la recherche, la rédaction et le commentaire des événements :

1. Respecter la vérité en raison du droit qu'a le public de la connaître.

2. Défendre la liberté de l'information, du commentaire et de la critique.

3. Publier seulement des informations dont on connaît l'origine, ne pas supprimer des informations essentielles et ne pas falsifier des documents.

4. Ne pas user de méthodes incorrectes pour obtenir des informations, des photographies et des documents.

5. Rectifier toute information publiée et révélée inexacte.

6. Garder le secret professionnel concernant la source des informations obtenues confidentiellement.

7. S'interdire le plagiat, la calomnie, la diffamation, la médisance et les accusations sans fondement ainsi que de recevoir une quelconque gratification en raison de la publication d'une information ou de sa suppression.

8. Tout journaliste digne de ce nom se fait un devoir d'observer strictement les principes énoncés ci-dessus : reconnaissant le droit connu de chaque pays, le journaliste n'accepte, en matière professionnelle, que la juridiction de ses pairs à l'exclusion de toute intrusion gouvernementale ou autre.

Les mêmes règles fondamentales se retrouvent dans la plupart des codes. Mais chaque code se distingue par la présence ou l'absence de certaines exigences. Tous leurs articles peuvent être groupés sous deux rubriques : (a) respect et défense du droit à l'information ; (b) respect et défense des autres droits individuels (droit à la dignité, à la santé, à une vie privée, à un procès équitable — plus le droit du consommateur et le droit d'expression par les médias).

Dans le Tiers-Monde, où le prétendu « code de déontologie » est bien souvent une ordonnance officielle, on trouve des clauses recommandant la préservation de l'harmonie sociale et de la nation. Dans les pays développés, ce sont des lois qui protègent, par exemple, les secrets militaires et donc les codes n'en parlent pas. Les codes occidentaux n'exigent pas que les médias soient libres d'investissements étrangers (comme en Inde ou en Tunisie) ; qu'ils préservent l'unité nationale, en respectant l'État et ses agents, en n'excitant pas les oppositions tribales (Nigeria) ou religieuses (Liban), en ne suscitant pas la désaffection dans les forces armées (Pakistan).

❏ Les moyens de faire respecter la déontologie

Les codes présentent un double problème. Certains sont trop négatifs : ils énumèrent ce que les médias ne doivent pas faire, mais restent vagues sur ce que les médias devraient faire. Surtout, rien n'est prévu le plus souvent pour sanctionner des violations. Le code ne serait-il qu'un torchon de papier ?

On sent le besoin de faire quelque chose. Qui va le faire ? L'État, c'est exclu. La charge revient donc aux gens de médias — et au public. Le public doit et peut faire bien plus qu'il ne croit. En démocratie, il est indispensable que la population exerce son influence sur toutes les institutions afin qu'elles assurent un service de qualité.

Quant aux gens de médias, ils savent mieux que quiconque ce qui devrait être fait, et ce qui peut être fait, pour améliorer les médias. Les patrons de presse sont, très naturellement, plus soucieux de rentabilité que de service public. Bon nombre d'entre eux savent néanmoins qu'ils ont intérêt à protéger leur liberté d'action contre une intervention d'un gouvernement tout disposé à entraver la presse sous couleur de répondre démocratiquement aux désirs des électeurs. Et puis certains comprennent combien peut être profitable à terme un meilleur service du public.

CODE DE L'« ASSOCIATED PRESS MANAGING EDITORS ASSOCIATION » (APME) 1975, RÉV. 1994.

[L'APME est l'un des quatre grands organismes représentatifs de la presse étatsunienne formé en 1931 pour améliorer par la critique le service de l'agence AP et les journaux membres de cette coopérative. Plus que d'autres, ce code s'inspire d'un souci de responsabilité sociale. Il se soucie de faire des suggestions, en plus des interdictions. Par certaines clauses, typiquement américaines, il démontre que tout code reflète à la fois des exigences universelles et des besoins nationaux.]

Le droit du public à être informé de toute affaire importante est suprême. Le journal a une responsabilité particulière à exercer, au nom de ses lecteurs, celle de gardien vigilant de leurs intérêts publics légitimes.

Aucune déclaration de principes ne peut prescrire la décision à prendre en quelque situation que ce soit. Bon sens et discernement sont nécessaires dans l'application des principes déontologiques à la réalité journalistique. En un temps où se développent de nouvelles technologies, ces principes peuvent aider les responsables de la rédaction à maintenir la crédibilité des nouvelles et de l'information qu'ils publient. Chaque journal est invité à compléter les présentes gouvernes de l'APME en fonction de la situation locale.

❏ Responsabilité

Le bon journal doit faire preuve d'équité, d'exactitude, d'honnêteté, du sens des responsabilités, d'indépendance et de décence. La vérité est son principe directeur.

Il évite des pratiques qui nuiraient à sa capacité de rendre compte de l'actualité et de la présenter d'une manière équitable, exacte et impartiale.

Le journal doit se donner pour rôle de faire une critique constructive de tous les composants de la société. Dans le recrutement de son personnel et dans sa couverture de l'actualité, il doit refléter, aussi bien que possible, la composition de la communauté qu'il dessert. Il doit dénoncer vigoureusement tout méfait, mensonge, ou abus de pouvoir, qu'ils soient commis par des élus, des fonctionnaires ou des particuliers. Dans ses éditoriaux, il doit se faire l'avocat des réformes et innovations exigées par l'intérêt public. Il doit indiquer ses sources d'information à moins qu'il n'y ait un motif clair de ne pas le faire. Quand il lui est nécessaire de protéger l'anonymat d'une source, la raison doit en être expliquée.

Le journal doit défendre le droit à la liberté de parole et la liberté de presse et il doit respecter le droit des individus à leur vie privée. Le journal doit lutter vigoureusement pour avoir accès à l'information politique, c'est-à-dire aux séances des conseils et assemblées et aux archives officielles.

❏ Exactitude

Le journal doit se garder des inexactitudes, des négligences, des partis pris, ainsi que de toute distorsion par insistance ou omission ou manipulation technologique.

Il doit reconnaître toute erreur importante et la corriger rapidement et visiblement.

❏ Intégrité

Le journal doit s'efforcer de traiter tous les problèmes sans parti pris et de présenter sans passion les sujets soulevant controverse. Il doit fournir un forum où s'échangent commentaires et critiques, tout particulièrement quand ces commentaires sont contraires à ceux de ses propres éditoriaux. Ces derniers et toute autre formulation d'opinion personnelle par les membres de la rédaction doivent être clairement désignés comme tels. De même, la publicité doit se distinguer clairement de l'information.

Le journal doit rendre compte de l'actualité sans tenir compte de ses intérêts propres, et en prenant garde de ne pas dissimuler des conflits potentiels. Il ne doit pas, dans ses colonnes d'information, accorder de faveurs aux annonceurs ou à des groupements d'intérêts particuliers. Il doit rendre compte des affaires concernant le journal et son personnel avec la même vigueur et la même franchise qu'il le ferait pour d'autres institutions et d'autres individus. Le souci de ses propres intérêts, de ceux des milieux d'affaires ou de ceux de la communauté qu'il sert, ne doit pas amener le journal à déformer ou à falsifier les faits.

Le journal doit se comporter avec honnêteté vis-à-vis de ses lecteurs et des acteurs de l'actualité. Il doit respecter ses promesses.

Le journal doit proscrire tout plagiat, qu'il s'agisse de texte ou d'images.

❏ **Indépendance**

Le journal et son personnel doivent être libres de toute obligation vis-à-vis de leurs sources d'information et vis-à-vis des protagonistes de l'actualité. Ils devront même éviter toute apparence d'obligation ou de conflits d'intérêts.

Les journaux ne doivent accepter aucun présent de valeur de la part de leurs sources d'information ou de toute autre personne extérieure à la profession. Cadeaux, voyages gratuits ou à tarif réduit, repas et spectacles, logement et « échantillons » ne doivent pas être acceptés. Tout frais lié à l'obtention d'information doit être payé par le journal. Les membres de la presse éviteront tout traitement de faveur.

Les journalistes sont encouragés à participer à la vie de leur communauté, dans la mesure où ces activités ne créent pas de conflits d'intérêt. On évitera de s'engager en politique, de participer à des manifestations ou de soutenir des causes si par là on risque le conflit d'intérêt, ou l'apparence d'un conflit.

Les membres de la rédaction éviteront tout travail au service de personnes ou d'institutions que leur mission est de couvrir.

Seront évités également les investissements mobiliers par des membres du personnel, et tout autre prise d'intérêt par eux dans des affaires extérieures, qui pourraient donner l'impression qu'il y a conflit d'intérêt.

Un article ne doit pas être écrit et publié avec le souci majeur d'obtenir un prix ou une récompense honorifique. On évitera tout concours ou prix de journalisme dont les buts commerciaux sont évidents, et qui peut nuire à la réputation du journal ou de la profession.

L'élite des rédacteurs et des réalisateurs estime faire partie d'une profession libérale, au même titre que docteurs et avocats. Au contraire de ces derniers, cependant, ils ne sont pas requis d'obtenir des diplômes spécifiques, ni une autorisation officielle pour exercer — et ils sont rarement des travailleurs indépendants. Si les journalistes désirent le prestige qui s'attache à une profession libérale, ils ont besoin au moins de se donner des règles et des moyens de les faire respecter.

Il existe une panoplie de moyens. Pour simplifier, on les appellera ici des M*A*R*S, *Moyens* (non gouvernementaux) *d'Assurer la Responsabilité Sociale* des médias. Sous le sigle, dans ce concept, on trouve une grande diversité : individu ou groupe de personnes, texte ou petit média, réunion ou long processus. Ces moyens peuvent être internes aux médias, exister en dehors d'eux ou exiger une coopération des professionnels et des usagers.

Les M*A*R*S pourraient être répartis en quatre catégories, mais la plupart participent de plusieurs à la fois. D'abord l'éducation, celle du public et celle des journalistes : c'est la solution à long terme de la plupart des problèmes des médias. Ensuite la critique : c'est la méthode la plus ancienne, la plus facile et la plus courante. Puis l'observation systématique (en anglais *monitoring*) : elle est nécessaire du fait que les produits de médias sont très nombreux, qu'ils sont éphémères — et que leurs omissions surtout sont graves. Enfin, il y a l'accès aux médias : il est indispensable pour que chaque groupe dans la population puisse rectifier les erreurs des médias et combler leurs lacunes.

➤ LE CODE DE DÉONTOLOGIE

Un code est un M*A*R*S dans la mesure seulement où il est connu et reconnu : sa seule existence exerce alors une pression morale. Il peut être évoqué, comme les tables de la loi, devant un supérieur qui assigne une tâche indigne ou un collègue en défaut.

➤ L'ASSOCIATION DE JOURNALISTES

Divers types d'organisations corporatives se sont tôt souciées de garantir au journalisme la crédibilité et le prestige d'une profession libérale. Dans tous les pays d'Europe, les syndicats ont rédigé des codes, et parfois mis en place des commissions de discipline. Des groupements de journalistes spécialisés (comme les journalistes agricoles en France) ou des organismes de défense, comme Reporters sans frontières, se préoccupent aussi de déontologie.

Un type particulier : la « société de rédacteurs ». Elle consiste en une association des journalistes travaillant pour un média, qui souvent possède des actions de la firme. Une telle société exprime à la direction l'opinion des professionnels sur la politique suivie par le média. La première à attirer l'attention fut, en 1951, celle du quotidien *Le Monde*.

➤ L'ENQUÊTE ET LE SONDAGE

Dans les pays où d'emblée la radio a été commerciale, elle a eu très tôt besoin de prouver son audience aux annonceurs — comme la télévision ensuite. Jusqu'aux années 1960, la presse écrite s'est contentée de faire vérifier ses ventes. Aujourd'hui, face à une plus forte concurrence, tous les médias veulent connaître la composition démographique de leur clientèle et les opinions / besoins / désirs de chaque groupe afin de pouvoir mieux capter un public particulier et le vendre à des annonceurs.

➤ LE QUESTIONNAIRE D'EXACTITUDE ET D'ÉQUITÉ

Soit il s'agit d'un formulaire posté de temps en temps à des personnes dont les noms ont été cités dans des articles d'information ; soit le questionnaire est publié dans le journal et proposé ainsi à tous les lecteurs. Aux uns et aux autres, on demande s'ils ont remarqué des erreurs factuelles ou des signes de partialité. Quoique bon marché, ce M*A*R*S est très peu utilisé.

➤ L'AUDIT DÉONTOLOGIQUE

Son but est de s'assurer qu'au sein d'un organe de presse, le personnel est conscient des principes et des règles de la déontologie, qu'il en débat, qu'il les accepte, que des mécanismes existent pour les faire respecter et traiter les cas de violations.

➤ LE RECTIFICATIF

Ce petit moyen n'est pas négligeable. Efficace pour rétablir la confiance du public, l'encadré de correction a le rare avantage de ne rien coûter. Et il combat une vieille tare de la presse : sa répugnance à admettre ses erreurs.

➤ LE CRITIQUE INTERNE

La *shinshashitsu* ou « commission d'évaluation des contenus » est une institution japonaise : tout grand quotidien emploie une équipe de journalistes pour scruter chaque jour ses contenus afin d'y repérer des manquements à la déontologie. Aux États-Unis, un rôle similaire est parfois joué, dans la salle de rédaction, par le « critique interne », dont les reproches ne sont pas rendus publics. Ces deux institutions sont censés contribuer à l'éducation du personnel — ce qui est plus spécifiquement le rôle de l'*ethics coach*, conseiller en déontologie parfois installé dans la salle de rédaction.

➤ LE CHRONIQUEUR MÉDIATIQUE

Le public a besoin d'être bien informé sur les médias, aujourd'hui qu'ils constituent l'un des principaux systèmes nerveux du corps social. Or, la presse a tendance à passer ses propres affaires sous silence. Il est donc nécessaire que des journalistes se spécialisent dans le domaine des médias ; qu'ils en couvrent régulièrement l'actualité, et qu'ils se livrent à de larges enquêtes critiques. Déjà, de nombreux journalistes publient des livres largement critiques des médias.

➤ LA REVUE CRITIQUE

Ce périodique se consacre presque entièrement à la surveillance des médias d'un pays ou d'une ville, à la dénonciation de leurs méfaits, à la publication de leurs omissions et distorsions. La plus célèbre revue fut fondée en 1961 par un département universitaire de journalisme (*Columbia Journalism Review*) mais les revues publiées lors de la grande vogue (1968-1975) furent l'œuvre de journalistes exaspérés. Peu ont survécu, mais quelques unes se portent bien, même à l'échelon régional, comme la *St Louis JR*. Le *Canard Enchaîné* en est assez proche, ainsi que bien des petits médias contestataires.

➤ L'OBSERVATOIRE

Certains activistes, irrités par ce qu'ils perçoivent comme de graves manquements des médias, mettent en place des systèmes de repérage. Ainsi aux États-Unis, un groupe (AIM : Accuracy in Media) s'efforce depuis des années de démontrer que les médias déforment l'actualité au profit de la gauche. De son côté, Project Censored publie depuis 1976 une liste annuelle de dix sujets que les médias auraient occultés pour plaire aux pouvoirs établis.

Assez différents, il est des observatoires financés par des ONG, des fondations ou des organismes comme le Conseil de l'Europe, dont la mission est de suivre attentivement le fonctionnement des médias à long terme et de faire connaître leurs observations.

➤ LE RAPPORT DE CHERCHEURS

Les recherches sont indispensables pour percevoir les omissions et les distorsions prolongées dont les médias pourraient se rendre coupables. Elles sont nécessaires aussi pour évaluer les effets sociaux, bons ou nocifs, de l'activité des médias à long terme ; et pour suggérer des comportements préférables.

L'université étant plus indépendante que les autres institutions vis-à-vis des gouvernements et vis-à-vis des milieux d'affaires, elle est le plus apte à employer des spécialistes neutres capables de mener des études longues et approfondies (en histoire, droit, sociologie, économie, etc.) qu'ils publient dans des revues savantes ou des livres. Un travail similaire est accompli par des centres de recherche non commerciaux, ou des commissions d'enquêtes créées par les pouvoirs publics (à l'occasion d'une crise).

➤ LE COMITÉ DE LIAISON

Son but est d'aider la collaboration entre les journalistes et tout groupe auquel ils risquent de s'affronter au grand dam de l'intérêt du public : les magistrats, la police, l'armée pendant une guerre ou une catégorie de travailleurs immigrés. De les aider à comprendre leurs exigences respectives, à mettre au point des compromis.

➤ LE MÉDIATEUR

Le plus souvent, c'est un journaliste d'expérience à qui l'on donne pour mission de recevoir les plaintes du public, d'enquêter sur elles et de publier ses commentaires dans une chronique. Il prouve au public que le média est prêt à écouter ses griefs. Le premier « *ombudsman* de presse » fut mis en place par le *Courier-Journal* de Louisville (Kentucky) en 1967. À la fin du siècle, l'Amérique du Nord en possédait une quarantaine. Il en existe quelques uns dans divers pays d'Europe, même en France où *Le Monde* a nommé le premier en 1994.

➤ LE CONSEIL DE PRESSE LOCAL

Le terme désigne des réunions régulières d'usagers avec des responsables d'un média local. Il permet aux usagers d'exprimer leur mécontentement et leurs désirs. Il leur permet aussi d'apprendre comment fonctionne le média et de devenir ainsi plus tolérants.

➤ CONSEIL DE PRESSE NATIONAL OU RÉGIONAL

Il est d'ordinaire mis en place, sans enthousiasme, par les syndicats de patrons de presse et de journalistes lorsqu'un Parlement fait mine de créer un organisme de contrôle officiel. De nos jours, il comprend normalement des patrons, des journalistes et pour un tiers (ou une moitié) de ses membres, des usagers. Il s'occupe avant tout d'évaluer des plaintes déposées par le public. Le conseil n'a aucun pouvoir de sanction, sauf de publier ses jugements, que les médias participants se sont engagés à diffuser. Une autre mission du conseil est de défendre la liberté de presse, en se faisant le porte parole des médias auprès des pouvoirs établis. Étant le seul organisme qui réunisse les trois protagonistes, propriétaires, professionnels et usagers, il pourrait être plus ambitieux.

Les pays du Nord de l'Europe (Grande-Bretagne, Suède, etc.) et de nombreux pays sous influence britannique ont un conseil national (Australie, Inde, etc.). Mais il en existe aussi en Catalogne, en Autriche, en Israël et au Chili. Le très vaste Canada a des conseils provinciaux. Idéalement, il y aurait des conseils à tous les niveaux où fonctionnent les médias, du niveau local à l'international.

➤ VOIES D'ACCÈS POUR LES USAGERS

Une fonction majeure des médias est de fournir un lieu de débat. Le débat doit porter aussi sur leurs activités. Pour servir bien toutes les minorités (qu'elles soient ethniques, idéologiques, professionnelles, culturelles, ou qu'elles soient définies par l'âge, les revenus, les goûts, etc.), les médias ont besoin de savoir ce qu'elles apprécient et n'apprécient pas.

Désormais, presque tous les journaux ont un courrier des lecteurs et beaucoup publient des « libres opinions ». Peut-être pourrait-on leur ajouter les pages de publicité qu'aux États-Unis les signataires d'une pétition ou une firme achètent pour protester contre un comportement des médias.

Sur les ondes, il existe divers types de *talk shows* : entretien en tête à tête (TV+ sur Canal+) ou table ronde (*Arrêt sur Images*) ou encore studio rempli de téléspectateurs venus discuter, sous la direction d'un animateur, un thème qui peut être les médias.

➤ ACTIONS DES USAGERS

En consommant un média plutôt qu'un autre, le public envoie à leurs dirigeants des signaux, mais vagues. Un public militant, organisé, peut faire pression sur les propriétaires ou les législateurs afin que ses besoins en médias soient satisfaits. Comment ? Par le boycott d'un journal ou bien des produits de l'industriel qui parraine une émission déplaisante ; par un envoi massif de lettres ou une manifestation de rue devant le siège d'un quotidien ou d'une station. De façon plus régulière, une organisation (comme MTT) utilise des conférences, des séminaires, des sondages, etc. Il est désormais facile à la plupart des minorités de créer leurs propres organes : bulletins en PAO, stations FM associatives locales, sites dans le cyberespace.

➤ L'ÉDUCATION

Pour que les médias s'améliorent, il faut que le public l'exige. Pour cela, il a besoin d'apprendre qu'une telle intervention est nécessaire et qu'elle est possible. Il peut l'apprendre à l'école, et dans les médias.

Quant au journaliste, s'il est formé sur le tas ou s'il est entré, au sortir du lycée, dans une école strictement professionnelle, il risque de n'être qu'un employé aux écritures, soumis à sa hiérarchie et aux notables. L'université peut donner à l'étudiant plus de confiance en soi et d'autonomie en lui fournissant une culture générale, des connaissances spécialisées et une éducation déontologique.

L'étudiant a besoin qu'on lui enseigne un système de valeurs sociales et médiatiques : qu'est-ce qu'une démocratie parlementaire et un service public ? Quelle est la responsabilité des journalistes envers le public ? Leur conscience une fois éveillée, ils supportent mieux les critiques. Et ils trouvent plus facile de critiquer eux-mêmes sans avoir le sentiment de trahir leur caste ou leur employeur.

> LE COLLOQUE, L'ATELIER, ETC.

Ceux-ci prolongent les cours de faculté. Ils accompagnent les articles publiés par la presse spécialisée et les livres, qui traitent de problèmes déontologiques. Organisées par des institutions universitaires ou professionnelles, ces réunions présentent souvent un caractère très pratique (étude de cas, jeux de rôle). Elles accentuent la prise de conscience par les journalistes de leurs responsabilités. Elles fournissent des guides de comportement.

Cette liste de M*A*R*S n'est pas exhaustive. On pourrait ajouter aussi bien des déclarations de personnages éminents sur les médias ou les organes de régulation, tel le CSA, pourvu qu'ils soient indépendants du gouvernement. Tous sont utiles mais aucun n'est suffisant. Ils se complètent. L'idéal serait qu'ils existent tous, coopèrent et se renforcent les uns les autres, en un vaste et souple réseau[1].

❏ Les obstacles

Cela dit, si l'on met à part la formation et la recherche, dans le seul pays où les M*A*R*S ont presque tous existé, les États-Unis, bon nombre d'entre eux n'ont pas survécu et la plupart ne se sont pas multipliés. Pourtant ils avaient donné satisfaction. Mais ils se sont heurtés à trop de résistances.

Chez les usagers d'abord. Bien des libéraux croient au pouvoir régulateur des seules forces du marché. Bien des progressistes ne voient dans les M*A*R*S que des gadgets de « relations publiques ». Quant aux fascistes et marxistes, ils tiennent au contrôle total de l'État sur les médias.

Au sein de la profession, on peut identifier une dizaine d'obstacles majeurs. D'abord, on y craint souvent, surtout aux États-Unis, que l'État ne se serve des M*A*R*S pour restreindre la liberté d'expression : d'un conseil de presse, par exemple, il ferait un tribunal spécial. Pourtant jamais, nulle part, un tel attentat ne s'est produit.

Qu'ils soient, ou non, compétents et consciencieux, beaucoup de professionnels sont peu enclins à admettre leurs erreurs, surtout quand elles sont signalées par le public qui, à leurs yeux, est ignorant, stupide et partisan. Non seulement bien des journalistes sont arrogants, mais ils ont l'ego fragile. Ne sont pas rares les gens de média qui critiquent avec aisance mais supportent mal d'être critiqués. Afin de se protéger, quel que soit le M*A*R*S, ils trouveront des arguments pour le démolir.

Pourtant, les deux obstacles le plus difficiles sont très concrets et ne peuvent être balayés par l'éducation, la négociation ou l'expérience. Presque tous les M*A*R*S exigent du temps et de l'argent. Le médiateur, par exemple, doit être un journaliste éminent en fin de carrière, inévitablement très bien payé. Un financement d'État étant exclu, seuls les patrons de médias ont les fonds nécessaires. Or, ils sont réticents : les M*A*R*S ne menacent nullement leurs revenus, mais ils menacent indiscutablement leur puissance, car ils donnent au public une voix au chapitre ; et ils tendent à renforcer l'autonomie des journalistes et des réalisateurs.

Par ailleurs, le contrôle de qualité consomme du temps, denrée qui manque toujours dans le monde des médias. Et il exige du temps : pour la formation d'abord, et aussi pour l'accoutumance des professionnels et du public à cette innovation.

Notre société souffre d'une maladie génétique qui pourrait lui être fatale : ses médias sont déficients. Ils sont meilleurs qu'ils n'ont jamais été, c'est vrai, mais ils restent médiocres. De leur amélioration dépend la survie de l'humanité, car cette survie elle-même dépend d'une participation populaire à la gestion du monde. Il ne peut y avoir de démocratie sans citoyens informés ; et il ne peut y avoir de gens bien informés sans médias de qualité.

Les M*A*R*S sont de bons outils à utiliser contre la commercialisation exagérée des médias. En effet, ils satisfont les usagers en leur donnant voix au chapitre et un accès à l'opinion publique. De la sorte, les M*A*R*S pourraient, non seulement accroître le prestige et l'influence des journalistes, mais surtout fournir à la profession de gros bataillons d'alliés.

---

1. Pour savoir ce qui a été réalisé en Europe, voir le numéro d'automne 1998 de *MédiasPouvoirs*, consacré au sujet.

Dans les années 1990, *parler* d'éthique est devenu la mode en France, mais dix ans plus tard, les professionnels continuaient d'occulter ou de refouler toute initiative propre à faire respecter la déontologie — en l'accusant d'ordinaire de représenter une menace sur la liberté de presse.

Les champions du « contrôle de qualité » estiment au contraire qu'il pourrait être l'arme absolue pour *protéger* la liberté des médias contre tous ses ennemis. Et que les propriétaires, de leur côté, devraient comprendre (comme les industriels japonais, il y a fort longtemps) qu'il s'agit d'un investissement remarquable, et d'une excellente garantie contre les réglementations.

On peut être optimiste : des forces sont à l'œuvre qui ont déjà amorcé un changement. L'évolution de la technologie, certes, mais aussi celles du public et des professionnels.

Bibliographie

ALIX François-Xavier, *Une éthique pour l'information*, Paris, L'Harmattan, 1997.

BERNIER Marc-François, *Éthique et déontologie du journalisme*, Québec, Presses de l'université Laval, 1994.

BERTRAND Claude-Jean, *La Déontologie des médias*, Paris, PUF, « Que sais-je ? », 1997, 2e éd. 1999.

BERTRAND Claude-Jean (dir.), *L'Arsenal de la démocratie : médias, déontologie, M*A*R*S*, Paris, Économica, 1999 [contient une très abondante bibliographie de titres en anglais].

CAYROL Roland, *Médias et démocratie : la dérive*, Paris, Presses de sciences po, 1997.

CORNU Daniel, *Éthique de l'information*, Paris, PUF, « Que sais-je ? », 1997.
— *Journalisme et vérité*, Genève, Labor & Fides, 1994.

HALIMI Serge, *Les Nouveaux chiens de garde*, Paris, Liber, 1997.

LIBOIS Boris, *Éthique de l'information : essai sur la déontologie journalistique*, Bruxelles, éd. de l'Université, 1994.

MAMOU Yves, *C'est la faute aux médias : la fabrication de l'information*, Paris, Payot, 1991.

PIGEAT Henri, *Médias et déontologie*, Paris, PUF, 1997.

PINTO DE OLIVEIRA C.-J., *Éthique de la communication sociale*, Fribourg, Éditions universitaires, 1987.

RIBOREAU Guy, *Déontologie du journalisme radiophonique*, Paris, RFI, 1997.

WOODROW Alain, *Information Manipulation*, Paris, Ed. du Félin, 1991.

➤ RAPPORTS ET NUMÉROS DE REVUE

DOSSIERS DE L'AUDIOVISUEL (périodique de l'INA), « Télévision et déontologie », n° 36, mars-avril 1991.

MÉDIASPOUVOIRS, « L'éthique du journalisme », dossier, n° 13, 1er trimestre 1989 / « Déontologie des médias », 3e trimestre 1998.

SNJ, *Livre blanc de la déontologie des journalistes ou de la pratique du métier au quotidien*, Paris, SNJ, 1993 (81 p.).

➤ INTERNET

www.u-paris2.fr/ifp/deontologie : en plus de documents divers (textes de nombreux codes), on y trouvera des liens avec d'autres sites consacrés à la déontologie des médias — et une longue bibliographie de titres en anglais.

MÉTIERS ET FORMATION

Chapitre 16

Les métiers des médias

Si le métier le plus connu des médias est incontestablement celui de journaliste, car il est le plus visible, il ne faut pas négliger les autres professionnels, aux compétences et activités très diverses qui interviennent, tout au long du processus de réalisation puis de diffusion des produits médiatiques. Ce processus de conception et de production des médias a subi, durant les deux dernières décennies du siècle, une série de transformations dues à l'introduction de l'informatique sur l'ensemble du processus de production, en particulier dans les entreprises de presse. Ceci a conduit à une technicisation accrue de l'activité du journaliste qui doit désormais savoir utiliser un ordinateur et les logiciels bureautiques standards ; traitement de texte, tableur et logiciels de mise en page. Depuis 1993/1995, c'est la diffusion de la télématique et du multimédia dans les entreprises médiatiques, en particulier par le biais du réseau Internet qui provoque à la fois une évolution des pratiques journalistiques et une transformation de l'offre d'information des médias de diffusion.

LES MÉTIERS DE LA RÉDACTION

Qu'il soit rédacteur en presse écrite, en audiovisuel ou en télématique, qu'il soit reporter d'image ou photographe, le journaliste met en œuvre des procédures communes tout au long des trois étapes qui caractérisent sa démarche professionnelle : collecte, sélection et traitement de l'information. Tout au long de ces étapes il entre en relation avec d'autres professionnels du secteur de l'information et de la communication.

❏ Le journaliste s'informe : les sources de l'information journalistique

➤ LES AGENCES D'INFORMATION (voir aussi le chapitre 6, p. 85)

L'agence d'information est définie comme une entreprise commerciale ayant pour but de rechercher puis de distribuer des informations quelle qu'en soit la forme — textes, reportages, photographies, bandes sonores, films vidéo, ou dossiers de presse et tous autres éléments de rédaction — soit à des entreprises chargées de leur diffusion soit à des organismes privés. Les agences d'information ont donc pour objet et mission de rechercher, collecter et rédiger les nouvelles qu'elles centralisent, pour les offrir et les transmettre — le plus rapidement possible et moyennant paiement — aux entreprises abonnées. Les qualités attendues des services d'une agence d'information, et tout particulièrement d'une agence de presse (en référence à la transmission de textes) sont la rapidité, l'exactitude et l'objectivité. Les médias clients les utilisent à leur gré pour leurs publications ou leurs émissions.

Les agences mondiales d'information — telles que l'agence France-Presse — disposent d'un pouvoir considérable dans l'ensemble du système médiatique puisqu'elles sont les fournisseurs dominants. Ce sont des grossistes en information. La plupart des grands médias sont abonnés au moins à une agence de presse pour ses services de textes et photos et à des agences audiovisuelles (son, images fixes, images animées sonorisées) pour les médias audiovisuels. Certains organes de presse reprennent telles quelles les dépêches ou les synthèses fournies par les agences.

On distingue deux grandes phases dans le travail d'une agence : la production et la diffusion. La production correspond aux deux étapes de collecte et de traitement au *desk*. Le desk est le service central de rédaction de l'agence qui reçoit la totalité des informations de toutes provenances, les traite et les diffuse. La diffusion, c'est la circulation permanente des informations du desk vers les abonnés. Elle peut prendre deux formes complémentaires : le flux continu (téléscripteurs ou terminal informatique) et la fourniture à la demande (banque de données, achat ponctuel sur « catalogue »).

❖ La collecte

Au stade de la collecte on trouve deux groupes sources : le réseau des correspondants et les autres sources.

Le réseau des correspondants, ce sont les journalistes qui suivent l'actualité des lieux où ils sont installés, qui surveillent les événements et transmettent à tout instant. Ils se déplacent à travers le pays ou la région. Mais ils sont également abonnés à l'agence nationale du pays, lisent les journaux, écoutent la radio et la télévision. À l'intérieur de cette masse d'information, ils choisissent les événements qui leur paraissent les plus intéressants et en rédigent une « dépêche ».

Les autres sources désignent un ensemble vaste d'entreprises, d'administrations, de médias, de professionnels, d'associations qui produisent de l'information et sont susceptibles de l'adresser aux agences. Par exemple, un concert est prévu : l'organisateur du spectacle va adresser l'information, sous la forme d'un dossier de presse, aux agences d'information et à une sélection de médias. Les agences diffuseront cette information qui pourra ainsi parvenir à l'ensemble des médias français qui eux-mêmes pourront la transmettre à leur public. Par ailleurs toutes les grandes agences sont abonnées les unes aux autres, ce qui leur permet de vérifier et de recouper le travail de leur propres informateurs, voire de signaler à leurs correspondants quelque part un fait et de leur demander d'y aller voir pour obtenir des précisions. On est donc bien dans la situation du grossiste redistributeur. L'information est d'une part recherchée et collectée, elle est aussi reçue directement...

❖ Le traitement (la production)

L'information collectée est donc adressée au *desk*. Le *desk* est le cœur d'une agence de presse, le lieu par lequel toutes les informations transitent. Il joue en quelque sorte le rôle d'un « entonnoir » : il reçoit tout et il est le seul à rediffuser. Le travail des journalistes du desk consiste à la fois à vérifier l'information, à la réécrire de façon à la rendre lisible et conforme aux canons de l'écriture des dépêches d'agence.

La rédaction des dépêches d'agence répond effectivement à des règles codifiées qui en permettent une lecture rapide et un usage efficace par les clients. La dépêche, comme n'importe quel texte d'information, doit être claire et simple, concise et précise. L'événement rapporté est décrit à travers la réponse à cinq questions : qui – quoi – quand – où – pourquoi et comment ? Cette règle, dite également règle de Quintilien, maître de rhétorique romain (30-100 av. JC.), est également connue sous sa forme anglo-saxonne : 5 W (*Who ; What ; When ; Where ; Why*). Ces éléments d'information doivent figurer dans les deux premiers paragraphes du texte de la dépêche, ce qu'on appelle dans le « jargon » des agences de presse le *lead* et le *sublead*. Les informations sont ensuite présentées par ordre décroissant d'importance (plan dit en « pyramide inversée »). Les journalistes s'en tiennent à la plus grande neutralité possible.

Le journalisme d'agence est donc un journalisme particulier : il exige une grande rigueur, un grand sens de la synthèse et des compétences linguistiques importantes. La plupart des journalistes des agences de presse maîtrisent au moins deux langues en plus de leur langue maternelle, et parfois trois.

L'anglais est, bien sûr, obligatoire ; l'espagnol est souvent requis ainsi que des langues peu étudiées en France comme l'arabe, le russe, le chinois ou le japonais.

Par ailleurs, en agence, la contrainte du temps est très importante. Le client est pressé, surtout s'il s'agit d'un média. La vitesse est l'un des enjeux de la concurrence ainsi que la recherche du fait important : la poursuite du « scoop » c'est-à-dire d'une information originale recueillie avant les autres. Toute l'infrastructure technique des agences est orientée vers cet objectif de rapidité : rapidité de saisie (d'où l'importance du réseau des correspondants), rapidité de traitement (d'où une codification rigoureuse de l'information aux divers stades du parcours) et rapidité de transmission, d'où une modernisation technologique constante (télécommunications par satellite, informatique, etc.)

❖ La diffusion

Une fois ce travail de contrôle et de réécriture effectué la dépêche est diffusée sur le réseau de l'agence à destination des clients. Compte tenu de la grande diversité à la fois des informations traitées et des clients visés, l'agence propose des services différenciés qu'on appelle des « fils » : international, général, sport, *features*, etc. Chaque abonné reçoit les dépêches diffusées sur le service auquel il a souscrit — c'est-à-dire les articles rédigés au *desk* — et il est libre de les utiliser à sa convenance. Ce libre droit d'usage est inclus dans le prix de son abonnement. S'il s'agit d'un média, il est même autorisé à reproduire la dépêche telle quelle à condition simplement de citer le nom de l'agence émettrice. S'il utilise la dépêche afin de rédiger un article pour son journal ou une séquence d'information pour un journal radiodiffusé ou télévisé, il n'a pas l'obligation de citer la source. La plupart des entreprises médiatiques, en particulier les médias nationaux (presse et radiotélévision) sont le plus souvent abonnés à plusieurs agences de presse, ce qui leur permet d'avoir des sources diversifiées d'approvisionnement. Les entreprises ou les administrations qui sont abonnées aux agences généralistes font plutôt un usage interne de l'information.

Toutes les informations collectées et traitées par l'agence sont conservées et stockées dans des banques de données qui contiennent du texte et des images. Ces outils sont gérés par des logiciels documentaires qui permettent le traitement des informations à l'entrée et la recherche rétrospective. Ces mémoires sont disponibles sur abonnement et constituent un autre mode d'accès, à la carte, aux informations des agences. La constitution de banques de données (textes ou images) permettent de conserver le patrimoine de l'entreprise et de le maintenir à disposition même longtemps après la date de l'événement. Les archives des agences deviennent alors des sources de documentation importantes qui sont largement exploitées comme telles par les médias. Ces banques de données sont accessibles par les réseaux télématiques[1] : Minitel et Internet ou sur CD-Rom, mis à jour régulièrement.

Les agences sont les principaux fournisseurs d'information des médias. Tout événement dont les agences décident de ne pas parler a peu de chance de parvenir à une quelconque notoriété. Les agences sont de fait un premier niveau de filtrage des informations, de sélection des événements. Elles jouent également un rôle très important dans la mondialisation des flux d'information, compte tenu de la nécessité dans laquelle elles se trouvent de collecter l'information partout à travers le monde et éventuellement la rediffuser à des clients aux quatre coins de la planète.

Les agences sont en fait organisées comme des entreprises en réseau qui recourent à toutes les ressources techniques des télécommunications et du traitement informatique des textes et des images. Les rédactions et le *desk* sont équipés de systèmes rédactionnels informatiques, reliés grâce à des réseaux diversifiés de télécommunications (câbles, faisceaux hertziens, satellites) qui acheminent les informations aussi bien des correspondants vers le *desk* que du *desk* vers les clients. Le télex, système technique de transmission de texte à distance dérivé du télégraphe, est aujourd'hui pratiquement abandonné au profit de la transmission numérique sur réseau. L'abonné les reçoit sur son propre terminal informatique et a la possibilité soit de les consulter toutes, soit de ne consulter que celles qui le concernent grâce à des procédures particulières de tri et d'interrogation.

---

1. Pour l'AFP : services Minitel : 3617 AFP, 3623 AFPDOC ; site Internet : http ://www.afp.com.

➤ LES SOURCES INSTITUTIONNELLES

Ces sources institutionnelles sont des producteurs d'informations qui sont mises à disposition de deux façons. Entreprises, administrations et organisations de toutes natures produisent des informations sur leur activité spécifiquement pour les journalistes. À côté existent tout un ensemble d'organisations qui sont en fait des ressources documentaires, services ou entreprises qui traitent l'information déjà publiée pour la conserver et la mettre à disposition de n'importe quel utilisateur.

❖ Entreprises, administrations et organisations

Il s'agit ici de l'ensemble des acteurs de la vie économique, politique, sociale et culturelle : entreprises, administration, gouvernement, syndicats, associations à tous les niveaux, national d'abord mais aussi international. Ces institutions et organisations sont, en tant qu'acteurs de la vie nationale et internationale, des producteurs d'information. On peut citer le communiqué du conseil des ministres ou les différentes éditions du *Journal officiel* (lois et décrets, mais aussi comptes rendus de l'Assemblée nationale) qui sont des produits d'information du gouvernement. Conférences de presse, publications de chiffres et autres éléments d'information sur l'activité de l'entreprise, ses projets, sa situation économique, financière ou sociale sont des produits d'information, voire des événements.

Il y a ainsi à la source de l'information, de l'événement, à côté des agences de presse, des professionnels de l'information et de la communication qui sont des intermédiaires entre certains événements et les médias. Ces professionnels sont les attachés de presse, les professionnels des relations publiques, les « directeurs de communication » que l'on a coutume de rassembler sous la dénomination de professionnels de la communication. Ils gèrent l'information que les entreprises et organisations souhaitent diffuser dans le public via les médias. Ces intermédiaires disposent d'un pouvoir non négligeable en tant que relais d'informations entre l'organisation pour laquelle ils travaillent et les journalistes. Ce pouvoir est d'autant plus fort que l'entreprise en question est aussi un annonceur et achète dans les médias des espaces pour y insérer de la publicité.

❖ Les services de documentation et les banques de données

Pour mener à bien son travail, tant au stade de la collecte qu'à celui de la rédaction ou de la vérification, le journaliste utilise les ressources documentaires de tout un ensemble d'institutions, à commencer par le service de documentation de son entreprise. L'objectif des services de documentation est de constituer des collections de documents et d'information, régulièrement actualisés. Les produits sont divers. À côté des collections d'ouvrages et de périodiques ou tout autre support (disques, cassettes, photos), on trouve des produits élaborés comme des dossiers documentaires, généralement réalisés à partir des médias imprimés et surtout des banques de données de toutes natures : références bibliographiques, données statistiques, texte intégral de fonds documentaires variés, y compris du contenu des médias.

➤ LE CARNET D'ADRESSES

S'il veut une information différente de celle fournie par les agences, les services de communication et les services de documentation, le journaliste est obligé de consulter d'autres sources, de mener une enquête complémentaire en interrogeant d'autres entreprises, en lisant des études économiques générales, en consultant des dossiers documentaires sur le secteur étudié et en rencontrant d'autres interlocuteurs, d'autres informateurs.

Il s'agit là des contacts personnels que le journaliste noue dans divers milieux. Ils constituent un réseau de relations, de sources complémentaires librement choisies en fonction de différents critères : efficacité en termes d'information (interlocuteur compétent), efficacité en termes de positionnement (intermédiaire pertinent pour décrocher un entretien ou un rendez-vous), des critères plus personnels (liens d'amitié, confraternité étudiante, etc.). Ces personnes sources contactées en fonction de leur rôle ou de leur statut, peuvent confirmer ou infirmer un fait, une information. C'est le recoupement de ces diverses sources (agences, institutions, personnes) qui donne leur crédibilité aux informations diffusées. Cette tâche de vérification est impérative pour les journalistes d'agence.

Dans la constitution de son carnet d'adresses le journaliste doit trier et organiser ces informations en fonction de trois critères : utilité, originalité et efficacité. Rares sont les sources qui correspondent aux trois critères conjointement, d'où la mise en œuvre de plusieurs sources. Cette organisation est fondamentale car, contrairement à une idée très répandue, le journaliste est plus souvent sur sa chaise qu'en chemin : il utilise des sources écrites à son bureau et use beaucoup du téléphone, du fax ou de la messagerie électronique.

Enfin, le carnet d'adresses du journaliste est un élément de sa compétence, de son expertise ; c'est une partie de son capital professionnel sans doute aussi important, sinon parfois plus que sa compétence strictement rédactionnelle et analytique.

➤ LA PRÉSENCE SUR LE TERRAIN

Au travers du système des sources d'information, le journaliste reçoit énormément d'informations et il n'a pas nécessairement beaucoup de recherches à faire par lui-même. C'est pourquoi on parle souvent du journalisme institutionnel, pour marquer ce poids des sources — agences de presse mais aussi entreprises, administrations et organisations de toute nature — qui produisent à la fois des événements (sortie d'un film, d'un nouveau véhicule) et les informations sur ces événements.

Bien sûr, le journaliste se rend aussi sur le terrain, mais sa présence n'y est pas d'ordinaire improvisée. En effet, plus de 90 % des événements dont les médias rendent compte sont des événements prévus, dont les journalistes ont connaissance grâce aux agendas prévisionnels que réalisent aussi bien les agences de presse que le service de documentation des journaux. La présence sur le terrain est motivée surtout par la nécessité de recueillir des informations complémentaires de première main, de pouvoir remplir sa fonction de témoin, d'observateur. Cela permet aux journalistes reporters de collecter des éléments d'illustration de l'événement : photos, films ou illustrations sonores. Le terrain est aussi largement parcouru par les journalistes dits « d'investigation » qui, pour leurs enquêtes, ont besoin de voir les lieux, de rencontrer les acteurs des événements.

❑ Le journaliste choisit : sélection de l'information

L'ensemble des informations qui arrivent soit des agences, soit de toutes les autres sources d'information, sont réparties entre les journalistes en fonction de leur spécialité thématique. Les rédactions des médias sont structurées par grands services qui correspondent, dans les quotidiens d'information générale et politique, aux grandes rubriques qui organisent les contenus. À partir de la lecture des dépêches, du dépouillement du son courrier dans lequel se trouvent entre autres dossiers ou communiqués de presse, de la lecture des autres journaux d'information générale ou d'information spécialisée français et étrangers, l'écoute de la radio et de la télévision, et bien sûr de ce qu'il déduit de sa présence sur les lieux des événements, chaque journaliste va retenir un certain nombre d'événements, d'informations.

➤ COMMENT CHOISIR ?

Tout fait n'est pas digne de relation ; mais il faut savoir que tout fait non relaté tend à ne pas avoir d'existence. La sélection des informations est un processus complexe, qui implique l'ensemble des journalistes d'une rédaction et qui s fait par étapes.

Chaque journaliste participe à la sélection. Chacun dans son service, à son niveau de spécialité, choisit car il connaît le domaine et peut donc juger de la valeur relative de l'événement (nouveauté, continuité, redondance, parallèle, etc.). Ensuite chaque chef de service juge par rapport à l'activité générale de son service, dans le respect des « frontières » entre services, de la ligne du journal, de la connaissance qu'il a lui aussi du domaine. Enfin, les arbitrages définitifs sont pris en conférence de rédaction et par les rédacteurs en chef.

ORGANIGRAMME SIMPLIFIÉ D'UNE RÉDACTION DE PRESSE

```
                    Conseil d'administration
                              │
                              ▼                           Services administratifs (comptabilité,
                    Directeur de la publication ─────────► gestion, ressources humaines,
                              │                              service juridique)
                              ▼
                    Rédacteur(s) en chef                   Services commerciaux
              ┌───────────┼──────────────┐                (publicité + PA marketing,
              ▼           ▼               ▼                ventes et inspection des ventes)
      Documentation   Services      Secrétariat de rédaction
      (BDD texte et   rédactionnels      Maquette          Services techniques
       photos)                                             (imprimerie, expédition)
                    Politique ◄─► Économie
                    International ◄─► Culture      Directions
                    (ou étranger)                 départementales
                    Société ◄─► Sport
                    (informations générales)
                    Service télématique / multimédia
                         (Télétel, Internet)
```

Relater des faits significatifs, intéressants… Comment rationaliser ces critères d'appréciation qui sont en fait éminemment subjectifs ? Le lecteur, l'auditeur, le téléspectateur se sent concerné par ce qui le touche, ce qui lui est proche, quelles qu'en soient les raisons. La nouveauté, ce qui sort de la norme, ce qui est original, qui a un caractère dramatique ou insolite l'attire tout autant que le notoriété des acteurs. Les chercheurs en communication ont pu dégager, à partir de l'analyse de contenu des médias, des catégories d'information qui permettent de mieux comprendre les choix des journalistes et qui reposent sur le concept global de « proximité ».

Il y a d'abord la proximité géographique qui correspond au quadrillage de l'espace géographique constitué par la zone de diffusion du média. Il s'agit en fait d'un critère territorial : du champ le plus large et le plus lointain au champ le plus petit et le plus proche. L'expression de « mort / kilomètre » est une illustration de cette notion de proximité géographique : plus l'événement s'est déroulé près de chez soi, moins il doit impliquer de personnes, ou plus l'événement se passe loin, plus il doit impliquer d'individus, pour avoir une « chance » d'être relaté dans la presse. 1 000 morts à 10 000 km sont moins importants que 100 morts à 1 000 km et encore moins qu'un mort à 1 km.

La proximité psychoaffective recouvre ce qui est de l'ordre de l'émotionnel, la vie, la mort, l'amour, l'argent. La proximité temporelle correspond à la notion même de nouvelle ; c'est le rapport à l'instant, à la nouveauté. La proximité socioprofessionnelle et socioculturelle concerne la condition sociale, la profession, la culture, le milieu social du lecteur, de l'auditeur, du téléspectateur. La proximité politico-idéologique renvoie aux engagements politiques des individus relayés pour partie par la presse politique.

Enfin il ne faut pas négliger la vie quotidienne avec ses besoins divers, souvent très pratiques et concrets et pris en charge par l'information de service.

Il y a bien sûr une part d'intuition, d'irrationnel dans la perception des événements et de l'intérêt qu'ils vont susciter : elle est liée à l'expérience personnelle du journaliste. Mais il faut également prendre en compte l'identité de la publication et la représentation que chaque média se fait de son public. On retrouve ici le lien public-contenu qui permet à chaque média de définir sa ligne rédactionnelle en connaissant son public. Chaque média a sa propre grille de lecture de l'actualité et sa manière d'en faire le récit à ses lecteurs, ses auditeurs ou ses téléspectateurs.

L'ensemble des journalistes de chaque service de la rédaction se réunit autour de chef de service et décide collectivement de ce qu'il faut retenir. Le travail de recherche d'information complémentaire, de rédaction (reportage, entretien) peut commencer. Dans cette phase de préparation, il y a réception des dépêches, puis utilisation de documentation complémentaire recueillie à l'extérieur ou reçue directement et/ou puisée dans les ressources documentaires propres au journal, au service, au journaliste. Chaque service compose ainsi son menu c'est-à-dire les faits qu'il va traiter et la façon dont il va les présenter. Ce sont les chefs de service qui iront proposer et défendre ces « menus » à la conférence de rédaction. Chaque service a donc préparé la conférence et dans la plupart des cas commencé la réalisation même des papiers avec l'aval du chef de service en tenant compte de la maquette et de l'espace généralement affecté aux rubriques.

RÉPARTITION DES JOURNALISTES DE LA RÉDACTION DU *MONDE* (1994)

Direction – Rédaction en chef – Reportages et enquêtes	27
Service international	17
Correspondants en poste à l'étranger	21
Service politique	16
Service Économie	25
Service Société	26
Service Culture – Médias – Communication	34
Correspondants en province	6
Ensemble des titres non quotidiens	24
Secrétariat de rédaction, infographie, iconographie	36

➤ LA CONFÉRENCE DE RÉDACTION

Animée par le responsable de la rédaction (directeur de la rédaction, rédacteur en chef), elle est un lieu de débat, de concertation, d'arbitrage, de prise de décision. Elle réunit les chefs de services (services rédactionnels mais également secrétariat de rédaction et service de documentation) qui se font l'écho des propositions de leurs rédacteurs et leurs défenseurs.

En fonction de l'actualité du jour, la conférence de rédaction décide la sélection et à la hiérarchisa-tion des informations. L'objectif est de décider ce dont le journal va parler et la façon dont cela va être distribué dans le journal, c'est-à-dire le classement des nouvelles par ordre d'importance — qui a une incidence sur le type d'article qui va être rédigé. Cette hiérarchie des informations se manifeste de deux façons : la dimension de l'article et la place dans le journal (en particulier signalement ou non en première page ou en ouverture des journaux audiovisuels) ; et plus raffinée, la position dans la page ainsi que la proportion de titraille. Rappelons que la conférence de rédaction statue sur la distribution des grandes masses et les articles principaux et que c'est ensuite chaque service qui établit sa hiérar-chie complémentaire mais c'est le secrétaire de rédaction qui donne sa forme finale à l'article.

Ces discussions sur les événements à retenir et la modalité de leur traitement tiennent compte des espaces disponibles et leur répartition entre les services. C'est pourquoi le secrétaire de rédaction apporte un gabarit crayonné, une maquette grossière ne comportant que les espaces déjà retenus (publicité de marque, petites annonces, rubriques de servitude) et faisant ainsi apparaître ce qui reste disponible. En effet le journaliste travaille dans un contexte de pénurie d'espace rédactionnel, tant en presse écrite qu'en audiovisuel, bien que la surface papier offerte soit beaucoup plus importante que le temps d'antenne. En rédaction audiovisuelle, il va s'agir de décider de l'alternance entre les textes lus par le présentateur et de l'insertion d'autres matériaux : reportages, interviews (en direct du plateau ou préenregistrées), interventions des correspondants, etc. Tout ceci aboutit donc à la composition du menu (presse) ou du conducteur (radio et télévision) qui servira de guide tant aux rédacteurs qu'aux maquettistes et aux secrétaires de rédaction pour l'organisation finale des articles.

C'est également en conférence de rédaction qu'est décidée la programmation du numéro : heures limites de dépôt des articles en fonction de l'heure prévue du bouclage. La contrainte du temps liée au délai de fabrication est particulièrement forte en presse écrite ; l'audiovisuel la subit moins car il est plus instantané.

Elle procède enfin à l'examen critique de l'édition précédente en la comparant aux autres médias mais également par le regard critique porté par chaque service sur l'ensemble du numéro. Les journalistes y font également des prévisions pour les éditions suivantes, essentiellement grâce aux agendas prévisionnels. Cela permet la prévision, à plus ou moins long terme et donc l'adaptation des stratégies rédactionnelles : décision d'enquêtes ou de reportage, modalités de couverture de tel événement, etc.

De retour dans son service, le chef de service fait part des décisions prises et arbitre entre les différents rédacteurs : application des choix de sélection et de hiérarchisation, avec selon les publications et les contraintes de l'actualité, une marge plus ou moins grande d'interprétation. Cela se traduit donc concrètement par des confirmations ou des demandes de modifications sur certains points (choix des événements mais également taille des articles), de nouvelles opérations à lancer : interviews, reportages, approfondissement, changement d'angle, etc.

On voit donc que l'autonomie du rédacteur est relativement faible : il a une capacité de proposition à partir de ses propres critères de choix (liés à sa compétence, à sa notoriété) mais n'est pas sûr d'emporter la décision. Il dispose par contre d'une assez grande autonomie d'organisation (collecte, contrôle, rédaction) dans la limite du respect des deux contraintes les plus fortes : le temps et l'espace. Il faut insister sur les contraintes qui pèsent sur l'activité journalistique. La contrainte majeure est celle du flux permanent de l'actualité. Mais la fabrication matérielle des journaux fait également peser une contrainte du temps, surtout en presse écrite compte tenu de la lourdeur des procédures à mettre en œuvre pour aboutir au journal imprimé. Aucune décision rédactionnelle ne peut être prise sans tenir compte de la maquette, c'est-à-dire du support matériel et des contraintes techniques. Il faut respecter l'heure limite de remise de la copie (bouclage). La qualité d'un journaliste, outre ses qualités d'enquêteur et de rédacteur, c'est aussi le respect des contraintes temps et espace : remettre à l'heure un papier correspondant au volume autorisé.

❑ Le journaliste rédige, vérifie, enrichit...

Après la conférence de rédaction, qui le plus souvent entérine les choix faits par les divers services, le travail de rédaction se poursuit. Le journaliste rédige, mais également continue de chercher des éléments d'information et surtout fait un travail de vérification et d'enrichissement, en recherchant des éléments originaux d'information ou en traitant la question sous un angle plus personnel, ou en allant lui-même sur les lieux ou en obtenant un entretien exclusif. À travers la vérification des informations il s'agit de rendre crédible l'information, donc par extension le média. Pour effectuer ce travail, le journaliste est équipé d'un dispositif technique, le système rédactionnel.

➤ LES CARACTÉRISTIQUES DE L'INFORMATION JOURNALISTIQUE

L'ensemble des réponses aux cinq questions de la règle dite de Quintilien : *qui ? quoi ? où ? quand ? pourquoi ?* constitue les éléments fondamentaux nécessaires à la compréhension d'un énoncé informatif, quel que soit l'événement auquel il se rapporte et la nature de l'information transmise.

Ces particularités impliquent les qualités que l'on attend de tout texte journalistique : la précision, la clarté, la concision, la véracité qui exige la vérification, l'intelligibilité. Ces qualités sont requises pour l'énoncé de n'importe quel type de message supportant une communication, appelant une compréhension par autrui.

➤ LES GENRES JOURNALISTIQUES

Les articles rédigés sont de genres divers, ce qui permet tout à la fois d'offrir un grande variété d'énoncés aux lecteurs et au journaliste de choisir la forme narrative la mieux adaptée à l'événement dont il doit rendre compte. On peut regrouper ces types d'articles à l'intérieur de cinq catégories[1].

✤ L'information brute

Il s'agit d'articles purement informatifs, relativement brefs, qui ont pour objectif une information rapide sur l'événement et se contentent de répondre aux cinq questions. Ils sont utilisés pour des événements d'importance moindre. Ils sont, dans leur structure, proches de la dépêche d'agence. Ce sont la brève, le filet, le montage et le compte-rendu.

✤ Les récits

On intègre ici l'ensemble des articles rédigés dans un style plus ou moins personnalisé qui « racontent » les événements, du fait divers de moindre portée à la catastrophe naturelle d'intérêt international. La forme de récit la plus prisée des journalistes est le reportage, mais le portrait et l'écho relèvent aussi de cette catégorie.

✤ Les études

L'information brute, le compte rendu de l'événement sont ici complétés par tout un corpus de données qui explicitent ses tenants et ses aboutissants : rappels historiques, précisions sur les personnes impliquées, rappels de faits identiques ou de même portée, réflexion prospective, etc. Dans cette perspective, certaines études sont « décalées » par rapport à l'actualité et c'est la révélation des informations qu'elles apportent qui les transforment en événement. L'enquête est le type même de l'article d'étude et celui qui correspond le mieux, en France, à la définition du journalisme d'investigation. On y inclut aussi une variété plus vague, l'analyse.

✤ Le commentaire

Il s'agit ici d'articles qui, tout en obéissant à des impératifs d'information (à l'exception peut-être du billet), reflètent des opinions plus personnelles (du journal ou d'un journaliste), commentent l'actualité, offrent des pistes d'interprétation, livrent une réflexion destinée à susciter une réaction (d'adhésion ou de rejet) chez le lecteur tout en lui offrant un matériau pour sa propre réflexion. Ce sont l'éditorial, la chronique, le billet et bien sûr la critique (littéraire, cinématographique, théâtrale, musicale)

✤ La parole extérieure

C'est l'ensemble des textes soit produits par la rédaction, soit le plus souvent réalisés à l'extérieur du journal et qui permettent de faire entendre d'autres voix que celles des journalistes. Le genre le plus connu est l'interview, puisqu'il s'agit, par le biais d'un entretien, de donner la parole à une personne sur un sujet quelconque.

Mais on peut citer ici le courrier des lecteurs, les libres opinions, les revues de presse et les communiqués.

Brève : article très court, non titré, mais dont les premiers mots sont souvent en caractères gras pour servir de repères significatifs. Il ne fait que répondre aux 5 W en un seul paragraphe de 5 à 10 lignes.

Éditorial : article de pur commentaire, il est mis en valeur par sa composition et sa typographie. Il engage la publication, donnant son point de vue sur un événement. Il est de la compétence d'un journaliste spécialisé — l'éditorialiste, ou du directeur de la rédaction ou du rédacteur en chef. Il est écrit sur un ton très personnel.

Enquête : l'enquête démontre (alors que le reportage montre) et repose sur une stratégie de recherche, une investigation approfondie qui supposent rigueur et sens critique. Sa rédaction exige un grand sens de la synthèse, de bonnes qualités d'analyse et une excellente écriture.

---

1. Yves AGNÈS & J-M. CROISSANDEAU, *Lire le journal*, Paris, Lobbies, 1979.

> *Filet :* article court mais composé de plusieurs paragraphes. Rédigé dans un style neutre, il est titré. Il est généralement entouré d'un cadre (un filet)
> *Portrait* : article dessinant la personnalité de quelqu'un, il peut être illustré d'une photo ou d'un dessin.
> *Reportage* : récit d'un événement. Le journaliste est le témoin qui rapporte ce qu'il a vu tout en expliquant ce à quoi il a assisté. Le ton du récit, le style laissent place à la subjectivité du journaliste.

Ces différents types de production journalistique peuvent d'ailleurs, au sein de l'activité journalistique, constituer des spécialités professionnelles : grand reporter, éditorialiste ou critique. C'est pourquoi on parle des métiers du journalisme, pour précisément mettre en valeur cette diversité des modes d'exercice de la profession qui tient à la diversité même des médias mais aussi aux variations des pratiques en fonction des catégories d'articles produits.

> *Grand reporter* : journaliste de grande expérience et de grande notoriété ayant une connaissance approfondie de toutes les formes et techniques du journalisme et apte à assurer la couverture de tout événement. Il peut être appelé à diriger et à coordonner ponctuellement une équipe de reporters.
> *Journaliste reporter d'images* : journaliste spécialisé dans la prise de vues d'images animées, apte à recueillir, à apprécier et à exploiter des éléments d'information audiovisuelle. Il doit unir, aux capacités techniques de l'opérateur de prises de vues, les qualités d'initiative et de jugement du journaliste reporter. Il est responsable de la qualité technique de la prise de vues et coresponsable avec le rédacteur reporter du contenu informatif des images du sujet.
> *Rédacteur polyvalent ou détaché* : il s'agit d'un journaliste attaché à une agence locale d'un journal régional. Il peut être amené à assurer non seulement des activités rédactionnelles mais également un peu de secrétariat de rédaction sur la page relevant de sa zone géographique. Il gère également la production des correspondants locaux.
> *Rédacteur-reporteur* : en audiovisuel, journaliste apte à passer au micro ou devant la caméra, n'ayant d'autre responsabilité que son propre travail ; il est appelé à dire au micro ou devant la caméra un texte dont il est l'auteur, soit à concevoir et à effectuer des reportages et des entretiens.
> *Reporteur-photo :* chargé essentiellement de reportages photographiques c'est-à-dire de la réalisation des illustrations photographiques de la publication, il peut, dans certains titres, assure lui-même le légendage de ses clichés.
> *Secrétaire général de rédaction* : assure l'animation et la liaison des divers services rédactionnels, suivant les directives des rédacteurs en chef et/ou du directeur de la rédaction. Il assume la production et le contrôle de la fabrication du journal avec le secrétariat de rédaction. Il peut suppléer temporairement le rédacteur en chef.

➤ LES SPÉCIFICITÉS DU JOURNALISME AUDIOVISUEL

Si globalement les journalistes rédacteurs en audiovisuel travaillent suivant le modèle décrit précédemment, il y a toutefois des singularités propres au secteur sur lesquelles il convient d'insister un peu. L'environnement technique pèse plus lourd en audiovisuel qu'en presse. Le journaliste, en audiovisuel, recourt à des outils techniques d'enregistrement et de montage pour réaliser les séquence sonores et les séquences d'images. Quand il va sur le terrain, qu'il soit reporter radio ou reporter d'images (journalistes reporteurs d'images, JRI caméra sur l'épaule) il manipule lui-même les systèmes d'enregistrement.

La contrainte du temps pèse sans doute plus lourd car, si la place dans les journaux est restreinte, elle l'est encore plus sur les ondes. La sélection est donc encore plus draconienne, le nombre de sujets abordés étant bien moindre que dans un quotidien (une quinzaine de sujets contre 150 à 200 papiers dans un quotidien) et le temps accordé à leur traitement étant très court (une à cinq minutes).

Il faut aussi noter le rôle et la place du présentateur du journal. C'est un journaliste, qui a souvent une position hiérarchique élevée (rédacteur en chef ou rédacteur en chef adjoint). Il intervient sur le choix des sujets, sur l'ordre de traitement des sujets et travaille aussi sur la mise en forme, c'est-à-dire sur les textes eux-mêmes, puisque c'est lui qui les lit à l'antenne.

LES MÉTIERS DE LA MISE EN VALEUR DE L'INFORMATION

❏ La mise en page et la composition en presse

Le journaliste-rédacteur « saisit » son texte sur son terminal ou sur son micro-ordinateur personnel avec un logiciel de traitement de texte. Ce logiciel compte le nombre de signes (ou caractères : lettres, chiffres et espaces) auquel le journaliste a droit. Ce texte est ensuite envoyé, par le réseau interne de l'entreprise, à la mise en page puis à la photocomposition. Il entre alors dans la zone de compétence du secrétariat de rédaction, en fait maquette-secrétariat de rédaction. Secrétaires de rédaction et maquettistes travaillent ensemble et utilisent des outils communs : les logiciels de PAO et les logiciels graphiques. Ce sont deux métiers proches, mais l'insertion des maquettistes est relativement récente dans les entreprises de presse, en particulier en presse quotidienne. Selon les entreprises, il peut y avoir confusion des rôles (le secrétaire de rédaction peut en fait être également maquettiste ou vice versa). Ils sont considérés comme des journalistes, au même titre que les rédacteurs.

➤ SECRÉTAIRE DE RÉDACTION ET MAQUETTISTE

Le secrétariat de rédaction est le pivot de l'organisation et de la gestion des informations et de leur mise en page. Son rôle est fondamental en presse quotidienne. C'est un journaliste et non un technicien d'imprimerie ou un professionnel des arts graphiques. Il a le même profil que ses collègues de la rédaction et il est considéré à égalité avec eux.

Il est responsable de la mise en valeur de l'information. En collaboration avec le maquettiste, il recherche la meilleure esthétique possible de la page, alliée à la plus grande lisibilité. Il s'agit de guider le lecteur de façon qu'il parcourt — sinon qu'il lise — le plus d'espace possible du journal. On joue sur les caractères typographiques (les lettres) : forme (police), taille (corps) et style (gras, italique). La disposition des textes dans la page n'est pas due au hasard : proximité des articles et des illustrations, emboîtements des articles, renvoi de UNE en pages intérieures, fragmentation des articles pour passer d'une page à l'autre, choix des pages (paires / impaires) et position dans la page (partie inférieure ou supérieure, partie droite ou gauche). Dans ce cadre, il participe au choix des photos et a un droit de regard sur le légendage. Il travaille alors avec le service photo (photographes et iconographes), décide du recadrage de l'image et de sa disposition dans la page.

Le secrétaire de rédaction gère la pagination globale de chaque numéro, la répartition ordonnée des différents éléments composant une page : textes, titres, images et placards publicitaires. Le calibrage (calcul du nombre de signes et donc des surfaces) des espaces disponibles est réalisé en fonction de la charte graphique du titre. Il ne faut pas oublier que le journal ne peut accueillir qu'une quantité limitée de caractères. C'est pourquoi il peut décider de couper des articles en cas d'excédent de texte et apporter des modifications de dernière heure sur la UNE (plus rare) et sur la DER pour insérer une information importante. Il est chargé de l'application des décisions prises en conférence de rédaction pour ce qui est de la distribution des articles et de leur hiérarchisation, dans le respect de la maquette. Il est également rédacteur car c'est le plus souvent un secrétaire de rédaction spécialisé, le titreur, qui rédige les titres des articles.

Enfin, il peut être considéré comme le responsable du contrôle de qualité. Il doit relire et corriger les textes pour s'assurer de leur qualité de forme et de fonds. Il intervient également à l'imprimerie : il assure la liaison entre la rédaction et la fabrication, doit contrôler la bonne qualité de l'impression et faire respecter les horaires.

Le maquettiste est le responsable « artistique » de la page : c'est lui qui tout en respectant le visuel (charte graphique, colonage en particulier) crée l'assemblage des éléments constitutifs de la page : textes et illustrations en particulier, formes à leur affecter. Il faut que cet assemblage soit clair, que le lecteur comprenne quels sont les différents articles, qu'il distingue facilement la publicité du reste, qu'il fasse le lien facilement entre une illustration et le texte qui l'accompagne. Et il faut qu'il soit attirant.

Rappelons que l'identité visuelle d'un journal est importante, que c'est sa permanence qui assure sa reconnaissance par les acheteurs : elle repose sur le format, la disposition des espaces (colonages), la charte graphique (familles de caractères utilisés dans divers corps), présence ou absence d'illustrations, c'est-à-dire sur la maquette. De nombreuses publications, compte tenu de l'importance de cet aspect formel ont fait appel à des graphistes, des directeurs artistiques pour modifier ou faire évoluer leur maquette.

Le maquettiste joue un grand rôle en presse magazine illustrée. Il travaille alors sous l'autorité d'un directeur artistique qui trace les grandes lignes de chaque numéro, intervient dans le choix des photos et dans leur mise en page, etc. Tous les magazines illustrés, tout particulièrement les magazines illustrés grand public, font appel à des directeurs artistiques. Effet de la confrontation avec la télévision, c'est désormais l'image qui fait vendre : couverture (dite Une ou *cover*, rappelons que les décisions sur la Une sont le plus souvent prises lors de la conférence de rédaction), photos en pages intérieures, variations couleurs / noir et blanc, format.

➢ LA PAO : PUBLICATION ASSISTÉE PAR ORDINATEUR

Maquettistes et secrétaires de rédaction travaillent eux aussi sur terminal informatique et utilisent des logiciels dit de PAO (publication assistée par ordinateur). « La PAO regroupe l'ensemble des applications informatiques aboutissant à la communication écrite : reconnaissance optique de caractères, traitement de texte, création graphique et typographique, retouche d'images et mise en page[1]. » Les logiciels de PAO sont en constante évolution et offrent des possibilités toujours plus grandes tant sur le plan typographique que sur le plan de l'infographie et du traitement des images.

Le texte produit par le journaliste est calibré, c'est-à-dire ramené à un format prédéterminé (nombre de signes) lors de la conférence de rédaction. Il est ensuite composé : choix des caractères (polices, corps) et enrichissements éventuels (style), mais également justification (alignement à droite et à gauche selon la largeur de la colonne). Il doit, bien sûr, être également contrôlé : de plus en plus ces logiciels sont dotés non seulement de correcteurs d'orthographe mais de dictionnaires de synonymes et de noms propres, enrichis par chaque rédaction en fonction de ses besoins ; et aussi de correcteurs grammaticaux.

Les textes sont ensuite mis en forme et placés dans la page (mise en page) : dispositif en colonnes et équilibrage dans une forme géométrique de préférence. Le travail se fait directement sur écran : il est maintenant possible d'équiper les micro-ordinateurs d'écran pleine page grand format, ce qui permet de travailler en format réel. Les titres doivent être rédigés, puis composés sur une ou plusieurs lignes selon les articles.

Les photos insérées doivent être légendées. Ces photos peuvent être insérées à l'aide d'outils de lecture optique (scanner). Si elles sont saisies par ce moyen, elles peuvent être travaillées directement avec le logiciel de PAO : grossissement d'un détail, agrandissement, recadrage, déformation, etc., toutes les manipulations sont possibles.

La composition terminée, c'est l'atelier de photocomposition puis l'imprimerie qui prennent le relais. C'est aussi après ces opérations de composition et de mise en page que la publication, sous sa forme numérique, c'est-à-dire celle d'un fichier informatique, est récupérée par d'autres services, documentation et journal en ligne. Elle va servir à alimenter la banque de données d'archives en texte intégral et le site Internet de la publication.

L'ensemble de ces tâches (rédaction, composition et mise en page) sont désormais intégrées dans une organisation globale dite système éditorial, apparue avec l'informatisation générale des entreprises de presse. Un réseau interne, remplacé aujourd'hui par des Intranet, relie les différents postes informatiques (rédaction, PAO, photocomposition, ordinateurs de stockage des archives). L'article circule alors sous forme entièrement numérique jusqu'à son transfert sur la plaque offset, forme imprimante installée sur les rotatives.

---

1. Agnès BATIFOULIER, *La PAO : pour bien choisir matériels et logiciels*, Paris, CFPJ, 1991.

❑ Le montage et la réalisation en audiovisuel

L'information audiovisuelle est naturellement fugace, non mémorisable et éphémère car elle ne repose que sur la parole et l'image et non pas sur un texte. Elle est diffusée sur un mode séquentiel qui interdit la personnalisation du parcours pour l'auditeur et le téléspectateur ; il doit consommer la séquence dans l'ordre de sa diffusion. En audiovisuel, la mise en valeur repose essentiellement sur le montage et la réalisation.

Le montage consiste à retravailler les séquences enregistrées sur le terrain : sélection des meilleures séquences, remises en ordre pour créer la dynamique du sujet, insertion d'éléments extérieurs, notamment le commentaire du journaliste. Il faut aussi veiller à l'enchaînement harmonieux des plans et au rythme que crée leur succession. En radio, le montage est fait par le journaliste alors qu'en télévision, il est pris en charge par un technicien qui suit les instructions que lui donne le journaliste. Toutefois, l'utilisation croissante de bancs de montage numériques, ordinateurs de traitement du son et de l'image, va sans doute permettre au journaliste de télévision de retravailler lui-même ses reportages. Le montage est donc une opération de réduction et de reformulation des documents enregistrés sur le terrain par les équipes de reportage. Les éléments issus du montage sont ensuite insérés dans la structure même du journal radio- ou télédiffusé, et, pour les éléments textuels, lus par le présentateur.

La réalisation intervient en direct, au moment même de la diffusion du journal. Ce travail est confié à un réalisateur qui opère en régie. Il dispose de consoles reliées au studio ou au plateau d'enregistrement et d'un système de communication avec les techniciens et les journalistes qui s'y trouvent. En radio, il intervient surtout sur le contrôle de la qualité sonore, sur la qualité et le rythme des enchaînements et s'assure que le conducteur est bien suivi. En télévision son travail est plus complexe. Il est en relation directe avec les cameramen sur le plateau et leur donne des indications de prise de vue (choix des plans). De plus, il doit, de façon instantanée et durant toute la durée de la séquence d'information, choisir les images qui vont être immédiatement diffusées vers les téléspectateurs. Là encore, l'objectif est de donner du rythme mais aussi de la cohérence à la succession des plans et des séquences de façon à rendre le spectacle agréable pour le téléspectateur mais également afin qu'il reste attentif.

❑ La profession de journaliste en France aujourd'hui et son évolution

➤ LA STRUCTURE SOCIODÉMOGRAPHIQUE DE LA PROFESSION

En 1998, en France, on dénombre 30 000 journalistes professionnels. Ce nombre des journalistes est en progression constante : 10 000 en 1965 ; 16 600 en 1980 ; 26 600 en 1990 ; 27 939 en 1993.

D'après une étude menée en 1990 par l'Institut français de presse[1], à peine 15 % d'entre eux ont suivi une formation pratique au journalisme. La plupart ont eu une formation « sur le tas » mais un niveau d'études élevé : bac + 3 minimum pour la moyenne des journalistes et bac + 4 ou 5, pour les plus jeunes. Ces derniers sont également plus nombreux, 20 %, à être passés par les filières de formation professionnelles, soit dans des écoles privées, soit dans les filières universitaires. Le journalisme n'est pas une profession fermée : un patron de presse n'est pas tenu de recruter exclusivement des diplômés en journalisme ou en information-communication. Néanmoins, compte tenu des conditions actuelles du marché, la tendance a le faire s'accentue.

Les salaires des journalistes varient avec les fonctions qu'ils occupent et les responsabilités qu'ils exercent, mais aussi avec les catégories de médias. Ces salaires représentent en fait des bases de négociation auxquels il faut ajouter certains critères : ancienneté, notoriété, santé de la publication.

---

1. Institut français de presse, *Les journalistes français en 1990 : radiographie d'une profession*, Paris, Documentation française, décembre 1991.

RÉPARTITION DES JOURNALISTES FRANÇAIS EN 1997
(d'après la CCIJP, Commission de la carte d'identité des journalistes professionnels)

	Total	Hommes	Femmes
Titulaires salariés	21 487	13 771	7 716
Titulaires pigistes	4 542	2 611	4 542
Demandeurs d'emploi	1 253	658	575
Directeurs	521	448	73
Stagiaires salariés	1 422	735	690
Stagiaires pigistes	778	376	402
Total	*30 003*	*18 616*	*11 387*
Proportion de pigistes (%)	17,7		
Proportion de femmes (%)			38
Proportion de femmes pigistes (%)			43,8

LES SALAIRES MENSUELS DANS LA PRESSE
(d'après les accords paritaires du 3e trimestre 1998)

Catégories de médias	Rédacteur	Rédacteur en chef	Secrétaire de rédaction (2e éch.)
Quotidiens parisiens	13 295	29 714	16 418
Quotidiens régionaux	13 740	27 480	12 326
Agences de presse	12 354	27 838	14 825
Hebdo. parisiens (1re catégorie)	9 232	20 310	14 771
Périodiques (1re catégorie)	9 027	16 701	12 000

Dans l'audiovisuel, les salaires sont un peu différents, le présentateur reçoit une rémunération largement équivalente, sinon supérieure à celle d'un rédacteur en chef de presse. En 1997, les salaires bruts annuels des journalistes de France 2 étaient les suivants : 252 500 F pour un journaliste reporter d'images ; 306 628 pour un rédacteur grand reporter et 370 604 pour un chef de service.

En termes d'emploi, la situation du secteur est précaire : le chômage sévit et la proportion des pigistes, c'est-à-dire des journalistes indépendants non salariés d'une rédaction, augmente chaque année : 7 % en 1960, 9,6 % en 1980, 15 % en 1993, 17,7 % en 1997. Ce sont surtout des jeunes journalistes en attente d'un poste stable dans une rédaction. La base moyenne de leur rémunération est, en 1994, approximativement 335 francs brut le feuillet en presse quotidienne (1 500 signes : 25 lignes de 60 signes) mais la fourchette varie de 75 à 800 francs. La presse écrite absorbe 75 % des effectifs, l'audiovisuel 17 % et les agences 7,8 %. Ceci s'explique largement par la structure du paysage médiatique français. Il faut préciser que les journalistes ne représentent qu'une fraction, souvent faible, du personnel des entreprises médiatiques : en 1994, il y avait au *Monde* 230 journalistes pour 1 008 salariés et, à Radio-France, 350 journalistes pour 3 038 salariés.

En presse, les effectifs varient en fonction de la périodicité de la publication, de son orientation et de son tirage. C'est ainsi que *Ouest-France* (premier quotidien français) compte 370 journalistes, *L'Express* 200 et *Télérama* 60. Dans la presse professionnelle, les effectifs sont assez restreints et le recours aux pigistes plus fréquents. La rédaction de *Stratégies* ne compte que 20 journalistes salariés, et celle du *Moniteur du bâtiment* une trentaine. Dans l'audiovisuel, TF1 emploie 250 journalistes permanents et France Info, l'une des stations de Radio France, 50.

RÉPARTITION DE L'EMPLOI DES JOURNALISTES PAR SECTEURS EN 1990 (EN %)

Agences de presse	7,8
Radio	7,5
Télévision	9,5
Presse quotidienne nationale	8,8
Presse quotidienne régionale	19,2
Presse magazine d'information générale	7,8
Presse spécialisée grand public	22,2
Presse spécialisée technique et professionnelle	13,3

[Source : Institut Français de Presse]

➤ LES ÉVOLUTIONS EN COURS

Le métier de journaliste subit aujourd'hui des évolutions liées, d'une part, à l'évolution des techniques de production des médias et à l'élargissement de l'offre de produits médiatiques grâce en particulier au développement du réseau Internet, et, d'autre part, à la numérisation de la diffusion des programmes de radio et de télévision qui conduit à une segmentation croissante du marché des chaînes et des programmes.

Les journalistes travaillent désormais dans un environnement numérique puisqu'ils utilisent des outils informatiques d'aide à la rédaction, à la saisie et au traitement tant des textes que des photos, des sons et des images vidéo. Ils bénéficient de la mise en place de réseaux internes d'entreprise (Intranet), facilitant et accélérant la communication entre les journalistes et entre les services, et de l'interconnexion de ce réseau interne avec des réseaux externes permettant l'accès à des sources variées d'information. Dans tous les médias, la production est informatisée donc numérique. Cette situation a conduit les entreprises à envisager de nouvelles utilisations du travail des journalistes. La première utilisation a été la mise en place de systèmes informatiques de stockage et d'exploitation des archives aboutissant à la constitution de banques de données d'information, en particulier en presse. Ces banques de données proposent l'accès au texte intégral des contenus de tous les numéros publiés. Les premiers essais avaient débuté dans les années 1970. La diffusion du Minitel à partir de 1984 avait ouvert un débouché grand public pour ces banques de données. Aujourd'hui elles sont disponibles aussi sur CD-Rom.

Mais l'ouverture au public du réseau Internet en France à partir de 1993 a conduit les entreprises médiatiques à concevoir de nouvelles formes de mise à disposition de l'information : des sites multi-médias et multiservices qui viennent compléter l'offre sur les supports classiques de diffusion que sont les journaux[1] et les programmes de radio et de télévision. Les offres sont variables en fonction des médias. Le cœur de l'offre est constitué par de l'information mise à jour plus souvent et organisée en pages, mais avec un système d'accès particulier : l'hypertexte. Il s'agit d'une arborescence qui permet de relier des éléments divers entre eux et de parcourir les informations non plus suivant un ordre séquentiel traditionnel mais suivant un ordre personnalisé de parcours qui utilise les liens prépro-grammés entre les éléments d'information proposés. Sur ces sites, chaque média tend à sortir de sa singularité propre pour devenir réellement multimédia. C'est ainsi que l'on trouve sur des sites de presse des textes, des photos, des infographies, voire parfois des séquences sonores ou d'images animées. Sur les sites radio on trouve aussi des textes à côté de la musique ou des séquences audio ; même chose en télévision.

---

1. Il y avait en fin 1998 plus de 4 000 journaux en ligne sur le réseau Internet.

QUELQUES SITES DE MÉDIAS

Le Monde	http ://www.lemonde.fr
Libération	http ://www.libération.com
Les Echos	http ://www.lesechos.fr
Ouest-France	http ://www.France-ouest.com
La Voix du Nord	http ://www.lavoix du nord.fr
L'Express	http ://www.lexpress.presse.fr
Vogue Paris	http ://www.vogue.presse.fr
Journal officiel	http ://www.légifrance.gouv.fr
The Washington Post (EU)	http ://www.washingtonpost.com
The Wall Street Journal (EU)	http ://www.wsj.com
San Jose Mercury News (EU)	http ://www.sjmercury.com
CNN (EU)	http ://www.cnn.com
TF1	http ://www.tf1.fr
France Télévision	http ://www.francetv.fr
Canal+	http ://www.cplus.fr
Radio France Internationale	http ://www.fri.fr
Site annuaire	http ://www.yahoo.fr/actualités et medias/journalisme

On commence à parler, de façon sans doute un peu abusive, de « cyberjournalistes » pour désigner les journalistes qui sont désormais affectés au traitement et à la mise en valeur de l'information sur les services multimédia en ligne que les médias ont ouvert sur Internet. Il faut aussi noter l'existence de « cybermédias » c'est-à-dire de supports d'information qui n'existent que sous la forme de services en ligne sur le réseau Internet.

QUELQUES SITES DE « CYBERJOURNAUX »

Cybersphère	http ://www.quelms.fr/cybersphere.html
Netizen (EU)	http ://www.netizen.com
Balade de l'actualité	http ://www.netacces.com/actu/index.html
Good Morning News	http ://www.yweb.com/morningnews

La numérisation, en particulier des programmes de radio et de télévision, fait essentiellement évoluer l'offre des diffuseurs. Celle qui intéresse les journalistes a trait à la multiplication des chaînes d'information qui, sur le modèle de CNN, ne diffusent que des séquences d'information, des magazines et des reportages d'actualité. Si certaines de ces chaînes sont des chaînes nationales (LCI, BBC News), d'autres sont des chaînes régionales comme Euronews, voire planétaires comme CNN[1]. Le contexte du travail des journalistes intègre une logique de production en flux pratiquement continu et, pour les chaînes régionales ou transnationales, un élargissement de la perspective géographique et linguistique qui influe sur les compétences requises des journalistes.

---

1. Voir Pierre ALBERT et Christine LETEINTURIER, *Les Médias dans le monde, enjeux internationaux et diversités nationales*, Paris, Ellipses, 1999.

LES AUTRES MÉTIERS DES MÉDIAS

Il faut aborder maintenant les métiers liés à la production matérielle elle-même des médias et il importe alors de distinguer entre la presse écrite et les médias audiovisuels car les compétences techniques recherchées et donc les métiers y sont très différents.

Les équipes techniques représentent, tant en presse qu'en audiovisuel, des effectifs plus importants que les journalistes. En 1994, *Le Monde* comptait 1 008 salariés dont 230 journalistes, 226 employés, 350 ouvriers et 202 cadres administratifs et techniques. En audiovisuel, les personnels journalistes ne représentaient, en 1994, que 14 % des effectifs dans l'audiovisuel, la production 11 % et la technique 37 %, les autres postes, direction, logistique et ouvriers[1], respectivement 9 %, 5 % et 1 %.

❏ La fabrication en presse

➤ PHOTOCOMPOSITION ET GRAVURE DES ILLUSTRATIONS

Une fois terminée la composition et la mise en page, l'article doit être reporté sur la feuille de papier, c'est-à-dire imprimé. La page composée sous PAO est « flashée » c'est-à-dire que le contenu de la page est transféré du disque dur de l'ordinateur (ou d'une disquette de sauvegarde) sur un film transparent grâce à une photocomposeuse.

Les illustrations peuvent être insérées à l'aide d'outils de lecture optique (scanner) ou reproduites par un procédé photographique : la photogravure. C'est le procédé le plus couramment utilisé en presse quotidienne, pour les illustrations en noir et blanc. Il s'agit d'un procédé de clichage des originaux et de tirage sur des fonds tramés avec utilisation de différentes gammes de gris. Ces films (typons) sont ensuite insérés aux emplacements prévus dans le film texte sorti de la photocomposeuse sur une table lumineuse. Il existe un autre procédé de reproduction des illustrations : l'héliogravure.

Les pages ainsi composées doivent ensuite être imprimées. Elles peuvent être imprimées sur place ou le cliché peut être transmis à distance pour une impression sur d'autres sites : c'est la transmission par fac-similé. Le film est balayé par une cellule photoélectrique qui parcourt le document et transforme les éléments en signaux électriques. Ces signaux électriques sont transmis par le réseau téléphonique (câble et satellites). À la réception, l'imprimeur décode et reconstitue le film et peut alors imprimer. Beaucoup de quotidiens nationaux sont ainsi imprimés en province de façon à pouvoir être mis en vente à la même heure en différents points du territoire. *The International Herald Tribune* dispose par exemple d'un centre d'impression par fac-similé à Zurich (alors qu'il est composé à Paris).

L'ensemble des opérations précédentes : saisie des textes, montage des pages en PAO et clichage en photocomposeuse s'appelle le « pré-presse », c'est-à-dire opérations avant l'impression.

➤ IMPRESSION

Le procédé d'impression le plus couramment utilisé aujourd'hui, que les publications soient en noir et blanc ou en couleurs, est l'impression en offset.

L'offset est un procédé d'impression indirecte qui utilise une forme imprimante (plaque offset) et un cylindre intermédiaire entre la plaque et le papier, le blanchet. À partir du film produit par la photocomposeuse qui contient donc les textes et les images y compris les annonces de publicité, on réalise une plaque métallique recouverte d'un produit photosensible qui devient la forme imprimante. Cette plaque est ensuite encrée, l'encre épousant les formes à reproduire (textes, images). L'empreinte ainsi obtenue est reportée sur le blanchet, cylindre de caoutchouc qui, lui, vient au contact direct du papier à imprimer. L'utilisation d'un rouleau intermédiaire comme le blanchet permet une impression plus nette. Plaques et blanchets sont installés sur les cylindres d'impression des rotatives. Pour l'impression en couleurs (photos, à plat, titres), on utilise un procédé de reproduc-

---

1. Jean AGNEL, « Audiovisuel : emploi, métiers, formations », *Dossiers de l'audiovisuel*, n° 56, juillet-août 1994.

tion en couleurs, la quadrichromie, qui utilise quatre couleurs — cyan (bleu-vert), magenta (rouge violacé), jaune et noir — à partir desquelles il est possible de reconstituer toutes les nuances.

Les rotatives sont d'énormes machines sur lesquelles on peut installer des bobines de papier de plus d'un mètre de diamètre, bobines qui permettent l'impression en continu. Une rotative offset permet d'imprimer huit pages à la fois et donc de tirer 200 000 exemplaires d'un journal de 48 pages en une heure. Ces machines sont évidemment très onéreuses mais elles seules permettent une impression rapide des exemplaires. Rappelons que le temps est une des contraintes fondamentales qui pèsent sur les médias, et tout particulièrement sur les médias écrits, compte tenu de la lourdeur des opérations à enchaîner entre l'événement et la mise en vente du journal.

Tout au long de ces opérations, ce ne sont plus des journalistes qui interviennent mais des « ouvriers du livre », dénomination globale qui, en France, regroupe l'ensemble des intervenants sur la chaîne technique.

> *Chef de fabrication* : il choisit les prestataires ou les sous-traitants auxquels seront confiés certains travaux spécifiques, conception de la maquette, composition du document, relation avec l'imprimeur.
>
> *Claviste* : opérateur de saisie chargé de frapper les textes sur un clavier d'ordinateur. Cette fonction tend à disparaître car les journalistes sont de plus en plus nombreux à saisir (taper) leurs textes eux-mêmes.
>
> *Conducteur* : c'est le nom générique que l'on donne aux ouvriers et techniciens chargés de la programmation, des réglages et du contrôle des machines, rotatives et chaînes d'assemblage.

À la sortie de la rotative les journaux sont assemblés en cahiers, taillés au massicot (machine à couper) puis liassés. Il existe désormais, à la sortie des rotatives, des systèmes d'empaquetage et d'étiquetage qui permettent la préparation automatique des colis en fonction des modalités de distribution. Ce sont les étapes du façonnage et du conditionnement. Ensuite vient la prise en charge par les entreprises de distribution (messageries et routeurs) pour l'acheminement des exemplaires vers les points de vente ou les centres de tri postaux.

❑ Production et diffusion en audiovisuel

➤ LA PRODUCTION

L'ensemble des dispositifs techniques de production est désormais informatisé et les outils de prise de vue, de montage ainsi que les régies fonctionnent aujourd'hui en mode numérique.

✤ La radio

En plus des bureaux de la rédaction et des divers services (gestion, publicité, etc.), les sociétés de radio disposent d'équipement techniques nécessaires à la réalisation, à l'enregistrement puis à la diffusion des programmes.

Il y a d'abord le studio d'enregistrement, pièce isolée de tout bruit extérieur dans laquelle prennent place les différents intervenants d'une émission. Une paroi vitrée le sépare de la régie qui est la pièce où se trouve la table de mixage et les outils de contrôle, tant des enregistrements que de la diffusion. L'animateur, installé dans le studio, devise en direct sur les ondes entre deux morceaux de musique (disques lasers ou cassettes sonores) et, à intervalles réguliers, les annonces publicitaires. Il cède ensuite l'antenne au journaliste pour le flash d'information. Celui-ci passe la parole à un correspondant appelé au téléphone en province ou à l'étranger. Chacun dispose d'un micro et d'un casque qui le relie à la régie et lui permet également de suivre ce que disent les personnes présentes dans le studio. L'ensemble est soigneusement chronométré et doit donc se dérouler sans interruption de façon à ne pas créer de blanc à l'antenne. Le bon enchaînement des opérations, quand il s'agit du direct, est suivi en régie par un technicien qui vérifie la qualité du son en évitant les variations brutales d'intensité sonore. L'ingénieur du son surveille la qualité des enchaînements sonores et de la mise en ondes.

La régie est reliée par câble au centre d'émission qui va assurer la mise en ondes, c'est-à-dire la diffusion sur le réseau hertzien, sur la fréquence attribuée à la station émettrice. Dans le cas d'émissions diffusées en différé, toutes les séquences sonores — reportages, entretiens, annonces publicitaires, intermèdes musicaux — ont été enregistrées puis montées. Le montage consiste à réunir sur un même support d'enregistrement l'ensemble des ingrédients qui vont constituer l'élément de programme et à en assurer un enchaînement cohérent et harmonieux sur le plan sonore. Ce montage est réalisé sur des tables de montage et contrôlé en régie sous l'autorité de l'ingénieur du son.

❖ La télévision

Le processus global, en télévision, est assez proche de celui de la radio mais en plus complexe à cause de l'image et des possibilités qu'offre l'alliance son / image.

En télévision on parle moins de studio que de plateau. En effet il faut une surface importante pour que les caméras, le plus souvent trois, et les cameraman trouvent leur place ainsi que les micros et les preneurs de son. Sur les trois caméras, il y en a au moins une qui est mobile et va permettre de réaliser des effets particuliers. Sur le plateau, outre les participants à l'émission, on trouve également les éclairagistes pour le réglage des lumières. Et la script qui assure la continuité des images ; dans le cas d'une émission enregistrée, elle participe au montage avec le réalisateur et l'assistant réalisateur.

L'émission commence, les caméras tournent, les micros sont ouverts, les éclairages réglés et les propos enregistrés simultanément. En régie, les écrans de contrôle permettent au réalisateur, qui a la responsabilité artistique de l'émission, tout comme le réalisateur de cinéma, de choisir les meilleures images, de demander des cadrages particuliers aux cameraman du plateau pendant que l'ingénieur du son contrôle la qualité sonore. On insère si nécessaire des images issues de bandes préenregistrées, ou un direct avec un correspondant à l'étranger, ou des textes en surimpression à partir d'un banc-titre, etc.

Les professionnels de l'image et du son qui interviennent dans le cycle production-réalisation en télévision ont reçu à peu près la même formation que leurs collègues du cinéma. Brevet de technicien supérieur ou diplôme universitaire de technologie ou autre formation technique pour les techniciens chargés de la prise de vue, de la prise de son ou du contrôle en régie. Les réalisateurs, scénaristes, chefs opérateurs du son ont soit une formation originellement technique à audiovisuel et ont évolué vers la conception et la responsabilité artistique. D'autres ont suivi des formations de type Fondation européenne des métiers de l'image et du son (FEMIS) ou École supérieure de réalisation audiovisuelle (ESRA) ou cycles audiovisuel-cinéma des universités.

Les acteurs sont suivi les formations dispensées par les conservatoires et les écoles d'art dramatique. Les animateurs, en particulier les animateurs des émissions de variétés sont, quant à eux, soit issus du journalisme (Michel Drucker ou Philippe Bouvard), soit issus des métiers du spectacle (Patrick Sébastien). Il n'existe pas de formation particulière à cette activité qui repose surtout sur le talent et la créativité de l'animateur vedette et l'efficacité de l'équipe réalise l'émission.

Tout comme les entreprises éditrices de publications, les sociétés de radio et de télévision ne travaillent pas seules sur la totalité de ce qu'elles diffusent. En radio, le partenaire le plus important est le monde de la musique : professionnels du disque, organisateurs de concerts, artistes. En télévision, les partenaires principaux sont les sociétés de production qui se sont multipliées, accompagnant la croissance de la diffusion et la demande de programmes. Les chaînes font donc « leur marché » auprès des sociétés de production qui tiennent tous les ans un salon, le *MIP-TV* — tout comme le cinéma tient le sien, le festival de Cannes. Et au cours de ces salons se négocient contrats de production, cessions de droits de diffusion, etc.

De ce fait, l'activité des chaînes de télévision est plus particulièrement axée sur la conception de la grille des programmes : quel programme à quelle heure et pour quelle durée. Ce travail de conception de ce qu'on appelle la grille des programmes est placé sous la responsabilité du directeur de programmes qui fait travailler une équipe de programmateurs. La répartition des programmes en fonction des heures d'écoute est très importantes compte tenu du mode de financement des radios et des télévisions commerciales par la publicité.

> *Assistant son* : prépare le matériel d'enregistrement du son et surveille la qualité des enregistrements sous l'autorité de l'ingénieur du son et exécute ses instructions.
>
> *Cadreur* : il assure les cadrages et les mouvements de caméra sur les instructions du réalisateur.
>
> *Infographiste* : il réalise, désormais sur ordinateur à l'aide de logiciels adaptés, des textes de génériques, des illustrations, des graphiques et autres dessins utilisés aussi bien pour les génériques des émissions que pour l'habillage de la chaîne.
>
> *Ingénieur de vision* : il supervise la préparation des équipements vidéo lors des enregistrements, réglage des caméras, des récepteurs de plateau, de la régie et des magnétoscopes ; il en assure également la maintenance.
>
> *Ingénieur du son* : il assure la prise de son et veille à la bonne qualité technique des enregistrements lors des tournages ; il participe également au montage pour là encore assurer la qualité sonore.
>
> *Monteur* : il assure la mise en forme d'un sujet, sur support vidéo ou support film, en travaillant à la fois sur l'image et le son dont il pourra parfois assurer le mixage. Il travaille avec le réalisateur.
>
> *Responsable des éclairages* : assure la mise en place des sources de lumières lors des tournages, aussi bien en studio qu'en extérieur : il est responsable de la maintenance de ces équipements.
>
> *Technicien vidéo* : travaillant sous la responsabilité de l'ingénieur de vision, il participe à la préparation, aux réglages et à la maintenance des matériels vidéo nécessaires aux enregistrements. Il assure également la préparation des truquages (il est alors dénommé truquiste) sous l'autorité de l'ingénieur de vision et du réalisateur.

Une fois la diffusion décidée, en direct ou en différé, l'ensemble son / image est transmis par câble du site de production au centre d'émission (par exemple des studios de France 2 avenue Montaigne à l'émetteur de la tour Eiffel). La mise en ondes se fait alors en respectant le canal affecté au média. La transmission des signaux ainsi émis est assuré par Télédiffusion de France.

➤ LA DIFFUSION : LE RÔLE DE TDF – TÉLÉDIFFUSION DE FRANCE

La diffusion se produit, elle aussi, simultanément au déroulement de la séquence d'information. Elle est prise en charge par toute une infrastructure technique qui permet le bon acheminement des images et des sons produits par les chaînes de radio et de télévision vers les auditeurs et les téléspectateurs. Les infrastructures techniques sont diverses, mais utilisent toutes les ondes électromagnétiques dites ondes hertziennes. À la sortie de la régie finale, intervient la modulation, c'est-à-dire le traitement des ondes hertziennes qui vont acheminer les signaux sonores et vidéo.

La société TDF a été créée en 1974. Elle s'était vu alors confier le monopole de la diffusion des chaînes publiques de radio et de télévision sur l'ensemble du territoire. À la suite de la loi du 30 septembre 1986, TDF est devenue une société anonyme chargée d'offrir ses services non seulement aux chaînes publiques mais aussi aux chaînes commerciales. Elle est depuis 1990 une filiale de France-Télécom, société nationale de gestion des télécommunications.

TDF gère le réseau des émetteurs / réémetteurs (réseau hertzien terrestre) et certains satellites qu'elle met à la disposition des sociétés de télévision (dénommées alors diffuseurs) contre rémunération bien sûr. La tarification est liée à la couverture du réseau. TDF occupe vis-à-vis des sociétés de radio et de télévision le rôle des messageries vis-à-vis des entreprises de presse : elle assure le transport et la mise à disposition en tous points du territoire des signaux émis par ses clients.

On arrive ici dans le domaine de télécommunications et leur utilisation pour la transmission d'autres signaux que les signaux téléphoniques.

❏ Gestion, administration et vente

On retrouve dans les entreprises médiatiques les services existants dans n'importe quelle catégorie d'entreprise : services de gestion (administration, finance, ressources humaines), service juridique, services commerciaux (publicité, marketing, vente).

Les activités de gestion des entreprises médiatiques présente des singularités liées au produit réalisé. Une compétence générale en gestion alliée à une bonne connaissance du secteur permet une adaptation plus facile aux problèmes spécifiques de la gestion des médias. C'est encore plus vrai pour les services juridiques. En effet, même si toutes les entreprises médiatiques n'ont pas des services juridiques importants, les personnels recrutés doivent avoir une très bonne connaissance du droit de la communication. En effet, la diversité des questions juridiques soulevées par les divers aspects de l'activité médiatique nécessite cette compétence, que ce soit pour régler des problèmes internes à l'entreprise (contrats de travail, contrats de services) ou réagir dans de bonnes conditions à des plaintes liées au contenu de tel ou tel article, etc. Les organismes professionnels des médias (fédérations et syndicats patronaux) mais aussi des organismes tels que le Conseil Supérieur de l'Audiovisuel (CSA) ou Télédiffusion de France (TDF) sont également susceptibles d'avoir recours à des spécialistes du droit de la communication.

Les activités commerciales et promotionnelles sont confiées à des professionnels de la vente, du marketing et de la publicité. Mais ici, plus que pour les activités de gestion et d'administration, la connaissance tout à la fois du produit médiatique, de l'organisation économique du secteur et surtout des attentes et des comportements des publics s'avèrent de plus en plus nécessaires. Le marketing d'un produit culturel exige une adaptation des techniques promotionnelles aux singularités du produit et à la difficulté à cerner la demande du public.

Souvent rattachés aux services de marketing, les services d'études des entreprises médiatiques assurent le suivi précis de l'audience du support et ils observent l'évolution du marché et de la concurrence. Il s'agit tout à la fois de rester très à l'écoute des avis et critiques du public, de suivre l'apparition de nouveaux produits, de nouveaux comportements de consommation de façon à conserver — ou étendre — ses parts de marché. Ces services d'études internes aux médias travaillent également avec des sociétés spécialisées : instituts d'études et de sondages (SOFRES, IPSOS, IFOP), des organismes spécialisés dans le suivi des audiences des médias (CESP, Médiamétrie, Diffusion Contrôle).

Enfin certains services publics travaillent également sur ces questions : Institut national de l'audiovisuel, Centre national d'études des télécommunications, Service juridique et technique de l'information par exemple. Il s'agit essentiellement d'activités de collecte et d'analyse de données statistiques et d'enquêtes sociologiques, d'analyse comparative de produits (organes de presse, programmes de radio ou de télévision).

Ce panorama des métiers montre leur très grande diversité. Il montre aussi que la réalisation d'un média est un travail collectif, un travail d'équipe et que si la rédaction est le noyau central d'une entreprise de presse ou de la direction de l'information d'une chaîne de radio ou de télévision, l'ensemble des personnels techniques jouent un rôle aussi important, même s'il est moins connu car moins visible pour le grand public. La perméabilité entre les deux milieux est très faible et il est très difficile pour un technicien de passer à la rédaction. En revanche, les journalistes et les responsables de communication et de relations publiques forment des milieux assez proches, ayant des affinités et des connivences professionnelles qui facilitent la circulation entre les deux professions.

Bibliographie

AZZOUG M.L. et al., *Métiers et formations dans l'audiovisuel et le cinéma*, Paris, Dixit, 1997.

CHARON Jean-Marie, *Cartes de presse : enquête sur les journalistes*, Paris, Stock, 1993.

CIVARD-RACINAIS A. et E. RIEUBON, *Devenir journaliste*, Paris, L'Étudiant, 1998.

FEUILLARD J., *Comment communiquer avec les journalistes : les relations presse, business to business*, Paris, Presses du management, 4e éd., 1997.

FOUGEA Jean-Pierre, *Les 200 Métiers du cinéma, de la télévision et des nouvelles technologies*, Paris, Dixit, 1999.

GAILLARD P., *Techniques du journalisme*, Paris, PUF, « Que sais-je ? », 7e éd., 1996.

HUSSON D. et O. ROBERT, *Profession journalistes*, Paris, Eyrolles, 1991.

IFP, *Les Journalistes en France en 1990. Radiographie d'une profession*, Paris, Documentation Française, 1992.

LOYANT R. et E. MOATTI, *Faire de la télévision*, Paris, Édition n° 1, 1996, 2 vol.

MARTIN-LAGARDETTE J.-L., *Écrire, informer, convaincre. Le guide de l'écriture journalistique*, Paris, Syros, 1994.

MATHIEN Michel, *Les Journalistes*, Paris, PUF, « Que sais-je ? », n° 2976, 1995.

Média SID, Paris, Documentation française, annuel [annuaire des médias, des journalistes et des services d'information en France].

REBRÉ I., *Les Métiers de l'audiovisuel*, Paris, Jeunes, 1998.

RIEFFEL Rémy (dir.), « Les Métiers de la communication », *Réseaux* (Paros, CNET), mars-avril 1994, n° 64.

THOMAS N., L. JACQUET et F. VAUBAN, *Les Métiers de la communication*, Paris, Jeunes, 1998.

WEAVER D. et G. WILHOIT, *The American Journalist : A Portrait of US News people and Their Work,* Bloomington, Indiana U.P., 1991.

Voir aussi les collections d'ouvrages professionnels publiés par le CFPJ (Centre de formation et de perfectionnement des journalistes – Paris) et par l'INA (Institut national de l'audiovisuel (Paris et Bry s/Marne).

Les formations aux métiers des médias

Les formations aux métiers de la communication, du journalisme et des médias sont très diverses, à l'image des métiers eux-mêmes. Cette offre s'est encore diversifiée avec l'émergence du multimédia et son insertion progressive dans les entreprises médiatiques.

L'offre de formation est très large et se répartit en deux catégories : les formations générales à l'information-communication au sein desquelles les aspects théoriques des médias occupent une place importante et les formations professionnelles, à orientation technique. Cette offre couvre les trois cycles de l'enseignement supérieur, permettant l'insertion dans des cursus à différents niveaux d'études antérieures :

- premier cycle des universités avec les diplômes universitaires de technologie (DUT), les diplômes d'études générales scientifiques et techniques (DEUST) ; et section de techniciens supérieurs (STS) préparant à de nombreux Brevets de techniciens supérieurs (BTS). S'il n'existe davantage de DEUG spécialisés en information communication, certains DEUG de Lettres et Arts ou Sciences du Langage proposent des options médiation culturelle et communication ;
- second cycle universitaire avec les cycles généraux licence-maîtrise, les maîtrises de sciences et techniques, des diplômes universitaires spécialisés ;
- troisième cycle avec les diplômes d'études approfondies (DEA) ouvrant sur le doctorat, les diplômes d'études supérieures spécialisées (DESS) et les magistères.

Les écoles privées s'insèrent dans ce dispositif puisque la plupart demandent souvent aux candidats un diplôme équivalent au premier cycle universitaire. Et il ne faut pas oublier la formation permanente qui permet la mise à jour continue des connaissances techniques offrant aussi bien la possibilité d'évoluer dans une carrière que celle de se recycler.

LES FILIÈRES GÉNÉRALES INFORMATION-COMMUNICATION[1]

La plupart des universités françaises proposent des seconds cycles (licence-maîtrise) en « information-communication ». Leurs contenus sont très généraux et constituent une approche plutôt théorique des médias sous leurs divers aspects juridiques, économiques, sociologiques, historiques et linguistiques. L'année de maîtrise est clôturée par la soutenance d'un mémoire de recherche. Certaines, les MST (Maîtrise de sciences et techniques) et aussi les Instituts universitaires professionnalisés formant des « Ingénieurs – Maîtres » proposent en outre une formation professionnelle aux

---

1. Voir tableau des filières universitaires, adresses des établissements universitaires et carte des implantations p. 280.

métiers du journalisme, de la communication et du multimédia. Nombre d'étudiants enrichissent cette formation théorique par des stages en entreprise, les Universités passant alors des conventions de stage avec les entreprises d'accueil.

Ce second cycle universitaire peut être complété par un troisième cycle, DEA ou DESS. Le DEA constitue la première année de doctorat et doit permettre à l'étudiant d'entreprendre ensuite la préparation d'un doctorat d'université en sciences de l'information et de la communication.

Les DESS sont des formations professionnalisées, préparant aux principales spécialités des médias : communication des organisations, journalisme, gestion et administration des médias, télématique ou journalisme et communication multimédia. Les Instituts d'études politiques[1] (IEP) proposent désormais également une filière communication et ressources humaines offerte en troisième année.

Ces formations universitaires générales aux médias, moins ciblées que les formations purement professionnelles, permettent néanmoins de trouver un emploi dans les médias ou les secteurs périphériques, en particulier les relations publiques et la communication institutionnelle. Les métiers des médias sont ouverts et il n'est pas nécessaire d'avoir un diplôme professionnel.

LES FORMATIONS TECHNIQUES ET PROFESSIONNELLES

❑ Les formations au journalisme

À l'exception des Instituts universitaires de technologies (IUT) accessibles après le baccalauréat, la plupart des établissements de formation au journalisme recrutent au niveau Bac + 2 (Deug ou équivalent) avec parfois des limites d'âge, voire Bac + 4 (Maîtrise universitaire ou diplôme reconnu équivalent) pour les DESS. Les formations les plus anciennes relèvent d'écoles privées, mais les universités aussi proposent des cycles professionnalisés.

Huit formations au journalisme sont actuellement agréées par la Convention collective nationale des journalistes. Cela ne signifie nullement que la détention du diplôme de l'un de ces établissements soit une obligation. Le fait, pour un jeune journaliste, d'être diplômé de l'un de ces huit établissements, ne lui garantit pas un emploi sûr à la sortie. Cela lui facilite l'entrée dans les rédactions grâce aux stages obligatoires durant la scolarité, diminue la période précédant la titularisation (qualification de journaliste stagiaire) à un an au lieu de deux et donc accélère l'accès aux avantages contractuels de la Convention collective.

En 1990, parmi les journalistes travaillant en France, la proportion des diplômés d'une école agréée était de 14,5 %, et parmi les journalistes de moins de 25 ans elle était de 18 %. Cette augmentation s'accentue avec l'accroissement du nombre des formations agréées (il a doublé depuis 1990) et avec les restrictions à l'embauche dues à la saturation du marché du travail dans ce secteur. L'effet « école » ou « lobby » tend alors à jouer, et les rédactions ont tendance à favoriser les diplômés des écoles ayant des accords contractuels avec la profession. Rappelons qu'au 31 décembre 1997 on comptait 30 003 titulaires de la carte d'identité de journaliste professionnel mais le nombre des nouveaux inscrits a diminué fortement ces dernières années. C'est ainsi que le nombre de premières demandes, correspondant aux nouveaux entrants potentiels dans la profession, est passé de 2 195 en 1991 (8 % de l'effectif) à 1 680 en 1998 (5,6 % de l'effectif).

Dans la plupart de ces écoles, la formation est générale, c'est-à-dire pluri-média, avec pour certaines, une spécialisation possible en seconde année. Dans cette logique, certaines, telle l'ESJ de Lille, ont ouvert des formations au journalisme multimédia.

---

1. Voir adresses des IEP par académie, p. 282.

➢ Niveau Bac

Institut[1] universitaire de technologie de Bordeaux
Département carrières de l'information – Option journalisme
rue Naudet, B.P. 204, 33175 Gradignan Cedex
Tel. : 05 56 84 44 44

Institut[1] universitaire de technologie de Tours
Département carrières de l'information – Option journalisme
29 rue du pont Volant, 37023 Tours
Tel. : 02 47 54 32 32

École Supérieure de Journalisme
4 place Saint-Germain des Prés, 75006 Paris
Tel. : 01 42 22 68 06

➢ Niveau Bac + 2

Centre[1] de Formation des Journalistes
33 rue du Louvre, 75002 Paris
Tel : 01 45 08 86 71

Celsa – Université Paris 4
Maîtrise Information Communication – option journalisme[1]
77, rue de Villiers, 92200 Neuilly-sur-Seine
Tel. : 01 46 43 76 76

Centre Transméditerranéen de la communication[1]
Université d'Aix-Marseille II
Jardin du Pharo
Boulevard Charles Livon
13007 Marseille ˙
Tel. : 04 91 52 77 59

Centre[1] Universitaire d'Étude du Journalisme
Université Strasbourg 3
MST – Journalisme
10 rue Schiller, 67083 Strasbourg Cedex
Tel. : 03 88 36 30 32

École[1] Supérieure de Journalisme de Lille
50 rue Gauthier de Châtillon, 59046 Lille Cedex
Tel. : 03 20 54 48 21

Institut[1] Pratique de Journalisme
80 rue de Turenne, 75003 Paris
Tel. : 01 48 87 60 53

Institut Universitaire Professionnalisé
Université Bordeaux 3
Institut des sciences de l'information et de la communication
Domaine Universitaire
33405 Talence Cedex
Tel. : 05 56 84 50 58

---

1. Établissement agréé par la Convention Collective Nationale des Journalistes.

Maîtrise d'information et communication scientifique et technique
Université Paris VII,
2 place Jussieu, 75251 Paris Cedex 05
Tel. : 01 44 27 61 65

➤ NIVEAU BAC + 4

DESS Techniques du Journalisme
Institut Français de Presse – Université Paris 2
92 rue d'Assas, 76006 Paris
Tel. : 01 44 41 57 94

❏ Les formations aux relations publiques et à la communication

On retrouve ici, comme pour le journalisme, des formations universitaires à tous les niveaux : DUT carrières de l'information option communication d'entreprise, maîtrise et DESS.

➤ NIVEAU BAC

DUT Communication d'entreprise dans les IUT suivants : Bordeaux, Lannion (Rennes), Nancy, Paris, Strasbourg, Toulouse[1].

➤ NIVEAU BAC + 2

MST Communication des entreprises et des collectivités : Clermont-Ferrand.
MST Communication d'entreprise : Lille I, Grenoble III, Paris XIII.

➤ NIVEAU BAC + 4

DESS en communication ou relations publiques : Paris IV-Celsa, Paris I, Paris VII, Marne La Vallée.

➤ NIVEAU BAC + 5

Mastère en communication
HEC
75351 Jouy en Josas
01 39 67 70 00

ESCP
79 avenue de la République, 75543 Paris Cédex 09
01 49 23 20 00

ESC
20 Bd Lasrosse, 31068 Toulouse Cedex
05 61 29 49 49

Rappelons ici la formation des Instituts d'études politiques dont la filière Communication et Ressources Humaines conduit plus particulièrement aux métiers de la communication d'entreprise[1].

---

1. Voir liste et coordonnées page 281.

❑ Les formations à la publicité

L'éventail des formations à la publicité est plus largement ouvert du fait de la grande diversité des emplois offerts par le secteur. Il existe des cycles techniques (BTS communication / action publicitaire) dans de nombreux lycées professionnels en Île-de-France et en province[1]. Ensuite on retrouve les filières professionnelles, la plupart privées à l'exception des IUT (départements carrières de l'information – option publicité : Besançon, Bordeaux, Grenoble, Nancy, Paris, Strasbourg, Toulouse). Compte tenu de la grande variété des supports de la communication publicitaire (affiche, photo, son ou vidéo) les agences recrutent aussi des professionnels des arts graphiques ou des arts appliqués en général (on les estime à environ 12 000), ainsi que des professionnels de la photo ou du cinéma tout particulièrement pour la production des spots.

La plupart des grandes écoles de commerce dispensent des enseignements en marketing et publicité. Outre le diplôme de l'école, certaines proposent des mastères (diplôme de 3e cycle) en communication comme l'École supérieure de commerce de Paris (ESCP) ou HEC. Certaines formations à la gestion, telles que celles dispensées dans les Instituts d'études politiques ou les Instituts d'administration des entreprises permettent également de travailler en agence de publicité. Enfin, certaines universités disposent d'un enseignement de 3e cycle professionnalisé en marketing et publicité : DESS option marketing-publicité du Celsa à l'université Paris IV ou Magistère de marketing de l'université Lille 1.

❑ L'Imprimerie et les arts graphiques

Des formations techniques aux métiers de l'imprimerie et des arts graphiques sont proposées dès le lycée[1] : Certificat d'aptitude professionnelle (CAP), Brevet d'études professionnelles (BEP industries graphiques), baccalauréat professionnel imprimerie et industries graphiques ou baccalauréat technologique. Le Brevet de technicien supérieur (BTS) se prépare après le baccalauréat dans les sections de techniciens supérieurs (STS) ouvertes dans quelques lycées. L'établissement le plus connu offrant ces formations est l'école Estienne (18 boulevard Blanqui, 75013 Paris, tel. : 01 45 30 20 66) à Paris.

Les écoles nationales d'art proposent également une filière arts graphiques dans le cadre du Diplôme national d'arts et techniques (DNAT). La plupart ont introduit la formation au graphisme multimédia et à l'image de synthèse dans leur formation.

Rappelons que la publicité recrute également des diplômés en arts graphiques qui travaillent alors à la conception artistique des messages publicitaires avec les « créatifs ».

❑ Audiovisuel, image et son

L'emploi permanent de techniciens de l'image et du son au sein des radios et des télévisions décline au profit du recours à des personnels intermittents ou à des sociétés de sous-traitance. Par exemple en 1993, sur l'ensemble des effectifs de l'audiovisuel, les permanents représentaient 10 013 personnes et les occasionnels 4 097. Dans les sept sociétés composant l'audiovisuel public, les personnels permanents ne représentent que 40 % des effectifs globaux en télévision, 30 % en télédiffusion et 20 % en radio. L'explosion du paysage audiovisuel français n'a pas conduit à un nombre significatif de création d 'emplois nouveaux dans le secteur technique. Les salariés permanents du secteur public[2] sont passés en 20 ans de 16 000 (ORTF, 1974) à 11 500 (1993).

Des formations techniques aux métiers de l'audiovisuel sont proposées dès le lycée : BEP, baccalauréats professionnels puis, après le bac, le BTS[2] dans les Sections de technicien supérieur de certains

---

1. La liste des établissements offrant ces formations peut être consultée dans les centres d'information et de documentation jeunesse (CIDJ) ou dans les centres d'information et d'orientation (CIO).
2. « La Formation aux métiers de l'audiovisuel : des hommes, des arts, des techniques ». *Dossiers de l'audiovisuel*, n° 56, juillet-août 1994.

lycées dont la prestigieuse École Nationale Supérieure Louis Lumière (BTS de cinéma), Allée du promontoire, 93161 Noisy Le Grand – Tel. : 01 45 92 23 33.

On trouve ensuite les filières universitaires (MST, IUP) spécialisées en « audiovisuel », « cinéma » et « image et son », les options offertes par les écoles d'art dans le cadre du Diplôme National Supérieur d'Expression Plastique (DNSEP), option communication audiovisuelle. Parmi ces filières, un certain nombre ont d'ores et déjà élargi leurs enseignements au multimédia, en particulier pour ce qui concerne les MST d'audiovisuel.

➤ NIVEAU BAC

* DEUST en communication audiovisuelle : Grenoble III, Toulouse II, Paris X-Nanterre

* DNSEP orientation « audiovisuel » : Cergy-Pontoise, Épinal, Le Havre, Lyon, Marseille ; orientation photo : Angers, Marseille, Metz, Orléans.

* École Nationale de la photographie d'Arles
  16, rue des Arènes 13631 Arles
  Tel. : 04 90 49 61 62

➤ NIVEAU BAC + 2

* Licence et maîtrise, MST ou IUP : Aix-Marseille I, Avignon, Brest, Lyon II, Montpellier III, Nancy II, Paris I, Paris III, Paris VII, Paris VIII et Paris X, Toulouse II, Valenciennes.

* École Nationale Supérieure des Arts décoratifs – ENSAD (options Photo, Cinéma d'animation, Vidéo) : 31 rue d'Ulm 75005 Paris
  Tel. : 01 43 29 86 79

* Fondation Européenne des Métiers de l'Image – FEMIS (après concours)
  13 avenue du président Wilson 75016 Paris
  Tel. : 01 47 23 36 53

* École Supérieure de Réalisation Audiovisuelle – ESRA
  (école privée payante)
  135 avenue Félix Faure 75015 Paris
  Tel. : 01 45 54 56 58

➤ NIVEAU BAC + 4

DESS spécialisés à Bordeaux III, Poitiers, Valenciennes, Lille I.

Il faut noter ici le rôle important de l'Institut National de l'audiovisuel (4 avenue de l'Europe, 94366 Bry-sur-Marne, tel. : 01 49 83 24 24) dans la formation continue des personnels techniques de l'audiovisuel

❑ Documentation, médiathèque, iconographie

Il s'agit ici de la formation aux tâches de collecte, d'exploitation, de diffusion et de conservation des diverses sources d'information proposées aux journalistes. Les professionnels de cette spécialité assurent aussi la conservation et la réexploitation des productions des entreprises médiatiques : textes, photo, enregistrements sonores, cassettes vidéo et films issus de l'activité des journalistes. La plupart des formations sont générales, orientées aussi bien vers la documentation textuelle que vers la documentation audiovisuelle, et désormais multimédia. On évalue les effectifs de ce groupe professionnel à environ 1 500 pour l'ensemble des médias : documentalistes, iconographes et médiathécaires.

➤ Niveau Bac

Les départements Carrières de l'information de certains IUT proposent des formations à la documentation : Besançon, Bordeaux III, Dijon, Grenoble, Nancy, Paris V, Strasbourg, Toulouse, Tours.

Des DEUST sont proposés par les universités de Lille III, Lyon III et La Réunion.

L'École de Bibliothécaires-Documentalistes, rattachée à l'Université Catholique de Paris, propose également une formation à la documentation.

➤ Niveau Bac + 2

Institut Régional des Techniques de documentation.
77 rue Verte, BP 641, 76000 Rouen

Licence-Maîtrise de documentation à La Réunion, Lyon III, Mulhouse, Paris VII
Diplôme spécialisé de l'Université Paris VIII.

➤ Niveau Bac + 4

DESS d'information-documentation (IEP Paris), d'informatique documentaire (Besançon, Lyon I en association avec l'École Nationale Supérieure des Sciences de l'Information et des Bibliothèques, Lille III), d'archives et documentation (Mulhouse), et aussi :
Diplôme supérieur des sciences et techniques de l'information et de la documentation.
Institut National des techniques de la Documentation — INTD,
2 rue Conté, 75003 Paris
Tel. : 01 40 27 25 16/17

❏ Multimédia, services en ligne

Dans ce secteur encore assez largement émergent, les métiers et leurs dénominations sont loin d'être définitivement fixés. Une partie très importante des métiers de ce secteur sont en fait des métiers issus de l'informatique et des télécommunications : développement de logiciels variés et adaptation des logiciels standards aux besoins spécifiques de l'application y compris dans le domaine de l'imagerie de synthèse, gestion des réseaux et des ordinateurs interconnectés. Il s'agit de tout ce qui concerne l'ingénierie du multimédia ; les formations sont donc ici des formations de techniciens et d'ingénieurs ouvertes à des candidats titulaires d'un baccalauréat scientifique.

Ce sont plutôt les domaines de la conception générale de sites ou de produits (chef de projet multimédia), les tâches de coordination (administrateur de site ou *webmaster*) et les tâches de conception (concepteur multimédia, graphiste) qui relèvent plus précisément des professions de l'information communication. Comme nous l'avons déjà signalé, de nombreuses formations, dans les différents domaines du journalisme, de la communication, de la publicité, de la documentation comme de l'audiovisuel ont introduit la formation au multimédia à côté de la formation aux outils plus classiques de ces professions. Là encore nous privilégierons les formations publiques, car dans ce secteur comme dans d'autres l'offre d'entreprises privées commence à devenir importante, sans qu'il soit possible de fournir des évaluations qualitatives.

Les premières formations, et celles qui sont aujourd'hui les plus structurées, ont été ouvertes par les Écoles d'Art, filières Beaux-arts ou filières Arts décoratifs, mais aussi par certains départements universitaires ou des filières de formation aux arts graphiques (École Estienne en particulier).

➤ Départements universitaires[1]

Bac + 2

Licence information – communication / Option conception médiatique
Université Paris 10 – Nanterre

Licence Sciences de l'éducation
Module Éducation, Pédagogie et Multimédia
Université Paris 12 Créteil

Maîtrise de Sciences et Techniques – Concepteur multimédia :
Aix-Marseille 1, Avignon, Paris 2 – IMAC, Paris VIII – Saint-Denis

Bac + 4

DESS Aix-Marseille 1, Aix-Marseille 2, Lille 1, Metz, Nancy, Paris 6 – Jussieu, Paris 8 – Saint-Denis, Poitiers, Valenciennes, DESS Paris 2 / IFP

➤ Les écoles

Les **écoles publiques** sont principalement les Écoles Nationales Supérieures d'Arts Décoratifs (ENSAD) et Écoles Nationales des beaux-arts. Il en existe une soixantaine en France, soit une dans chacun des principaux départements.
La première à se lancer a été :
L'École Nationale Supérieure des Arts Décoratifs
73 boulevard Saint-Marcel, 75013 Paris
01 53 73 24 80

Parmi les **écoles privées**, et en dehors de celles déjà signalées en particulier pour les formations à l'audiovisuel qui se sont élargies au multimédia, on peut citer :
L'École des métiers de l'image, Centre Gobelins
73 boulevard Saint-Marcel, 75013 Paris
01 40 79 92 79.

Cette école appartient au réseau des écoles de la Chambre de commerce et d'industrie de Paris.

---

1. Voir liste et coordonnées, p. 281.

Bibliographie

SACRE Isabelle, *Les Formations en information-communication*, Paris, l'Harmattan, 1999.

✍ PRINCIPALES SOURCES FRANÇAISES

* **Brochures ONISEP** (Office national d'information sur les enseignements et les professions, 75635 Paris Cedex 13) :

« Communication et Journalisme », *Avenirs,* n° 472/473, mars-avril 1996.

« Les Métiers de l'imprimerie et des arts graphiques », *Les Cahiers ONISEP*, n° 9, mai 1996.

« La Pub », *Avenirs*, n° 425, 1991, 96 p.

« Autour du livre », *Avenirs*, n° 470, janvier 1996.

« Image et son : métiers et formations », *Avenirs*, n° 416, 1990, 100 p.

« Les Métiers du multimédia », *Avenirs,* n° 794, octobre 1998.

* **Guide de L'Étudiant** (Éditions l'Étudiant, rue du Chemin Vert, 75011 Paris) :

Débuter dans l'audiovisuel (507)

Les Métiers de la Communication (503)

Les Métiers de la publicité

Les Métiers du Journalisme (502)

Les Métiers du Multimédia (509)

✍ EN ANGLAIS

BAZALGETTE Cary et al., *New Directions : Media Education Worldwide*, Bloomington, Indiana UP, 1993.

FRENCH David et Michael RICHARDS, *Media Education Across Europe*, Londres, Routledge, 1994.

GAUNT Philip, *Making the Newsmakers : International Handbook on Journalism Training*, Westport (CT), Greenwood Press, 1992.

LES FILIÈRES INFORMATION-COMMUNICATION DES UNIVERSITÉS

	DUT	Licence	Maîtrise	MST	D.U.	IUP	Magistère	DEA	DESS
Aix-Marseille 1						■			
Aix Marseille 2				■					
Aix-Marseille 3								■	
Angers					■				
Avignon									
Besançon									
Bordeaux 3									
Brest									
Caen					■				
Clermont-Ferrand	■				■				
Dijon									
Grenoble 2									
Grenoble 3									
Le Havre		■	■	■		■		■	
Lille 1									
Lille 3		■	■	■	■				
Lyon 2									■
Lyon 3									
Marne-La-Vallée									
Metz									
Montpellier 1									■
Montpellier 3								■	
Nancy 2		■	■	■					
Nice									
Poitiers							■		
Rennes 1 (Lannion)									
Rennes 2									
La Réunion									
Strasbourg 1				■					
Strasbourg 2									
Strasbourg 3								■	
Toulouse 1	■			■					
Toulouse 2				■					
Toulouse 3									
Tours									
Valenciennes							■		
Paris 1									
Paris 2 (IFP)									
Paris 2 (IMAC)									
Paris 3 (Destec)									
Paris 4 (Celsa)									

Paris 5										
Paris 6	■								■	
Paris 7										
Paris 8					■					
Paris 9										■
Paris 10	■				■					
Paris 12										■
Paris 13										

DUT : Diplôme Universitaire de Technologie
MST : Maîtrise de Sciences et Techniques
D.U. : Diplôme d'Université
I.U.P. : Institut Universitaire Professionnalisé
DEA : Diplôme d'Études Approfondies
DESS : Diplôme d'Études Supérieures Spécialisées
(Tableau réalisé d'après les informations de l'ONISEP et du Ministère de l'enseignement supérieur)

Université	Références des départements universitaires
Aix-Marseille 1	UFR Lettres, arts, communication… (licence, maîtrise information communication, MST image et son) 29 Ave Robert Schuman, 13621 Aix en Provence Cedex 01 04 42 95 35 33
	IUP Ingénierie de l'information et de la communication Communication et audiovisuel 4, rue du Terras, 13002 Marseille 04 91 90 24 07
Aix Marseille 2	École de journalisme et de communication (MST, DESS) 21 rue Virgile Marion, 13392 Marseille Cedex 05 04 91 24 32 00
Aix-Marseille 3	Institut d'administration des entreprises Clos Guiot, Bd des Camus, 13540 Puyricard 03 42 28 08 08
Angers	Université Catholique de l'Ouest – Licence Information Communication 57 rue de Brissac, BP 808, 49005 Angers cedex 02 41 81 66 00
Avignon	UFR Sciences et langages appliqués (MST concepteur multimédia) 1 rue Saint-Jean, 84000 Avignon 04 90 85 81 94
Besançon	IUT de Besançon – Carrières de l'information (Publicité) 30 avenue de l'Observatoire, BP 1559, 25009 Besançon Cedex 03 81 66 68 20
Bordeaux 3	IUT « B » – Carrières de l'information (Journalisme, Communication d'entreprise, Publicité) Rue Naudet, BP 204, 33175 Gradignan Cedex 5 05 56 84 44 44
	IUP Ingénierie de l'Information et de la Communication (05 56 84 51 83) UFR Information Communication (licence-maîtrise information-communication, DEA, DESS) Domaine Universitaire, Esplanade Montaigne, 33405 Talence Cedex 05 56 84 50 58

Brest	UFR Sciences et Techniques (MST Image et son) 6, Ave Victor-Le-Gorgeu, 29285 Brest Cedex 02 98 01 61 21
Caen	DU Études théâtrales et cinématographiques Esplanade de la Paix, 14032 Caen Cedex 02 31 45 55 00
Clermont-Ferrand	MST Communication des entreprises et des collectivités 34 avenue Carnot, 63037 Clermont-Ferrand cedex 04 73 40 64 05
Dijon	IUT– Carrières de l'information (Documentation) Bd Docteur Petitjean, BP 510, 21014 Dijon Cedex 04 80 39 64 03
	UFR Droit et sciences politiques (DESS Stratégie de communication internationale) 2, boulevard Gabriel, 21100 Dijon 04 80 39 56 11
Grenoble 2	IUT – Carrières de l'information (Documentation) Place Doyen Gosse, 38041 Grenoble Cedex 04 76 28 45 06
Grenoble 3	IUP Ingénierie de l'information et de la communication UFR Sciences de la communication (licence-maîtrise information-communication, DEA) Domaine Universitaire, St Martin d'Hères, BP 25, 38040 Grenoble Cedex 9 04 76 82 43 21
Le Havre	IUT – Option communication publicitaire Place Robert Schuman, 76610 Le Havre 02 35 49 60 00
Lille 1	Institut d'Administration des entreprises 104 avenue du Peuple blege, 59043 Lille Cedex 03 20 12 34 86
Lille 3	IUT – Option Communication d 'entreprise 35 rue Sainte-Barbe, 59 600 Tourcoing 03 20 76 25 24
	UFR Lettres, communication, film et musique (licence maîtrise information-communication, DEA) Pont de Bois, BP 149, 59653 Villeneuve d'Ascq 03 20 45 62 30
	IUP Ingénierie de l'information et de la communication BP 35, rue Vincent Auriol, 59100 Roubaix 03 20 65 66 00
Lyon 2	Institut de la Communication (Licence-maîtrise Information-communication, DEA, DESS) 5, Ave Pierre Mendès-France, 69676 Bron cedex 04 78 77 23 28
Lyon 3	UFR Lettres et Civilisations (Licence-maîtrise Information-communication, DEA, DESS) 74 rue Pasteur, 69365 Lyon Cedex 07 04 72 72 20 90/93

Marne La Vallée	UFR Communication des entreprises (DESS Communication des organisations) Pôle universitaire du Bois de l'Étang, rue Galilée, 77420 Champs sur Marne 01 49 32 60 64
Metz	UFR Lettres et sciences humaines Île de Saulcy, 57045 Metz Cedex 1 03 87 31 52 53
Montpellier 3	UFR Science du sujet et de la société Route de Mende, BP 5043, 34032 Montpellier cedex 1 04 67 14 20 00
Nancy 2	IUT A — Carrières de l'information (Communication d'entreprise, Publicité) 2bis Bd Charlemagne, 54000 Nancy 03 83 27 30 85
	UFR de Lettres (licence-maîtrise DESS information-communication) BP 3397, 3, place Godefroi de Bouillon, 54000 Nancy 03 83 98 71 02
	Institut européen de cinéma et d'audiovisuel 23, Bd Albert Ier, 54000 Nancy 03 83 96 41 21
	IUP Ingénierie de l'information et de la communication 3, place Godefroi de Bouillon, 54000 Nancy 03 83 70 30
Nice	IUT — Carrières de l'information 41 Bd Napoléon III, 06041 Nice Cedex 04 93 21 79 00 UFR Lettres et sciences humaines 98 Boulevard E. Herriot, BP 209, 06204 Nice Cedex 3 04 93 37 53 53
Poitiers	MST Communication d'entreprise — DEA 93, rue du recteur Pineau, 86022 Poitiers cedex 05 49 45 33 81
Rennes 1	IUT — Carrières de l'information (Communication d'entreprise) Route de Perros-Guirrec, BP 150, 22302 Lannion Cedex 02 96 48 43 34
Rennes 2	UFR Arts, Lettres, Communication (Licence-maîtrise information-communication, IUP, DEA) 6, avenue Gaston Berger, 33405 Rennes cedex 02 99 14 15 86
La Réunion	Faculté des Lettres — Maîtrise Information — Communication BP 7151 — 97 715 St Denis Messageries 19 (262) 93 85 85
Strasbourg 1	Gersup — DESS Communication scientifique et technique 7 rue de l'Université, 67 000 Strasbourg 03 88 52 80 61

Strasbourg 2	UFR Communication (DU Cinéma audiovisuel et ingénieur du son)
	22, rue Descartes, 67084 Strasbourg cedex
	03 88 41 74 20
Strasbourg 3	Centre Universitaire d'enseignement du journalisme (CUEJ) — MST, DESS, DEA
	10 rue schiller, 67083 Strasbourg cedex
	03 88 36 30 32
	IUT Carrières de l'information (communication, publicité)
	72, route du Rhin, 67400 Illkirch-Graffenstaden
	03 88 67 63 00
Toulouse 1	UFR Sciences juridiques (DESS Droit économique de la communication)
	Place Anatole France, 31042 Toulouse cedex
	05 61 63 36 38
Toulouse 2	IUP Ingénierie de l'information et de la communication / Études audiovisuelles
	UFR Études audiovisuelles
	5 allée Antonio Machado, 31058 Toulouse cedex
	05 61 50 44 46
Toulouse 3	IUT « A » Carrières de l'information (Communication d'entreprise)
	115 rue de Narbonne, 31077 Toulouse Cedex
	05 61 25 80 00
Tours	IUT Carrières de l'Information (Journalisme, Documentation)
	29, rue du Pont Volant, 37023 Tours Cedex
	02 47 36 75 02
Valenciennes	Institut des Sciences et Techniques (MST communication audiovisuelle / DEA, DESS)
	Le Mont-Houy, BP 311, 59304 Valenciennes cedex
	03 27 14 12 34
Paris 1	UFR Science politique (DESS Communication politique)
	14, rue Cujas, Bureau 602, 75005 Paris
	01 40 46 28 01
	UFR Études internationales et européennes (Droit de la communication audiovisuelle)
	12 place du Panthéon, 75231 Paris cedex 05
	01 40 34 97 32
	UFR Arts plastiques (DU Cinéma, télévision, audiovisuel)
	162 rue Saint-Charles, 75015 Paris
	01 45 54 97 24
Paris 2 (IFP)	Institut Français de Presse et des Sciences de l'Information
	(licence-maîtrise information-communication, DU, DEA, DESS)
	92, rue d'Assas, 75006 Paris
	01 44 41 57 93/94
Paris 2 (IMAC)	Institut Image et Communication (MST audiovisuelle, école d'ingénieur)
	295 rue Saint-Jacques, 75005 Paris
	01 44 41 87 30
Paris 3	UFR Cinéma et audiovisuel (DU Cinéma et audiovisuel)
	13, rue de Santeuil, Bureau 122, 75231 Paris Cedex 05
	01 45 87 40 00, p. 4238

Paris 3	DESTEC (licence-maîtrise information-communication, DEA) / Bureau 201 A 13, rue de Santeuil, 75231 Paris cedex 05 01 45 87 40 91
Paris 4 (Celsa)	Centre d'études littéraires et scientifiques appliquées (Celsa) (MST Journalisme, Maîtrise information-communication, Magistère, DEA, DESS) 77, rue de Villiers, 92200 Neuillly s/Seine 01 46 43 76 76
Paris 5	IUT Carrières de l'information (Documentation, Publicité, Communication) 143 avenue de Versailles, 75016 Paris 01 44 14 45 71/72
	UFR Linguistique (DESS Intelligence de la communication écrite : édition, études, conseils) 12, rue Cujas, 75005 Paris 01 40 46 29 75
Paris 6	DESS Multimédia 2, place Jussieu, Tour 6, 1er étage, 75251 Paris cedex 05 01 43 29 09 30
Paris 7	UFR Cinéma / Communication / Information 2, place Jussieu, 75251 Paris cedex 05 01 44 27 54 01
Paris 8	UFR 6 Communication, Information 2, rue de la Liberté, 93626 Saint-Denis Cedex 01 49 40 56 66 / 01 49 40 67 58
Paris 9	UFR Sciences des organisations (DESS Gestion des télécommunications, gestion des institutions culturelles) Place Maréchal de Lattre de Tassigny, 75775 Paris cedex 16 01 44 05 44 05
Paris 10	UFR Lettres, langages, philosophie (licence-maîtrise information-communication) 200 Ave de la République, 92001 Nanterre Cedex 01 40 97 73 54
	IUT Carrières de l'information 200 Ave de la République, 92001 Nanterre Cedex 01 40 97 72 00
Paris 12	UFR Communication (licence-maîtrise information-communication) 61 Ave du Général De Gaulle, 94010 Créteil cedex 01 45 17 11 87
Paris 13	UFR Sciences de la communication (licence-maîtrise information-communication, IUP) Ave Jean Baptiste Clément, 93430 Villetaneuse 01 49 40 39 20

Instituts d'études politiques

IEP Aix-Marseille Université Aix-Marseille III Aix-Marseille III	25, rue Gaston Saporta 13625 Aix-en-Provence 04 42 21 06 72
IEP Bordeaux Université Bordeaux I	Domaine Universitaire Avenue Auzone, 33604 Pessac (BP 101, 33405 Talence cedex) 05 56 84 42 50
IEP Grenoble Université Grenoble II	1030 avenue Centrale, Domaine Universitaire BP 45, 38402 St Martin d'Hères cedex 04 76 82 60 00
IEP Lille Université Lille II	Domaine universitaire littéraire et juridique BP 169, Villeneuve d'Ascq 03 20 05 74 00
IEP Lyon Université Lyon II	1, rue Raulin 69007 Lyon 04 78 72 85 63
IEP Paris	27, rue Saint Guillaume 75341 Paris Cedex 07 01 45 49 50 50
IEP Rennes Université Rennes I	104, Bd Duchesse Anne 35042 Rennes cedex 02 99 38 63 37
IEP Strasbourg Université Strasbourg III	47, avenue de la Forêt Noire 67082 Strasbourg cedex 03 88 41 77 61
IEP Toulouse Université Toulouse I	2 ter, rue des Puits Creusés 31000 Toulouse 05 61 21 93 10

(Tableaux réalisés d'après les informations de l'ONISEP et du ministère de l'Enseignement supérieur)

Conseils aux étudiants
pour les mémoires et thèses

Les travaux écrits, notamment au niveau de la maîtrise, du DEA et du doctorat, ont un but essentiel : démontrer que vous avez acquis certaines compétences, qui sont précieuses dans de nombreux domaines d'activité : la rédaction de mémoires et thèses, certes, mais aussi la préparation d'épreuves de concours, de communications à colloque, d'articles, de dossiers, de rapports, de livres, ainsi que de lettres de candidature ou de comptes rendus divers.

CES COMPÉTENCES ?

- savoir trouver des informations ;
- savoir les évaluer, les filtrer et les organiser ;
- savoir les présenter de façon claire, agréable et convaincante.

Aux yeux d'un employeur, la valeur d'un diplômé en infocom réside dans ce savoir faire plus que dans un stock de connaissances. Aux États-Unis, environ la moitié des étudiants formés par les *Journalism Schools* font carrière en dehors des médias.

Tout travail de recherche (et en particulier un mémoire) comporte trois phases :

— LA QUÊTE DE L'INFORMATION : par lecture, observation, interviews, enquête, analyses ;
— LE TRAITEMENT DU MATÉRIAU : filtrage, vérification, mise en fiches, analyse, commentaire ;
— LA MISE EN FORME : plan détaillé, rédaction, correction.

CHOIX DU SUJET DE RECHERCHE

Il est bon d'utiliser conjointement plusieurs critères :

- L'ORIGINALITÉ DU SUJET : il est nécessaire de vérifier qu'il n'a pas déjà été traité récemment (dans le fichier national des thèses ou le fichier des mémoires de votre établissement et ceux d'autres institutions). L'étudiant doit se considérer comme un chercheur véritable qui participe au progrès des connaissances — et cela impose des contraintes.

- LA POSSIBILITÉ MATÉRIELLE de traiter le thème. Ne pas envisager, par exemple, d'étudier en France la radio chilienne si l'on n'a quitté ce pays à l'âge de 10 ans et qu'on ne compte pas y retourner pour la recherche. Même si l'on reste dans un cadre hexagonal, s'assurer que la documentation est accessible : certains milieux, et particulièrement les médias, manquent parfois de transparence.

Prendre également en compte le temps dont on dispose, sa propre expérience et le milieu dans lequel on évolue. Et la possibilité de coopérer avec d'autres étudiants qui travailleraient sur des sujets voisins.

Choisir un sujet trop vaste au départ n'est pas mauvais car on se donne ainsi une marge de manœuvre. Le sous-titre du mémoire permettra de rétrécir le secteur de recherche.

- L'INTÉRÊT PERSONNEL que l'on porte au sujet.

- L'intérêt que peut avoir le mémoire dans le SECTEUR D'ACTIVITÉ où l'on envisage de chercher un emploi.

STRATÉGIE

Éventuellement, on planifiera sa recherche sur plusieurs années : il est excellent de choisir son sujet de recherche pour la maîtrise en songeant au mémoire de DEA et à la thèse de doctorat qui pourront suivre.

- Se fixer un EMPLOI DU TEMPS en n'oubliant pas que la rédaction est toujours bien plus longue qu'on le croit. Compter un tiers du temps total : ne pas espérer rédiger et corriger un mémoire de maîtrise en un mois.
- DÉBROUSSAILLER rapidement le domaine en lisant des ouvrages généraux et des manuels méthodologiques (exemple : comment établir un échantillon, comment faire une enquête par questionnaire).
- Établir rapidement une BIBLIOGRAPHIE (y compris mémoires et thèses) et l'explorer avec le souci de se délimiter un secteur propre.
- IDENTIFIER DES SOURCES d'information : archives, centres de documentation, bibliothèques. Il existe des guides des bibliothèques et des centres de documentation, des catalogues de grandes bibliothèques mondiales, des volumes de bibliographies spécialisées, des collections de résumés de thèses et mémoires.

Il faut également rechercher des personnes informées ou permettant de remonter jusqu'à une source. En aucun cas, le chercheur ne peut se limiter à consulter des livres publiés, qui le plus souvent ont au moins deux à trois ans de retard sur l'actualité.

- ÉTABLIR DES FICHES afin d'y relever bibliographie, notes de lecture et idées personnelles ;
- rester en CONTACT RÉGULIER AVEC LE DIRECTEUR de travaux, lui soumettre le plan et des sections du mémoire. Suivre ses instructions.

Le cas est trop fréquent de l'étudiant qui cesse tout contact avec le professeur entre le moment où il dépose son sujet et celui où il dépose son mémoire relié. Chaque année il arrive que la soutenance soit refusée à des mémoires tirés, reliés mais trop défectueux.

LE FOND

Voici quelques conseils généraux. Des instructions particulières sont données par chaque professeur en fonction de sa discipline et du sujet choisi par l'étudiant.

- Il est fondamental d'avoir :
- une « GRILLE D'ACCUEIL » intellectuelle — c'est-à-dire une culture générale solide ;
- une certaine CONSCIENCE de soi-même et du monde ;
- la FOI dans la valeur du travail entrepris, et dans son achèvement ;
- une MÉTHODE de travail déjà complexe et bien rodée.

• Il faut DÉLIMITER SON SUJET clairement, afin de ne jamais trop s'éloigner de son secteur de recherche[1]. Se méfier des digressions injustifiées et du remplissage hétéroclite.

• Le mémoire ne saurait être un simple essai, aussi brillant soit-il. Une bonne part du mémoire doit consister en données factuelles (certaines d'entre elles chiffrées), en des DÉCOUVERTES DE PREMIÈRE MAIN, qui sont issues :

— d'un travail strictement PERSONNEL (observation, analyse de contenus, par exemple) ou
— de sources ORIGINALES (archives ou entretiens avec des professionnels, experts ou usagers).

• Le mémoire ne doit pas être une mosaïque de longues citations, surtout si elles sont tirées de sources banales. Encore moins peut-il être fait d'emprunts non signalés.

Tout emprunt important, même s'il ne fait pas l'objet d'une citation, doit être signalé. Il serait doublement sot de le dissimuler :

— *d'une part, l'expert chargé de l'évaluation risque fort de repérer l'emprunt[2] ;*
— *d'autre part, on gagne à afficher les lectures qu'on a faites et à utiliser l'autorité des spécialistes.*

• Le mémoire doit être UNE DÉMONSTRATION : le plan, la succession des chapitres, doit refléter la progression de la démonstration. Éviter donc les affirmations sans preuves, les généralisations excessives. Des transitions doivent marquer la succession des étapes, des arguments.

• LES CHIFFRES. Savoir les utiliser. Pas de chiffres sans pertinence. Ne pas changer de base dans la même phrase ou le même paragraphe. Exemple : « Cette société publie 33 % des journaux du pays, dont 42 % de quotidiens ». Pour les données économiques : ne pas comparer des sommes exprimées en monnaies différentes, faire la conversion (et indiquer la date du taux de change).

• Utiliser un TABLEAU OU un GRAPHIQUE pour éviter une accumulation presque illisible de chiffres dans le texte. Mais rendre très lisibles les courbes, secteurs et barres : pas de légendes compliquées, sombres ou trop éloignées de l'illustration.

LA MISE EN FORME

> Elle est extrêmement importante, au moins autant que le fond :
> souvent une bonne recherche est gâchée par une rédaction
> ou une présentation médiocre.

❑ Le plan

Il doit prévoir :

1) une INTRODUCTION et une CONCLUSION, dans tous les cas (voir ci-dessous) ;

2) deux ou trois (rarement quatre) PARTIES. Dans un travail de grande dimension, chaque partie sera divisée en chapitres, eux-mêmes divisés en sous-chapitres, sections, sous-sections. Donner aux parties, chapitres et même sous-chapitres des titres descriptifs.

Une manière internationale efficace, mais peu élégante, de signaler les articulations de l'exposé est très employée par les scientifiques :
— 1. indique le premier chapitre ;
— 1.1. indique le 1er sous-chapitre du 1er chapitre ;
— 1.1.1. indique la 1re section du 1er s/chap. du 1er chapitre.

---

1. Un mémoire de 135 pages présenté en 1992 ne comportait que 12 pages sur le sujet.
2. Un plagiat grave peut mener à l'expulsion de l'enseignement supérieur.

Et donc, si sur une page l'on trouve 3.5.2.4., on sait qu'il s'agit de la 4ᵉ s/section de la 2ᵉ section du 5ᵉ s/chapitre du 3ᵉ chapitre.

3) (éventuellement) des ANNEXES contenant, par exemple, le texte du questionnaire utilisé dans l'enquête, des textes législatifs ou encore divers documents à la seule condition qu'ils apportent une information originale et pertinente. Si les annexes sont nombreuses, elles doivent faire l'objet d'une liste distincte, à placer près de la table des matières.

4) une TABLE DES MATIÈRES détaillée et facile à lire. En France, elle est traditionnellement placée à la fin de l'ouvrage, tout à la fin, après les annexes et l'éventuel index. Il est bon de la doubler d'un SOMMAIRE plus bref placé lui au tout début, après la page de garde. Y figureront les numéros de pages.

5) éventuellement, dans le cas d'une thèse en particulier, un INDEX (ou plusieurs : par noms, par sujets). Un index rend d'immenses services aux lecteurs — ce que les éditeurs français n'arrivent pas à comprendre. Il n'est pas très difficile à faire avec les logiciels de traitement de texte les plus courants.

❏ L'introduction et la conclusion

– Il faut les SOIGNER SPÉCIALEMENT : en effet, l'une donne au lecteur une *première* impression qui va colorer sa lecture, tandis que l'autre influe sur sa *dernière* impression avant évaluation.

– Leur taille est à fixer en fonction de celle de l'ensemble. Dans une thèse de 352 pages, ne pas faire une introduction ou une conclusion de 2 pages : leur consacrer au moins 15 à 20 pages. Dans un mémoire de 100 pages, leur accorder 7 à 10 pages.

• L'INTRODUCTION doit introduire, introduire, introduire — c'est-à-dire :
* accrocher l'attention du lecteur ;
* lui indiquer l'importance et les limites du sujet — et la discipline dont il relève ;
* proposer une problématique (= des questions) ;
* poser une thèse (= des réponses possibles), qui reste à démontrer ;
* annoncer au lecteur le plan d'ensemble, logiquement déduit de la problématique.

L'introduction peut aussi indiquer quels obstacles ont été rencontrés lors de la recherche et les moyens qui ont été conçus pour les vaincre. En cas de travail sur un corpus de textes, on dira pourquoi et comment cet ensemble a été sélectionné. Si ce renseignement est utile, l'auteur indiquera son idéologie ou une possible implication personnelle dans le domaine[1].

• LA CONCLUSION peut :
* soit résumer les résultats obtenus (en reprenant les conclusions partielles des parties et chapitres) et en évaluer l'intérêt ;
* soit donner un commentaire personnel en prenant de la hauteur par rapport à ces résultats.
Mieux encore : elle peut faire les deux.

❏ Les sources

À la fin du texte, donc avant les annexes, l'index et la table des matières, seront indiquées toutes les sources utilisées et/ou utilisables. Il va de soi que toutes les catégories de sources indiquées ci-après ne seront pas utilisées dans tous les types de recherche.

A. Les archives et centres de documentation consultés

Pour les archives publiques et les archives d'entreprise ou d'organismes divers, fournir les références aux séries et aux dossiers consultés.

---

1. Par exemple : le fait d'avoir été en conflit avec le média qui fait l'objet de la recherche.

B. La littérature grise

Les documents imprimés qui avaient fait l'objet seulement d'une diffusion confidentielle et n'avaient pas été déposés dans les bibliothèques ou archives publiques.

C. Les sources orales

La liste des personnes interrogées : on signalera leurs noms et fonctions, les lieux, dates et durées des entrevues. Sinon, en donner la raison : l'anonymat doit être exceptionnel.

D. Les documents audiovisuels ou iconologiques

Citer en en précisant la date, la nature, l'origine et le lieu de conservation : les enregistrements audiovisuels, les photos, les images, les affiches et autres documents non écrits.

E. La bibliographie

Elle ne doit contenir que des imprimés qui ont fait l'objet d'un dépôt légal dans une bibliothèque publique ou qui sont disponibles dans le commerce, ainsi que les travaux universitaires.

Elle est indispensable, même dans les mémoires de petite envergure. Selon les cas, elle comprend :

- *seulement* les ouvrages effectivement consultés, et il est bon alors, en quelques mots, d'en préciser le contenu, les caractères et même la valeur ;
- ou *tous* les ouvrages importants traitant de la question ;
- ou *tous* les écrits de quelque poids qui ont été consacrés au sujet (dans les thèses seulement).

S'ils sont nombreux, il faut séparer : les mémoires et thèses[1], les livres, les articles, les rapports. Articles et livres doivent être présentés dans l'**ordre alphabétique** des auteurs, sauf rares exceptions. Toutefois, si la bibliographie est longue (plus de deux pages), il vaut mieux répartir les ouvrages en plusieurs sections : selon les thèmes ou selon les parties (ou même les chapitres) du mémoire ou de la thèse.

IL FAUT QUE TOUTES les références de chaque livre soient données :

> — auteur (NOM et prénom) ;
> — titre complet (sous-titre séparé du titre par :). Si le livre est écrit dans une langue d'alphabet non latin (grec, arabe), indiquer le titre dans la transcription latine usuelle ; s'il s'agit d'un livre en langue autre que français et anglais, donner après le titre la traduction de celui-ci ;
> — lieu et maison d'édition[2] ;
> — date de l'édition originelle, et le cas échéant, la date de la dernière édition ;
> — s'il s'agit d'une traduction, l'indiquer et, si possible, donner les références de l'édition d'origine ;
> — nombre de pages : ceci importe surtout si l'ouvrage est petit (moins de 100 pages) ou très gros.

Il est recommandé que ces références soient présentées d'une des manières suivantes :

➤ POUR LES LIVRES : DEUX FORMULES POSSIBLES

1. La première

PANTOUFLE Onésime. *La Radio locale en Mongolie extérieure*[3], Guéret, Presses universitaires de la Creuse, 1932, 782 pages.

- Et pour les livres en anglais (remarquer l'abondance des majuscules) :

SLIPPERS Wilhelmina. *Local Radio in Outer Mongolia,* Gilette, University Press of South-Eastern Wyoming, 1933, 22 pages.

---

1. On indiquera le lieu (l'université) et l'année de soutenance.
2. Indiquer les lieux en français (Londres et non London). Inutile d'écrire Longman Publishing Company ou Librairie Hachette : Longman ou Hachette suffit.
3. Si l'on ne dispose pas des italiques, souligner le titre. Voir *infra* (= plus loin dans le texte) sous « Caractère ».

• On ajoutera « (dir.[1]) » ou « (comp.) » après le nom si la personne a été seulement le directeur ou le compilateur de l'ouvrage :

SAVATTE Joseph (dir.). *La Communication sociale en Terre Adélie*, Ushuaïa, Penguin, 1983.

Si les auteurs d'un ouvrage sont nombreux, on peut n'en citer qu'un et ajouter « et al.[2] » :

BABOUCHE Edmond et al. *Médias de Casbah*, Alger, Chaix, 1932.

2. La seconde[3]

ESPADRILLE (1987) Nicéphore. *La Radio en Corse*, Bastia, Colombani, 120 pages.

Cette dernière formule, qui est la norme dans les revues savantes étatsuniennes, ne s'est pas encore généralisée en France. Elle permet d'économiser les notes en bas de page qui donnent les références de citations. En effet, on pourra alors, dans le texte, après une citation ou une allusion, indiquer entre parenthèses : « (Chausson, 1987, p. 45) » ou « comme l'insinue Jules Chausson (1987, p. 45) ». Et si Chausson a publié plusieurs œuvres en 1987, on notera 1987a ou 1987b.

➢ POUR LES ARTICLES

• Pour les articles de revue et les articles de journaux importants :

GODASSE Jean. « La radio est-elle condamnée ? ». *Le Mensuel du potiron*, janvier 1949, p. 11-14.
SNEAKERS John[4].. « Will Radio Survive ? ». *The Pumpkin Review*, 12 :2 (Fall 1979) 68-69.

• Le titre est également entre guillemets pour les thèses et mémoires non publiés – et les contributions à ouvrage collectif :

BOTILLON Alexandre. « Le poste à galène », p. 23-25, in *Histoire de la radio*, sous la direction de Jules Galoche. Paris, Ellipses, 1947.

• S'il a été fait usage de très nombreux articles tirés de quotidiens, souvent non signés, on peut ne faire référence qu'aux journaux (classés par ordre alphabétique) et à la date des articles (ordre chronologique). Par exemple :

L'Aurore : 4.8.1945 ; 7.8.1953 ; 8.9.1954, etc.

❑ Les citations et notes

Il faut placer toute citation[5] entre guillemets et indiquer son origine :

1. dans UNE NOTE

• placée de préférence en bas de page, ce que les bons logiciels font aisément.
• Le placement en fin d'ouvrage est admis mais il est moins pratique pour le lecteur.
• Le placement en fin de chapitre est déconseillé.

Les deux dernières formules, non seulement sont moins pratiques pour le lecteur, mais rendent difficile la lecture du mémoire ou de la thèse sur microfilm ou microfiche.

On indiquera toutes les références (voir « La bibliographie » ci-dessus) :

– SAUF si l'ouvrage a déjà été cité, alors on notera « BASQUETTE Jules, *op. cit.*, p. 188. »
– SAUF si l'ouvrage a été cité dans une note précédente, alors on notera « *ibid.*, p. 192 ».

---

1. Correspondant à l'anglais « ed. ».
2. = *et alii* : et d'autres.
3. N'employer qu'UNE méthode dans un travail donné, de préférence la première car elle est familière aux Français.
4. Ici, 12 indique la tomaison et 2 la livraison : il s'agit du 2ᵉ numéro paru dans la 12ᵉ année d'existence de la revue. (*Fall 1979*) indique la date et 68-69 les pages.
5. Si elle fait plus de deux ou trois lignes, il est bon de la placer hors texte, avec une marge plus large.

2. ou alors (formule étatsunienne commode) placer la RÉFÉRENCE DANS LE TEXTE, entre parenthèses, sous forme très concise. Exemple : « On estime en Angleterre (BOTTINE, 1897, p. 43) que la radio... » La parenthèse renvoie à la bibliographie. Voir *supra* (= ci-dessus).

❏ La mise en page

Il faut de nos jours utiliser l'informatique pour rendre le texte plaisant à lire : caractères divers, titres, notes en bas de page, colonnes, encadrés ou graphiques[1]. Ne pas en abuser.

→ Pour savoir comment disposer la couverture, la page de garde, la page de titre, selon qu'il s'agit d'un mémoire ou d'une thèse, consulter *plusieurs* mémoires ou thèses au Centre de documentation de votre institution.

→ La couverture doit porter toutes les indications nécessaires (titre, nom de l'auteur, nom du directeur, mois et année de soutenance, université, institut, diplôme) mais il n'a pas à évoquer un rapport administratif du Second Empire. Elle peut être illustrée, même en couleurs.

→ Numéroter les pages de la première à la dernière, y compris celles qui ne portent que des illustrations et celles des annexes.

→ N'écrire que sur le recto des pages. Ce nonobstant, utiliser du papier dont le grammage est égal ou supérieur à 80 grammes.

→ Composer des pages équivalant au minimum[2] à un « feuillet », soit 25 lignes de 60 signes (un signe = lettre, espace ou signe de ponctuation) ; ne jamais dépasser 30 à 35 lignes à la page, y compris les lignes blanches. Laisser des marges à peu près égales sur les quatre côtés.

→ Faire des paragraphes ni trop courts (2 ou 3 lignes), ni trop longs (plus d'une page) : chacun doit correspondre à une unité de sens. Façonner les paragraphes de sorte qu'ils se distinguent aisément. Il ne doit pas y en avoir plusieurs types. Tout au long du mémoire, on disposera les paragraphes d'*une* des trois manières suivantes :

TYPE 1

> La semaine prochaine M. Klestil aura une première rencontre de travail avec le président tchécoslovaque Vaclav Havel dans un village frontalier.
> Le nouveau président devrait être reçu à Washington en septembre. Ce voyage, espère-t-on ici, mettra fin à une période de relatif refroidissement des relations austro-américaines [...]

TYPE 2

> La semaine prochaine M. Klestil aura une première rencontre de travail avec le président tchécoslovaque Vaclav Havel dans un village frontalier.
>
> Le nouveau président devrait être reçu à Washington en septembre. Ce voyage, espère-t-on ici, mettra fin à une période de relatif refroidissement des relations austro-américaines [...]

TYPE 3

Le deuxième type est plus satisfaisant car la séparation est mieux marquée. Mais on peut utiliser les deux conjointement (pas séparément), comme suit :

> La semaine prochaine M. Klestil aura une première rencontre de travail avec le président tchécoslovaque Vaclav Havel dans un village frontalier.
>
> Le nouveau président devrait être reçu à Washington en septembre. Ce voyage, espère-t-on ici, mettra fin à une période de relatif refroidissement des relations austro-américaines [...]

---

1. À noter également qu'une reliure collée est préférable à une reliure par spirale plastique.
2. Ne pas, par exemple, étaler le texte sur 1 000 pages à raison de 18 lignes à la page (cas d'une thèse soutenue en 1992).

LES ILLUSTRATIONS : il peut s'agir de tableaux, de graphiques (courbes, secteurs, barres, aires et histogrammes), de cartes, de fac-similés ou de photos.

— Elles doivent être *étroitement intégrées* à la démonstration — faute de quoi elles doivent être éliminées ou rejetées en annexe.
— Elles doivent être aisément lisibles (exemple : pas de hachures confuses avec légende éloignée de l'illustration).
— Elles doivent porter un titre, une référence (origine, date), une légende (pour les cartes et les graphiques) ; et être accompagnées d'un commentaire, dans le texte ou en encadré.
— Elles doivent, autant que faire se peut, être disposées dans le sens du texte.
— Si elles sont assez nombreuses, elles doivent être numérotées et faire l'objet d'une liste (paginée) distincte avant la table des matières.

❏ La frappe

Aujourd'hui, il faut être initié à la composition sur ordinateur — et il est préférable de composer directement sur écran. Il n'est plus admis qu'un travail écrit soit écrit à la main. Néanmoins, à la toute dernière (et très importante) relecture, ne pas hésiter à corriger à la main, soigneusement, plutôt que de laisser des fautes.

➤ LES CARACTÈRES

• *Les italiques* (indiquées par un <u>soulignement</u> dans les textes manuscrits ou dactylographiés) sont utilisées dans les cas suivants :
— mots étrangers dans le texte, en particulier les locutions latines (*a fortiori, in situ*)
— titres de livre ou de périodique dans le texte, en note et dans la bibliographie : on écrit *Le Figaro* (ou <u>Le Figaro,</u> en manuscrit) et non « Le Figaro », ni LE FIGARO.

• **LE GRAS** (ou soulignement ondulé) est utile pour les titres de chapitres et sous-titres, mais on peut très bien ne pas l'utiliser.

• Les PETITES CAPITALES (indiquées dans un MS par un <u>soulignement</u> double) servent à mettre en relief. Noter que la majuscule en début de mot est peu utilisée en typographie française alors qu'elle l'est beaucoup en anglais. Cela est particulièrement remarquable dans les bibliographies.
— Il ne faut pas (en dehors peut-être des bibliographies et notes) mettre les noms de personnes entièrement en capitales, ni les titres de journaux.
— Noter que les noms de nationalité prennent une majuscule initiale, mais pas les adjectifs (exemples : un Français ; des sabots français). Retenir qu'État et état, Église et église, ont des sens différents.
— Ne pas mettre de capitale après les signes de ponctuation : ou ;

➤ LES CHIFFRES

— Sauf cas particulier, les chiffres inférieurs à 10 (voire même à 20) s'écrivent en toutes lettres.
— De même, ne pas écrire la 1/2 ou les 2/3 dans le texte, mais « la moitié », « les deux tiers » — et ne pas faire des mélanges tels que « quarante mille m^2 ».
— On écrit impérativement 3 820 ou 2 453 768. Bien noter donc que, par exemple, 12 000 ne s'écrit jamais 12000 ni 12.000 (et encore moins 12,000 qui est la forme anglo-saxonne).
— On ne commence PAS une phrase par un nombre écrit en chiffres arabes. Exemple : « 2 500 exemplaires pouvaient alors être imprimés dans la nuit » ; dire « À cette époque, on ne pouvait imprimer que 2 500... »
— On évite de placer deux nombres côte à côte. Ne pas écrire : « En 1948, 48 % des magazines étaient... »

- On s'arrange pour ne pas couper un chiffre en bout de ligne. Par exemple : « Alors on vit 2 000 cothurnes qui flottaient dans le port du Pirée. »
- Dans le texte, on n'écrit pas le 29.9.90, mais le 29 septembre 1990.

❏ La ponctuation

Elle laisse souvent à désirer dans les travaux d'étudiants. Noter d'abord que :

• On doit toujours LAISSER UN ESPACE *après* un signe de ponctuation ; (et théoriquement avant aussi mais ce dernier usage peut amener l'ordinateur à passer à la ligne entre la fin du mot et le signe de ponctuation ; et il en va de même avec les guillemets et parenthèses. Il est donc conseillé de ne pas laisser d'espace avant la ponctuation.

• On doit PONCTUER AUSSI les notes et les références bibliographiques.

• Ne pas utiliser de POINTS entre les lettres d'un sigle. Exemples : écrire la GB, les CRS, le RPR.[1]

• LA VIRGULE : on l'utilise trop ou pas assez : vérifier les règles d'usage. En particulier, ne pas l'utiliser pour séparer deux phrases ; il vaut mieux éviter « Il s'appelle Alfred Harmsworth, il a 24 ans ». On met une virgule avant et après « certes » et « bien sûr », mais pas « donc ».

• LE POINT VIRGULE est trop peu employé, alors qu'il est très utile ; par exemple, pour couper des phrases trop longues, notamment dans une énumération.

• LES DEUX POINTS sont aussi très pratiques pour alléger une phrase tout en maintenant le lien entre ses différentes parties — mais ne pas les utiliser deux fois dans la même phrase.

• LES POINTS DE SUSPENSION indiquent une suspension de la pensée ou, s'ils sont entre crochets [...], une coupure dans une citation. Ils ne doivent pas servir à remplacer « etc. », ni à le prolonger.

• LE POINT D'EXCLAMATION, qui indique une émotion (surprise, indignation) doit être utilisé très rarement dans des textes universitaires.

• LES GUILLEMETS s'utilisent en cas :
- de citation ;
- de rupture stylistique (exemple : introduction inattendue d'un mot vulgaire ou poétique) ;
- d'usage d'un mot dans une acception très particulière ou
- d'emploi d'un mot étranger[2].

Ne pas en abuser : ne pas les utiliser pour se faire excuser un mot mal choisi ou atténuer un mot trop fort. À l'intérieur d'une citation, on utilise les guillemets simples : « Quand je l'ai rencontré, il était complètement 'paumé', comme il a dit ».

• LE TRAIT D'UNION (exemple : le vice-président) est à distinguer du tiret, qui lui se trouve entre deux espaces (– ou —). Ce dernier isole un membre de phrase davantage que des virgules et moins que des parenthèses (exemple : Quand il a vu le chien, il a décampé — très vite). Ne pas abuser du trait d'union : ne pas écrire « parce-que, un compte-rendu, deux-cents, elle-aussi ». Mais en mettre bien deux dans des structures comme « s'exclame-t-il, vis-à-vis, n'a-t-il pas, c'est-à-dire ».

• Ne pas oublier L'ACCENT CIRCONFLEXE, particulièrement dans des mots courants, tels que « connaît, paraît, plaît, chaîne, câble ou sûr ».

❏ La langue

Pour tout travail en communication (comme en lettres et en sciences humaines), une utilisation convenable de la langue est CRUCIALE. Chacun devrait avoir son propre style. Certains étudiants en

---

1. À ce propos, utiliser les sigles français : ex. les EU (et non les USA).
2. Éviter les doubles marques : le mot étranger est à mettre entre guillemets OU en italique, pas les deux.

possèdent un, élégant et personnel, dès l'enseignement secondaire. Les autres peuvent acquérir rapidement un style clair et correct, mais il leur faut pour cela s'imposer une discipline et se soumettre à un entraînement régulier.

➢ RECHERCHER

– LA SIMPLICITÉ (phrases courtes, aucun mot inutile) ;
– LA CLARTÉ (exemple : sigles à expliciter à la première utilisation[1]) ;
– LA LIMPIDITÉ : enchaîner les phrases entre elles ;
– LA PURETÉ...

Et pour ce faire, il faut éviter :

● LES RUPTURES DE RAISONNEMENT : les faits et les idées flottent, ne s'enchaînent pas. Ce défaut peut aller jusqu'au pointillisme. Il faut donc faire des transitions, annoncer les développements. On assure ainsi la fluidité de l'exposé.

● LES RUPTURES DE STYLE : prendre conscience des niveaux stylistiques divers : du poétique au grossier en passant par le relevé, le niveau 0, le familier et le vulgaire.

● L'UTILISATION ANARCHIQUE DES TEMPS de verbe. Dans une même phrase, respecter la concordance des temps. Se méfier du présent et surtout du futur de narration, dont il faut faire un usage très modéré et qu'il ne faut jamais mêler à des passés divers. Exemples de mauvais usages :

– « ... Marie-France Garaud, avec laquelle il signera, il y a trois mois, un livre contre Maastricht » (*Libération*, 3/9/1992).
– « Né dans la communauté juive de Pologne, Abe Hirshfeld immigra en Palestine, fera la guerre qui vit la naissance d'Israël en 1948 » (*Le Monde*, 20/3/93).

● les CONSTRUCTIONS, très fréquentes et souvent ridicules, du type :

– « Homme de Bretagne, ma femme m'a fait aimer la Provence[2] ».
– « Mûrs à point, vos invités ont dévoré les melons ».
– « Déjà père de deux enfants, Natalia Nicolaïevena lui donnera encore six enfants. »

● les imbrications de MÉTAPHORES DISPARATES. Exemples : « le gouvernement préparait des coupes claires dans la vague de nouveaux projets », « Le champ de la presse hebdomadaire verra l'éclosion de nouveaux créneaux ».

● le GALIMATIAS prétentieux. Exemple (authentique) tiré d'une thèse :

« Le discours [...] sera écriture des marges, dire interstitiel, qui renoncera à la chimérique coïncidence entre les arts pour mieux explorer leurs 'enjambements'. Le discours ne peut s'immiscer qu'aux confins des deux instances du sens, confins géométriques et décryptables de l'image, confins imageants du dire dans son rêve de visibilité et de synchronie. »

● même le JARGON professionnel honorable est à éviter s'il risque d'être imperméable aux non-initiés. Et il n'a rien d'honorable quand il mélange inutilement des termes français et anglais, comme « des sujets people, une campagne print ».

● les TERMES QUI ALOURDISSENT inutilement le style : « par rapport à, au niveau de, en ce qui concerne, par le fait que, dans la mesure où ». Dire « une amélioration de la qualité » et non « une amélioration au niveau de la qualité ». Se méfier en particulier de l'adjectivite : ne pas considérer que tout substantif doit être flanqué d'une épithète.

● les TERMES AMBIGUS, comme série / feuilleton, numéro / exemplaire. Un exemple frappant est « chaîne » (de radio ou de télévision) pour désigner sept notions différentes :

– programme = ensemble d'émissions ;
– canal, du câble ;

---

1. S'il y en a beaucoup, faire une liste explicative et la placer en fin de mémoire.
2. Les citations utilisées comme exemples ici sont authentiques.

- station, locale ;
- réseau coopératif de stations, telle l'ARD allemande ;
- *network*, à l'américaine ; comme CBS ou NBC,
- serveur, pourvoyeur par satellite d'émissions pour le câble ;
- institution émettant de nombreux programmes de radio et TV, telle la BBC.

• des USAGES courants mais ABUSIFS. Exemples : la voiture fut littéralement pulvérisée ; la ville a été totalement détruite. Ou, fort différemment, promotionner pour promouvoir, un visuel pour une illustration ou solutionner pour résoudre.

• les CONFUSIONS COMMUNES sur des mots. Exemples : excessivement pour extrêmement, investir pour envahir, conséquent pour important, tirage pour diffusion — ou pire : exacerber pour exaspérer, recouvrir pour recouvrer, perpétrer pour perpétuer.

- Éviter des confusions sur des locutions. Exemples : « au grand dam de » ne signifie pas « au grand chagrin / regret de » mais « avec grand dommage causé à »).
- Vérifier le sens de « point d'orgue, avatar, à l'instar de, entériner, mettre en exergue, figure de proue ».
- Savoir que plusieurs et nombreux, divers et différents, ne sont pas synonymes. Quand on n'est pas sûr du sens d'un mot (comme réitérer, qui n'a pas le sens de recommencer), de son usage (quand utiliser banals et banaux) ou de son orthographe (comme dysfonctionnement) d'un mot, il faut recourir systématiquement au dictionnaire.

• les MOTS ÉTRANGERS s'il existe un mot français adéquat (exemples : *score, top, leadership, pipe line, pole position, management, software)*. Éviter aussi les calques d'usages étrangers, par exemples : sponsoriser pour parrainer, se crasher pour s'écraser, décade pour décennie, standard pour norme, digital pour numérique — ou encore : le département livre, un budget temps, le responsable recrutement, une étude marketing, un reportage TV ou le secteur magazine.

• des FAUTES COURANTES comme les suivantes : quelque au sens de environ ne prend jamais de « s » (exemple : quelque 2 000 journaux). Succinct prend un « c » devant le « t ». Davantage ne s'écrit jamais d'avantage. Presque doit toujours s'écrire avec un « e » final sauf dans presqu'île. Et le « e » final de lorsque s'élide seulement devant il, elle, on, un. Il faut dire « Le Japon est l'un des pays au monde où la liberté de presse est le (pas la) mieux protégée. Plus ou moins ne signifie pas peu. Etc.

En outre, il est préférable d'user modérément :

- d'ASSOCIATIONS ÉCULÉES de nom + adjectif ; exemples : actualité brûlante, créneau porteur, démenti catégorique, innocente victime, résultats probants, terrible accident, point de passage obligé, début d'incendie rapidement maîtrisé, réseau de trafiquants démantelé. Ou de verbe + nom, par exemples : enrayer une évolution, signer un but.
- de MOTS ET LOCUTIONS À LA MODE qui banalisent un style, comme cibler, fragiliser, interpeller, synergie, créneau, franco-français, mettre à plat, tour de table, décliner, incontournable, verrouiller, déstabiliser, interface, le suivi ou le vécu. Ou encore évident au sens de facile, sur au sens de « à » (exemple : il habite sur Paris). Et, plus encore, les mots étrangers à la mode (exemples : *gay, black, look*).

Par contre, on peut aisément rafraîchir des locutions, par exemple : « mener quelqu'un par le bout du cœur » (Brassens) ; « mettre à quelqu'un le nez dans ses contradictions » (Mauriac). Et on peut même de temps en temps fabriquer un néologisme (exemple : une route virageuse).

Pour enrichir son style, et utiliser les mots à meilleur escient, il est bon d'utiliser un dictionnaire de synonymes, tel celui de Henri Bénac (chez Hachette).

MISES EN GARDE DIVERSES

- Pour éviter le VIEILLISSEMENT rapide du texte, ne pas écrire « depuis deux ans », « aujourd'hui », ou « il y a quelque temps ». Dire « en 1999 » ou « à la fin des années 1980[1] » et penser à mettre les verbes au passé. Ex. « En octobre 1999, le magazine vendait 300 000 exemplaires » plutôt que « Actuellement, le magazine vend... ».
- Quand L'AUTEUR intervient dans son exposé, il vaut mieux qu'il utilise le « je » — et non le « nous » archaïque.
- Utiliser, non MONSIEUR Dupont ou MADAME Durand, mais M. Dupont ou Mme Durand — ou mieux : Constantin Dupont ou Éléonore Durand. Le prénom est nécessaire à la première citation, pas ensuite, à moins que plusieurs personnes ne portent le même nom.
- Mettre tous LES PRIX en francs français ; cela n'empêche pas de les citer en d'autres monnaies. Penser qu'on écrit de préférence : 50 000 FF mais £ 4 500 ou $ 9 000.
- Ne pas abuser de ETC. : plutôt que « des villes comme Parme, Modène, Padoue, etc. », dire « des villes comme Parme, Modène ou Padoue ».
- Ne pas utiliser d'abréviations telles que « p. ex. » ou « mln » (pour million).

LA RÉVISION FINALE

Que l'on compose un travail sur table en temps limité ou une thèse de doctorat, cette dernière opération est TRÈS importante. Il faut prévoir entre 10 minutes et une semaine pour l'ultime léchage de l'ours. Si vous faites les relectures vous-même, laissez passer une nuit, ou plusieurs jours avant de vous y livrer. Mais, de préférence, faites en faire une par un tiers[2].

Les relectures doivent porter sur :

- • LE FOND
- pour faire des vérifications diverses. Ne pas laisser « La Corée du Nord, libérée par les Américains de l'occupation japonaise en 1954 [...] » ; ou Zurich à la place de Munich.
- et surtout pour repérer les omissions (mots, lignes, phrases, pages entières oubliés), les absurdités (exemple : « Bien qu'ils soient indépendants, les journaux sont libres »), les redondances et les développements hors sujet.

- • LA FORME : fautes de langue, d'orthographe[3], d'accentuation, de ponctuation, de frappe.

LA PRÉSENTATION ORALE, OU SOUTENANCE

- *préparation* : comme pour tout examen, le candidat doit être en bonne forme physique, afin d'utiliser tous ses talents, d'avoir accès à toutes ses réserves.
- *allure* : elle influe (inconsciemment au moins) sur le jugement du jury, ou d'un public. Il est à peine besoin de recommander, entre autres, une tenue soignée, discrète.
- *attitude* : ni raideur, ni avachissement ; ni obséquiosité, ni familiarité excessive, ni froideur insolente. L'entraînement devant un miroir ou une caméra vidéo peut être utile. Regarder ses auditeurs le plus possible et son texte le moins possible.

---

1. Ne jamais écrire l'absurde « dans les années 1978 » (trouvé dans *Le Monde*).
2. Idéalement, une personne instruite mais ignorante du domaine où se situe l'exposé et, par ailleurs, une autre personne qui, elle, le connaît bien.
3. Vérifier en particulier les mots étrangers : éviter d'écrire *world processers* pour *word processors*.

— *voix* : il faut avoir posé sa voix en s'entraînant avec un magnétophone et devant un public d'amis critiques. Avoir appris à parler à partir de notes télégraphiques — ou à lire en donnant l'impression qu'on improvise.

❏ La soutenance

L'acceptation d'une soutenance par le directeur des travaux implique normalement l'acceptation du mémoire, mais lorsque commence la soutenance, l'opinion du jury n'est pas forcément fixée quant à la mention que mérite le travail. Or, la mention est importante : « mention passable » signifie « médiocre, à la limite de l'acceptable ». La soutenance n'est pas normalement une simple formalité.

Elle se déroule le plus souvent en TROIS temps :

1) EXPOSÉ DU CANDIDAT : il ne doit pas résumer son travail écrit, ni en répéter l'introduction, mais *apporter quelque chose de nouveau*. Expliquer, par exemple, s'il n'a pas jugé utile de le faire dans l'introduction du mémoire, quelle(s) méthode(s) il a employée(s) et surtout quels ont été les obstacles qu'il a rencontrés. Un des buts de cette opération est de désamorcer certaines critiques que le jury compte faire. L'étudiant a intérêt à parler d'après des notes, plutôt que lire un texte rédigé ;

2) EXPOSÉS DES MEMBRES DU JURY[1] : ils comportent généralement plus de critiques que de louanges. Cela est normal et le candidat ne doit pas s'en inquiéter : à lui de « soutenir » son œuvre. Mais il doit prendre des notes pour s'assurer de n'oublier aucune des principales critiques lors de sa réponse ;

3) DÉFENSE DU CANDIDAT : il peut s'y livrer après chaque exposé ou répondre en bloc à la fin, posément, sans agressivité.

---

1. En cas de thèse : d'abord le directeur-rapporteur, et, en dernier lieu, le président de jury.

Quelques ouvrages utiles

BEAUD Michel, *L'Art de la thèse*, Paris, La Découverte, 1985.

BENOÎT A.., *Faire la synthèse d'une réunion, d'un dossier, d'un entretien. Comment dire ou écrire l'essentiel en peu de mots*, Paris, Dunod, 1991, 208 pages.

BESSON Robert, *Guide pratique de la communication écrite (avec exercices et corrigés)*, Paris, Castella, 1991, 191 pages.

BLANCHE Alain et A. GOTHAN, *L'Enquête et ses méthodes : l'entretien*, Paris, Nathan, 1992.

COHEN-STEINER O., *La Version journalistique anglaise*, Presses universitaires de Nancy, 1990 [on y trouvera la liste officielle des termes destinés à remplacer des anglicismes].

COLIGNON J.-P., *Un point, c'est tout : la ponctuation efficace*, Paris, CFPJ, 1992, 112 p.

DESVALS Hélène, *Comment organiser sa documentation scientifique*, Paris, Gauthier-Villars, 1976, 226 pages.

DRILLON Jacques, *Traité de la ponctuation française*, Paris, Gallimard, 1991, 469 pages.

HORNIG PRIEST Susanna, *Doing Media Research : An Introduction*, Londres, Sage, 1996.

HUMBERT Jean-Louis, *Bien rédiger*, Paris, Bordas, 1992, 192 pages.

LARAMÉE Alain et Bernard VALLÉE, *La Recherche en communication : éléments de méthodologie*, Montréal, Presses de l'université du Québec, 1991, 377 pages.

LETEINTURIER Christine, *Communication et médias : guide des sources documentaires françaises et internationales*, Paris, Eyrolles, 1991, 176 pages.

Lexique des règles typographiques, Paris, Imprimerie nationale, 1990.

MACCIO Charles, *Savoir écrire un livre... un rapport... un mémoire*, Lyon, Chronique sociale, 1991, 170 pages.

MASSE Pierrette, *Méthodes de collecte et d'analyse de données en communication*, Montréal, Presses de l'université du Québec, 1992, 253 pages.

MUCCHIELLI Alex, *Les Méthodes qualitatives*, Paris, PUF, « Que sais-je ? », 1991.

PATAR Benoît, *Directives aux auteurs pour la confection d'un manuscrit*, Paris, Diffusion SEDES, 1990, 168 pages.

PLOT B., *Écrire une thèse ou un mémoire en sciences humaines*, Paris, Honoré Champion, 1986, 305 pages.

QUIVY Raymond, Luc VAN CAMPENHOUDT, *Manuel de recherches en sciences sociales*, Paris, Dunod, 1988, 271 pages.

ROBINE Nicole, *Guide de présentation de mémoires, thèses universitaires*, Bordeaux, Laboratoire des sciences de l'information, Université de Bordeaux-III, 2e éd., 1982.

SINGLY François, *L'Enquête et ses méthodes : le questionnaire*, Paris, Nathan, 1992, 146 pages.

VAIREL Hélène, *La Présentation matérielle d'un manuscrit dactylographié*, Paris, Nathan, 1989, 160 pages.

VOIROL Michel, *Anglicismes et anglomanie*, Paris, éditions du CFPJ, 1989, 96 pages.
—*Barbarismes et compagnie*, Paris, éditions du CFPJ, 1989, 96 pages.

WARD Jean, Kathleen A. HANSEN, *Search Strategies in Mass Communication*, New York, Longman, 1987, 275 pages.

Bibliographie
Médias dans le monde

ÉTUDES MULTINATIONALES

ALBERT Pierre et Christine LETEINTURIER, *Les Médias dans le monde*, Paris, Ellipses, 1999.

BOURGAULT Louise M., *Mass Media in Sub-Saharan Africa*, Bloomington, Indiana UP, 1995.

BOYD Douglas, *Broadcasting in the Arab World*, Ames, Iowa SUP, 3e éd., 1999.

FOX Elizabeth, *Latin American Broadcasting : From Tango to Telenovela*, University of Luton Press (Grande-Bretagne), 1997.

FROST Jean-Marie (dir.), *World Radio-TV Handbook*, New York, Billboard, annuel.

HILLIARD Robert L. et Michael C. KEITH, *Global Broadcasting Systems*, Londres, Sage, 1996.

INSTITUT ABASSA, *Annuaire media du Maghreb 1998 : presse écrite, paysage radiophonique, paysage télévisuel, agences de presse, communication et publicité*, Issy-les-Moulineaux, 1998.

MERRILL John C. (dir.), *Global Journalism : A Survey of International Communication*, White Plains (NY), Longman, 1995.

PIGEAT Henri, *Les Agences de presse*, Paris, Documentation française, 1997.

REEVES Geoffrey, *Communications and the « Third World »*, Londres, Routledge, 1993.

REGOURD Serge, *La Télévision des Européens*, Paris, Documentation française, 1992.

ROBILLARD Serge, *Television in Europe : Regulatory Bodies*, Londres, John Libbey, 1995. [couvre 35 pays]

TBI, *World Guide : The Complete Television Factbook*, High Wycombe (Grande-Bretagne), annuel.

TUDESQ André-Jean, *Feuilles d'Afrique : étude de la presse de l'Afrique sub-saharienne*, Bordeaux, Éditions de la Maison des sciences de l'homme, 1995.

UNESCO, *Statistical Yearbook* [on education, science, technology an communication], Paris Unesco, annuel.
— *Media and Democracy in Latin America and the Caribbean*, Paris, Unesco, 1996.

WAN-FIEJ, *World Press Trends*, Paris, Zenith media, annuel.

WEAVER David (dir.), *The Global Journalist : Newspeople Around the World*, Cresskill (NJ), Hampton Press, 1998.

ZENITH MEDIA, *World Magazine Trends*, Londres, annuel (depuis 1998).

ÉTUDES EUROPÉENNES

BAMBERGER Manuel, *La Radio en France et en Europe*, Paris, PUF, « Que sais-je ? », 1997.

BANWALT Narinder et al., *Television in Europe to 2007*, Londres Zenith Media, 1998 [données chiffrées sur les audiences et la publicité dans 25 pays].

BONDEBJERG Ib et Francesco BONO, *Television in Scandinavia : History, Politics and Aesthetics*, University of Luton Press (Grande-Bretagne), 1996.

CARLSSON Ulla et Eva HARRIE, *Media Trends in Denmark, Finland, Iceland, Norway and Sweden*, Göteborg University, Nordicom 1997.

CSA, *Réglementation et Régulation audiovisuelles en Europe*, Paris, CSA, 1993 [avec descriptions des systèmes de radio-TV].

COLEMAN James A. et Brigitte ROLLET, *Television in Europe*, Exeter, Intellect Books, 1997.

CONSEIL DE L'EUROPE, *Systèmes de radio et de télévision dans les pays membres de l'Union européenne et en Suisse*, Strasbourg, 1998.
— *Systèmes de radio et de télévision en Europe du Nord et dans les pays baltes*, Strasbourg, 1998.
— *Systèmes de radio et de télévision en Europe centrale et orientale*, Strasbourg, 1998.
— *Systèmes de radio et de télévision en Europe du Sud*, Strasbourg, 1998.

EUREKA AUDIOVISUEL, *The Development of the Audiovisual Landscape in Central Europe since 1989*, University of Luton (Grande-Bretagne) Press, 1998.

EUROMEDIA RESEARCH GROUP, *The Media in Western Europe*, Londres, Sage, 2e éd., 1997.

HUMPHREYS Peter J., *Mass Media and Media Policy in Western Europe*, Manchester University Press, 1996.

LEMOINE Jean-François (dir.), *L'Europe de la presse quotidienne régionale*, Paris, SPQR, 1992.

MICHEL Hervé, *Les Télévisions en Europe*, Paris, PUF, « Que sais-je ? », n° 2719, 2e éd., 1994.

OBSERVATOIRE EUROPÉEN DE L'AUDIOVISUEL, *Annuaire statistique : cinéma, télévision, vidéo et nouveaux médias en Europe*, Strasbourg, Conseil de l'Europe, annuel.

ÉTUDES PAR PAYS

BERTHET Philippe et Jean-Claude REDONNET, *L'Audiovisuel au Japon*, Paris, PUF, « Que sais-je ? », n° 2658, 1992.

BERTRAND Claude-Jean, *Les Médias aux États-Unis*, Paris, PUF, « Que sais-je ? », n° 1593, 5e édition 1997.
— *Les Médias en Grande-Bretagne*, Paris, PUF, « Que sais-je ? », n° 3415, 1998.

BOURGEOIS Isabelle, *Radio et Télévision en Allemagne*, Paris, CIRAC, 1994.

CASPI Dan et Yehiel LIMOR, *The In/Outsiders : The Media in Israel*, Cresskill (NJ), Hampton Press, 1998.

CHATTERJI P.-C., *Broadcasting in India*, Londres, Sage, 2e éd., 1991.

COOPER-CHEN Anne, *Mass Communications in Japan*, Ames, Iowa State UP, 1997.

CORNU Daniel, *Les Médias en Suisse*, Lausanne, Éditions du CRFJ, tous les deux ans.

CURRAN Jacques et al., *Power Without Responsibility : The Press and Broadcasting in Britain*, Londres, Fontana, 5e éd., 1997.

DESBARATS Peter, *Guide to Canadian News Media*, Toronto, Harcourt Brace, 1990.

DIAZ Lorenzo, *Informe sobre la television en España (1989-1998)*, Barcelone, Ediciones B, 1999.

DUMONT J.-F., B. GRÉVISSE et G. RINGLET, *La Presse écrite en Belgique*, Diegem, Kluwer, 1998.

HEAD Sydney W., C.H. STERLING et al., *Broadcasting in America*, Boston, Houghton Mifflin, 8e éd., 1998.

LANE (de) William, *A History of Japanese Journalism*, Tokyo, Japan Library, 1998.

LEBEDEVA Tatiana et Philippe A. BOIRY, *La Communication en Russie post-soviétique*, Paris, L'Harmattan, 1999.

MURIALDI Paolo, *La Stampa Italiana (1943-1998)*, Roma, Laterza, 1998.

NIVAT Anne, *Quand les médias russes ont pris la parole : de la glasnost à la liberté d'expression (1985-1995)*, Paris, L'Harmattan, 1997.

Noticias de la Communicacion, tous les ans, le numéro de novembre est consacré à la presse quotidienne en Espagne.

NSK, *The Japanese Press*, Tokyo, NSK (annuel).

ORM, *L'Année des médias*, Bruxelles, Academia Bruylant, annuel [Belgique].

ORME William A. Jr. (dir.), *A Culture of Collusion : An Inside Look at the Mexican Press*, New York, Noth-South Center Press, 1997.

PUEBER Heinz et Johannes RAABE (dir.), *Medien in Deutschland-Band 1 : Presse*, Constance, UVK Medien, 1994.

RABOY Marc, *Les Médias québécois*, Burcherville, Gaëtan Morin, 1992.

SANCHEZ-TABERNERO Alfonso (dir.), *La Industria de la Comunicacion*, Bilbao, Situacion, Banco Bilbao Vizcaya, 1995 [Espagne].

STUIBER Heinz-Werner, *Medien in Deutschland — Band 2 : Rund-funk*, Constance, UVK Medien, 1998.

ZAHAROPOULOS J. et M. PARASCHOS, *Mass Media in Greece*, Westport (CT), Praeger, 1993.

ZHAO Yuezhi, *Media, Market and Democracy : Between the Party Line and the Bottom Line*, Urbana, U. of Illinois Press, 1998 [Médias en Chine].

SUR INTERNET

- Pour obtenir les adresses de très nombreux moteurs de recherche voir :
  www.imaginet.fr/ime/search.htm
- Et pour chercher des liens dans quelques sites particulièrement riches :

The Poynter Institute :
  www.poynter.org/research/biblio

Communications and Journalism Academic WWW Sites :
  www.jou.ufl.edu/~commres/jouwww.htm

California State University, Fullerton :
  http ://commfaculty.fullerton.edu/lester/curriculum/schools.html

Asian Journalism Network :
  www.uow.edu.au/cearts/journalism/AJNet.html

SOURCES COMPLÉMENTAIRES

✍ POUR COMPLÉTER LES DONNÉES FOURNIES DANS CE MANUEL, ON TROUVERA DES INDICATIONS BIBLIOGRAPHIQUES DANS :

Mémoire de trame, mensuel bibliographique publié par la Librairie Tekhné, 7 rue des Carmes, 75005 Paris.

Communication Booknotes, mensuel de Christopher STERLING, publié par Lawrence Erlbaum Associates, 10 Industrial Ave., Mahwah, NJ 07430, États-Unis.

✍ PAR AILLEURS, ON POURRA CONSULTER LES **REVUES** SUIVANTES :

➤ EN FRANÇAIS

Antennes (revue mensuelle de TDF), *L'Audiovisuel : communication et société* (Paris, trimestriel), *Communication* (revue de l'université Laval, à Québec), *Communication et langages, Décisions Médias, Les Dossiers de l'audiovisuel* (revue trimestrielle de l'INA), Études de la RTBF (Bruxelles), *Hermès* (revue du CNRS, France), *La Lettre du CSA, Le Communicateur, Légipresse (Revue du droit de la communication), MédiasPouvoirs, Réseaux* (revue bimestrielle du CNET).

➤ EN ANGLAIS

Broadcasting & Cable (États-Unis), *European Journal of Communication* (Londres, Sage), *Gazette* (Dordrecht, NL), *Intermedia* (IIC, Londres), *Journal of Broadcasting & Electronic Media* (États-Unis), *Journal of Communication* (ICA, États-Unis), *Journalism* (Londres, Sage), *Journalism Educator* (AEJMC, États-Unis), *Journalism and Mass Communication Quarterly* (AEJMC, États-Unis), *Media, Culture and Society* (Londres, Sage), *Nordicom Review* (Suède), *Television / Radio Age* (États-Unis).

Claude-Jean Bertrand

Glossaire

Ne sont indiqués ici que les mots à la fois difficiles et assez courants. On ne trouvera pas audio-visuel, micro, satellite ou téléviseur ; ni CD, FM ou BD. Pas de termes non plus relatifs au cinéma et à l'édition de livres. En revanche, on trouvera quelques mots anglais (en italique), très utilisés dans le milieu médiatique. Les termes anciens sont marqués d'un astérisque. Voir également les encadrés du chapitre 16, p. 257-258, p. 266 et p. 268. Pour le vocabulaire d'Internet, voir chapitre 7, p. 116-117.

NOMS COMMUNS

accréditation (auprès de) : autorisation d'accès aux responsables d'une institution.

accroche : début d'article (en typographie différente).

affiliée : (station) ayant passé contrat avec un serveur de programmes.

analogique : transmission traditionnelle, où le signal est modulé en amplitude ou en fréquence.

agencier : journaliste employé dans une agence.

angle : point de vue adopté par un rédacteur.

Antiope : système français de télétexte.

appel : annonce d'un article situé ailleurs dans le journal.

arborescent : (réseau) « en arbre », semblable à ceux qui distribuent l'eau ou le gaz.

attaque : début d'article.

audience cumulée : les gens qui ont entendu/vu au moins un fragment d'émission.

audimat : système de mesure indiquant l'audience d'une émission.

audimètre : appareil relevant automatiquement l'usage fait d'un téléviseur.

———————————

banc de montage : appareil permettant de monter un film ou une bande.

bande-annonce : publicité faite pour une émission à venir.

bandeau : titre sur toute la page placé au-dessus de la manchette du journal.

bartering : voir « troc ».

***bas-de-casse :** (lettre) minuscule.

basculer : mettre à l'antenne.

base / banque de données : mémoire informatique accessible au public où sont stockées des informations.

baud : unité de vitesse dans les transmissions électroniques.

bidonner : inventer ou truquer information, interview, photo, etc.

billet : brève chronique quotidienne, souvent humoristique.

bit : unité élémentaire d'information (1 ou 0)

bonnes feuilles : extrait d'un livre à paraître publié dans un journal.

boucler : terminer la composition du journal.

bouclage : heure limite pour toute modification d'une édition.

bouillon : exemplaires invendus.

bouquet : ensemble de programmes et/ou de services offert par câble ou satellite.

bourdon : omission d'un mot ou de plusieurs.

brève : nouvelle donnée en quelques lignes, sans titre.

bug (ou **bogue**) : anomalie de fonctionnement.

byte : « octet » en anglais.

———————————

câble coaxial : câble métallique permettant de transmettre des signaux de télévision.

câblo-opérateur : firme qui construit et/ou exploite un réseau de câble.

cahier des charges : obligations fixées par la loi à un radiodiffuseur.

canal : bande de fréquence nécessaire pour diffuser un programme.

capitale : (lettre) majuscule

carnet (le) : avis (payé) des naissances, mariages et décès.

carnet d'adresses : l'ensemble des informateurs d'un journaliste.

caviarder : censurer.

centrale d'achat : firme qui achète en gros aux médias leur espace publicitaire pour le revendre aux annonceurs.

chaîne : 1. société diffusant un programme de radio, de TV ; 2. canal du câble ; 3. (abusivement) station locale.

chapeau, chapô : voir accroche.

chat : discussion en ligne en direct.

chemins de fer : ensemble des maquettes des pages d'un numéro.

chiens écrasés (faire les) : les faits divers le moins importants.

chronique : article régulier par un journaliste ou un collaborateur extérieur.

chute : fin d'article.

cibiste : utilisateur de radio CB.

communication : parfois abusivement utilisé au sens de publicité et « relations publiques ».

communiqué : texte envoyé à un média pour avis ou publication.

compression numérique : technique permettant de rétrécir le canal de fréquence exigé pour la transmission d'un programme.

conférence de rédaction : réunion des responsables pour évaluer le dernier numéro paru et préparer le suivant.

cookie : mini-espion placé dans un PC pour renseigner une firme sur son utilisateur.

copie : texte à publier écrit par un journaliste.

coquille : faute de composition.

corps : hauteur des lettres.

couché : (papier) enduit, utilisé pour les magazines.

couplage : entente entre plusieurs supports pour passer les mêmes publicités.

couvrir : rendre compte de, faire un reportage sur.

cryptage : codage d'une émission afin d'en limiter l'accès à un public déterminé.

---

démarquage : reprise, sous une forme différente, d'une information publiée ailleurs.

déontologie : règles morales que se donne une profession.

désembrouilleur : appareil servant à décoder des émission cryptées.

désinformation : diffusion volontaire de fausses nouvelles.

desk : un des centres de sélection de l'information au sein d'une agence.

différé (émission en) : diffusée non en direct, mais après avoir été enregistrée.

diffusion : 1. (périodiques) ventes ; 2. (radio-TV) émission vers les usagers.

digital : « numérique » en anglais.

Dircom : directeur des relations publiques d'une firme.

direct (en) : (émission) diffusée au moment même où elle est réalisée.

doublon : répétition d'une portion de texte / d'une information.

écho : petite nouvelle exclusive, souvent légère ou indiscrète.

écran (publicitaire) : publicité télévisée ; (à la radio) séquence publicitaire.

éditeur : 1. personne ou firme qui publie un périodique ou un livre ; 2. (sens anglais) personne qui dirige, ou supervise, la confection d'un ouvrage.

ellipse de réception : zone couverte par les émissions d'un satellite (*footprint* en anglais).

embargo : interdiction de publier une info avant une certaine date.

embrouillage : voir « cryptage ».

émission de plateau : émission (de non-fiction) faite en studio.

encadré : texte mis en relief par un cadre.

encart : supplément publicitaire inséré.

en ligne : connecté au réseau (Internet).

épreuve : texte imprimé à corriger.

étoile (en) : (réseau) de type téléphonique où chaque usager est relié directement à un central.

---

feature : article non lié à l'actualité, comme en publient les magazines, ou production para-journalistique (jeux par ex.).

feuillet : page de texte dactylographié (25 lignes de 60 signes).

feuilleton : 1. fiction dont l'action se poursuit d'un épisode au suivant ; 2. chronique littéraire.

fibre optique : fibre de verre transmettant des signaux lumineux, destinée à remplacer les câbles coaxiaux.

filet : trait fin séparant des colonnes ou encadrant un texte / article bref mais comportant un titre (entrefilet).

flan : moule en carton reproduisant en creux la forme de plomb destinée aux rotatives.

format : type, genre de station de radio ou de TV.

forum thématique : bourse d'échanges spécialisée sur les réseaux informatiques (*bulletin board* en anglais).

franchise : contrat par lequel une station a le droit de diffuser les émissions du franchiseur.

free lance : (journaliste) indépendant.

fréquence : nombre d'oscillations d'un signal par unité de temps, mesuré en hertz.

SIGLES

ABU : Asian-Pacific Broadcasting Union.

AC : audience cumulée.

AFP : agence France-Presse.

ANSA : agence de presse italienne.

AP : Associated Press (agence EU).

ARD : organisme de radiotélévision publique allemand.

ASBU : Arab States Broadcasting Union.

AT&T : American Telegraph & Telephone.

BAT : bon à tirer.

BBC : British Broadcasting Corporation.

BR : chaîne publique de radio-TV en Bavière.

BRTN : Radio-TV belge de langue flamande.

BSkyB : société britannique de TV directe par satellite.

BVP : Bureau de vérification de la publicité.

CB : Citizens' Band (émetteur-récepteur de radio pour particulier).

CCIR : Comité consultatif international des radiocommunications

CD-Rom : CD audiovisuel à grosse capacité (600 megaoctets), non enregistrable.

CESP : Centre d'études des supports de publicité.

CFJ / CFPJ : Centre de formation / et de perfectionnement des journalistes, à Paris.

CLT : Compagnie luxembourgeoise de télédiffusion.

CNC : Centre national du cinéma.

CNN : Cable News Network.

CPM : coût pour 1 000 personnes touchées par une publicité.

CSA : Conseil supérieur de l'audiovisuel.

DBS : *Direct Broadcast Satellite*, satellite à diffusion directe.

DH : dernière heure, heure de bouclage.

DPA : agence nationale allemande.

EBU : l'UER en anglais.

EFE : agence de presse espagnole.

ERT : radio-TV publique grecque.

ESJ : École supérieure de journalisme, à Lille.

FCC : *Federal Communications Commission*, équivalent du CSA aux États-Unis.

FIEJ : Fédération internationale des éditeurs de journaux (voir WAN).

FIJ : Fédération internationale des journalistes (Bruxelles).

GHz : GigaHertz (1 milliard de Hertz).

HBO : Home Box Office, serveur US de câble à péage.

IFP : Institut français de presse et des sciences de l'information (Université de Paris-2).

IFRA : association d'éditeurs et imprimeurs intéressés par l'évolution des techniques.

IIC : *International Institute of Communication.*

IIP : Institut international de presse (en anglais IPI).

INA : Institut national de l'audiovisuel.

INTELSAT : consortium groupant plus de 100 pays, chargé de gérer un système international de satellites.

IREP : Institut de recherches et d'études publicitaires.

ISSN : numéro international normalisé attribué aux publications périodiques.

ITC : équivalent britannique du CSA, ne s'occupant que de la TV commerciale.

ITU : *International Telecommunication Union.*

JT : journal télévisé.

LCI : La chaîne infos (France).

MCM : chaîne câblée musicale française.

MIP-TV : Marché international des programmes de télévision.

MMDS : distribution de TV par micro-ondes, le « câble sans fil ».

NAB : Association des propriétaires de radio-TV (États-Unis et Japon).

NDR : chaîne publique de radio-TV allemande (Hambourg).

NHK : radio-TV publique japonaise.

NMPP : Nouvelles messageries de la presse parisienne.

NOMIC : Nouvel ordre mondial de l'information et de communication (*NWIO* en anglais).

NOS : radio-TV publique hollandaise.

NRK : radio-TV publique norvégienne.

NTSC : norme de télévision en couleur (États-Unis, Japon, etc.).

OC : ondes courtes (radio à longue distance).

OJD : Office de justification de la diffusion.

ORF : radio-TV publique autrichienne.

PAF : paysage audiovisuel français.

PAL : norme de télévision en couleur (d'origine allemande).

PAO : publication assistée par ordinateur.

PBS : réseau de TV publique aux États-Unis.

PC : micro-ordinateur, d'ordinaire à la norme DOS.

PDM : part de marché.

PPV : *Pay Per View*, paiement à l'unité de programme.

RAI : radio-TV publique italienne.

RFO : radio-TV française d'outremer.

RNIS : réseau numérique à intégration de services (*ISDN* en anglais).

RTBF : radio-TV publique belge francophone.

RTE : radio-TV publique irlandaise.

RTL : Radio-TV luxembourgeoise.

SACD : Société des auteurs et compositeurs dramatiques.

SACEM : Société des auteurs, compositeurs et éditeurs de musique.

SAT-1 : chaîne câblée commerciale allemande.

SECAM : système français de TV en couleurs.

SFP : Société française de production (TV et cinéma).

SJTI : Service d'information auprès du Premier ministre.

SNJ : Syndicat national des journalistes.

SOFIRAD : Société gérant les participations de l'État français dans la radio-TV.

SPQR : Syndicat de la presse quotidienne régionale.

SSR : radio-TV publique suisse.

TMC : Télé-Monte-Carlo.

TVE : radio-TV publique espagnole.

TV5 : chaîne internationale francophone sur satellite.

TDF : Télédiffusion de France, exploite des réseaux de transmission.

TSF : télégraphie sans fil, la radio à ses débuts.

TVHD : télévision à haute définition.

UER : Union européenne de radiodiffusion.

UHF : *Ultra High Frequency*, bande de fréquences, de 480 à 890 mégahertz.

UIT : Union internationale des télécommunications (en anglais ITU).

VHF : *Very High Frequency*, bande de fréquence de 44 à 180 mégahertz (FM et TV).

VHS : type de magnétoscope (créé par JVC) qui a conquis le marché.

VOA : Voice of America.

WAN : World Association of Newspapers (anciennement FIEJ).

WARC : *World Administrative Radio Conference* (ITU en français).

X : pornographique.

YLE : radio-TV publique finlandaise.

ZDF : 2ᵉ chaîne publique de TV allemande.

Index des noms propres

Table des matières

1re partie – Communication et médias

2ᵉ partie – L'industrie des médias

3e partie – Société et médias

4e partie – Métiers et formation

Aubin Imprimeur
LIGUGÉ, POITIERS

COMPOSITION - IMPRESSION - FINITION

Achevé d'imprimer en novembre 1999
N° d'impression L 59133
Dépôt légal novembre 1999 / Imprimé en France